D0310529

BEGIN VAN HET LICHT

Margreet van Hoorn

Begin van het licht

Als de vlucht van de vogels

Dansende halmen

Alles rijpt op eigen tijd

Eerste druk in deze uitvoering 2002

Oorspronkelijke titel *Als de vlucht van de vogels* Uitgeverij J.H. Gottmer, 1986
Oorspronkelijke titel *Dansende halmen* Uitgeverij J.H. Gottmer, 1976
Oorspronkelijke titel *Alles rijpt op eigen tijd* Uitgeverij J.H. Gottmer, 1979

ISBN 90-242-8686-7
NUR 344

Omslagillustratie: P. Gibson
Omslagontwerp: Van Soelen Reclame

ALS DE VLUCHT VAN DE VOGELS

1

De avond komt onhoorbaar, het licht van de dag verandert in een zoete schemering, geluiden worden zachter, laten een melancholieke echo achter die over de kleine stad uitwaaiert als de eenzame roep van een verlaten vogel.

Tom kijkt naar de donker wordende contouren van huizen, wegen en bomen, de naakte takken van de hoge oude bomen die driftig in de wind bewegen, de grote grijze wolken tussen het harde licht.

Hij ziet zijn vader in de wagen het pad afrijden. Hij houdt zo van zijn vader… hij heeft een gevoel van ontroering en hij weet niet waar dat diepe gevoel zo onverwachts vandaan komt. Misschien hoopt hij dat zijn vader het raampje een stukje opendraait, zijn hand opsteekt. Toen Tom nog een kind was, deed hij dat altijd, maar ongemerkt is dat hartelijke vertrouwde gebaar verdwenen alsof het nooit heeft bestaan.

Hij hoort de wagen wegrijden, hij kan hem nog net even zien, een donker dier dat over de lange, eenzame wegen sprint als een opgejaagd stuk wild.

Ze hadden gisteren weer woorden. Naarmate hij ouder werd leek het of ze elkander minder begrepen. Hij wilde zo graag dat zijn vader trots op hem was, dat hij liet merken hoeveel hij om hem gaf.

Hij leerde niet gemakkelijk, maar hij deed zijn best.

„Wat moet er van jou terechtkomen? Deze maatschappij vraagt papiertjes, diploma's, zonder dat kom je nergens."

„Ik kom er op mijn eigen manier wel."

„Wat wil je met je leven doen?"

„Gewoon, léven, gelukkig zijn, ik ben anders dan jij, ik geef niet zoveel om geld."

„Zonder geld kun je niet wat jij noemt 'leven', dat kun je je alleen veroorloven met een goede baan, een huis, een toekomst."

„Zit alleen daar geluk in?"

„Ja."

„Ik wil iets met mezelf doen, uit me halen wat erin zit, ik ga misschien naar een ontwikkelingsland, ik weet het nog niet."

„Wat heb je aan dromen?"

„Veel." Hij had het scherp gezegd, scherper dan hij wilde. Zijn vader kan zijn leven niet voor hem uitstippelen, dat moet hij zelf doen, hij wil niet leven met alleen maar zekerheden, status, hij wil zichzelf zijn, zichzelf ontdekken.

Een groot pianist zal hij nooit worden, hij heeft een klein talent.

Vroeger was dat zijn ideaal, voor een groot publiek spelen, de kick van het applaus voelen, vreugdedronken beseffen dat je iemand bent. Maar hij had al heel jong begrepen dat je idealen niet te hoog moest stellen, je kon ook de zon niet met je handen aanraken en alle mensen aardig vinden. Hij sluit de overgordijnen, hij voelt zich als de schemering, grijs en gesloten, een beetje verloren in een niet te omschrijven gevoel.

„Is pap al weg? Ik wil geld van hem lenen, ik had een dure week, verjaardagen en zo."

Dorrit, zijn twee jaar jongere zus, smijt de deur van de kamer wild open.

„Je had wel eens kunnen kloppen." Hij kijkt Dorrit aan, ze heeft een brutaal gezicht, dat soms ook heel zacht kan zijn. Hij begrijpt niets van meisjes.

„Waarom zet je geen rock and roll-plaatje op? Het lijkt hier wel een aula."

„Die heb ik niet, dat weet je." Ze kijkt hem medelijdend aan. „Jij met je Bach, Mozart en hoe al die andere klassieke componisten mogen heten. Wat vind je eraan?"

Hij geeft geen antwoord.

„Weet jij waar pap naar toe is?"

„Vergadering geloof ik."

„En mam?"

„Naar gym, dat weet je toch, ze gymt altijd maandagavond."

„Je hoeft niet zo tegen me te snauwen."

„Dat heb ik van jou geleerd."

„Heb je zin in fris?"

Hij hoort iets eenzaams in haar stem, het raakt hem. Waarom doet hij ook zo afstandelijk? Hij lijkt zijn vader wel.

„Ik kom wel beneden, misschien heeft de tv nog iets leuks."

„En je huiswerk?"

„Doe niet zo achterlijk."

Ze rent de trap af. Hij weet dat ze woedend is, ze is snel uit haar humeur, meisjes van vijftien zijn vaak onuitstaanbaar. Misschien ook is hij jaloers op haar, ze kan alles wat hij nooit zal kunnen, ze leert goed, ze is een uitblinkster in sport, populair. Ze is alles wat hij nooit zal worden. Maar ze kan niet pianospelen.

Gelukkig is er iets dat ze niet kan.

Hij kijkt in de ijskast, er staan verschillende soorten frisdrank in.

Hij zou best een pilsje willen pakken, maar hij doet het niet. Hij heeft laatst op een schoolfuif zijn vriend behoorlijk aangeschoten gezien. Het was geen leuk gezicht.

„Ik heb appelsap." Hij roept het in de gang.

Dorrit is een stijfkop, ze kan moeilijk haar hoofd buigen. Hij gaat naar binnen, zet de televisie aan. Hij houdt van spannende films, goeie praatprogramma's, sterke voetbalwedstrijden. Eigenlijk houdt hij van veel dingen.

Dorrit komt binnen, ze loopt langs hem heen alsof hij niet bestaat, haar houding is trots.

„Weet je," zegt ze, „ik wou dat mam niet in die bibliotheek werkte."

„Waarom?"

„'k Weet niet, het is zo ongezellig, ze is er vaak niet als ik uit school kom, dan wil ik zoveel vertellen en dan is er niemand."

„Nou ja, zeg, als ze dat nou leuk werk vindt."

Ze voelt dus hetzelfde wat hij voelt. Thuiskomen in een leeg huis, zelf wat inschenken, sloom aan je huiswerk gaan, is niet prettig. Bij zijn vriend is het totaal anders, Franks vader heeft een zaak, daar is het altijd gezellig, zijn moeder is er, zijn vader heeft tijd voor je.

„Waarom moeten moeders werken?"

Ze drinkt haar appelsap.

„Bijna alle moeders doen dat, dat weet je ook wel."

„Ja, en een derde van mijn vriendinnen heeft ouders die gescheiden zijn."

„Ik weet ook niet hoe dat komt. Laten we erover ophouden."

Hij weet wat hij later wil, tenminste hij dénkt dat hij het weet, een toekomst hebben, voelen dat het goed is wat je doet, in je werk, in je gezin. Hij wil kinderen, hij wil heel veel. Hij krijgt het er warm van. Hij vraagt zich af of zijn ouders een goed huwelijk hebben, hij weet het niet, ze hebben ieder een eigen leven, zijn vader moet dikwijls vergaderen, zijn moeder heeft vrienden en kennissen die hij niet eens kent. Het is wél gezellig in huis, tenminste als ze er alle twee zijn.

„Hoe sta jij ervoor?" Ze vraagt het niet spottend.

„Gaat wel, ik hoef aan jou niet te vragen hoe jij ervoor staat."
„Jij kunt dingen die ik nooit zal kunnen."
„Wat dan?"
„Laat maar..."
„Ik wil het wel eens horen."
„Jij bent goed in die schoolband, dat weet ik van Bas. Ik ben net zo muzikaal als de kanarie, dat weet je ook wel."
Bijna had hij een kleur gekregen. Bas is de bink van school. Waarom heeft hij altijd zo'n behoefte aan een compliment? Hij is niets minder dan Bas, zijn vader, zijn moeder of Dorrit. Hij is alleen anders, ieder mens is anders.
„Het is net of je een minderwaardigheidscomplex hebt."
Hij vergeet die woorden nooit, ze zijn diep in zijn ziel gegrift, ze maken deel uit van zijn denken, handelen en voelen. Zijn vader zei het lachend, maar hij proefde toch een ondertoon van ernst. Zijn vader was een autoritaire man, hij wilde in alles de eerste zijn, wist alles beter, duldde zelden tegenspraak. Hij had hem wel eens willen zeggen dat het juist door die houding van hem kwam dat hij zich zo opstelde, onzeker, lichtgeraakt. Maar zijn vader zou het niet begrijpen. Zijn moeder was om die redenen ook gaan werken, dat voelde hij haarscherp. De vorige week hielp hij zijn vader een beetje in de tuin, hij zag hem werken, dorre, naakte takken bij elkaar zoeken, het grint in de oprijlaan gelijkmatig verdelen. Hij had naar hem gekeken, naar zijn lengte, de manier waarop hij zich bewoog.
Hij leek in niets op zijn vader, hij had alleen zijn lengte. Hij voelde geen behoefte overal in uit te blinken, de beste te willen zijn.
„Wat sta je daar nou? Help liever, onder de beuk ligt een stapel verrot hout, dat moet de schuur in."
Automatisch liep hij naar de beuk.
Er was een tijd dat zijn vader hem vóór het slapen gaan voorlas, dat hij met hem voetbalde, dat hij met al zijn verhalen bij hem terecht kon.
Het leek of het nooit bestaan had, dat gevoel van veiligheid, beschermd te worden, je prettig te voelen in je eigen huid.
Geleidelijk aan was het veranderd. De verstandhouding tussen hen kreeg iets van: op elkaar letten, kritiek hebben... Misschien lag het aan hemzelf, hij was in de puberteit veranderd; niet dat hij iets verloren had,

er was alleen maar zoveel bij gekomen, aan gevoel, aan nieuwe mogelijkheden.

Hij heeft géén minderwaardigheidscomplex, hij voelt alleen dat zijn vader meer van hem verwacht dan hij hem kan geven. Aan prestaties.

„Wat zit je nou te zwijgen?" Dorrits harde stem verjaagt zijn gedachten.

„Zomaar." Ze zet het lege glas op tafel. „Ik ga nog een tijdje naar m'n kamer. Een beetje m'n huiswerk nakijken, we hebben morgen een repetitie."

„Ik ga wat lezen."

Het is stil in de huiskamer, het rustige tikken van de oude klok lijkt op je eigen hartslag, regelmatig en vertrouwd. Hij gaat in een impuls achter de piano zitten, hij speelt zomaar wat, een eigen variatie op bekende muziek.

Hij vergeet alles om zich heen. Al heeft hij dan geen groot talent, het maakt hem gelukkig de zwarte en witte toetsen onder zijn vingers te zien bewegen, te horen wat ze voortbrengen aan klanken en kleuren. Te weten dat jij het bent die deze schoonheid oproept.

„Mooi!" Hij heeft haar niet horen binnenkomen, ze staat in de deuropening, haar gezicht is warm, haar haren verward om haar kleine gezicht.

„Je bent vroeg, mam." Ze rekt haar armen, graait met haar vingers door haar haar.

„Gymen is heerlijk." Haar gezicht is vrolijk, ontspannen. Ze komt naast hem staan, hij voelt haar hand op zijn schouder. „Speel dat nóg eens."

„Wat?"

„Dat laatste, toen ik binnenkwam."

Zeker glijden zijn smalle vingers over de toetsen, de melodie groeit naar een climax, heeft een melancholieke naklank.

„Goed," zegt ze zacht.

Hij haalt zijn schouders op. „Als ik echt goed was, zou ik naar het conservatorium gaan, ik vind het gewoon fijn en ik speel gemakkelijk."

„Dat heb je van mijn vader." Ze trekt haar jas uit, hij voelt de mouw langs zijn hals.

„Jammer dat ik hem nooit gekend heb."

„Hij was een fijne vader, streng en rechtvaardig, je wist waar je aan toe was."

„Pap is soms ook streng."

Ze knikt.

Het valt hem op dat ze er verder niet op ingaat.

„Wat heb je vanavond gedaan?"

„Van alles. Dorrit is op haar kamer, ze leert een repetitie, tenminste ze zei dat ze dat ging doen."

Er is iets eenzaams in haar gezicht, de vrolijkheid waarmee ze binnenkwam, is weg.

Hij zou haar willen vragen waarom ze in die bibliotheek werkt, waarom ze daar zo heel anders is. Hij kwam er een keer binnen om een boek te ruilen, ze lachte met een paar collega's, ze leek zoveel jonger en blijer. Maar er zijn vragen die je niet stelt.

„Zou je niet eens naar bed gaan, het is bij negenen, je vader zal zo ook wel thuiskomen."

„Dat denk ik niet, hij ging laat weg. Ik wil nog een poosje hier zitten."

„Gezellig." Ze zegt het gretig. Ze kijkt naar hem. „Je wordt steeds langer."

„Dat zal wel, ik let er nooit zo op, alle jongens uit mijn klas zijn lang."

Ze heeft bruine ogen, haar dikke blonde haar krult uitdagend, er is een ondeugende trek om haar mond. Hij lijkt uiterlijk veel op zijn moeder.

„Ik neem een sherry" zegt ze, „wat wil jij?"

„Pils."

„Ik moet eraan wennen dat kinderen volwassen worden." Ze raakt zijn haar aan, hij vindt het niet prettig als ze dat doet. Als Lot dat nou eens deed? Ze zit in zijn klas, ze is klein, ze heeft warrig bruin haar, als ze lacht krijgt ze kuiltjes in haar wangen.

Hij krijgt het warm. Hij heeft op een schoolfuif met haar gedanst, hij heeft haar zachte warme lichaam tegen zich aan gevoeld en later in bed had hij zichzelf bevredigd. Hij was er nog niet helemaal aan toe haar in dat diepe gevoel te betrekken, hij droomde er alleen van.

Hij drinkt zijn pils, hij heeft er trek in. Als hij aan Lot denkt, is hij anders. Dat verwart hem, maar het is tegelijk het meest opwindende gevoel dat hij kent.

Hij wilde dat hij heel bijzonder was. Voor Lot, dat ze dat in hem zou zien, een persoonlijkheid die sterker is dan alle andere jongens uit de klas.

„Lekkere sherry," zegt z'n moeder, „ik krijg er trek van." Hij weet wat ze wil zeggen, hij gaat naar de ijskast, snijdt stukjes kaas.

Ze kijkt naar die lange, dunne slungel. Je bent zorgzamer dan je vader, denkt ze. Ieder mens is anders, je moest beginnen met het positieve in iemand te zien, dan werd het negatieve kleiner. Ze kent vooral ook haar eigen fouten. Iedereen heeft die. Ze zou alleen zo graag willen dat Hans, haar man, niet iedereen zijn wil oplegde.

Het leven is nooit volmaakt. Ze heeft veel. Meer dan ze zich als jong meisje gewenst heeft.

„Heb je geen huiswerk?" vraagt ze.

„Weinig."

Hij wil niet over school praten, dat doet zijn vader al genoeg, hij wil alleen maar genieten van dit bij elkaar zitten, een beetje praten, genieten van haar gezelschap.

„Hoe laat komt vader thuis?" Soms zegt hij pap, soms vader, dat hangt van zijn stemming af. „Moeilijk te zeggen, als hij vergadert wordt het meestal laat."

„Wacht je op hem?"

„Ja."

„Ik ga naar bed."

Bij de deur zegt hij: „Je wacht altijd op hem, hè?"

„Altijd."

„Welterusten, mam."

„Welterusten, jongen."

2

Ze kijkt zonder interesse naar de tv. Ze kan haar gedachten niet uitschakelen, in een flits schuift het leven met Hans aan haar voorbij. Het huwelijk was haar tegengevallen, misschien had ze het te veel geïdealiseerd, ze kende Hans nog niet zo lang. Toch trouwde ze met hem toen ze amper eenentwintig was. Ze had hem meegemaakt op zijn best, altijd op zijn zondags; ze wist niets van zijn karakter, van dat wat diep weggeborgen was; ze dacht genoeg te hebben aan wat hij liet zien, vrolijkheid, ernst, betrouwbaarheid. Vooral dat laatste had haar een gevoel van veilig-zijn gegeven, hij was eerlijk in alles, te eerlijk, hij zei wat hij dacht en daar moest ze aan wennen. Het kwam dikwijls hard aan. Ze hadden langer verkering moeten hebben, dan leerde je hoe de ander was, hoe je met elkaar moest omgaan, een beetje geven en een beetje nemen.

Wanneer kende je elkaar eigenlijk? Elke dag is een stukje verlies en een beetje winst, werken aan jezelf, nieuwe kansen geven en grijpen.

Tegen half twaalf hoort ze zijn wagen het pad oprijden, ze herkent de auto uit vele. Zijn snelle voetstappen klinken door de gang. Hij geeft haar een zoen. „Hallo."

„Hallo."

Er zijn ogenblikken dat ze zich onzeker bij hem voelt, niet goed weet wat te zeggen. Tom heeft dat ook, ze vraagt zich af hoe dat komt. Ze houdt toch van Hans. Of is het een sleur geworden, zijn ze zo aan elkaar gewend dat er weinig nieuwe spanningen komen, inspiraties.

Een half jaar geleden ontmoette ze op een verjaardag bij vrienden Ed. Heel vroeger toen ze nog een dansende paardestaart droeg, was hij alles waar haar gevoel naar uitging. Heel even kwam dat terug die avond, die intense warmte en blijdschap, hij besteedde aandacht aan haar, alles was zo nieuw en opwindend. De gesprekken, de sfeer, de spanning, alles was anders. Ze was plotseling verliefd op de liefde. Ze wist dat het kwam omdat het nieuw was, onbekend, maar ze genoot ervan.

Ed flirtte met haar, gaf haar het gevoel een vrouw te zijn waar een man naar keek, graag en lang. Toen Hans de jassen haalde om naar huis te gaan gaf Ed haar een zoen, het was een zoen die ze fel voelde, hij was warm en stevig, er was verovering in, en warmte.

Ze trok haar gezicht weg, ze wilde niet toegeven aan een vreugdedronken impuls, ze moest weer met beide benen op de grond terugkomen.

„Wanneer zie ik je weer?" vroeg hij.

„Nooit."

„Ik bel je."

„Nee."

Hij had dikwijls gebeld, soms zomaar in de vroege ochtend, tussen de middag. Hij belde op de meest onmogelijke tijden. Ze wilde het niet en ze wilde het wel. Het was een heerlijk spel, het maakte jong, en vrolijk. Ze zat wel eens bij de telefoon te wachten en dan gebeurde er niets.

Opeens waren de telefoontjes afgelopen. Ze had laten merken dat ze het niet meer wilde. Omdat ze er naar verlangde, wilde ze het niet meer.

Ze had er lange tijd moeite mee dat het voorbij was. Ze had er met

Hans over willen praten, ze had een eerlijke aard, ze kon het moeilijk voor zich houden. Maar ze zei niets, ze kende Hans, hij was jaloers, hij zou het niet begrijpen.

Ieder mens heeft voor zichzelf van die kleine, dierbare geheimen.

„Hoe was de vergadering?"

„Vervelend, vergaderingen zijn altijd vervelend." Hij schenkt een wijntje in. „Jij ook?"

„Ik heb met Tom al wat gedronken."

„Daar is hij te jong voor."

„Hij is zeventien. Hij kan beter thuis een pilsje drinken dan in een disco."

„Ik wil het niet hebben." Hij zegt het streng.

„Er komt een leeftijd waarop hij zélf kiest, daar zul je aan moeten wennen. Hij heeft een serieuze inslag, ik maak me geen zorgen over hem."

„Ik wel, hij is te zacht, hij loopt met zijn hoofd in de wolken, ik heb wel eens gedacht... och, laat maar."

„Wat heb je wel eens gedacht?"

„Dat hij een homo zou kunnen zijn."

„En als dat zo was, wat dan?"

„Ik zou er nooit overheen komen."

De manier waarop hij dat zegt, doet haar pijn. De hardheid en liefdeloosheid.

„Je denkt aan jezelf, aan je trots, ik zou aan de jongen denken, maar stel je gerust, hij heeft geen enkele aanleg in die richting." Ze voelt een afstand tussen hen, het zou haar ook raken, maar op een andere manier, ze zou de jongen laten merken dat ze van hem houdt, dat dat het enige is waar het op aankomt. Een kind beantwoordt lang niet altijd de verwachtingen die je van hem hebt, het is een eigen persoonlijkheid met een eigen leven en mogelijkheden. Soms moet je je eigen ijdelheid overwinnen. Misschien is dat de hoogste vorm van liefhebben.

Ze had het zich met Hans ook anders voorgesteld, romantischer, fantasievoller, maar ze had geleerd dat je een ander nooit naar jouw verwachtingen kon vormen, dat je tevreden moest zijn met wat er wél was dat samen ging en dat was ondanks alles véél.

„Ik hoop dat je gelijk hebt." Hij drinkt zijn wijn in een teug leeg.

Hij kijkt even naar haar gezicht, soms is het een vreemd gesloten gezicht voor hem alsof ze een lieve vreemde voor hem is. Soms is hij volkomen bij haar thuis.

„Weet je wat prettig is als ik thuiskom? Dat jij er altijd bent."

„Och."

„Zo gewoon is dat niet."

„Ik heb er nooit over nagedacht."

Ze glimlacht. „Er zijn dingen die je doet omdat het bij je hoort, gewoon."

„Leven is soms simpel."

„Ja," zegt ze, „soms." Ze gaapt. „Zullen we naar bed gaan? Het is morgen weer vroeg dag." Ze ruimt zijn glas weg.

Als ze naar de keuken loopt, geeft hij haar een zachte tik op haar achterwerk. „Je hebt mooie billen."

„Ik kan ze niet goed zien." Haar stem is ondeugend.

Als het altijd zo tussen hen was, een beetje plagerig, een beetje speels…

Ze spoelt zijn glas om.

Door de keukenramen lijkt de duisternis naar binnen te willen. Het is een sombere avond, die het begin van een inktzwarte nacht aankondigt. Begin februari, over een paar maanden is het voorjaar.

De vogels zullen weer zingen, de luchten blonde gezichten dragen, de natuur kracht ademen. Ze verlangt er hevig naar, ze is geen vrouw voor de sombere grijze wintermaanden.

Als ze de kamer binnenkomt staat Hans voor haar, hij slaat zijn armen om haar heen, drukt haar tegen zich aan. Ze hoort zijn hartslag, voelt de warmte van zijn huid.

„Kom mee naar bed." Onder Dorrits deur schijnt nog licht.

Marjet tikt tegen de deur. „Ga nou eindelijk slapen!"

„Je bent te bezorgd, mam."

„Het is bij twaalven."

„Ik heb óók een klok."

Hans doet de deur van haar slaapkamer open. „Doe het licht uit, onmiddellijk, je bent morgen op school niks waard. En geef je moeder niet van die brutale antwoorden, daar hou ik niet van."

„Puhhh, ik bedoelde er niets mee, hoor."

Ze is de enige die niet bang voor hem is, ze kan haar mondje uitstekend roeren, ketst gevat terug als hij haar verbiedt. Hij heeft haar één keer geslagen, ze had het verdiend, ze was brutaal en gedroeg zich als een onopgevoed kind. Ze had hem aangekeken met een blik die dodelijk was, ze hief haar hand op, maar liet die opeens zakken. Het was een krachtmeting en ze verloor. Hans heeft dit niet vergeten, Dorrit ook niet.

„Doe het licht uit," zegt hij.

Ze stapt langzaam van de slaapbank af, knipt het licht uit. „Zo goed?"

Hij slaat haar slaapkamerdeur met een klap dicht.

Uit Toms kamer klinkt nog muziek. Marjet hoort het, ze blijft voor zijn deur staan, ze zou de jongen iets willen zeggen, maar ze weet niet wat. Iets dat blij maakt en ontspannen. Ze heeft een zwak voor dit kind dat gevoelig is en daardoor kwetsbaar.

„Kom," zegt Hans.

Hij duwt haar zacht naar binnen.

Hij zal haar nooit zeggen dat hij haar nodig heeft, dat hij zo autoritair doet omdat hij aan zichzelf twijfelt. Hij heeft het thuis eenzaam gehad, met ouders die nooit echte ouders voor hem waren, die alleen maar kritiek hadden, plagerig tegenover hem stonden. Hij heeft al jaren met hen gebroken. Hij wil niet aan hen denken, maar soms is er een machteloos gevoel waarom alles zo moest lopen.

Tom lijkt op zijn vader, misschien is hij daarom strenger tegen hem dan tegen Dorrit.

Hij was zo trots toen dit kind geboren werd. Hij weet nog dat hij in die minuten besefte wat léven was, het beste in jezelf een kans geven, woekeren met de warmte die in je ziel was opgeslagen en die je door de jaren heen zelf moest zien te ontdekken.

Hij streelt Marjets arm, haar huid is soepel, ze ruikt naar bloemen.

Er zijn ogenblikken waar je jaren op kunt teren.

Dit ogenblik is er één van…

3

In het vrije uur loopt Tom met Bas naar huis.

„Vind je me écht goed?" vraagt Tom.

„Je speelt prima piano, dat weet je toch zelf ook wel. Van wie hoorde je dat ik je goed vind?"

„Dorrit zei het."

„O, Dorrit, ze kon natuurlijk haar mond weer niet houden, meiden kletsen altijd."

Hij schopt een steentje een eind weg. „Jouw vader heeft een auto, hè?"

„Ja. Wat zou dat?"

„Heb je er wel eens in gereden?"

„Alléén?"

„Ja."

„Je denkt toch niet dat m'n ouwe heer ze niet allemaal op een rijtje heeft, ik heb wel eens een eindje getoerd, maar dan zat hij mooi naast me. Waarom vraag je dat?"

„Zomaar."

„Ik ken je te goed. Je vroeg het niet zomaar. Wat wil je daarmee?"

„Ik heb met een paar jongens van de klas gewed. We willen naar een disco-avond. Het is nogal een stuk uit de buurt. Kun jij de wagen van je vader niet lenen?"

„Dat krijg ik nooit voor elkaar, trouwens, ik wíl het niet, als er wat gebeurt met die wagen, ben ik de klos." Dan ging hij in zijn vaders ogen nog meer af. Hij krijgt een kleur.

Hij kan met de wagen rijden, in zijn vakanties heeft hij bij een bollenbedrijf op een traktor gereden. Het was een fluitje van een cent. Als hij de wagen zou 'lenen', zou hij er helemaal bij horen, bij de jongens, bij de binken. Meisjes zouden meer naar hem kijken, hem een 'stuk' vinden, omdat hij het toch maar voor elkaar had gekregen: de wagen van zijn vader nemen, met z'n vijven een dolle avond hebben.

„Wat heb je gewed?"

„Dat je het niet zou durven, je bent een zacht ei, je zit met mayonaise aan elkaar, je hebt geen ruggegraat."

Tom kijkt Bas aan. „Hoe jij aan elkaar zit, zal ik maar niet zeggen."

„Hij durft niet jongens, wat heb ik gezegd, slap apie hoor. Kom we gaan naar Jeroen, die zal het zeker doen."

Hij ziet ze weglopen, hij voelt pijn, onmacht. Hij kan het niet, het zou bovendien oerstom zijn om het te proberen, de verstandhouding thuis zou er veel slechter door worden. Wat zou hij ermee winnen? Hij zou alleen maar verliezen.

Hij hoort ze lachen. Het steekt hem, hij wil er bij horen, hij wil zijn als zij, getapt, vlot, opvallend. Hij staat altijd op het tweede plan, moet toekijken hoe jongens als Bas steeds meer succes en zekerheid krijgen.

En als hij het wél deed? Wat heeft hij eigenlijk thuis te verliezen?

Zijn vader vindt dat hij niets presteert, niets waar hij trots op kan zijn. Als hij de wagen leent en het gaat goed, dan kan hij het misschien heel terloops later eens zeggen, zo nonchalant, net alsof het iets heel gewoons is. „O, ja, ik heb laatst met jouw wagen gereden, hij rijdt fantastisch, pap."

Vader moest niets merken, maar hoe kreeg hij dat voor elkaar? Een hete vreugde gloeit door zijn lichaam, hij hééft gekozen, hij gaat met de jongens naar de disco.

Uiterlijk beheerst loopt hij de school in. Hij voelt de spottende blikken van de jongens, hij hoort ze lachen. Hij gaat naar Bas. Er is moed voor nodig naar hem toe te gaan. Hij zegt: „Ik doe het. Ik moet alleen uitkijken dat hij het niet merkt, m'n vader bedoel ik. Wanneer is het?"

„Je valt me mee. We willen zaterdag gaan."

„Ik zal het proberen."

Hij is blij maar ook eenzaam, want hij heeft concessies gedaan en heeft daardoor een hekel aan zichzelf. Omdat hij slap is en vriendschap wil kopen. Je kunt nooit genegenheid kopen, die moet je verdienen door wie en wat je bent, door overal jezelf te zijn.

In de klas kan hij zijn aandacht niet bij zijn werk houden, hij zou het liefst de klas uit hollen naar buiten, maar waar moet hij naar toe?

Wat vindt Dorrit aan Bas? Hij is een opschepper, een blaaskaak. Een verrader, vooral tegenover zichzelf.

Hij voelt in de klas de blik van één van de groep, het maakt hem onzeker, omdat hij niet meer weet wie hij zelf is.

Het moeilijkste thuis is, niet op te vallen door een bepaalde houding, te doen als altijd.

Het is over een paar dagen al zaterdag. Hoe krijgt hij het voor elkaar?

Aan tafel eet hij met lange tanden.

„Heb je geen trek?"

„O, jawel." Hij kijkt naar zijn moeder. Hij zou het haar willen vertellen, hij weet dat ze het begrijpt. Ze heeft net als hij last van vaders autoritaire gedrag.

Hij luistert naar het gesprek dat ze met zijn vader voert; vader praat, zij luistert. Ze luistert altijd. Dat is haar kracht. Ze is de sterkste omdat ze zichzelf is. Bij zijn vader heeft hij het gevoel dat hij een rol speelt,

diep binnenin een andere man is dan die hij laat zien. Hij weet dat nog van heel vroeger, toen vader met hem speelde en vertelde, toen was hij écht en had hij een wereld vol fantasie.
Misschien had hij het zich verbeeld, wilde hij graag dat vader ook zo'n kant had. Hij kijkt naar hem, een gevoel van weemoed glijdt door hem heen van verlangen.

Hij hoort zijn vader praten, hij vangt flarden van het gesprek op, ze hebben zaterdag een receptie. Hoe moet hij het spelen?

Dorrit gaat naar vrienden.

„En jij?" vraagt zijn moeder. „Wat doe jij?" Hij heeft moeite geen kleur te krijgen. „Ik zie nog wel."

„We zijn bij de Van Loenens, ze zijn twintig jaar getrouwd. Als er iets is, kun je ons bereiken. Het zal wel laat worden." Zijn vader zegt het rustig.

Tom heeft het warm, de Van Loenens wonen een paar straten verderop, zijn ouders zullen zeker niet met de auto gaan.

Het is gemeen dat alles naar wens gaat, dat hij zijn kans de wagen te nemen voor het grijpen heeft, dat alles in elkaar past. Hij weet niet of hij er blij mee moet zijn.

Hij eet langzaam, de spanning is er een beetje af en tegelijk voelt hij een stille triomf omdat hij kan waarmaken wat hij beloofd heeft.

„Misschien is Lot thuis." Dorrit zegt het hatelijk.

Hij hoort zijn vader lachen, een lage, vreemde lach. Het raakt hem, hij heeft een hekel aan hem als hij zo doet, hij weet niet waarom er iets te lachen is.

„Het is te hopen dat jij nog eens verliefd wordt, je bent een vlinder die van bloem tot bloem danst en nooit iets vindt." Hij zegt het triomfantelijk, hij kent haar zwakke plek, ze is omringd met vriendjes en er is er niet één bij die iets meer om haar geeft dan alleen maar een vriendschappelijk gevoel.

„Stom rund."

„Arme Dorrit." Ze smijt haar vork hard op haar bord, het is een fel tikkend geluid en ze schuift haar stoel van tafel. „Ik wil niet aan tafel zitten met zo'n mislukkeling."

De deur van de kamer geeft een harde klap.

Hij kijkt naar die dichte deur. Mislukkeling, zei ze, er zijn woorden die je nooit meer vergeet, zijn vader zei het ook eens een keer, maanden geleden, het deed pijn, het is net een wond die onzichtbaar is en die je altijd voelt.

„Moest dat nou?" Zijn moeder kan soms ongelukkig kijken, haar gezicht is kwetsbaar, eenzaam omdat zij niet begrijpt.

„Ze vraagt erom." Hij kijkt zijn vader aan. Eén kort moment heeft hij het gevoel hem aan te kunnen, door rustig te kijken en zo zichzelf te beschermen.

„Je moet nog veel leren." Hij eet zijn bord leeg, hij doet het uiterlijk kalm, inwendig stormt er iets in hem.

„Daar ben ik ook nog jong voor."

„Ik wens geen brutale mond."

„Ik zeg de waarheid, ik ben pas zeventien."

„Ga uit m'n ogen."

Tom staat op. Hij weet dat hij wint als hij zich kalm houdt, zijn vader kent het gevoel van kalmte niet, die denkt dat hij indruk maakt als hij zijn stem verheft.

„Graag," zegt hij.

Hij verwacht een tik. De laatste keer dat zijn vader hem een tik heeft gegeven, is alweer een tijd geleden. Hij had die toen verdiend, hij had er vrede mee. Als vader hem nú een klap zou geven… hij huivert. Hij weet niet wat hij dan zou doen. Toch houdt hij van hem, meer dan hij ooit kan zeggen.

Hij gaat naar zijn kamer. Zijn raam geeft uitzicht op een tuin, een lange tuin met veel wildgroei en aan het eind een tuinhuis. Zolang hij het zich kan herinneren is die tuin een stuk veiligheid geweest, een kleine wereld waarin je je thuis voelt. Vogels hebben er hun nesten, wind waait door het brutale groen, wolken blijven boven de hoge bomen hangen alsof ze erin willen schuilen.

De lente wordt zichtbaar, er is iets overdadigs in het groen van heesters en struiken, de luchten zijn prikkelend.

„Misschien is Lot thuis."

Ze is jaloers, Dorrit, ze wéét dat ze nogal vlindert, nog niet in staat is één echte goede vriend of vriendin te hebben. Ze bloeit op als ze in een groep is. Als er veel mensen zijn die haar aardig vinden en haar gezelschap opzoeken. Hij is meer een eenling, hij is het beste thuis bij zichzelf, of hoogstens met een vriend die op zijn golflengte zit. Of met een goeie vriendin… Een meisje als Lot…

Hij wilde dat ze nú bij hem was, dat hij haar kon vertellen van zaterdag, van de jongens van school, de auto, de angst en de blijdschap.

Zijn vader ziet nog altijd een kind in hem. Hij zal hem bewezen dat hij al lang geen kind meer is.

Hij wil aandacht van zijn vader, aandacht die hem inspireert, die maakt dat hij vertrouwen in zichzelf heeft. Het is net of ze in verschillende landen wonen, een verschillende taal spreken.

Langzaam komt de schemering, onmerkbaar worden contouren zachter, krijgt de stilte een eigen gezicht.

De deur van zijn kamer gaat open.

Het hindert hem dat er nooit iemand aanklopt, dat iedereen pardoes de deur opendoet.

„Ik kan er niet tegen als jullie zo met elkaar omgaan."

„Ze vroeg erom, mam." Er was een tijd dat hij haar spontaan een zoen gaf, die tijd lijkt ver weg, soms is het of die periode nooit bestaan heeft.

Hij geeft haar een klein zetje. „Het duurt nooit lang, dat weet je, Dorrit is het alweer vergeten, ik ken haar toch."

Eén keer heeft hij haar zien huilen in de keuken, hij was nog klein, hij wachtte op zijn brood, zijn moeder was bezig het te smeren, ze deed dat snel en met van die korte, driftige halen. Hij keek ernaar, ze heeft stevige warme handen die strelen, je tegen zich aandrukken, je een gevoel van veiligheid geven.

Hij zag dat ze met één hand haar gezicht afveegde. Zomaar, zoals je een spinneweb van je wang veegt als je erin gelopen bent, een vlieg wegjaagt.

„Huil je?" vroeg hij. Er was ontzag in zijn stem. Moeders huilen niet.

„Ik ben verkouden." Hij had tevoren beneden harde woorden gehoord, het dichtslaan van de huisdeur, hij zag zijn vader in de auto wegrijden.

Hij keek haar aan. „Heb je hem op zijn donder gegeven?" Er gleed een kleine lach over haar gezicht, zó klein en simpel dat het geen lach was.

„Je mag geen lelijke woorden gebruiken."

„Pap zegt het ook."

Ze tilde hem op. Hij zag zonlicht in haar haren, haar haar leek een beetje goudachtig.

„Ik hou van je," zei ze.

Ze zette hem op de grond, sneed kaas in dunne plakken. Ze gaf hem zijn bord, hij keek naar de bruine sneden brood, hij had geen honger meer. Hij denkt hieraan, ze heeft hetzelfde kleine, stille gezicht van toen…

Hij zou willen zeggen: „Ik hou van je." Maar hij legt onverschillig wat schoolboeken op een stapeltje.

„Ik kén je zo niet," zegt ze.

„Een beetje ruzie maken is zo erg niet, ik kan Dorrit soms niet uitstaan."

„Dat doet me verdriet."

„Laten we erover ophouden, mam."

Hij denkt aan zaterdag, er is een groot donker gat in zijn denken, het is verkeerd wat hij gaat doen en toch kan hij niet anders dan het doen.

„Je bent anders dan anders."

„Dat lijkt maar zo." Opeens moet hij het vragen. „Heb jij vertrouwen in me?"

Haar ogen glijden over zijn gezicht, het is nog zo onaf, er kan nog van alles mee gebeuren.

„Vertrouwen moet je verdienen."

„Poe, niet zo raadselachtig. Héb je een beetje vertrouwen in me?"

„Ben je jezelf kwijt?"

„Soms."

Ze kent deze zoon, een dromerige jongen, boordevol idealen, vertrouwen en warmte. Dikwijls onbegrepen in een kwetsbaarheid die verlammend is, helemaal varend op een wisselend kompas van onzekerheid en overmoed.

„Ik denk dat je sterker staat als je je niet zo kwetsbaar opstelt."

„Dat vroeg ik je niet."

„Ik vertrouw je, omdat ik je ken, dat denk ik tenminste."

Zaterdag zal hij haar teleurstellen, hij onderneemt iets dat ze afkeurt. Maar hij heeft geen keus.

„Je kent maar een stukje van me." Ze kijkt hem raadselachtig aan. „Dat dénk je."

Hij schuift met zijn schoen over het vloerkleed. „Als er geen mensen bestonden, geen mensen die iets van je verwachten, wat zou het leven dan heerlijk zijn."

„Ik heb ook wel eens zo gedacht, maar juist anderen die iets van je verwachten, maken dat je daaraan gaat beantwoorden, niet direct, maar later misschien…"

Ze hoort Hans beneden roepen.
„Ik kom."
„Je moet niet onmiddellijk op zijn wensen ingaan," zegt de jongen.
Ze glimlacht verlegen.
Hij hoort de deur van zijn kamer zacht dicht trekken.

4

De voorjaarsavond is zoel, er valt wat regen, op de wegen liggen kleine plassen, de straten glimmen.
Tom houdt het stuur van zijn vaders wagen stevig in zijn handen. Nimmer voelde hij zich als nu, zo triomfantelijk, en in staat alles te kunnen. Zo moest een winnaar van het Olympisch goud zich voelen op het podium wanneer het Wilhelmus wordt gespeeld.
„Zet de radio eens aan, lekker hard."
Bas drukt op de radio, muziek schalt ritmisch door de ruimte. Achterin hoort hij zingen, vals en een beetje onverschillig.
„Kan hij rijden of niet?" schreeuwt Bas.
„Valt mee."
De ruitewisser maakt een zacht, eentonig geluid, de regen tikt tegen de voorruit, de auto is vol muziek en lawaai, en vooral vol jongens. Ze zitten er met zijn zessen in.
Tom ziet nog zijn ouders weggaan, zijn vader als altijd overdreven serieus: „Doe je alle deuren op slot?"
„Komt in orde."
„Wat ga je doen vanavond?" De zachte stem van zijn moeder.
„Een bioscopie pikken met een paar jongens van school."
Dorrit keek hem spottend aan; hij had zin haar een klap in haar gezicht te geven.
Hij keek ze na, hij had een verlangen met ze mee te gaan, het kon niet schelen waarheen, weg van dat grote, onbekende dat hij tegemoet ging, weg van zichzelf en zijn onzekerheid. Hij had nog een kwartier gewacht. Soms kwam zijn moeder wel eens terug omdat ze iets vergeten had.
Langzaam liep hij naar de garage, opende de deur. Hij wist waar zijn vader de autosleutel bewaarde, boven op de kast in de keuken.
Er was een vertrouwensband tussen hen, iedereen vertrouwde de

ander, dat was altijd de basis thuis. Hij zou dat vertrouwen beschamen. Waarom? Voor wie. Voor zichzelf…? Hij heeft moeite zich op de weg te concentreren.

„Je moet voorrang geven."

„Dat weet ik."

„Doe dat dan, stommerd!"

Hij hoort Bas roepen, hij geeft een slinger aan het stuur. Hij heeft de voorrangsweg niet gezien, de fietsers ook niet, die van rechts komen. Hij hoort een klap, geschreeuw, gerinkel van glas, dan weet hij niets meer.

Uren later wordt hij wakker in een ziekenhuisbed, hij voelt pijn in zijn linkerarm.

De arts die bij zijn bed staat, is zakelijk. „Je hebt geluk gehad, alleen maar een gebroken arm, je bent even buiten westen geweest, je hebt een hersenschudding. Met een paar maanden, misschien zes weken, ben je er weer."

„De anderen?"

„De jongens uit de auto mankeren niets, de wagen is rijp voor de sloop, maar dat is het belangrijkste niet."

„Wat dan wél?"

„Het meisje heeft rugletsel, we weten nog niet in welke mate."

Meisje? Hij weet van geen meisje.

„Ik begrijp het niet…" De arts bedwingt zich, hij zou de jongen ongezouten de harde waarheid willen zeggen, hem voor zijn voeten willen gooien hoe onverantwoord hij zich heeft gedragen, maar daar is de tijd nog niet rijp voor. Tenslotte is de jongen zelf óók patiënt.

„Wie van jullie reed er?"

„Ik, ik weet niet goed wat er precies gebeurd is."

„Dat doet er op dit moment ook niet toe, zorg eerst maar dat je weer beter wordt."

Tom kijkt naar het bed, naar zijn arm, naar de andere lege bedden.

Langzaam komt de herinnering terug, hij reed in de wagen van zijn vader, ze waren op weg naar de disco, Bas en de anderen, de jongens van school.

Een heet gevoel van spijt, schuld en angst glijdt door hem heen.

„En de wagen?"

„Dat zei ik je toch, die kan naar de sloop. Een wagen, jongen, is te vervangen, dat is maar materiaal, het gaat om de mens, het gaat altijd om de mens..."

Hoofdpijn maakt dat hij niet helder kan denken, er is een waas, een wereld waarin hij als een zwerver ronddwaalt zonder te weten welke wegen in te slaan.

De arts loopt naar de deur.

„Het was de auto van mijn vader," zegt Tom.

„Weet hij dat je die... leende?" Hij heeft zelf ook een jongen in de leeftijd van Tom.

„Nee." Hij komt terug naar het bed van de jongen. Hij heeft het verlangen het gezicht van de knaap aan te raken, de angst uit zijn ogen weg te nemen, maar hij doet het niet. Soms moet je van het maken van fouten leren. Misschien verandert de jongen erdoor.

„Dat is beroerd," zegt hij, „probeer niet te veel te piekeren, zorg dat je beter wordt."

„Weet mijn vader het?"

„Ze zijn op hun huisadres niet te bereiken."

„Ik weet waar ze zijn."

„Wil je het me vertellen?"

„Ik zal het wel moeten."

„Ja. Dat is voor alles beter."

„Maak je niet te grote zorgen, ze zullen blij zijn dat je leeft..."

„En dat meisje?" Het ontgaat de jongen niet dat de arts hem niet aankijkt.

„Dat zal de tijd leren..."

„Ik ben erg stom geweest..." Hij heeft zin te gaan huilen, maar de tijd dat hij huilde ligt al weer een poos achter hem. Jongens huilen niet. Maar waarom mag hij zijn gevoel niet uiten? Hij zou niets liever willen dan het uitschreeuwen, van woede, onmacht en haat, haat tegen zichzelf, omdat hij het gedaan heeft, de wagen gepikt, verkeerd gereden, iemand aangereden die totaal onschuldig is.

De arts zegt niets. Bij de deur is zijn stem vriendelijk. „Ga slapen, jongen, ik zal je ouders bellen."

Het duurt lang voordat hij in slaap valt. Er zijn vage voorstellingen, er is een stem die roept: „Je moet voorrang geven. Doe dat dan, stommerd."

Er is gerinkel van glas, duisternis, een wegzweven in het niets...

Tegen middernacht gaat de deur van zijn kamer open. Het licht wordt aangeknipt, het schijnt onbarmhartig op zijn gezicht, het is zo weerloos en jong, zo zorgeloos.

Tom weet niets van alles wat aan dit bezoek vooraf ging, van de woede, de afkeer van zijn vader. „Dat rotjoch, ik had het van hem kunnen verwachten, het is altijd een stiekemerd, een onbetrouwbaar stuk vreten geweest, dat zie je nu maar weer, mijn wagen in de soep, een kind aangereden... godallemachtig, ik zou hem graag een pak rammel geven dat hij het weken later nog zou voelen."

Marjet keek hem aan, ze voelde overal pijn, ze wist niet waar die pijn vandaan kwam en of het ooit weer over zou gaan. Ze begreep meer van Tom dan haar man, ze kende zijn onzekerheid, zijn twijfel, ze wist dat Hans, haar eigen man, daar min of meer schuldig aan was, door zijn fanatieke houding, zijn autoritair optreden. Ze wist óók waarom hij zo tegen de jongen deed. Als moeder stond je tussen twee partijen, je hield van man en kind en je had alleen maar pijn.

Niemand beter dan zij begreep ook waarom Hans zich zo opstelde. Ze kende zijn ouders, zijn vader. Ze had gevoeld hoe zij hun macht gebruikten. Ze kende hun tekort aan liefde. Hun haat. Tegen haar... Ze kon nooit iets goed doen, er was altijd kritiek, op haar kleding, haar gedrag, haar lachen. Alles wat ze zei leek door een molen te gaan, de kwaliteit ervan werd getoetst en meestal afgekeurd... Ze voelde zich nooit zo onzeker als in die jaren. Tot Hans met zijn ouders brak. „Ze zullen je geen pijn meer doen," zei hij.

Vanaf dat moment hield ze meer van hem dan ze ooit had gedaan.

Na verloop van tijd kreeg hij zelf een bepaalde macht over haar, nam hij onbewust dezelfde houding aan als zijn vader. Misschien dat ze zich daarom min of meer naar zijn wensen gedroeg, omdat ze wist dat hij het slachtoffer was van een opvoeding die geen enkele vorm van liefde in zich droeg. Niet Tom leek op zijn grootvader, Hans zélf was diens evenbeeld. Hij haatte niet de zoon, hij haatte zichzelf.

„Hij lééft," zei ze. „Dat is het belangrijkste."

„Mijn wagen naar de bliksem, al die soesa met die jongen. Hij moet natuurlijk vóórkomen, onze naam gaat naar de knoppen."

„Is dat het enige?"

„Nee, natuurlijk niet, ik bedoel..."

„Ik wist niet dat je zo trots was."

„Trots?”

„Ja.” Ze keek voor zich uit, de wegen waren donker, de straatverlichting verspreidde hier en daar hard neonlicht door de verlaten wereld.

Opeens zei ze het, zonder te willen kwetsen. Ze zei het voor zichzelf, als een kleine genoegdoening voor al de jaren die haar leven hadden verknoeid. „Je lijkt precies op je vader.”

Ze zag dat ze midden in de roos schoot. Ze zag hem hard op zijn lip bijten, zijn gezicht veranderde in een wreed, onherkenbaar masker.

„Als jij het zegt...”

Ze hoopte dat liefde belangrijker zou zijn dan haat. Dat zijn gevoel voor haar het zou winnen van de haat voor zijn ouders. Maar een mens blijft altijd ten dele een produkt van zijn ouders, van opvoeding en erfelijkheid.

Hij zei geen woord meer. Hij was in zijn gevoel van eigenwaarde gekrenkt, daar wist hij geen raad mee.

Bij de ingang van het ziekenhuis zei ze: „Denk aan de jongen, hij zal het moeilijk hebben.”

Zijn blik gleed wat smalend over haar gezicht, het was of hij haar niet zag, of hij de weerloosheid in haar stem niet hoorde, het breekbare in haar gezicht niet in zich opnam.

Hij stapte uit, hield niet als altijd het portier voor haar open.

En zij hoopte dat alles wat hij nu voelde en voor zichzelf uitvocht, bij het bed van de zoon zou verdwijnen. Dat de liefde terug zou komen, de hoop...

Het licht in de kamer waar de jongen ligt, schijnt onbarmhartig, het weerkaatst op een gezicht in diepe slaap, het is kwetsbaar.

Hans kijkt naar zijn zoon. Naar de arm in het gips. Hij zou hem wakker willen rammelen, hem keihard willen toeschreeuwen dat hij de meest stomme zoon is die een vader ooit heeft gehad. Dat hij hem haat omdat hij zijn wagen heeft genomen, dat hij bang is voor de gevolgen, voor de mensen. Dat hij het meest bang is voor zichzelf, voor zijn reactie, zijn onbeheerstheid, zijn afkeer...

Dan is er het beeld van een baby. Hij hield die baby in zijn armen, het was de door hem vurig verlangde zoon. Het was een mooi kind, met blond pluizig haar, een kleine ronde kin.

Er gebeurt iets in hem, terwijl het leven van de jongen haarscherp aan zijn oog voorbijtrekt, zijn hand strekt zich uit om de afhangende hand van Tom aan te raken, om misschien voor het eerst vader te zijn... Van een kind houden betekent: ook zijn fouten zien, zijn tekortkomingen, teleurgesteld worden in verwachtingen, hopen dat de liefde groter is, belangrijker. Maar halverwege dat gebaar laat hij zijn hand zakken. Hij kan het niet, hij is trotser dan hij zichzelf wil bekennen. Marjet kent hem beter dan hij zichzelf kent, niet de jongen lijkt op zijn vader, hij is het zelf..

Tom slaat zijn ogen op, hij kijkt naar zijn vader. Het is of hij hem voor het eerst ziet, het machteloze gebaar van zijn handen, de eenzaamheid van zijn tweestrijd.

Hij kan niet huilen, hij wil het ook niet, hij wil alleen maar zeggen wat er in hem leeft en dat hij geen woorden genoeg heeft om het naar buiten te brengen.

„Het... spijt me zo, pap. Van de wagen..."

„Ik had je nooit moeten zeggen waar ik de autosleutel bewaarde." Hij had iets heel anders willen zeggen, iets dat pijn zou doen, iets dat hard en haarscherp zou klinken, schrik en angst zou veroorzaken. Maar om de een of andere reden kwamen die woorden niet.

Marjet sluit Hans in haar hart, zonder enig gebaar, zonder enig woord. Dit is de Hans die ze leerde kennen, die een haarvlok om zijn vinger wond, die haar tegen zich aan drukte, haar nam met een vanzelfsprekende tederheid.

Soms denkt een mens dat alles is verloren, soms voelt hij dat hij door dat verlies heeft gewonnen. Aan inzicht.

De jongen weet niet waarom hij het zegt, het komt misschien voort uit een gevoel van schuld, van verlatenheid. Hij zegt het zacht: „Ik geef zoveel om je, pap." Hans zou hetzelfde willen zeggen, maar zijn gevoel is geblokkeerd.

Er is verlegenheid in zijn stem. „Dat is tenminste íets..." Een zuster komt binnen. „U mag niet te lang blijven."

„Nee, nee, natuurlijk niet, we gaan al."

Tom kijkt naar zijn moeder. Het is of ze elkaar begrijpen. Er is een gevoel van verwijt, maar ook van begrip. Hij strekt zijn hand naar haar uit, voelt de druk van haar vingers om de zijne.

„Tot morgen," zegt ze.

Hij voelt haar zoen. Hij had er altijd een hekel aan als ze hem een zoen gaf. Nu is het of hij daardoor terug is bij zichzelf, bij dat zachte, grote groeien naar goedheid en liefde.

„Nacht, mam."

„Dag, Tom."

Hij kijkt zijn vader na. Het is net of die hem bij de deur een knipoog geeft. Echt iets voor zijn vader om met zo'n klein gebaar iets groots aan te duiden.

Hij hoort de deur zacht dicht gaan.

Een gevoel van vrede komt bij hem op. Het is of het overal windstil is…

5

Hans rijdt de uitrit van het ziekenhuis af. Hij heeft een gevoel van onzekerheid, er is iets in hem veranderd en hij weet niet wat. Het is niet het feit dat de wagen total-loss is, het zit dieper, de jongen heeft hem bedrogen. Nog nooit in de zeventien jaren dat hij zijn zoon kent – kent hij hem werkelijk? – was er sprake van elkaar bedriegen. Hij is een harde vader, dat weet hij, soms te hard, maar hij is eerlijk, de jongen weet waar hij aan toe is. Dat hij zomaar zijn wagen heeft genomen om bij zijn vriendjes een goede beurt te maken is iets dat hij niet zal vergeten. Nooit. Hoeveel verzachtende omstandigheden er ook zijn, hij is in zijn zoon teleurgesteld, die is een vreemde voor hem. Maar toch, een vreemde waar hij van houdt, op zijn eigen beperkte manier.

Misschien waren zijn verwachtingen van deze jongen te hoog gespannen? Vanaf het moment dat hij geboren werd, had hij zich zijn toekomst voorgesteld, rechtlijnig zijn leven uitgestippeld.

Zoals zijn vader dat voor hem had gedaan. Die was altijd sarcastisch, hatelijk. Nooit deed hij iets goed, nooit beantwoordde hij aan het beeld dat zijn vader van hem had. Hij had zijn moeder ronduit gehaat… met haar eeuwige toneelspel. Ze was nooit zichzelf, ze wilde altijd en overal schitteren, ze luisterde niet naar anderen, ze praatte maar… ze gaf kritiek, ze oordeelde. Ze had jaren van Marjets leven vergald door haar scherpe opmerkingen, haar… afgunst. Ze was jaloers geweest op Marjet, die had iets dat ze zelf nooit had bezeten: veel vrienden, vriendinnen, populariteit, warmte. Marjet kon geven, zijn moeder vroeg: belangstelling, verering, achting, maar ze verdiende verachting. Hij had nooit echt een moeder gehad, geen liefde, geen aandacht. Hij had dat gemis ingevuld met zijn fantasie. Pas toen hij met Marjet trouwde, begreep hij hoe arm zijn moeder was, hoe eenzaam zijn vader. In het begin stond hij aan de kant van zijn vader, trachtte hij zich diens leven met zijn moeder voor te stellen en te begrijpen. Totdat hij ontdekte dat zijn vader een autoriteit was, een militair die gehoorzaamd wilde worden. Leek hij werkelijk op zijn vader?

Er komt een gevoel van eenzaamheid bij hem op, spijt. Heeft hij zijn zoon al die jaren net zo opgevoed als hij zelf opgevoed is?

Liefde heeft honderd huizen…

Marjet zou deze onzekere, zoekende man naast zich willen aanraken, maar ze denkt in de eerste plaats aan Tom.

„Het is voor Tom het ergste," zegt ze.

Hans' houding is weliswaar veranderd, maar dit gaat hem te ver.

„Die lummel."

„Het had anders kunnen aflopen."

„Ik wil er niet over praten."

„Dat is het makkelijkste." Ze zegt het bitter.

„We zouden woorden krijgen en dat is vooral nu het laatste wat ik wil."

„Het is een jongen die zich wil bewijzen, die om een compliment vraagt."

Hij beheerst zich. „Je hebt hem verwend."

„Misschien, je weet nooit of je het goed doet, opvoeden is moeilijk."

Hij knikt. „Wil je al naar huis?"

„Ik weet het niet, we kunnen… ik zie er tegenop, maar we zouden naar de ouders van Jessica de Lange kunnen gaan, dan hebben we dat gehad."

Zijn gezicht is een masker. „Dat vind ik het moeilijkste, maar ik denk dat het beter is als we het direct doen."

Wat zeg je tegen ouders van wie het kind aangereden is door jóuw zoon? Die misschien nooit meer een gezonde dochter terug zullen krijgen?

„Dan doen we dat."

Bij de receptie heeft hij het adres van Jessica gevraagd. Hij rijdt de wat stiller wordende straten door. in een straat in een nieuwbouwwijk zoekt hij het nummer van het huis.

Hij belt aan. Het duurt even voordat de deur opengaat.

Hij ziet een beschreid gezicht, eenzame ogen die wegdwalen en een te groot verdriet dragen. Hij stelt zich voor. „We wilden naar u toe, naar u en uw man."

„Mijn man is nog in het ziekenhuis, hij wil jullie absoluut niet ontvangen, dat weet ik zeker. Ik wel, ik wil hoop houden. Bovendien kunt u er niets aan doen. Maar als ik die zoon van jullie hier op de stoep zie staan, gaat de deur niet open."

„Ik begrijp het," zegt Marjet. „Ik zou waarschijnlijk precies zo reageren."

„Komt u binnen."

Soms vind je elkaar in een gemeenschappelijk verdriet.

„Hoe is het met haar?" vraagt Hans.

„Er is nog niets van te zeggen, ze heeft rugletsel, twee gebroken benen, de tijd zal leren hoe alles afloopt."

Marjet doet het enige dat in haar opkomt, ze slaat de armen om de vrouw heen en houdt haar stevig vast. Er valt niets te zeggen, woorden zijn nietszeggend, machteloos.

„Tom heeft er veel verdriet van," zegt Hans, „hij is niet het soort jongen dat regelmatig in disco's komt, te veel drinkt, het is de eerste keer."

De vrouw laat Marjet los. „Dat kan wel zijn, maar ik wil hem nooit zien en mijn man moet hem zeker niet tegen het lijf lopen. Hij zou hem ik weet niet wat kunnen doen. Ik heb dat niet zo, ik ben wat minder fel. Ik vind het erg sympathiek dat u bent gekomen."

Marjet knikt. „We komen nog eens naar u toe als u dat goedvindt, we zijn erg benieuwd hoe het met uw dochter gaat."

„Ik houd hoop, dat zit in mijn aard, vertrouwen hebben, maar in dit geval... de dokter keek ernstig."

Buiten in de voorjaarswind die de geur van aarde en bloei meedraagt, staat Hans stil, hij kijkt naar de zachte hemel met de wolken, naar de ritmische dans van de bladeren aan de bomen.

Laat alles goed komen, denkt hij, met onze jongen en met Jessica.

Bedrukt en stil rijden ze naar huis...

Die nacht ligt hij naar het plafond te kijken, hij luistert naar de geluiden van de nacht, naar het ademhalen van Marjet. Hij begrijpt niet hoe ze kan slapen, voor hem is de wereld veranderd in een complete chaos. Niets past meer in elkaar, hij lijkt een totale vreemde voor zichzelf. Wat doe je met een zoon die je diep teleurstelt? Van wie je meer had verwacht? Dus tóch ijdelheid?

Tóch zo helemaal zijn vader? Die had hem in zijn kinderjaren vernederd, gepest en wat deed hij nu zelf? Tom had behoefte aan een vader die naast hem stond, niet tegenover hem. Die kwaad was, oké, bedroefd, wanhopig, maar die niet uit het oog verloor dat zijn zoon hem nu méér nodig had dan in alle jaren daarvoor. Hij draait zich om op zijn andere zij. Hij weet dat het vanaf nu moeilijk zal worden, tussen hem en de jongen. Hij hoort de stem van Marjet.

„Ga nou slapen," zegt ze.

„Heb ik je wakker gemaakt?"

„Ik was de hele tijd al wakker."

„Leven is een geweldige opgaaf." Hij schuift wat dichter naar haar toe.

Ze zou hem naar zich toe willen trekken, maar ze doet het niet, hij moet hier zelf uit zien te komen, als ze hem zou helpen, werd hij weer de man vol zelfmedelijden.

„Ja," zegt ze, „als alles gladjes verloopt, als er niets te bevechten is, is het eenvoudig, je weet pas wie je bent als er problemen zijn. Dat heb ik in de tijd dat je ouders hier nog over de vloer kwamen, wel ingezien."

Sinds vijf jaren is de breuk met z'n ouders een feit, het geeft rust, maar diep verborgen toch ook verlangen. Als zijn zuster Inge niet af en toe op een verjaardag bij hen over de vloer kwam, zou hij helemaal niet weten hoe het met zijn ouders ging.

„Ze hebben er spijt van," zei zijn zus een keer.

„Wat is spijt? Ze hebben mijn leven verknoeid en dat van Marjet."

„Ze worden ouder."

„Praat niet over hen, het interesseert me niet." Hij wil niet aan zijn vader en moeder denken, ze spelen geen enkele rol meer in zijn leven.

„Dorrit is de enige die de juiste woorden zei," zegt Marjet. „Het is stom van Tom, maar hij deed het niet expres. Ik hou van hem en als je boos op hem bent, pap, val je me hard tegen."

Ze hoort de deur van de slaapkamer, Dorrit staat in de opening.

Marjet ziet dat ze gehuild heeft.

„Kom maar," zegt ze.

Wat is vijftien jaar, denkt ze. Ze sluit Dorrit in haar armen. „Het komt allemaal wel goed, je zult het zien."

Er is een vogel die naar binnen kijkt, heen en weer wipt en rusteloos heen en weer vliegt. Tom zou het raam een stukje open willen doen en het diertje naar binnen laten. Het is afleiding, zo'n klein bedrijvig stukje natuur. Hij houdt van dieren, heel vroeger heeft hij een paard gehad, maar toen hij groter werd en er niet meer op reed, werd het verkocht; het paard heette Jaqueline. Hij had dagenlang gehuild. Hij zou graag een hond willen hebben, zo'n grote hond met een ruige kop en blije ogen.

„Ik kom je temperatuur opnemen."

Hij kijkt naar de zuster. „Ik heb geen koorts."

„Het is voorschrift." Ze schuift de gordijnen nog meer in de hoek, de kleine vogel vliegt weg.

„Hoe voel je je?"

„Gaat wel, mijn arm doet pijn, maar het is best uit te houden."

Hij wil weten hoe het met dat meisje is. Hij weet haar voornam, ze heet Jessica.

, Als ik van m'n kamer af mag, kan ik dan naar dat meisje toe?"

„Word eerst maar eens helemaal beter, dan praten we verder." Ze kijkt op de thermometer. „Een beetje verhoging, niets om je zorgen over te maken. Wil je wat lezen? We hebben hier een grote bibliotheek."

„Ik hou niet zo van lezen, het is hier onrustig, ik kan m'n gedachten er toch niet bijhouden."

Zijn vader was minder boos dan hij dacht, dat viel hem mee. Hij heeft in zijn hele lijf een vreemd gevoel, het is of hij in een andere huid zit. Het is hetzelfde gevoel als toen hij, liggend op zijn buik als jong kind, met een schepnet een spartelende spreeuw uit het water van de gracht voor zijn huis wilde halen. Eén van de buren riep hem toe of hij soms gek was. Hij had net de vogel in het schepnet, hij was er blij om en begreep die buurvrouw niet.

„Laat dat rotbeest toch verzuipen, als je er zelf nou eens in gevallen was? Dan had ik je zeker moeten naspringen?"

„Er is toch niets gebeurd?" Hij haalde behoedzaam het kletsnatte vogeltje uit het net.

„Dat is maar goed ook, je bent gek om je leven te wagen voor zo'n rotvogel die alles altijd alleen maar onderpoept."

Hij had toen een vreemd gevoel van binnen gekregen, waarom begreep die vrouw het niet?

De mens ontmoet de wereld die hij zelf oproept… Hij stelde zich kwetsbaar op; hij kon verwachten dat er op hem getrapt werd. Hij wilde dat hij weer de jongen was van vóór het ongeluk, gewoon Tom die op zijn kamer platen draait, die op school in niets opvalt, die meedoet met de vrienden, zonder een al te grote rol te spelen.

Die Tom zal er nooit meer zijn, zo zorgeloos, in staat de hele wereld te veroveren, boordevol idealen.

Hoe zal zijn vader tegenover hem staan? Zal hij nog strenger worden, stiller en van eenzame hoogte op hem neerkijken?

Hij kijkt naar het licht van de vroege morgen. Hij haat Bas, en de anderen, maar het meeste haat hij zichzelf.

Bas houdt de grammofoonplaat in zijn handen. „Hier," zegt hij. Tom heeft het warm, de zon schijnt precies op de ramen van het ziekenzaaltje.

„Ik dacht dat jij niets om Mozart gaf?" Hij draait de plaat om en om.

„Doe ik ook niet, hij is toch niet voor mij?"

„Hartstikke bedankt."

Bas kijkt maar uit het raam, hij probeert iets te zien, maar het lukt hem niet. Hij hoort alleen maar die klap met de wagen, gegil, glasgerinkel. Hij weet niet meer hoe hij uit het kapotte raam is geklommen, het ging allemaal zo snel. De ziekenwagen was er meteen, ze gingen er met z'n drieën in, hij had gelukkig niets anders dan wat schrammen. Maar Tom en vooral dat meisje… Het was zijn schuld, hij had Tom opgezweept, hij voelde zich medeverantwoordelijk. Hij had stomweg een plaat van Mozart voor hem gekocht, maar hij wilde hem eigenlijk zoveel zeggen; hij vond er geen woorden voor.

Hij draait zich om. „Hoe is het met je?"

„Ik heb geluk gehad, dat zie je toch?"

„Ja."

„Het is een afschuwelijk gevoel, hè? Alles…"

Tom kijkt hem aan. Ze zijn nooit zulke dikke vrienden geweest. Toch voelt hij wat Bas bedoelt.

„Ik had het je ook nooit moeten vragen…"

„Ik wilde het toch zelf ook, ik had die wagen niet moeten nemen en achter het stuur gaan zitten."

„Zo blijven we aan de gang, we hebben allemaal schuld, alle jongens. Wij kletsten, we letten niet op, jij bent niet alleen schuldig."

„Ik weet het niet meer zo goed, het ging zo snel." Hij draait de grammofoonplaat in zijn hand om en om.

„Wil ik voor je vragen hoe het met dat meisje is? Wil ik ernaar toegaan?"

„Je hebt niets bij je om haar te geven."

„Wat geeft dat nou?"

Tom aarzelt. „Ik zou het fijn vinden als ik wist hoe het met haar was, ze zeggen hier niets."

„Ik ga, weet je waar ze ligt?"

„Op de intensive care. Daar lag ze de eerste dagen, ik weet niet of ze daar nog is."

„Ik vraag het wel."

Hij zou opeens Bas' hand willen aanraken. Bas voelt hetzelfde wat híj voelt, dat heeft hij heel lang bij mensen niet meer ontmoet. Wel bij zijn moeder, soms.

Bas gaat de kamer uit. Bij de receptie vraagt hij naar Jessica de Lange.

„Ben je familie?"

„Ja," zegt hij.

„Tweede etage, je mag maar heel even blijven." Hij loopt de gang door en gaat met de lift naar boven. Een vreemd huiverig gevoel besluipt hem, het is op de hartbewaking zo stil, net of alle mensen zacht lopen, praten en bewegen.

Hij ziet haar in bed liggen, ze heeft verschillende slangetjes in haar neus en aan de zijkant van haar lichaam. Ze slaapt. Haar lange haar ligt wijd op het kussen.

Een zuster vraagt streng of hij niet te lang wil blijven.

„Is het zo ernstig?"

„Ben je familie?" Hij kan tegen dat strenge gezicht niet liegen. „Nee, ik... we zaten in de auto die haar aanreed, we willen weten hoe het met haar is."

„Ik kan er nog weinig over zeggen, de tijd zal leren of ze weer gezond wordt."

Ze had het hard willen zeggen, maar op de een of andere manier lukt het haar niet, het gezicht van de jongen treft haar.

„Mag ik nog eens terugkomen?" Zuster Colby aarzelt. „Als je ander bezoek bij haar bed ziet, moet je teruggaan, ik bedoel haar ouders."

„Ze willen niets met ons te maken hebben, hè?" Zijn stem trilt.

„Nog niet, maar dat zal wel veranderen." In een beschermend gebaar legt ze even haar hand op zijn smalle schouder. De jongen rukt zich los. „Nou, dan ga ik maar..."

De zuster kijkt hem na.

Bas blijft in de lift staan, het duurt even voordat hij op de knop drukt. Hij kan niet zomaar naar Tom, nu niet, hij weet niet wat hij tegen hem moet zeggen.

„Nou, jongen, waar moet je zijn? Of sta je hier voor je lol?"

De deuren van de lift zijn open gegaan omdat er van buiten af op gedrukt is.

Hij zou opeens luid willen vloeken.

Tom ligt naar de deur te kijken. Als hij Bas ziet, vraagt hij: „En..."

„Ik weet het niet, ze sliep en zusters zeggen nooit veel."

„Je wilt het niet zeggen, hè?"

„Als ik niks weet, weet ik niks, zeur niet zo."

„Ik kom er zelf wel achter, zodra ik uit bed mag ga ik er naartoe."

„Het is een rotgezicht."

„Wat?"

„Al die slangen en zo. Wat zijn we oerstom in de weer geweest." Hij weet dat hij vanaf nu een andere Bas zal zijn, serieuzer.

Tom knikt.

„Ik ga maar weer eens."

„Bedankt voor je plaat."

„Hou je goed, ik kom nog wel eens naar je kijken."

Bij de deur glimlacht hij naar Tom, hij zou hem zoveel willen zeggen, maar hij weet niet waar hij beginnen moet.

Buiten, in de warme dag, overheerst het lawaai van de stad, het stoort hem, hij zou het liefst een stuk door de bossen gaan, het zingen van vogels horen en het kraken van dor hout onder je voeten. Hij voelt zich niet langer jong...

6

Hij mag zijn bed uit, hij heeft geen hoofdpijn, hij voelt zich redelijk goed, alleen zijn arm in verband is lastig; hij weet er niet goed raad mee.

Soms leest hij wat, luistert naar de radio, loopt wat op de lange gangen heen en weer. Het is volop zomer, hij zou met de boot van zijn vader het water op willen. Hij houdt van het water, van de wind, de wolken. Hij zou weer de Tom vóór het ongeluk willen zijn…

Er kwamen van de week agenten bij zijn bed, er werd procesverbaal opgemaakt.

„Je hoort er nog wel van."

„Kom ik voor de rechter?"

„Voor de kinderrechter."

„En de straf?"

„Daar kunnen we niets over zeggen."

„Ik heb er enorm veel spijt van." De ene agent, met het nog jonge gezicht, glimlachte wrang.

„Je had dit allemaal kunnen voorkomen als je nagedacht had."

Hij voelde zich een mislukkeling, hij was op zoek naar zichzelf, naar houvast. Er was geen houvast, nergens…

Straks, als de dokter zijn ronde doet, zal hij het vragen. Hij voelt zich zenuwachtig, er gebeurt zoveel tegelijk. Zijn vader is redelijk geschikt tegen hem. Hij had nooit gedacht dat die dat zou kunnen opbrengen. Hij wacht bij elk bezoek op de klap, de geestelijke slag, maar die is tot nu toe nog niet gekomen. Misschien kent hij zijn vader ook niet zo goed, denkt hij alleen dat hij hem kent.

Zijn moeder is zacht, ze is eigenlijk te zacht. Ze moest veel meer van zich afbijten, maar dat is haar aard niet.

En Dorrit… hij wordt zo moe van haar gekwebbel, haar gelach. Toch voelt hij dat ze met hem meeleeft, het hele avontuur eigenlijk hoogst interessant vindt.

Hij hoort zuster Lucy komen. Ze is sympathiek, praat nooit zoveel, maar laat je voelen dat ze er is.

„Wanneer doet de dokter de ronde?" Hij keert zich van het raam af.

„Dat weet ik niet. Hoezo, wil je hem iets vragen?"

„Ik wil naar Jessica, ik heb haar nog niet gezien." Hij wil haar zien als ze slaapt, als ze niet weet dat hij er is. Hij, de bruut, die haar aanreed, haar ongelukkig maakte, hij, dat ellendige rotjoch…

Lucy zegt niets, ze trekt de lakens van zijn bed recht. Ze heeft zelf een dochter in de leeftijd van Jessica. Hoe zou ze tegenover een jongen staan die haar kind had aangereden? Zo erg dat haar toekomst nog volkomen onzeker is?

Ze heeft beschadigde nekwervels, gebroken benen, inwendige kneuzingen. Het is een kwestie van afwachten. En afwachten of een jong mens weer ooit helemaal gezond zal worden, is de ergste beproeving die een mens kan doorstaan.

Als de arts na een klein halfuur op de zaal komt, vraagt Tom het. Hij voelt zich alsof hij de grootste misdaad heeft gepleegd die een mens kan plegen. En of hij nooit over dat gevoel heen zal groeien, het zijn hele verdere leven met zich mee zal dragen. Hij zal heus op een dag wel weer eens lachen, maar alles zal veranderd zijn.

De arts kijkt bedenkelijk. „Ik weet niet óf ik daar toestemming voor kan geven, gezien je eigen toestand bedoel ik, je bent nog maar net een beetje boven Jan met je gezondheid."

„Het houdt me dag en nacht bezig, begrijpt u dat niet?"

„Dat begrijp ik. Maar kun je ertegen als dat bezoek een harde confrontatie zou worden?"

„Dat moet ik afwachten."

Zijn mondhoeken trillen, hij heeft 's nachts dikwijls gehuild, overdag merkte niemand iets aan hem. Hij huilde om een verdriet dat hem mee naar beneden sleurde.

Het leek of hij in een diepe zee lag en niet boven kon komen.

„Ik zou het niet doen, jongen, ik zou wachten tot ze weer naar huis mag."

„Hoe lang duurt dat?"

„Lang."

De arts loopt naar een ander bed. Hij kan niet met de jongen praten, nog niet, hij zou het niet kunnen verwerken. Maar misschien zou het toch wel goed zijn voor zijn gevoelsleven, te zien en te voelen wat hij heeft aangericht met onbesuisd gedrag.

„Zolang kan ik niet wachten," zegt Tom.

De arts staat bij de deur, hij heeft de ronde gedaan. Hij kijkt naar de jongen, scherp en onbarmhartig. Hij loopt naar zijn bed. „Als je denkt dat je daardoor rustiger wordt en beter slaapt... je hebt elke nacht een slaaptablet nodig."

„Ik wil het zo graag."

„Doe het op een moment dat je je goed voelt, maar ga niet alleen."

„Ik vraag of mijn vader meegaat."

„Doe dat."

De deur valt dicht, het is net of er bij Tom, heel diep binnenin, ook een deur dichtgaat, of hij door een lange stik-donkere tunnel moet.

Vanmiddag, als zijn vader komt, zal hij het hem vragen.

Hij gaat naar zijn bed, trekt het laken over zijn rug alsof hij zich wil verbergen...

Hans legt wat fruit op het nachtkastje van de jongen. Meerdere keren heeft hij met hem willen praten, maar hij had er de moed niet toe. Hij was bang zich niet te kunnen beheersen, dingen te zeggen waar hij naderhand spijt van zou hebben.

Ze ontwijken elkaar omdat ze van elkaar houden. Hij geeft veel om zijn zoon, maar hij heeft het zelden laten merken. Toen Tom nog heel klein was, was het gemakkelijker gevoel te laten zien, hij zwaaide naar Tom als hij in de wagen het pad af reed, wandelde met hem door de kleine stad met de oude huizen, straten en pleinen, vooral langs de haven waar de eeuwenoude Hoofdtoren het beweeglijke grijze water van het IJsselmeer domineert met zijn rust en stille schoonheid.

Hij voetbalde met hem, de jongen was er niet goed in, het was geen sportfiguur, veel meer een dromer die boeken las, de natuur in ging, met dieren thuiskwam die gewond waren of die hij ergens had gevonden.

Waarom is dat gevoel van vroeger, van bij elkaar thuis-zijn, overgegaan? Alsof het nooit bestaan heeft, geen vorm had en warmte...

Zocht hij onbewust in dit kind iets van zichzelf? Hij was een doener, een aanpakker, hij was altijd bezig. Tom kon zich uren vermaken met niets doen, dagdromen, de tijd tussen zijn vingers laten glippen, alsof tijd niet het meest waardevolle is dat een mens heeft.

„Je bent vroeg," zegt Tom.

„Ik heb straks een vergadering, ik blijf niet zo lang."

„Wat vind je eraan, al dat gepraat, al die rook?"

„We zijn allemaal anders." Hij kijkt zijn zoon oplettend aan. „Ik ben ijdeler dan jij, het is lastig als je ijdel bent, je verlangt veel van jezelf."

Tom lacht. „Het lijkt me vermoeiend."

Zinnen die het begin van een gesprek kunnen zijn, maar dit doel niet bereiken. Twee mensen die van goede wil zijn maar zich niet kunnen uiten.

Toch wijst dit aarzelend elkaar aftasten op een hunkering. Haarscherp voelt de jongen dat zijn vader óók eenzaam is, anders misschien dan hij, maar onmiskenbaar eenzaam. Dat voelt hij omdat hij niet over de auto en het ongeluk begint, niet weet hoe hij dit onderwerp moet benaderen.

Hij kan hem tegemoet komen, het zwaaien uit het open raam van de auto omzetten in iets dat beter is, meer volwassen.

Ernstig zegt hij: „Ik wilde meedoen, ik wilde – je kent dat wel – iemand zíjn, de bink van de klas. Ik nam je auto om erbij te horen. Dat neem ik mezelf nog het meeste kwalijk."

Hans kijkt hem niet aan. „Ik heb je eens horen zeggen dat je 'veel' aan dromen had. Dat je er 'op je eigen manier wel zou komen'."

„Dat denk ik nog. Als ze je op school uitdagen, dan neem je die uitdaging aan… zo is het gegaan." Hij zwijgt. „We zijn er allemaal kapot van," zegt hij na een poosje.

„Ik ook."

„Om je auto?"

„Niet alleen daarom, ik ben erg in je teleurgesteld, ik vind je geen jongen om zoiets te doen."

„Wat weet je van me?"

„Niet veel, maar meer dan je denkt."

De jongen voelt een vreemde vermoeidheid, hij hoopte dat er openheid tussen hen zou zijn, een toenadering. Hij weet niet of hij het nu aan hem wil vragen, het is niet zo belangrijk meer.

„Pieker je ergens over?"

De jongen schudt zijn hoofd. „Het doet er niet toe."

„Vertel het me eens." Er is iets zachts in de stem van zijn vader, hij kent dat niet zo, het raakt hem. Zou hij het begrijpen? Hij kan weinig tegenslag hebben, vooral niet in zijn gevoelens van grote onzekerheid.

„Ik had je willen vragen of je met me mee wil gaan, naar dat meisje, ik heb iemand nodig die met me meegaat."

„Als het bezoekuur voorbij is, dat lijkt me beter."

„Ik ben niet bang, ik heb het niet expres gedaan, ik heb net zoveel verdriet als zij allemaal."

„Maar een totaal ander verdriet, je weet nog niet wat het is als een kind van je zo'n ernstig ongeluk heeft gehad."

„Dat weet ik wel, ik kan het niet goed zeggen, maar ik wéét het... ik heb er net zoveel verdriet van als zij. Daarom wil ik erheen."

En óók omdat ik wil zien wat ik gedaan heb... Dat laatste zegt hij niet, dat is zijn diepste strijd, daar zal hij helemaal alleen mee in het reine moeten komen. Mensen zijn dikwijls met hun gevoelens alleen, zijn vader, zijn moeder, hijzelf... Je wordt alleen geboren, je gaat alleen dood en daartussenin ben je ook heel veel alleen.

Omdat je niet kunt zeggen wat er in je leeft, omdat je het allemaal moet zien te klaren zonder hulp van anderen.

„We gaan er straks even naar toe, na het spreekuur is er niemand meer die je pijn kan doen, geen familie, geen ouders."

Hij zegt niet dat híj de moeder al heeft ontmoet.

„Ze kunnen me niet meer pijn doen dan ik al heb."

De jongen lacht wat verlegen, beschaamd om iets dat hij niet prijs had willen geven. Hij is nooit zo open tegen zijn vader. Heel vroeger kon hij zomaar, zonder aanleiding, zijn armen om hem heen slaan, in een gevoel van overweldigende blijdschap. Als bij het voetballen opeens zijn vader tussen de mensen stond, zwaaide, zijn duim opstak. Dan vloog hij in de rust naar hem toe. Hij werd hoog opgetild, hij voelde een zo groot gevoel van emotie omdat het zijn vader was...

Ik ben te streng, denkt Hans, te veeleisend, ik wil een persoonlijkheid van hem maken die het leven aankan, die zich wapent tegen de hardheid van het leven, de pijn.

Na drieën staat Tom op. „Ze zullen nu wel weg zijn."

Hij kijkt zijn vader aan. „Ik loop elke dag een stuk door de gangen, wat dat betreft gaat het goed. En dat andere... dat komt óók wel, ik weet alleen niet wanneer." Hij loopt met zijn vader de deur van de ziekenzaal uit.

„Ben je goed verzekerd, wat de auto betreft?"

„Ja."

„Gelukkig maar." Hij kijkt snel naar zijn vader, er is niets in het gezicht waar hij houvast in vindt, het is afwerend. De jongen weet dat hij het hem nooit zal kunnen vergeven.

Hij kijkt naar haar, ze slaapt, ze heeft een crèmekleurig nachthemd aan, haar wimpers bewegen rusteloos, haar mond is een beetje geopend. Hij schrikt van de slangen in neus en arm.

Hij wil huilen, maar hij kan het niet, er is een pijn die te groot is voor tranen.

Hij raakt haar hand aan, het is een hete hand, die gloeit.

„Niet praten," zegt een zuster. Ze begrijpt wie die jongen is, ze voelt afweer en medelijden.

De jongen staat daar, versteend, eenzaam. Hij begrijpt meer dan de volwassenen begrijpen. Het is een harde confrontatie met het leven en de dood.

Hij wil niet weten hoe lang het duurt voordat ze beter wordt. Als ze ooit helemaal beter wordt... Hij wil niets weten. Hij heeft haar gezien, ze heeft zijn leeftijd, misschien is ze wat jonger.

Hij merkt zijn vader niet, die achter hem staat, hij is een eenling op een onbewoond eiland.

Hij draait zich om. Hij wil alleen-zijn, niets interesseert hem, alles wat hij aan gevoel heeft bundelt zich samen in een niet te dragen wanhoop.

Op de kamer hangt hij zijn ochtendjas aan een haak. „Wil je me nu alleen laten?" Hij kijkt zijn vader aan. Hij is geen jongen meer, hij is volwassener dan zijn vader.

„Kan ik niets voor je doen?"

„Niets. Ik wil alleen-zijn."

„Ik wou dat we nu met de boot weg konden."

Hans zegt het rustig, alsof hij voor het eerst deze jongen doorgronden kan.

Er glijdt even een flits van herkenning over Toms gezicht. Ze gingen dikwijls met de boot weg, zijn vader en hij stonden om beurten aan het stuur, moeder en Dorrit waren in de kajuit bezig, hij hoorde ze lachen.

Hij voelt de wind langs zijn gezicht, hij staat op het dek, de horizon is wazig, aarde en hemel zijn één, het water daagt uit en stoot af. Waarom is dat ongeluk gebeurd? Waarom?

„Ga nóu maar, pap, ik red me wel." Hij kijkt zijn vader recht in het gezicht.

„Maak je om mij geen zorgen," zegt hij. Zijn stem is hard, alles aan hem is hard, hij zou een ijzeren bed kunnen zijn met harde punten. Hardheid houdt hem overeind. Als dat zachte gevoel komt, vernietigt hij zichzelf. En hij wil léven. Om goed te maken.

7

De zomer zet door, de zon is warm, de wind zoel, alles heeft kleur en uitdaging.

„Je mag morgen naar huis." De dokter glimlacht naar Tom.

„Dat is prettig."

Hij vindt het niet echt fijn. Thuis begint alles, het onderzoek, de kinderrechter, het wachten op de uitspraak. Hij is nog nooit met politie in aanraking geweest, hij zal geen gevangenisstraf krijgen, maar wat dan wel? Hij reed zonder rijbewijs, hij veroorzaakte een mens ernstig lichamelijk letsel...

Hij zou het liefst het land uit vluchten, ergens heengaan waar niemand hem kent, waar hij vrij is. Maar hij weet dat hij zichzelf meeneemt, zijn angst, zijn onzekerheid. Hij moet hier doorheen, hoe bitter de pil ook is.

Er is nog iets... Hier in het ziekenhuis is het of hij een heel klein beetje van zijn schuldgevoel kan inlossen. Hij denkt veel aan Jessica, ze is hier bereikbaar, hij kan haar zien; hij neemt bloemen voor haar mee, fruit, dat je beneden in het winkeltje van het ziekenhuis, kunt kopen. Hij komt en gaat als hij weet dat er niemand is.

Gisteren toen hij bij haar kwam, was ze wakker. Ze keek hem lang aan. „Ik vind het niet prettig als je komt."

Hij schrok. Hij wist niets te zeggen.

„Ik heb het mijn vader en moeder verteld, ze zijn boos."

Hij stond daar als een standbeeld. „O," zei hij. Hij vocht tegen een gevoel te moeten overgeven, hij wist dat hij zich zijn hele verdere leven nooit meer zo eenzaam zou voelen. Hij volgde het licht van de zon, de wind die de gordijnen bewoog, de bloemen die in vazen op de brede vensterbank stonden. „Dan ga ik maar."

Bij de deur keek hij om. „Jullie doen er verkeerd aan," zei hij. Hij sloeg de deur harder dicht dan hij eigenlijk wilde.

In een impuls ging hij terug, hij stond vlak voor haar bed. Scherp zei hij: „Ik ga morgen naar huis, zeg dat maar tegen je vader en moeder."

Op de gang voelde hij een hoofdpijn opkomen die achter in zijn nek begon en zich langzaam uitbreidde naar zijn voorhoofd.

Hij denkt hieraan. Er is niets meer in te lossen aan schuldgevoelens, hij gaat naar huis, hij zal wel zien wat er met hem gebeurt, hij aanvaardt de consequenties van zijn daad. Het maakt rustig zo te denken, hij heeft het goede gewild en het is hem uit handen geslagen, er is niets ergers dan goede bedoelingen te negeren, onbegrepen te zijn in een gevoel dat groot is en sterk.

Er is niemand tegen wie hij het kan zeggen, alleen misschien tegen de arts; die is bereikbaar door zijn rust en hartelijkheid.

Als hij op de gang gaat lopen, zal hij hem weer tegenkomen. Hij kijkt naar de zusters die bezig zijn, hij wist nooit dat verplegen zoveel inhield, dat ze zo hard werkten.

„Zoek je iets?" Zuster Lucy loopt langs hem heen.

Hij schudt zijn hoofd.

„Je mag morgen weg, hè? Fijn voor je."

„Vind je?"

„Ja," zegt ze.

Hij zou haar willen zeggen dat vanaf 'morgen' alles zal beginnen, de onzekerheid, de angst, het verdriet. Maar ze heeft haast en ze zou misschien toch niet begrijpen wat hij bedoelt.

Hij ziet in de verte de arts aankomen.

„Ik wil u graag even spreken," zegt hij zacht, „ik weet niet of u daar tijd voor hebt."

De arts kijkt naar de jongen. „Kom over een uur in mijn spreekkamer."

De jongen glimlacht. „Ik zal er zijn."

Waarom is zijn vader niet zo bereikbaar? Hij weet niet meer wat hij tegen hem moet zeggen, het is of er geen onderwerpen meer zijn om over te praten. Zijn vader is aardig, maar volkomen op zichzelf, met zijn geremde gevoelens. Het is of ze opnieuw samen moeten leren praten, zoekend naar woorden, naar zelfkennis.

Hij voelt ook pas nu beter aan waarom zijn moeder stilzwijgend aan zijn vader gehoorzaamt. Ze haat ruzie, ze ontwijkt alles wat spanningen oproept. Hij bewondert haar, hij ziet scherper dan vroeger dat houden van óók betekent jezelf kunnen geven, je gedachten en je verlangens willen delen, een beetje je eigen wil opzij zetten. Hij vindt haar sterker en persoonlijker dan zijn vader, die eist, beveelt, zijn wil laat zegevieren, zonder aan de ander te denken. Hij vraagt zich af hoe hij zelf zal worden en hoever hij al is.

Kan hij iemands fouten aanvaarden? Weet hij dat hij zelf ook fouten heeft en dat de ander daar in de toekomst mee moet leven? Hij is in korte tijd ouder geworden dan amper zeventien jaar.

Tegen half vijf klopt hij op de deur van de spreekkamer van de arts.

Hij ziet dat deze niet achter zijn bureau zit, maar voor het raam staat en hem met een enkel gebaar van zijn hand beduidt te gaan zitten in een lage stoel.

„Ik heb weken op dit ogenblik gewacht," zegt de arts.

„Waarom vroeg u het me dan zelf niet?"

„Dat heeft geen waarde… je moet zelf komen. Rook je?"

Hij houdt hem een pakje sigaretten voor.

Tom aarzelt, hij is niet zo'n roker, maar hij vindt het nu plezierig iets tussen zijn vingers te hebben. „Graag."

Hij kijkt de rook van de sigaret na. Dan zegt hij: „Ik wil naar een goeie psychiater, ik wil hier overheen komen."

„Kun je dat zelf niet?"

„Ik ben bang van niet. Ik heb het geprobeerd, maar ik word 's nachts soms wakker van een nachtmerrie, ik droom steeds over dat ongeluk, over het gieren van remmen, het gegil van stemmen. Ik kom er niet meer uit en er is niemand met wie ik er echt over kan praten." Hij huivert, hij heeft het koud, het is een kou die met geen trui en jas te warmen is.

„Probeer het op te schrijven, ik ben niet zo enthousiast over psychiaters, er schuilt een gevaar in therapie, je bent te veel met jezelf bezig, je moet jezelf vergeten en je verdiepen in anderen."

„Ik denk dat ik het kwijt zal raken als ik in gesprekken begeleid word."

„Ik zag liever dat je in je vakantie bijvoorbeeld naar Frankrijk ging, om druiven te plukken. Dat zou je lichamelijk zo moe maken dat je aan gepieker niet toekomt. En er is nog iets, je hebt dit alles niet bewust gewild, het is je overkomen."

„Ik kan er wel iets aan doen, dat is het juist, ik koos voor populariteit, ik wist hoe gevaarlijk het was wat ik deed."

„Heb je ooit aan een ongeluk gedacht?"

„Nee, ik kan autorijden, dat weet ik, maar ik kende de verkeersregels onvoldoende. Het gebeurde zomaar, maar ik ga eraan kapot. Ik ben verschillende keren naar Jessica toe geweest, maar… ze vindt het niet prettig als ik kom."

„Zei ze dat?"

Tom knikt.

„Ze zegt na wat haar ouders zeggen, ze is weerloos. Ik dacht niet dat jij zo gauw uit het veld geslagen werd. Zíj zegt het niet, haar omgeving oefent pressie op haar uit."

„Ik kan het me van haar vader en moeder voorstellen." Het klinkt volwassen. „Het is zó rot, dat ik het me goed kan voorstellen. Ik hoop alleen maar dat het helemaal goed komt met haar. Is dat zo, heeft ze een kans?"

„Ze heeft een grotere kans als ze onder de invloed van haar ouders vandaan is. In een verpleegtehuis heeft ze meer mogelijkheden, dan kan ze leren vechten, voor zichzelf opkomen. Haar ouders hebben medelijden en dat gevoel is voor ieder mens verkeerd, dat kweekt slappelingen."

„Moet ze naar een verpleegtehuis?"

„Later ja, ze moet weer leren lopen. Ze zal voor negentig procent genezen als ze wíl, als ze leert vechten."

„En die tien procent?"

„Die zal ze moeten accepteren."

„Ieder mens moet in het leven iets leren accepteren."

De jongen zegt het langzaam. „Bijvoorbeeld, dat je niet zo goed kunt leren, dat je een naar karakter hebt, dat je ouders hebt aan wie je weinig kwijt kunt."

„En dat zijn nog niet eens de ergste dingen… Als je om je heen kijkt, is er zo oneindig veel meer: eenzaamheid, angst, spanningen, pijn, mensen die willen leven en het niet kunnen door welke omstandigheden dan ook, die ziek zijn, drinken, drugs gebruiken, die vluchten en zichzelf in die vlucht totaal verliezen. Je hebt een grote fout gemaakt, oké, je bent in jezelf diep teleurgesteld, maar dat kan helpen bij de vorming van je karakter. Je hebt ook veel goeie kanten, probeer in je denken en voelen nu eens die kant uit te gaan, laat de waardevolle Tom zien die er, ondanks dit afschuwelijke gebeuren, nog steeds is, probeer dat eerst eens en schrijf op wat je voelt, dat is van onschatbare betekenis. Ik geef je dit als een opdracht, maak je huiswerk en als je er niet uitkomt, zoeken we een andere mogelijkheid. Maar geen psychiater."

Hij wilde dat hij zo met zijn vader kon praten, zo open en warm. Hij begrijpt wat de arts bedoelt, een mens is nooit bewust slecht, misschien moest hij dit meemaken om een ander mens te worden.

Er is nog zoveel te vragen… Zal Jessica weer goed kunnen lopen, maar hij voelt weer die verraderlijke hoofdpijn opkomen.

Vermoeidheid glijdt door hem heen, maar ook iets anders, er is ergens een kleine opening, hij is niet meer zo bang voor de wereld en voor zichzelf, het is of er weer gelachen mag worden, of er een toekomst is, hoe moeilijk die ook zal zijn.

„Dank u." Hij weet niet wat hij anders moet zeggen.

De arts staat op. „Ik woon bij je in de buurt, laat het me weten als je het moeilijk hebt, oké?"

„Oké."

Op de lange, stille gang van het ziekenhuis zou hij luid kunnen zingen…

De volgende morgen regent het, een miezerige motregen die Tom een gevoel van eenzaamheid geeft, angst. Hij weet wat hij achter zich laat: ondanks verdriet toch ook een gevoel van veiligheid. Hij weet niet waar hij in stapt, in een niemandsland, met wetten die hij niet kent en nooit gewild heeft, met straf en gevoelens van schuld, berechting en onzekerheid. Hij zal er doorheen moeten, door dat doolhof en er zal ergens een uitweg zijn. Was het echt zijn vader die dat van de week zei? „Wat er ook gebeurt, er is voor problemen als deze een uitweg, altijd."

Hij had hem even aangekeken. Het was zijn vader, toch leek hij op een vreemdeling die je heel vroeger een keer had ontmoet.

„Ik hoop het," zei hij kort.

Hij kijkt of de wagen van zijn vader nog niet komt om hem op te halen. Hij heeft nu een andere wagen, een grijze Mercedes, een tweedehands auto. „Maar een goeie," zei hij. Weer een Mercedes.

Hij wil er niet in, alles zal hem herinneren aan de vorige wagen.

„Leef, Tom, alle dagen hebben nieuwe gezichten, nieuwe kansen." Hij had de hand van de arts stevig om de zijne gevoeld.

„Mag ik u bellen als ik er niet uitkom?"

„Je mag me altijd bellen, Tom."

Hij ziet een grijze wagen het brede voorplein van het ziekenhuis oprijden, hij ziet zijn vader uitstappen, rustig en zelfverzekerd, zoals hij alles ogenschijnlijk rustig en zelfverzekerd doet. Zijn moeder heeft bloemen bij zich. Hij vraagt zich af wat hij daarmee moet doen.

Hij gaat bij het raam vandaan, hij zal zich deze periode blijven herinneren, de zusters, de hartelijkheid, de humor. Ook de humor, gelukkig wel. In een ziekenhuis zijn tranen en glimlachen.

Zuster Lucy vraagt: „Heb je alles ingepakt?"

Hij knikt en zegt: „Het was ondanks alles een geweldige tijd hier."

„Dat lag aan jou, je was een makkelijke patiënt.”

„Misschien.”

Zijn moeder komt binnen, ze is wat drukker dan hij van haar gewend is, maar dat komt omdat ze zenuwachtig is. Boven de bloemen ziet hij haar ogen, hij wist niet dat ze van die diepbruine ogen had.

Ze geeft één bos bloemen aan zuster Lucy. Hij vraagt zich af voor wie de andere bos zal zijn, hoewel hij het vermoedt.

Ze zegt iets tegen Lucy, legt de roze rozen in haar arm.

Lucy knikt.

„Ben je klaar, Tom?”

Hij kijkt zijn vader aan. Hij knikt, hij zou Lucy over haar haren willen streken, een zoen op haar lieve gezicht willen drukken, maar hij staat daar wat verlegen en erg jong.

Onhandig zegt hij: „Ik hoop dat we elkaar nooit meer zullen zien... hier, bedoel ik.”

„Het beste met je Tom, met alles, bedoel ik.”

„Dank je.”

Hij gaat met zijn vader de lange gang door, zijn moeder is naar de afdeling waar Jessica ligt. Niemand heeft het hem gezegd, maar hij wéét het.

„Ik kom zo, pap, ga alvast maar, ik heb nog iets te doen.”

Hij neemt de lift, hij kent de weg al aardig in dit ziekenhuis. Op de afdeling waar Jessica ligt – ze is nog steeds op intensive care – ziet hij zijn moeder bij haar bed.

In een oogopslag merkt hij dat er een slang minder in Jessica's lichaam zit, het geeft hem een wonderlijk heet gevoel van vreugde. Hij loopt naar haar bed, grijpt de bloemen van zijn moeder en legt ze tegen haar gezicht, dan geeft hij haar een zoen op haar wang.

„Dag,” zegt hij.

Hij ziet geen afweer in haar gezicht, veel eerder een bewogenheid.

Hij gaat naar de deur. „Het allerbeste met je.”

Op de gang laat hij zijn tranen de vrije loop. Met een kort, driftig gebaar veegt hij ze van zijn wangen. Op een dag zal hij naar haar ouders gaan, het is op dit ogenblik het enige gevoel dat van betekenis is, dat hem hoop geeft, een beetje zekerheid. Hij gaat naar haar ouders, al schoppen ze hem de deur uit. Hij wil dat ze begrijpen wat er in hem leeft, wat er in hem veranderd is, dat ze hem eindelijk zien als de Tom die hij is, een gewone jongen die evenveel verdriet heeft als zij.

Zijn vader zit achter het stuur. „Waar bleef je nou?"

„Och," zegt hij. Hij geeft zijn gevoel niet prijs, hij beseft dat het niet sportief van hem is, hoe leert zijn vader hem ooit kennen als hij alles wat waarde heeft voor hem verbergt?

Later... veel later, als hij erover kan praten, zal hij het zeggen, de ongeduldige toon in zijn vaders stem maakt dat hij het nu niet kan zeggen.

Zijn moeder loopt met korte passen naar de wagen, ze gaat naast Hans zitten, ze werpt in het spiegeltje een blik op Tom, geeft hem een kleine knipoog.

De jongen sluit zijn ogen, ze begrijpt het, misschien heeft ze niet anders van hem verwacht.

Wanneer de auto rijdt, kijkt hij het raam uit. Het is lang geleden dat hij deze omgeving zag, de sportvelden, de parken, hij wist niet dat alles zo mooi was, zo boordevol groei en spanning. Het is of de wereld op barsten staat. Hij ziet voor het eerst bewust de oude gevels, de poorten, het rusteloze water tegen de wallen.

Als ze in de omgeving van de straat komen waarin hij woont, bevangt hem een verraderlijke angst. Hoe zal de buurt reageren? Hoe moet hij zich opstellen? Kan hij er tegen als ze hem negeren? Of wordt hij daar juist sterker door?

„Heb jij verteld dat hij vandaag thuiskomt?" vraagt zijn vader.

Zijn moeder knikt. „Ja," zegt ze. Ze zegt het kalm en duidelijk. Tom begrijpt de vrolijke klank in haar stem. De hele straat vlagt, de rood-wit-blauwe kleuren wapperen overmoedig in de wind. Hij ziet Bas staan, de andere jongens van school, hij ziet jongens die anders niet zo dik met hem zijn. Hij gaat rechtop zitten, hij krijgt met dit gebaar van de buren een nieuwe kans, het is of al die vlaggen zeggen dat hij niet achterom moet kijken, maar vooruit, dat hij weer meedoet met het boeiende moeilijke spel dat leven heet.

De wagen wordt omringd door mensen. De jongen heeft een gevoel van schaamte, hij heeft dit onthaal niet verdiend, hij is de grootste stommeling die er maar bestaat. Hij begrijpt het niet, al die vlaggen, al die bekende gezichten. Als hij durfde rijden, zou hij omkeren. Maar vluchten is te eenvoudig. Hij ziet zijn vader, verlegen; zijn moeder, één en al vreugde. Hij staat daar zelf met zijn gevoel tussenin, eenzaam, niet wetend hoe hij al het gevoel dat in hem bovenkomt, moet verwerken.

„Heb jíj iedereen gevraagd te vlaggen?" De stem van zijn vader is wat spottend.

Hij haat zijn vader opeens.

„Dat zou niet in me opkomen."

Hij voelt de rustige blik van zijn moeder op zijn gezicht.

„Wou jij beweren dat ze dit uit zichzelf doen?"

„Ja!"

Hij hoort felheid in haar stem, het is voor het eerst dat ze boven zijn vader staat, haar felheid is geboren uit liefde, niet voor hem, maar voor de jongen.

Vader schaamt zich. Haarscherp voelt Tom aan dat dat het is. Vader weet niet waar hij moet blijven, omdat hij niet begrijpt dat een zoon die iets afschuwelijks heeft gedaan op deze eenvoudige warme manier wordt begroet. Hij zou dat zelf niet kunnen. De jongen heeft medelijden met hem.

Vader heeft hetzelfde verwarrende gevoel dat je als kind hebt als je iets hebt gedaan dat niet deugt en je er niet voor wordt gestraft. De herinnering daaraan blijft je bij.

De haatgevoelens voor zijn vader maken plaats voor sympathie. Hij wist niet dat zijn vader het met zichzelf zo moeilijk had. Hij ziet hem uitstappen, een beetje gebogen, een beetje minder flink, minder autoritair dan gewoonlijk. Hij zou hem een arm willen geven, samen met hem het pad oplopen en het huis binnengaan.

Maar net zoals hij, Tom, met veel dingen alléén in het reine moet zien te komen, moet zijn vader dat ook en zijn moeder.

Vader staat naast de wagen, hij steekt zijn hand op. Hij heeft haast om naar binnen te komen. Hij zal het nooit kunnen verwerken dat ze dit deden, dat de hele straat vlagde voor iets dat niets feestelijks heeft.

„Iedereen is blij dat je weer thuis bent."

„Waarom?"

„Je had wel eens nooit meer thuis kunnen komen."

„Ja," zegt hij.

Opeens is hij weer een kind dat bang is in het donker.

„Wanneer moet ik weer naar school?"

„Zo spoedig mogelijk."

Hij denkt aan zijn vader, die is groot en maakt een sterke indruk.

Alleen hij weet dat hij een groot minderwaardigheidscomplex heeft, dat hij met zijn diepste gevoelens geen raad weet.

Hoe zal Jessica thuiskomen? Als ze ooit thuiskomt…

„Ik wil even alleen zijn," zegt hij.

Hij gaat naar zijn kamer, hij kan hier de wapperende vlaggen niet zien, hij heeft er ook geen behoefte aan. Hij ziet nog de verrassing in Jessica's ogen, de bloemen die een gedeelte van haar wang bedekten. Het is of haar gezicht op de ramen weerspiegelt. Hij weet dat het zijn geweten is…

8

Jessica kijkt naar de bloemen die een zuster voor haar in het water heeft gezet. Ze wil die jongen, die Tom, heel diep in haar hart aardig vinden, maar ze weet met haar gevoelens geen raad.

„Ik trap hem zijn benen onder zijn gat vandaan als hij het nog eens waagt jou op te zoeken, die rotjongen! Door hem lig jij hier en het is nog maar helemaal de vraag of je ooit weer zult worden die je was. Bah!"

„Het is niet goed, dat hij komt," zei moeder. Ze was minder heftig, maar haar stem was sterker. „Dat vind jij toch ook?"

Ze had pijn, ze vond dat ook haar ouders egoïsten waren, ze dachten alleen aan zichzelf, in een groot medelijden. Aan Tom dachten ze niet, ze hadden nog nooit zijn gezicht gezien, zijn ogen, nooit zijn stem gehoord. Hij bestond uit schuld, alles wat hij deed, was beladen met schuld.

Dat hij haar bezocht had, was het eerste dat haar had geraakt. Als ze gekund had, zou ze haar armen om hem heen hebben willen slaan, hem door een eenvoudig gebaar laten voelen dat ze het begreep.

Heel vroeger, toen ze nog jong was, reed ze met haar kleine fiets een buurjongetje omver; hij had alleen maar wat builen en schrammen. Maar het had haar een vreemd, onzegbaar gevoel van verlatenheid gegeven dat ze heel lang bij zich had gedragen. Veel later begreep ze dat het een gevoel van machteloosheid was, van schuld. Ieder mens maakt in het leven fouten, geen mens is onfeilbaar. Haar vader had nota bene in haar poëziealbum geschreven: denk nooit dat mensen onfeilbaar zijn… Ze had hem hieraan moeten herinneren.

Ze had haar moeder geen antwoord gegeven, wel voor zichzelf

gevoeld dat het anders was. Maar ze vond geen uitweg voor haar gevoelens, ze lag hier in bed, ze kon zich nauwelijks bewegen, ze had zoveel tijd om na te denken, over de toekomst of ze ooit weer zou kunnen tennissen, fietsen, hardlopen. In die verlorenheid was het niet van belang of haar ouders Tom afkraakten, er waren zoveel grotere zorgen. Ze nam het haar ouders bijna kwalijk dat hun woede over wat Tom gedaan had groter was dan de bezorgdheid om haar. Natuurlijk was dat niet zo, maar het kwam zo over.

Het zonlicht glijdt over de bloemen, ze houdt ervan, zoals ze van dieren houdt, van de natuur, van alles wat bloeit en een eigen plaats diep in je gevoel heeft.

Ze sluit haar ogen. Sinds het ongeluk is het of ze kan relativeren, dieper voelt wat echt van waarde is in het leven. Ze wilde elk jaar met haar ouders mee naar het buitenland, ze genoot ervan hele verhalen te vertellen over wat ze had gezien en beleefd, vooral op school. Ze had veel kleren, ze mocht veel, ze werd eigenlijk erg verwend. Nu weet ze dat dat allemaal geen enkele betekenis heeft, dat het erom gaat of je gezond bent, in alles met iedereen mee kunt doen.

Ze kijkt naar haar armen. Ze sloeg met die nu machteloze handen de tennisballen hoog en ver weg, ze is goed in tennissen, ze is nogal eerzuchtig, ze wil graag in alles de beste zijn.

„Slaap je?"

Ze heeft haar vader niet horen binnenkomen, ze schudt haar hoofd, ze zal niets over de bloemen zeggen, ze kan er niet tegen als er weer spanningen zijn.

„Nee, ik lig zomaar wat te denken." Hij geeft haar een foto. „Hier," zegt hij, „moet je eens kijken hoe ze gegroeid is."

Ze kijkt naar de foto van haar hond, ze had hem gevonden in de voorjaarsvakantie, hij was gewoon achtergelaten door mensen die geen gevoel hebben. Ze had hem mee naar huis genomen, het was een vuilnisbakkenras, een klein, lelijk dier. Alleen zijn ogen waren prachtig, diepbruine ogen die keken en vroegen.

De hond bleef, ze had hem 'Barrel' genoemd.

Er glijden tranen over haar gezicht, het is allemaal zoveel om te verwerken, de hond die haar aankijkt, de bloemen, Tom zelf, en vooral haar ziek-zijn. Ze voelt zich weerloos.

„Wat is er Jess?"

Als hij wat vaker op zo'n zachte toon tegen haar zou praten, zou ze zich minder eenzaam voelen, dan zou ze hem alles kunnen zeggen.

„Zomaar," zegt ze, „ik verlang zo naar Barrel."

Ze verlangt ook naar Tom, ze weet van de zusters dat hij Tom heet, ze heeft hem pijn gedaan, ze had niet zo hard moeten zeggen dat hij niet meer moest komen, dat ze dat niet prettig vond...

„Ik heb van de arts gehoord dat je vooruitgaat."

„Hou me niet voor de gek, pap."

„Het is waar."

Ze wil het zo graag geloven, maar ze kan het niet, haar lichaam doet pijn, het is een harde, bijtende pijn.

Hij wil haar nog geen valse hoop geven. „We zullen opnieuw foto's van haar nekwervels maken," had de arts gezegd.

„Hoe is haar toekomst?"

„Ze zal waarschijnlijk tijdelijk in een inrichting komen, ik hoop dat het tijdelijk zal zijn. Ik hoop dat ze weer zal kunnen lopen."

„Een inrichting?"

„Dat klinkt altijd negatief, ik weet het, maar ik verwacht dat ze na verloop van tijd weer naar huis kan. Er is negentig procent kans op."

„Negentig procent."

Het klonk schamper. „En die tien procent?"

„Ze houdt er iets van over, maar dat zal alleen voor haarzelf merkbaar zijn. Er is, ondanks alles, reden voor dankbaarheid dat ze die negentig procent kríjgt, als u begrijpt wat ik daarmee bedoel.

Het had heel anders kunnen uitvallen."

Haar ogen dwalen rusteloos over het gezicht van haar vader terwijl hij zo denkt.

„Dat is heerlijk nieuws!" Ze ziet dat hij van haar weg kijkt, ze beseft hoe moeilijk hij het heeft.

„Pak m'n hand eens," zegt ze. Ze voelt de warmte van zijn huid op haar vingers, om haar pols. Opeens zegt ze: „Die jongen is naar huis."

Hij begrijpt onmiddellijk wat ze bedoelt, ze ziet hoe zijn gezicht rood wordt, bij zijn slapen is het of een paar aderen opzwellen. Het is een akelig gezicht. Ze schrikt ervan, van de intense haat in zijn ogen.

„Ik hoop hem nooit meer te zien." Ik wel, zou ze willen zeggen, maar daar is de tijd nog niet rijp voor.

Op een dag zal alles misschien wel in orde komen. Ze voelt nog die onhandige, verlegen zoen, de bijna bruuske manier waarop hij de bloemen tegen haar hals duwde. Op de een of andere manier voelt ze zich met hem verbonden in een geestelijke ommekeer die nog niet te verwerken is.

„Laten we over iets anders praten," zegt haar vader.

Ze heeft er geen zin in. Ze denkt aan Tom die thuis is, in zijn vertrouwde omgeving, maar die nog lang niet thuis is bij zichzelf.

„Pap, blijf je?" Ze moet het opeens vragen, ze denkt er dag en nacht aan, als ze uit een lichte slaap wakker wordt, is dit het eerst dat haar bezighoudt.

„Ik vind dit niet het moment om erover te praten."

„Ik wil niet dat je weggaat, ik heb dan niets meer om voor te vechten."

Een paar maanden geleden heeft ze het gehoord, ze stond boven aan de trap. Hij vergeeft het zichzelf nooit dat ze getuige was van de harde, bijtende woorden tussen hem en zijn vrouw. Het gaat al jaren niet goed meer tussen hen, hij heeft één keer in zijn leven een fout gemaakt, hij heeft een korte verhouding gehad met een vrouw op de zaak waar hij werkt. Hij was meer op zoek naar zichzelf geweest in die tijd dan dat hij zich te buiten ging aan 'het grote avontuur'. Er waren moeilijkheden op de zaak over geweest. Hij had het niet moeten doen, maar het overkwam hem. Hij had het misschien thuis niet moeten zeggen, maar zo was hij nu eenmaal, hij kon moeilijk liegen, hij had zich verraden door zijn nerveuze gedrag.

Ze deed of ze het begreep, of ze het hem vergaf, maar vanaf dat ogenblik was er iets in hun huwelijk dat alles wat mooi en goed was geweest overschaduwde.

Gelukkig had Jessica niet gehoord waar het precies over ging. Het enige dat ze had gehoord, was: „Als we zo verder moeten, is het maar beter dat je gaat."

„Ik zal erover nadenken."

God weet hoe ze naderhand in haar bed, in diepe ellende en vol onbegrip, in slaap was gekomen. De ochtend daarna had ze een behuild gezicht.

Hij vroeg wat er was. Nooit vergeet hij haar woorden: „Ik heb naar gedroomd, een man en een vrouw hadden zo'n ruzie dat ze niet meer verder willen samen."

Loek, zijn vrouw, keek naar hem, hij keek naar haar en samen keken ze naar Jess.

„Er zijn ook dromen waarin die ruzies worden bijgelegd," zei ze, „soms is een fikse woordenwisseling erg gezond, daar kom je nog wel eens achter."

„Ik hoop het," zei het kind. Want veel meer dan een groot, lang kind was het nog niet.

Ze was nadien misschien wat stiller, opmerkzamer dan voor die tijd.

Nu begrijpt hij dat het allemaal nog erger was, ze was een mens in nood, in onzekerheid, ze hoopte... Dat hopen hield haar op de been. Maar hoop duurt niet eeuwig, die gaat óf op in rook, óf wordt vervuld.

Hij voelt haar kleine hand in de zijne, het is lang geleden dat ze dat deed, dat ze duimde, bij hem op schoot kroop, in haar dagboek schreef.

Nu was ze weer de Jess uit díe tijd, ze rook weer naar gewassen haren, zeep en liefde.

Loek en hij hadden het onderwerp 'weggaan' niet meer aangeroerd, er was een schroom tussen hen, die erop wachtte te worden weggenomen en over te gaan in een ander gevoel.

„Denk je daar nog steeds aan?"

Hij maakt met zijn wijsvinger rondjes op haar pols. „Weet je het nog?" vraagt hij.

Er komt een lach in haar ogen.

Rondjes op je pols trekken betekende: een wens mogen doen. Jess had altijd zoveel wensen, veel meer dan hij. Het was een opwindend spel, ze speelden dikwijls dat ze samen op reis gingen, schreven dan een beginletter met hun vinger in de lucht en moesten raden naar welk land ze zouden gaan.

Heeft hij ooit in alle emst aan weggaan gedacht? Ja. Niet omdat hij in Loek teleurgesteld was, maar in zichzelf. Hij was nog steeds de vrijbuiter, de man die in Afrika had gewerkt, een land zo fascinerend dat Nederland daarbij vergeleken een broekzak was vol knikkers en tollen. Hij was werkzaam voor de ontwikkelingshulp. Op een van zijn tochten ontmoette hij Loek, ze was een jongensachtige meid met dik lang haar, dat helemaal niet paste bij haar manier van doen. Ze was resoluut, ze leek van ijzer, maar ze werd in zijn handen was, goed kneedbare was.

Hij durfde het met haar aan. Zij met hem. Ze hadden ook niet zoveel keus. Terug in Holland bleek dat ze in verwachting was.

„De Afrikaanse zon brandt heter dan de Hollandse," zei ze. Ze gingen de eerste tijd bij mensen inwonen, het was een afschuwelijke overgang van het ruime, hete land met zijn zinderende hitte, droge wind en duizend geheimzinnige geluiden naar het 'broekzaklandje' waar mensen als mieren door elkaar kropen.

Later kregen ze een woning met een tuin en het gewone maar toch zo waardevolle leven begon. Eerst vol gloed en nieuwe inzet, later gezapiger, met minder uitdaging. Was hij daarom iets met die vrouw op de zaak begonnen? Om opnieuw iets van het wilde, ongerepte in zich te voelen?

Jess bleef enig kind. Ze hadden nooit hun best gedaan er meer te krijgen, niets gepland, er kwamen gewoon geen kinderen meer. Daarom kan hij het die jongen, Tom, nooit vergeven. Hij heeft al te veel ellende gezien.

„Pap."

Hij staat weer met beide benen op de grond.

„Weet je waar ik zat?"

„Nee."

„In Afrika."

Ze lacht, zoals ze vroeger lachte, haar hele gezicht een en al zonnigheid. Ze is vergeten wat ze hem wilde vragen, of misschien is het naar de achtergrond geschoven.

„Als ik te vroeg geboren was, was ik daar geboren, hè?"

„Ja. Dan had je een kindermeisje gehad dat Maria heette. Ze was lief, zacht en mooi donker, je weet wel, van dat teer bruine fluweel dat glanst als je het aanraakt."

„Vertel eens," zegt ze.

Ze ligt naar zijn gezicht te kijken, ze eet de woorden van zijn mond, ze kleurt alles in wat hij in grote lijnen voor haar neerzet.

Weggaan... heeft hij dat echt overwogen... weg van Loek, van dit kind, een onzekere toekomst tegemoet? Hij zou het misschien wel willen, maar hij kan het niet.

Hij kijkt naar de bloemen. Het zijn best wel mooie bloemen, de blaadjes bewegen in de wind, het raam staat een klein stukje open.

Hij wil een goed mens zijn, dat wil hij toch? Dan moet hij kunnen vergeven, begrijpen...

Hij kan het niet. Niet dit wat met zijn enige kind is gebeurd.

„Zou je weer terug willen naar Afrika, pap?"

„Niet speciaal naar dat land, naar elk land waar God iets in je handen legt om te bevechten. Naar elke ruimte die groter is dan hier, naar de warmte van de zoete, indringende nachten, die je lichaam doen transpireren tot je geen handdoeken meer hebt om het droog te wrijven. Je bent nog jong, jouw kansen komen nog."

„Als ik beter word."

Ze zijn weer terug op de harde grond.

Hij staat op. Bijna ruw zegt hij: „Je wórdt beter."

„Dat wil ik ook, voor jou, voor mam. Maar… dan moet ik wel zeker weten dat je thuis bent."

„Ik bén thuis."

„Zeg je dat niet omdat je nog een beetje met één been in Afrika staat?"

Hoe goed kent ze hem, weet ze, dat als zijn fantasie gevoed wordt, hij alles belooft.

„Ik sta met twee benen in Holland."

„Ik heb dus echt iets om voor te vechten?"

„Ja." Ze strekt haar hand uit. „Vertel je morgen weer over dat land waar ik niks van weet?"

„Ja."

„Vertel je het ook aan mam?"

„Ik denk wel dat ik dat doe." Hij strijkt haar haren uit haar gezicht.

Bij de deur geeft hij haar een kleine knipoog.

„Ik kan het beter," zegt ze zacht.

Ze knipoogt ondeugend.

9

De vakantie staat voor de deur. Er is niets dat Tom zo fijn vindt als de vakantie. Ze zijn op school niet ongeschikt tegen hem, maar hij voelt iets, iets dat hij niet kan plaatsen. In zijn eigen klas is de sfeer sportief, ze trekken één lijn, omdat ze zich mede schuldig weten.

Bas, de bink van de klas, heeft het ook nu weer voor het zeggen.

Tom bekijkt hem nu anders. Was hij echt jaloers op hem? Op zijn macht, die in hoofdzaak bestond uit een grote bek hebben, anderen zijn wil opleggen? Hij herkent hierin iets van zijn vader.

Hij beseft dat dit ongeval niet alleen maar verlies is, hij heeft er veel van geleerd. Hij kan die winst nu nog niet zo goed overzien, maar later zal hij juist door dit gebeuren een andere jongen zijn.

Hij herinnert zich de eerste keer dat hij weer naar school ging.

„Je loopt goed rechtop!" Hij hoort het zijn vader nog zeggen. „Je stelt je niet kwetsbaar op."

„Jij kunt me niet zeggen wat ik doen moet, dat zoek ik zelf wel uit."

Hij is wat losser tegenover zijn vader komen te staan en tegelijk is het of ze elkaar beter begrijpen. Het is alleen moeilijk dit te laten merken.

Toch zei hij bij de deur. „Bedankt, pap."

Zijn moeder draaide om hem heen. Hij keek haar aan en probeerde een glimlach in haar gezicht te ontdekken. Die glimlach was altijd haar kracht, daar hield hij zich aan vast.

„Ik red het wel," zei hij.

Ze knikte.

Hij had zich ook gered. Op het schoolplein stonden groepen jongens en meisjes. Hij wilde doorlopen en niets zeggen, maar hij werd ingesloten. De anderen namen een afwachtende houding aan.

Hij doorbrak die. „Ik ben er weer," zei hij.

„Alles goed met je?"

„Dat zie je. Ik zou er graag door willen."

„Niemand belet je dat."

Hij was altijd een meegaande jongen geweest, hij viel in niets echt op, nu gebeurde er iets met hem, hij duwde een paar jongens opzij.

„Zo gaat het beter."

Het was een krachtmeting, maar omdat hij niets te verliezen had, won hij. Hij voelde zich voor het eerst in zijn leven tot veel in staat.

De groep maakte ruimte. Bij de schooldeur hoorde hij iemand roepen: „Brokkenpiloot!" Hij draaide zich om. Hij glimlachte.

„Ik draai hem zijn nek om," zei Bas. Die had op hem gewacht. Hij stond bij de kapstokken, slungelig en met veel minder bravoure dan anders.

Hij sloeg een arm om Bas heen, zo kwamen ze de klas binnen.

Na een wat afwachtende houding werd de sfeer beter, niemand wilde voor de ander onderdoen. Bas had een houding van: wie aan hem komt, komt aan mij.

Hij had geprobeerd de lessen te volgen, maar het lukte hem niet, hij was te veel achter.

„Dat haal je wel in," fluisterde Bas.

Hij had opeens een dikke prop in zijn keel.

Toch is het heerlijk dat nu de vakantie begint, hoewel hij niet weg kan, het onderzoek naar het gebeuren is nog in volle gang, hij moet beschikbaar zijn als er een oproep komt om voor de kinderrechter te verschijnen.

Hij is bang, hij weet dat op een dag die witte envelop op de mat zal liggen, dat hij zich dan rekenschap zal moeten geven van details, waaraan voor hem veel gevoel is verbonden en waardoor hij de situatie opnieuw zal beleven.

Hij voelt zich een gevangene in zijn huis, in zijn straat. Hoe vriendelijk en positief de 'straat' ook reageerde bij zijn thuiskomst, toch voelt hij van die kant onuitgesproken kritiek en waakzame ogen.

„Ik ga naar het strand," zegt hij.

Zijn moeder is in de tuin bezig. Ze is wat stiller geworden, maar hij voelt sterker dan vroeger haar liefde. Eén keer maar had ze hem gevraagd, zonder enig verwijt: „Hoe kon je dat nou toch doen?"

Hij had haar aangekeken. „Waarom laat jij je altijd door pap op je kop zitten? Doe je niet eens een keer wat je zelf wilt?"

Hij had onmiddellijk spijt van die tegenvraag, hij zag een flits van onmacht in haar ogen. „Sorry, mam."

„Ik zou best met je mee willen." Ze zegt het een beetje plagend.

„Waarom doe je dat dan niet?"

„Je moet met vrienden naar het strand, niet met je moeder." Hij gooit een steentje de lucht in. „En als ik het nu toevallig best leuk vind als jij erbij bent?"

„Oké."

Het is rustig aan het strand, de zee is slaperig kalm, de wind waait voorzichtig, het zand is warm en prettig onder je blote voeten.

Tom regelt zijn voetstappen een beetje naar die van zijn moeder.

Ze ziet er opeens zo jong en ontspannen uit, haar blonde haar hangt slordig op haar rug, haar gezicht is lief en rustig. Hij heeft best wel een leuke moeder, het is alleen zo jammer dat ze niet wat meer van haar leven maakt, veel vriendinnen heeft, wat vaker lacht en gekheid maakt.

„Ga je mee zwemmen?" vraagt hij, „ik wil wel eens zien of je daar nog zo goed in bent."

„Dat zal je meevallen."

Ze trekt haar jurk uit, staat in een donkerblauw badpak midden in de zon.

„Het water is heerlijk," zegt hij, „ik zal je een voorsprong geven."

„Dat is niet nodig." Met krachtige lange slagen zwemt ze een eind weg. Hij kijkt naar haar, hij vindt het opeens erg fijn dat ze bij hem is, het is net of ze zonder woorden veel meer zegt dan zijn vader met een lange preek.

Hij zwemt snel en overmoedig. Hij weet het heel zeker, als hij zijn diploma van school heeft, wil hij naar een ontwikkelingsland, het is niet zomaar een droom zoals zijn vader denkt, het is veel meer dan dat. Leven is heerlijk, ondanks moeilijkheden of misschien juist wel dank zij moeilijkheden. Dan weet je wie je bent, waar je staat, watje met jezelf wilt doen. Als eerst dat proces maar achter de rug is, het is net of hij nu maar voor de helft leeft, of zijn gevoel met snoeren samengebonden is.

Boven hem zijn wolken, het lijkt of ze stilstaan, het water is grijsblauw, het ontspant. Hij laat zich drijven, hij vergeet dat hij aan een wedstrijd bezig is. Vogels zweven hoog boven zijn hoofd.

„Waar blijf je nou?" Zo vrolijk is haar stem, zo blij, het raakt hem.

„Vergeten," zegt hij.

„Je deed het expres."

„Zo flauw ben ik niet."

Ed Brinkman roept zijn hond terug, het is een jonge, uitgelaten lobbes, een en al actie en lang niet altijd gehoorzaam. „Hier!" zeg ik je.

Tom glimlacht. Hij gaat op zijn hurken zitten, streelt de hond die als een dolle op hem afstoof.

„Zo'n hond moesten wij ook hebben, mam."

Ze krijgt bijna een kleur, ze weet niet goed hoe haar houding moet zijn, de jongen mag niet merken dat zij Ed kent.

„Hallo, Ed," zegt ze, „hoe kom jij hier?"

„Ben je vergeten dat ik aan het strand woon?"

Ze staat nat, onhandig en verward tegenover hem. Hij heeft haar nog nooit in haar badpak gezien.

„Is dat jouw hond?" vraagt ze.

Hij knikt. „Het is een hond met karakter. Als ik het zeg, grijpt hij je, kijk maar uit."

„Is hij voor de bewaking?" vraagt Tom.

„Ja, hij is afgericht."

Marjet gooit haar natte haren naar achteren, ze grijpt een badhanddoek en slaat die om zich heen.

Ze voelt dat Tom haar aankijkt, het is of hij wil zeggen: gaan we nu verder of hoe is het?"

Onhandig zegt ze: „Heel vroeger zat deze man bij mij op school, je kunt het je niet voorstellen, maar het is zo."

„Ze was een dondersteen op school," zegt Ed. Hij steekt zijn hand naar de jongen uit. „Ed Brinkman," zegt hij.

Tom vindt hem aardig.

„Dan zullen jullie wel veel bij te praten hebben, ik ga nog een baantje zwemmen."

„Het zwemt niet lekker in zee," zegt Ed, „het is er alleen leuk voor honden."

Hij gooit een stuk hout in het water, de hond vliegt er achteraan.

Marjet kijkt naar de jongen en naar de hond.

„Hoe is het met je?" Ze voelt weer die verwarring, zo'n duizelig makend gevoel of je boven op de hoogste berg zit en naar beneden kijkt. Het sprankelt in haar buik.

„Prima en met jou?"

„Laten we een stuk gaan lopen."

„Nee," zegt ze, „ik blijf hier bij de kleren." Ze trekt de handdoek dicht om zich heen. Ze lijkt een preuts meisje en toch is ze allesbehalve een preuts kind, ze is in staat zich tegen hem aan te drukken, hem te zoenen, zijn lichaam te voelen.

„Hou die handdoek niet zo krampachtig vast, je ziet er goed uit, ik kan er wel tegen naar je te kijken zonder zo'n lap om je heen."

Niet opnieuw zo warm en koud tegelijk zijn, zo kwetsbaar. Ze lacht beschaamd.

„Ik zou je weer op willen tillen en in de rondte zwaaien."

Ze maakt met haar blote teen rondjes in het zand. „Die tijd is voorbij." Ze zegt het plechtig.

„Jammer. Voor mij, maar ook voor jou."

„Je bent ijdel."

„Dat ben ik altijd geweest." Zijn hand raakt haar voet, ze voelt zijn vingers eromheen, zacht en dwingend.

Ze schopt zand en gooit het over zijn korte broek, zijn benen.

„Dat zal ik je betaald zetten.” Hij wil haar beetpakken, maar opeens is de hond er, hij gaat naast hem zitten, schudt zich uit en rolt zich om en om in het warme zand.

In de verte zwemt Tom. Af en toe gaat hij staan en kijkt naar het strand. Jammer dat de hond niet meer naast hem zwemt, het is leuk zo’n groot dier naast je te hebben, het te zien zwemmen met een rapheid die je verbaast. Hij drijft een stukje op zijn rug, zorgt ervoor dicht bij de kust te blijven, hij heeft ontzag voor de zee. Hij ziet de wolken donkerder worden, grimmiger, door het donkere grijs kleuren strepen zwart.

Hij zwemt terug. Jammer dat nou juist die Ed Brinkman op de proppen moest komen, hij had graag wat met zijn moeder gepraat, over het proces, over zijn verborgen gevoelens.

Hij loopt over het zand, zijn voetstappen maken natte afdrukken, het is vreemd naar je eigen voetzolen te kijken die diep in het verharde zand achterblijven.

„Er komt onweer,” zegt Marjet.

Ed kijkt naar de hemel. „Je hebt gelijk.”

Marjet trekt haar jurk over haar natte badpak. Ze staat op, ze is de situatie weer de baas, ze kan weer gewoon doen, praten, lachen, zichzelf zijn.

Ze heeft op haar vraag geen antwoord gekregen, omdat de hond uit het water kwam en hen nat spatte.

„Waarom heb je nooit meer gebeld?” Hij trekt met zijn vingers een figuur in het zand, hij weet zelf niet wat het moet voorstellen.

Ze kon niet weten wat er in zijn hoofd omging, ze mocht het nooit weten. Hoe zou ze reageren als hij zei: ik hou van je, vroeger speelde ik met je, later werd alles anders.

Hij heeft geen slecht huwelijk, ze laten elkaar vrij, maar in die vrijheid zit een groot brok eenzaamheid.

Hij streelt de hond. „We gaan naar huis.” Hij lacht naar Marjet.

„Als je weer eens een strandwandeling maakt, zeg het me dan van tevoren, dan kunnen we ergens koffiedrinken.”

„Als ik alle vriendjes en vriendinnen van vroeger moest bellen, had ik nachtwerk. Leuk je gezien te hebben.”

Ze steekt haar hand uit, ze voelt de kracht waarmee hij zijn vingers om haar hand sluit.

Lachend zegt ze: „Trouwens, hoe kun je iemand bellen als je niet weet waar hij woont?"
„Gelijk heb je. Ik kom je nog wel eens tegen."
„Dat zou toevallig zijn."
Ze huivert, haar natte badpak is koud om haar lichaam, haar jurk plakt een beetje.
„Ik durfde je niet meer te bellen," zegt Ed. „Ik dacht dat je dat begrepen had."
„Het was dus alleen maar een spel?"
„Het was serieuzer dan ik je ooit zal kunnen zeggen. Maak dat je thuis komt, voordat de bui losbreekt."
„Ik wil je nog eens spreken, er zijn dingen die niet opgehelderd zijn. We hoeven niet zo vreemd tegenover elkaar te staan."
„Misschien doet zich nog wel eens een gelegenheid voor. Je hebt een leuke zoon."
„Hoe kan het anders met zo'n moeder?" Ze zegt het schalks.

„Ik zwem niet graag in zee als het weer verandert," zegt de jongen.
De eerste regendruppels vallen, in de verte gromt het onweer, de hond loopt dicht naast Ed, het dier is bang. Hij streelt het. „We zijn zo bij de wagen, hou je een beetje rustig."
Als ze boven op het duin zijn, barst het onweer in alle hevigheid los.
„Schuil in mijn auto," zegt hij.
Tom zit er al in, de drijfnatte hond tegen zijn blote been. Marjet zit voor hem, naast Ed.
„Net op tijd!"
De jongen blijft de hond aaien, hij voelt het dier trillen. Hij zou een hond moeten hebben, een vriend die alles begrijpt, je stemmingen aanvoelt, je over veel problemen heen helpt alleen door er te zíjn, met een trouw en een aanhankelijkheid die een mens vreemd zen.
Marjet voelt zich opgelaten, haar jurk plakt om haar lichaam, ze is onzeker, ze vraagt zich af waarom ze dat is.
Ed pakt chocolade uit een vak, hij zet de radio aan. Rock and rollmuziek danst door de ruimte.
Bijna had hij tegen Marjet gezegd: weet je nog? Die avond, dat feest, ik verloor je geen moment uit het oog, ik had je nooit terug moeten zien.
Hij hoort de regen hard op het dak van de wagen, lichtflitsen klauwen

slangachtig door de lucht, het donderen lijkt op het grommen van een roofdier.

Na een poosje wordt het droog, de hemel breekt open in een hard blauw.

De jongen achterin is opvallend stil. Er is weinig tijd meer om met zijn moeder nog wat te praten, langs het strand te gaan. Hij had zo graag met haar willen praten, haar zeggen dat hij niet weet hoe hij moet leven, wat hij met zichzelf aan moet. Hij heeft de pee in. Was die vreemde kerel er maar niet! Maar hij heeft wel een leuke hond.

Hij doet het portier van de wagen open. „Het is droog," zegt hij. Hij zegt het hard.

Hij is de laatste tijd erg veranderd, soms vindt hij het prettig een reactie op te roepen, uit te dagen, zichzelf te testen hoe ver hij durft te gaan in bezeren. Hij is zelf bezeerd, hij slaat terug. Toch is dat maar een pose.

Hij opent het portier van de wagen, hij kijkt naar zijn moeder, ze ziet er meisjesachtig uit, zorgelozer. Ze lacht en heeft een blos op haar gezicht.

Hij slentert naar het hotel, dat met hardrode daken als een grote bloem tussen de harde straatweg en het rulle zand staat.

Ed geeft Marjet een hand. „Misschien tot ziens," zegt hij.

„Dat zou wel toevallig zijn."

„Het leven bestaat uit toevalligheden."

„Tom wacht op me."

„Dat zie ik." Hij steekt zijn hand op naar de jongen.

Tom knikt onverschillig.

„Waar ben je zo gepikeerd over?"

Marjet probeert haar passen naar zijn voetstappen te regelen.

„Ik had graag met je gepraat."

„Is dat alles?"

De wind waait hard, blaast haar haren voor haar gezicht.

De jongen loopt onverschillig, alles aan hem is lusteloos, alsof hij alleen maar toeschouwer is, niet aan het leven deelneemt.

„Die man is gek op je."

Ze doet haar best, maar ze kan niet voorkomen dat een warm rood naar haar wangen stijgt.

„Vroeger was dat misschien zo," zegt ze lachend.

„Dat is nog zo."

Ze kijkt naar haar zoon, zijn ogen bijten zich in haar aarzeling vast. Hij voelt en begrijpt. Hij is ouder dan zijn zeventien jaar.

Ze slaat een arm om hem heen, ze merkt dat hij een kop groter is geworden. Ze voelt zijn afweer. „We kunnen overal praten," zegt ze.

„Als pap en Dorrit erbij zijn, kan dat niet."

„Heb je een hekel aan je vader?"

Hij kijkt haar peinzend aan. „Ik geef veel om hem, dat is het nu juist, ik kan hem niet bereiken."

„Geef hem tijd."

„Denk je dat het dan een keertje komt?"

„Wat?"

Het is moeilijk je gevoelens te uiten, vooral tegenover je moeder.

Aarzelend zegt hij: „Dat hij naast me staat, niet tegenover me."

„Je weet dat hij niet zo'n makkelijke jeugd had."

„Laten we erover ophouden, mam."

„Oké," zegt ze.

10

Op een morgen ligt de envelop op de mat. Het is een vijand die reacties oproept, gevoelens van haat en afweer.

Hij is op dat moment alleen thuis. Hij draait de envelop in zijn handen om en om, hij heeft zin de brief onder andere brieven te verstoppen, net te doen of de oproep niet bestaat, maar dat zou niets uithalen. Hij moet vóórkomen, hoe eerder alles achter de rug is hoe beter.

Hij scheurt de envelop open. „U gelieve zich woensdag 20 augustus a.s. om tien uur 's morgens te vervoegen bij het Kantongerecht, alwaar u gehoord zult worden in de zaak betreffende Jessica de Lange. De zitting zal met gesloten deuren plaatsvinden."

Hij voelt zich eenzaam, opstandig. Hij gaat niet, hij wil het niet nóg eens doormaken, hij is al genoeg gestraft door gevoelens van schuld die hij dag en nacht met zich meedraagt. Waarom moet er nog een veroordeling volgen en hoe zal die luiden?

Hij heeft vanmorgen vrij, maar straks zal hij in de klas zitten met al de andere jongens en meisjes, ze zullen het aan de weet komen, hij weet niet hoe hij zich dan moet gedragen.

„Gewoon," zou de arts uit het ziekenhuis waarschijnlijk tegen hem zeggen, „je hebt straf verdiend, daar ben je zelf ook van overtuigd, onderga die straf, maak er geen groter drama van dan het al is. Je hebt spijt, dat is al een heel ding."

Hij verlangt naar de arts, hij zou hem nu op dit moment willen bellen, maar hij weet dat hij 's morgens in het ziekenhuis is en niet bereikbaar voor telefoontjes.

Hij pakt zijn fiets. Hij weet dat hij zich ontspant als hij in de natuur is, het Westfriese land is mooi, de verre, lage weilanden met de smalle slingerslootjes, de overmoedige wolkenpartijen in honderden vormen en gezichten tussen het blauw van de oneindige hemel, die zich uitstrekt boven dorpen, spitse kerktorens en een weelde van groen.

Hij fietst langzaam. De dorpen liggen in de late zomerzon, vangen het licht, weerkaatsen het, koket en overmoedig. Hij zou nergens anders willen wonen dan hier, met de geur van gemaaid gras en het geluid van vogels en meeuwen over de lange, rustieke dek die huizen en water in een kleurige harmonie met elkaar verbindt en scheidt.

Hij fietst door de dorpen Schellinkhout, Wijdenes, Oosterleek.

Koeien grazen op de brede lappen groen gras, een paard met haar veulen danst gracieus langs de waterkant, de wereld ruikt naar bloemen, fruit en water.

De wind strijkt zorgen van zijn voorhoofd, neemt de band om zijn borstkas weg, maakt hem ontvankelijk, zorgeloos bijna. Als hij terug fietst, de stad ziet liggen met de oude poort als een begroeting tussen oude wallen en vermoeid leunende huizen, komt de spanning in hem terug. Om die brief die hij achteloos, alsof hij niets te betekenen had, op tafel heeft gelegd.

Als hij thuiskomt, is zijn vader er al. Hij ziet zijn wagen op het zijpad van het huis. Hij zet zijn fiets op slot, strijkt wat zenuwachtig zijn haar glad.

„Waar was je?" vraagt zijn vader.

Hij hoort zorg in zijn stem.

„Gewoon, een eindje fietsen."

„Moest je niet naar school?"

„Ik had vanmorgen vrij."

„Jullie hebben meer vrij dan dat je naar school gaat! Toen ik jouw leeftijd had..."

„Ik weet het, jullie gingen naar school van kwart voor negen tot kwart voor twaalf, van halftwee tot kwart over vier, er waren geen keuzepakketten, je zei geen 'je' tegen de leerkrachten en er heerste discipline en respect, ik kan het allemaal wel dromen!"

„Het is jammer genoeg realiteit."

De jongen keert zich om. „Ik leef in déze tijd, ik kan me geen voorstelling maken van jouw tijd, pap, ook al kauw je me die dikwijls genoeg voor. Jouw vader had het altijd over de Tweede Wereldoorlog, daar kon jij je toch ook moeilijk in verplaatsen?"

Hoe lang heeft hij zijn opa niet gezien? Hij was twaalf toen hij er voor het laatst logeerde. Hij heeft wel eens naar hem geïnformeerd.

Hij herinnert zich zijn grootvader als een man waar je bang voor was, hij leek op een militair, maar dan zonder uniform. Zijn oma was een vrouw die altijd plaagde, op alles en iedereen kritiek had.

Zijn moeder had hem eens verteld dat ze er niet meer kwamen omdat er altijd kritiek was, vooral op haar kleding, haar kapsel, op alles wat ze deed of zei.

„Ik ging er onderdoor, ik moest kiezen tussen je grootouders en je vader. Mijn moeder was van mening dat ik ook eens aan mezelf moest denken. Dat deed ik, ik ging nooit meer naar Tilburg, je weet dat ze in Tilburg wonen."

„Waarom zijn ze zo?" vroeg hij.

„Ik wilde dat ik dat kon begrijpen."

Het onderwerp werd nooit meer aangeroerd, vooral niet bij zijn vader. Maar de nieuwsgierigheid bleef. Nu hij zelf ouder wordt, wil hij wéten. Op een dag wil hij ze zien, de grootouders die in staat waren zijn vader en moeder ongelukkig te maken. Zomaar op een willekeurige dag gaat hij erheen. Om zélf te oordelen.

„Waarom doen we zo?" vraagt de jongen. Maar hij weet het antwoord al, ze zijn beiden geprikkeld over die brief.

„Dat weet je best."

De jongen kijkt naar zijn vader, hij zou hem iets aardigs willen zeggen, maar hij weet niet hoe.

„Ja," zegt hij, „je zit erover in, hè?"

Wat hij hoopt, gebeurt. Er is op slag iets hartelijks in zijn vaders stem. „Je bent tenslotte mijn zoon."

„En wat voor een zoon." Hij zegt het hard, hij lokt uit, wil wéten. Hij wil voelen waar zijn vader staat, of die zijn gevoel zal volgen of zijn verstand.

„Het is jammer dat dit ongeluk gebeurd is." Is dat het enige wat zijn vader kan zeggen?

„Denk je dat je erbij kunt zijn, twintig augustus?"

„Dat zal wel te regelen zijn, hoewel het een ongunstige tijd is, tien uur."

De jongen bijt hard op zijn nagels. Als hij erg nerveus is, doet hij dat wel meer.

„Wat voor straf zal ik krijgen?"

„Geen idee."

Waarom komt hij hem niet tegemoet? Hij is toch zijn vader? Maar hij heeft nooit meer over de auto gepraat, hij heeft helemaal niet meer over die fatale avond gepraat.

Toch hoopt de jongen dat er door dit gebeuren onverwachts iets tussen hen zal groeien dat er tevoren niet was.

Hij loopt naar het raam en kijkt naar buiten, het is rustig in de straat, het is zo'n dag als alle dagen en toch is de hele wereld veranderd.

„Hoe laat komt mam thuis?"

„Om een uur of één."

„Waarom werken vrouwen eigenlijk?"

„Ze vinden het een goed tegenwicht, alleen het huishouden doen is ook niet zo leuk."

Hij heeft vrienden op school die altijd iemand thuis treffen, een moeder of een vader die vraagt hoe het op school ging, of ze veel huiswerk hebben.

„Als ik trouw, wil ik naar het buitenland, we doen dan alles samen, dat lijkt me fijn, dingen samen doen."

Hij ziet dat zijn vader de brief oppakt en weer weglegt. „Jij met je dromen," zegt hij.

Er klinkt spot in zijn stem. Of is het iets van jaloezie?

„Niemand kan me die afnemen," zegt hij langzaam. Hij had eraan toe willen voegen: zelfs jíj niet pap, maar wat heb je aan ruzie?

Hij gaat naar de broodtrommel, pakt een paar sneden brood, smeert en belegt ze. Hij neemt grote, snelle happen.

Het leven is lang niet altijd gemakkelijk.

Het regent op twintig augustus, een miezerige motregen, die de wereld grijs en klein maakt.

Tom van Hasselt loopt naast zijn vader en moeder de rechtszaal in, hij loopt als een robot, alles aan hem reageert automatisch. Hij heeft zichzelf vanmorgen bij het opstaan één ding ingeprent: niets voelen, niets toelaten dat pijn doet. Als hij dat wil, kan hij het.

Vroeger, op de lagere school, was een jongen uit zijn klas verdronken bij het zwemmen. Alle klasgenoten waren meegegaan naar de begrafenis, de meesten huilden. Hij wilde niet huilen en het gebeurde niet. Hij kon soms zichzelf een dwang opleggen die sterker was dan zijn diepste emotie.

Maar toen hij om zich heen keek, de ouders van Jessica zag, wankelde zijn vastbeslotenheid. Er was zoveel haat op hun gezichten dat hij huiverde.

Iemand tikt met een hamer op de houten tafel. „De zaak Van Hasselt."

Tom luistert naar de aanklacht die met monotone stem wordt voorgelezen, de droge ambtelijke taal ontgaat hem, alleen flarden dringen tot hem door, woorden die hij kan plaatsen: door grote nalatigheid, ik ben van mening dat een strenge straf hier op zijn plaats is, ik eis een alternatieve straf voor de tijd van zes maanden.

Tom ziet de gezichten van Jessica's ouders, er ligt triomf op, spot.

Hij klemt zijn handen om het beklaagde bankje. Zés maanden dat kan niet, dat mag niet, het is gemeen!

Hij kijkt hulpeloos om zich heen. In gedachten hoort hij de stem van de arts: 'doe gewoon, je weet dat je straf verdiend hebt, aanvaard het, je hebt spijt, dat is al een heel ding.'

Hij gaat rechtop staan. Hij heeft nog nooit eerder een rechtszaak meegemaakt, hij zegt met een sterke trilling in zijn stem: „Ik heb er zo'n spijt van, het zal nooit meer voorkomen." Hij mag niet tussen de eis en het vonnis van de rechter door praten.

De rechter spreekt op een mildere toon, hij voert verzachtende omstandigheden aan: nooit eerder met een rechter in aanraking geweest, volkomen ondoordacht handelingen gepleegd die tot het bekende resultaat leidden, ik stel voor een alternatieve straf van drie maanden, dat wil zeggen, drie maanden werken in een ziekenhuis, elke zaterdag en zondag. Ik ben van mening dat zijn prestaties op school er niet onder mogen lijden.

Degene die het eerst heeft gesproken, zegt: „Hoewel ik het niet helemaal met de rechter eens ben, zal ik me erbij neerleggen en een alternatieve straf eisen voor de tijdsduur van drie maanden. Heeft verdachte hier nog iets aan toe te voegen?"

„Hoef ik niet de gevangenis in?"

De rechter kijkt de jongen welwillend aan, hier staat iemand die uit het goede hout is gesneden, die oprecht berouw heeft, gebukt gaat onder het feit dat het meisje Jessica de Lange nog steeds ernstig ziek is.

„Je hoeft niet de gevangenis in," zegt hij, „je bent voorlopig je weekends kwijt. Maar dat heb je verdiend."

Ik heb veel meer verdiend, zou de jongen willen zeggen, maar hij vindt geen woorden om zich te uiten.

„De straf gaat in op zaterdag 6 september. Is er nog iemand die iets wil zeggen?"

Jessica's vader staat op, hij is een brede, imposante man, hij lijkt op een bokser, zijn stem, zijn gebaren zijn fel, alsof hij elk moment met zijn vuisten zal toeslaan.

„Ik teken protest aan, ik wil in hoger beroep, dit is een straf van niks, drie maanden voor het bijna doodrijden van mijn dochter."

„Voor zover mij bekend, gaat de gezondheid van uw dochter vooruit, het medisch rapport zegt dat ze voor negentig procent zal genezen."

„En die tien procent? Daar is díe jongen daar verantwoordelijk voor!"

Er wordt een fel gevoel in Tom wakker. Verdriet en onmacht maken dat de woorden die hij tot Jessica's vader richt, eerder een beroep op zijn gevoel zijn dan een aanklacht.

„Als u wist hoe ik eronder lijd, zou u dat nooit zeggen. Door meer straf kan nooit ongedaan gemaakt worden wat er is gebeurd. Geef me een kans!"

Bas en andere jongens van school zijn ook bij de zitting aanwezig.

Hoewel alles met gesloten deuren gebeurt, mochten de jongens die mede verantwoordelijk zijn voor de aanrijding, in de rechtszaal zitten.

„Hij deed het niet alléén," zegt Bas. Zijn stem slaat over van woede.

„We waren met een heel stel, we hebben hem overgehaald de auto van zijn vader te lenen, we hebben er allemaal veel van geleerd. Maar u" – hij wijst in de richting van Jessica's vader – „u heeft geen gevoel, u..."

De rechter slaat kort met de houten hamer. „Stilte, ik begrijp je houding, maar ik begrijp die van meneer De Lange ook. Als je later zelf een kind hebt zul je dat beter kunnen voelen. Wat niet wegneemt dat ik de heer De Lange zou willen vragen zijn wens in hoger beroep te gaan nog eens goed te overwegen. Drie maanden in een ziekenhuis werken is geen gemakkelijke opgave, het gaat niet om de lengte van een straf, maar om de intensiteit."

„Ik zal erover nadenken."

De Lange praat met zijn vrouw, de blikken die ze op Tom werpen zijn snijdend, bikkelhard.

De jongen slaat zijn ogen neer. In een opwelling denkt hij: straks is het voorbij, dan sta ik weer buiten, in de motregen, in de drukte van de stad met zijn auto's, fietsers, lawaai. Dan weet ik wat ik moet bevechten, mijzelf, mijn omgeving, de hele straat.

Zo aardig als ze waren bij zijn thuiskomst, zo haarscherp voelt hij toch hun blikken als hij ergens boodschappen doet, in de supermarkt, bij de slager. Het zijn verwijtende blikken, maar omdat de buren met zijn ouders een goede band hebben, nemen ze hem er op de koop toe bij. Ze hebben medelijden met hem en dat gevoel is het laatste dat hij nodig heeft, hij wil zichzélf terug, een nieuwe kans krijgen. Aan medelijden heeft een mens niets.

De stem van De Lange klinkt hard en duidelijk. „We zien er toch maar van af edelachtbare, om hoger beroep aan te tekenen."

De rechter verbergt een glimlach. „Ik zal uitspraak doen. Ik acht Tom van Hasselt schuldig aan de hem ten laste gelegde feiten, de alternatieve straf gaat in op zaterdag de zesde september. Langer uitstel vermindert de doeltreffendheid ervan, hoe eerder de straf ingaat, des te effectiever werkt deze. Heeft verdachte hier nog iets aan toe te voegen?"

Tom schudt zijn hoofd. Onhandig zegt hij: „Ik zal mijn best doen."

De deuren van het gerechtsgebouw gaan open, hij loopt automatisch de stenen stoep af, om hem heen is gepraat, flarden van woorden dringen tot hem door: die maanden zijn gauw om, na een poosje begin je met een schone lei.

Niets is echt voorbij zolang Jessica ziek is. Uit verhalen heeft hij begrepen dat ze naar een revalidatiecentrum gaat.

Bas komt naast hem lopen, de andere vrienden zijn er ook. Hij heeft een warm gevoel. Dat heeft hij er tenminste van overgehouden, vrienden. Hij had er weinig op school.

„Hallo," zegt Bas. Hij heeft een brutaal gezicht met sproeten, maar van zijn bravoure is op dit ogenblik niet zoveel over.

„Hallo," zegt Tom.

„Dat is voorbij."

„Het begint pas," zegt Tom, „dat zul je zien."

„Hoezo?"

„De mensen..."

„Praatjes duren hooguit drie dagen. Wat kan jou het schelen wat men zegt, je weet toch zelf wel beter."

Tom blijft staan. „Ik voel me rot, sinds dat ongeluk heb ik me nog nooit zo rot gevoeld."

„Alles gaat altijd over."

„Niet alles, ik kan het niet vergeten, nooit."

Hij merkt opeens dat zijn vader naast hem is komen lopen. „Zullen we ergens iets gaan drinken? Koffie of zo?"

In die ene korte, onbeholpen zin zit zoveel liefde dat de jongen tegen zijn tranen vecht. Hoeveel kanten heeft een mens? En wat weet je van een ander?

Alles staat op zijn kop, niets is meer hetzelfde. Hij vraagt zich af of het ooit weer zo zal worden als in het leven dat hij leidde vóór alles in elkaar stortte...

„Ik zou best een pilsje lusten," zegt Bas. Het klinkt geforceerd vrolijk.

Ik zou voor het eerst van mijn leven wel eens een beetje dronken willen zijn, denkt Tom.

Hij zou zijn vader graag een arm geven, zomaar uit een gevoel van herkenning.

„Daar is het nog te vroeg voor," zegt Toms vader. Hij raakt de schouder van zijn zoon aan, het is een teder gebaar, vluchtig en nauwelijks merkbaar, als de warme adem van de voorbij waaiende wind.

Tom voelt het. Hij vecht tegen een brandende ontroering. Als je je gevoel niet toelaat, is het net of het niet bestaat, of alles gewoon is.

Soms kan hij dat, dan is hij weer die gewone jongen die op het voetbalveld een balletje trapt, naar meisjes kijkt en nooit goed weet wat hij tegen ze moet zeggen.

Ogenschijnlijk onverschillig zegt hij: „Hoi, pap. Een kop koffie gaat er altijd in."

11

Jessica de Lange hangt in halfzittende houding in een stoel, het warme zonlicht valt op haar handen en haar benen, op een leesplankje ligt een opengeslagen boek. Ze heeft geprobeerd de betekenis van de letters in zich op te nemen, maar haar gedachten dwaalden af Naar het trillen van de beweeglijke bladeren, naar de wind die het water in de vijver huiverend aanraakt.

Sinds een paar weken is ze hier, in het verpleeghuis 'Zonlicht'. Ze voelt zich een stuurloos schip, een mens zonder thuis, misschien zonder toekomst. Alles is 'misschien', zelfs haar inzet om de conditie van haar lichaam te verbeteren. Er leeft een onverschilligheid in haar, alsof het haar niets kan schelen hoe ze uit dit ziekteproces te voorschijn zal komen. Misschien komt het omdat de herfst voelbaar is, met melancholie, weemoed en eenzaamheid.

Toch zijn de dagen dat ze het wil opgeven minder geworden, ze heeft de fase van de felle opstandigheid achter zich, ze wil diep binnenin toch leven, ze weet alleen niet hoe.

De septemberzon is warm, ze probeert haar hoofd naar het zonlicht te draaien, maar ze kan die beweging nog niet maken. Ze heeft nog zo weinig controle over haar spieren.

„De tijd heelt alles."

De arts heeft goed praten. Ze is jong, ze heeft nooit geleerd te wachten, ze wil meedoen in alles, overal bij zijn.

„Je krijgt niet alles wat je wilt."

„Wat heb ik nog over?" vroeg ze.

„Veel. Dat realiseer je je pas later; je kunt zien, horen, praten, je hebt veel om dankbaar voor te zijn."

Ze had haar hoofd in het kussen gestopt, ze wilde niet luisteren. Het was gemeen, alles was gemeen! Ze zwom graag, ze hield van sport, tennis, hardlopen. Zou ze dat ooit nog kunnen?

„Dankbaar," zei ze hard, „wat een idee!"

Die gevoelens van haat en afkeer waren afgezwakt. Hoe jong ze ook is, ze voelt dat ze deze ontwikkeling door moet maken om tot aanvaarding te komen. Zou haar dat ooit helemaal lukken? Als je jong bent, aanvaard je niet, je bent dwars, prikkelbaar, omdat je iets is ontnomen dat je vroeger vanzelfsprekend vond, gezond zijn.

Mussen zingen in de hoge beuken, wolkenpartijen kijken met opgeblazen gezichten tussen hoge bomen, dicht langs de muur waaien de rodondendrons met voorzichtig kleurende bessen.

Ze kijkt op haar horloge, haar vader en moeder hadden er allang moeten zijn. Sinds ze hier ligt, voelt ze zich onafhankelijker tegenover hen, vrijer. Ze heeft geleerd zichzelf te redden, hoe moeilijk dat ook is, niet beklaagd te worden. Het belangrijkste is dat ze geleerd heeft dat ze een van de vele gevallen is die hier verpleegd worden en dat het erop aankomt je in te zetten voor therapieën, oefeningen, je instelling te richten op een kracht in jezelf die groeit naarmate je begrijpt dat men jouw leven waardevol vindt. En als een ander dat vindt, moet je toch ook zelf inzien dat het de moeite loont mee te werken.

Ze ziet haar vader door het lange park komen. Waarom is mam er niet? Ze is bang.

„Hallo!" Ze voelt zijn zoen. „Dag, pap."

Hij voelt bezorgdheid in haar stem. „Mam komt vanavond, we hebben de taken wat verdeeld en jij hebt er ook veel meer aan als je vanavond weer bezoek krijgt, tevreden?"

„Ik was bang."

„Daar is geen enkele reden voor." Ze strekt haar hand naar hem uit. „Hou je nog van mam?"

Mijn gevoel voor haar is anders geworden, zou hij haar willen zeggen, het is niet meer of minder, alleen maar anders. Je kent elkaar door en door, er is zo weinig verrassends meer in een verhouding. Maar misschien is dat juist wel een goede basis, dat je op elkaar kan rekenen, elkaars fouten kent, de ander neemt zoals hij is. Wie zal het zeggen?

„Wij zijn bij elkaar thuis," zegt hij.

Jessica ligt naar zijn gezicht te kijken, naar de lijnen om zijn mond, langs zijn neus. Hij is magerder, liever, hij nam het voor haar op, hij zal het altijd voor haar opnemen, ook al maakt ze fouten. Dat is zijn kracht, zijn zwakheid en zijn liefde. Voor de dochter die hij in de watten legt.

„Het gaat beter met me, ik heb vanmorgen, tussen twee verpleegkundigen in, een beetje gelopen, nou ja, ik heb meer op ze gesteund dan echt mijn voeten gebruikt, maar ik voel dat het elke dag beter zal gaan en op een dag ben ik weer thuis."

„Dan gaan we op reis, misschien wel naar Afrika, dan laat ik je zien waar je geboren had kunnen worden, maar toen was je nog bezig een baby te worden, veilig weggeborgen in de buik van je moeder."

„Jíj wilt daar naar toe," zegt ze zacht.

Hij lacht. Hij weet dat dit de diep verborgen eenzaamheid in hem is, het verlangen naar dat onmetelijk wijde land met zijn oerkrachten, schoonheid en overweldigende mysteriën. Als je in de schaduw onder het muskietennet lag en om je heen keek naar de bruine bevolking die zo harmonisch paste in het woeste landschap, als je de geluiden hoorde van dieren in het wild, de zoete, wonderschone muziek van de bewoners, dan voelde je een heel diepe ontroering. De duisternis viel er altijd snel, de dieren, met hun eigen gratie en schoonheid, werden dan alert op elk geluid, snelden weg in een ondoordringbare duisternis. Het donker was vol vreemde klank, de wereld leek verrassend geheimzinnig.

Hij knikt. Dat verlangen in hem maakt hem rusteloos, knaagt onbewust ook aan het huwelijk met Loek. Het land deed haar niets meer, ze kon er op het laatst niet meer tegen, tegen de eenzaamheid, het gebrek aan comfort, de moeilijkheid om met de bewoners in hun eigen taal te spreken.

Het was niet de kortstondige affaire die hij met een vrouw op de zaak had gehad, het lag dieper. En voor dat verlangen vond hij alsnog geen oplossing.

Hij wilde niet alleen weggaan, hij wilde dat Loek meeging. Het kind was bijna volwassen; zij zou haar eigen weg gaan, los van de ouders. Als hij nu eens niet in de bush-bush ging wonen, maar in een van de kleine dorpen in Tanzania, met het nodige comfort, misschien dat Loek dan...

„Als ik thuiskom, wil ik dat je eindelijk weer eens een dia-avond houdt, het is lang geleden dat je dat deed."

„Je moeder vindt het niet leuk, ze wil liever niet meer herinnerd worden aan Afrika."

„Stom."

„Erg stom," zegt hij.

Als hij het maar kon begrijpen... Hij is er eens over begonnen, op een avond dat er een rustige sfeer in huis was.

„Ik kon er op het laatst niet meer tegen," zei ze, „te weinig comfort, op de radio alleen de wereldomroep, weinig mensen bij wie ik me thuis voelde. Ik verlangde gewoon terug naar Nederland."

„Heb je nooit spijt gehad?"

Ze keek hem aan. „Ja," zei ze, „alles is hier veranderd, de hele mentaliteit; je voelt de onrust hier, het materialisme overheerst, en vooral: men leeft hier zo oppervlakkig. Het was daar zo rustig, niemand had haast."

„Misschien gaan we op een dag terug," zei hij.

Ze schudde haar hoofd. „Het is zo gek, als ik daar ben, wil ik naar Holland; als ik hier ben, voel ik me een half mens."

„Ja," zei hij.

„Jij zou terug willen, hè?" vroeg ze zacht.

„Ik verlang ernaar."

Vanaf dat moment waren ze vreemd voor elkaar, ze droegen ieder een eigen kleine wereld in zich; er was geen brug die deze met elkaar kon verbinden.

Niets is zo erg als een langs elkaar heen gaan, elkaar halverwege ontmoeten en weer moeten loslaten omdat de voetstappen niet gelijk gaan.

„Als ik het vraag, vindt mam het misschien wel goed."

„Je zou het kunnen proberen." Hij houdt van dit kind met haar zuiverheid, haar nog niet geraakt zijn door kleuren die verwarren.

„Heb je het niet koud?"

Ze lacht. „In de zon? Het is heerlijk hier, ik heb al verschillende vrienden en vriendinnen, we hebben veel plezier."

Hij knikt.

„Neemt mam Barrel vanavond mee?" Ze vraagt het vol heimwee.

„Er mogen hier geen honden."

„Als mam me nou in dit wagentje naar de auto rijdt, kan ik hem in de auto zien. Ik heb hem zo lang niet gezien, pap."

Hij kan haar niets weigeren, dat is zijn fout, hij weet het. Het is een plezierige fout, hij wordt er gelukkig door als hij voelt dat ze blij is.

Ze voelt zich opgewonden en moe, er is zoveel veranderd de laatste weken; eerst het ziekenhuis, nu dit tehuis, vreemde gezichten. Op een dag zal ze het allemaal achter zich laten, dan stapt ze een nieuwe fase van haar leven binnen. Een moeilijker fase. Er blijft een lichte storing in haar motoriek, een lichte... Zal ze dat aankunnen?

„We houden wat we denken voor onszelf," zegt haar vader, „dat is soms jammer, ik zou wel eens wat meer van je gedachten willen weten, van alles wat er in je omgaat."

„Zou je dat echt willen weten?"

„Ja."

„Ik denk veel aan Tom, ik kan hem niet vergeten."

Zijn reactie is haar vertrouwd. „Praat daar alsjeblieft niet over, je weet dat ik de naam van die jongen niet wil horen."

„Omdat je nooit iets zegt, blijf ik ermee bezig, met de rechtszitting, met zoveel. Wat voor straf heeft hij gekregen?"

Hij kijkt naar zijn dochter, tegelijk ziet hij ook het gezicht van die jongen, een sympathiek gezicht, hij hoort zijn stem: „Ik heb er zo'n spijt van."

Waarom kan hij, wil hij de jongen niet aardig vinden?

„Hij moet drie maanden in een ziekenhuis werken, ik weet niet wat voor werk hij daar moet doen."

„Drie maanden zijn lang."

Ze heeft een kleur, ze wist niet dat haar vader zo hard kon zijn, zo ongeïnteresseerd. Ze voelt zich ouder en wijzer, misschien omdat ze door dit ziek-zijn zoveel doormaakt, diep beseft waar het om gaat. Om een zo waardevol mogelijk mens te zijn, gevoelens die moeilijk te bevechten zijn, sterker te maken, zodat je altijd in het reine komt met jezelf van de week dacht ze: als ik beter ben, weer buiten loop in de harde wind, met de bladeren van de herfst om me heen, als ik weer zingen kan en lachen, dan zoek ik Tom op, dan zal ik hem laten voelen dat het voorbij is, het schuldgevoel, de eenzaamheid. Ik zal hem een hand geven en met hem langs het strand gaan en we zullen weer jong zijn; van binnen zijn wij ouder, maar van buiten zijn we jong en boordevol mogelijkheden. En heel misschien zal ik hem nog eens zeggen dat ik door dit alles een andere Jessica ben geworden, die begrijpt dat je jezelf pas tegenkomt als je iets te bevechten hebt.

Al deze gedachten en gevoelens houdt ze voor zichzelf. Ze weet dat ze te voorschijn zullen komen als de tijd rijp is.

„Hij heeft het verdiend."

Ze leunt met haar hoofd achterover, de zon is hoger geklommen, ze speelt verstoppertje met de takken van de bomen. Het doet pijn haar vaders stem zo te horen, als een dissonant in een harmonisch stuk muziek.

Een vogel zit tussen de bladeren. Over een maand is het volop herfst. Misschien is ze dan in staat tussen de afgevallen bladeren door de bossen te rijden, of stukjes te lopen. Weer dat woord 'misschien', maar eigenlijk had ze daar als jong kind al mee te maken. Misschien ging je over, misschien zou ze met Sinterklaas dat éne cadeautje krijgen dat ze zo graag wilde hebben, misschien was mam thuis als ze iets bijzonders te vertellen had. Misschien, misschien...

Ze strekt haar smalle hand naar haar vader uit, in een verlangen dat alles in elkaar zal passen, in harmonie zal zijn. Ze is erg kwetsbaar geworden en ze kan met deze gevoelens geen kant uit.

Ze voelt zijn vingers om haar vingers. „'t Komt wel goed," zegt ze.

Ze bedoelt tussen haar en Tom. Dat vijandige moet plaats maken voor warmte. Het is haar aard om dat zo te willen. Het maakt gelukkig zo te denken, het is alleen jammer dat haar vader dat nog niet kan. Later misschien...

Ze lacht. „Ga nou maar, ik begin moe te worden."

Hij geeft haar een zoen, ze is een sterke persoonlijkheid waar hij terdege rekening mee moet houden. „Vraag je of mam Barrel meeneemt?"

„Doe ik."

Ze hoort zijn wagen wegrijden. In de hoge kruinen van de bomen zingt de wind.

12

Hij veegt zweetdruppels van zijn voorhoofd. Het is warm in het ziekenhuis, er hangt een droge, benauwende hitte, die het werken bemoeilijkt. Hij heeft weinig ervaring met het lappen van ramen en boenen van vloeren, hij is er niet erg handig in, maar dat zal wel beter worden naarmate hij het langer doet.

Hij heeft geprobeerd zijn gevoel uit te schakelen, maar toen hij vanmorgen wakker werd, was er een knijpende band om zijn lijf die strakker en strakker werd getrokken. Zijn moeder zei bij het ontbijt: „Dit is het begin van een nieuw leven."

Hij keek haar even aan. „Het zal niet meevallen."

Zijn vader las de krant en nam grote stukken brood in zijn mond.

Maar Tom zag dat hij helemaal niet las. „Zal ik je wegbrengen?" vroeg hij.

„Ik heb een fiets en het is niet ver."

Het was aardig van zijn vader, maar toch was het of hij er niet helemaal achter stond, of hij zich schaamde voor zijn zoon.

„Hoe laat ben je thuis?"

„Ik werk van negen tot zes uur, reken dus maar uit wanneer ik weer voor de deur sta."

„Ik zal wat later met het eten beginnen."

Bij de deur dacht hij dat ze nog nooit zulke stomme woorden tegen elkaar hadden gezegd, lege zinnen zonder kleur. Het leek wel of ze geen familie van elkaar waren, ze leken op mensen die hun hond uitlieten en met totaal vreemden, die óók een hond hadden, een oppervlakkig praatje maakten.

Hij fietste zigzaggend door de straat, misschien deed hij dat om een houding te vinden, ook tegenover de buren. Hij wist niet dat mensen zoveel kanten hadden, zoveel goede en nare eigenschappen. Ze groetten hem, maar in hun ogen was afweer, in hun stem ook. Hij hoopte dat hij zich vergiste, dat het zich, in zijn eenzaamheid, maar verbeeldde, maar ergens wist hij dat hij gelijk had.

Hij pakt de emmer met sop die naast hem staat weer op en begint opnieuw aan een vloer.

In de verte ziet hij in de lange gang een brancard aankomen, verpleegsters lopen af en aan, er is een gegons van stemmen, voetstappen klikken op de harde vloeren.

Hij zit op zijn knieën, hij wil niet langer kijken, automatisch wringt hij een dweil uit, poetst met lange halen.

Drie maanden dit werk, hij probeert uit te rekenen hoeveel weekenddagen dat zijn; als hij het goed heeft, zijn het er in totaal vierentwintig. Hij zal het wel volhouden, hij moet proberen dit werk zo goed mogelijk te doen. Maandag zit hij weer op school, hij zal niet gepest worden dat weet hij zeker, hij heeft vrienden die naast hem staan. Die het voor hem opnemen.

„Heb je al koffie gehad?" Een wat oudere verpleegster kijkt hem aan.

„Nee."

„In de kantine kun je koffie krijgen, een kop kost een gulden, heb je geld bij je?"

„Ja."

„Je kunt net zoveel koffie drinken als je wilt, als je met een klein kwartier maar weer aan je werk gaat."

Ze heeft lelijke benen, een beetje dikke enkels, ze loopt op platte sportschoenen. Zijn blik gaat vanaf haar enkels naar haar bovenbenen, hij kan bíjna haar slip zien, maar daarvoor ligt hij net niet diep genoeg op de vloer. Haar heupen zijn breed, haar borsten groot en uitdagend. Hij zou haar willen bezeren, haar omver gooien, boven op haar gaan zitten en… Wat bezielt hem? Hij is toch een normale jongen met normale gevoelens? Hoewel… als het aan hem lag, zou hij nooit zo'n dikke vrouw moeten hebben.

„Wat kijk je nou? Ben je al klaar met de vloer?"

Als hij nou eens zei: je bent veel te dik. Hij onderdrukt een grijns.

„Ik ga koffie drinken."

Hij krabbelt omhoog, hij is een stuk langer dan zij. Hij weet met zijn houding geen raad.

„Ik moet opschieten." Hij loopt naar de deur. „Dat zei ik." Hij ziet haar verbaasde gezicht.

De koffie is sterk en lauw. Een gulden voor zo'n snertkop, hoe halen ze het in hun hoofd? Je bent hier niet voor je lol, Tom van Hasselt. Hij gooit het lauwe vocht naar binnen, kijkt om zich heen of er niemand is met wie hij een praatje kan maken. Maar hij kent hier geen mens.

Hij kan niet zien of het raam schoon is, er schijnt zonlicht in, van zijn moeder weet hij dat er soms strepen achterblijven. Hij heeft een gevoel van moedeloosheid. Wie en wat is hij eigenlijk, waar is hij mee bezig? Waarom moest dit allemaal gebeuren?

Heeft zijn vader dan toch gelijk? Kan hij niets echt behoorlijk? Nu alsjeblieft geen zelfmedelijden krijgen, daar schiet hij niets mee op, hij moet proberen dit werk zo goed mogelijk te doen, er iets positiefs van zien te maken.

Het had anders kunnen zijn, hij had in de bajes kunnen zitten; dan was hij nog meer op zichzelf teruggeworpen, dan zou hij zich nog meer vernederd voelen dan nu.

Hij herinnert zich het telefoontje van Bas vanmorgen. „Als ik kon, kwam ik daar ook werken, dan maakten we samen de tijd vol."

Bas is nooit zo sentimenteel. „Je zou het kunnen vragen."

Hij voelde de genegenheid die tussen hen gegroeid was, misschien was dit allemaal toch ergens goed voor.

„Het is hier geen rusthuis! Heb je niks beters te doen dan te staan suffen?"

Tom kleurt. Kinderlijk zegt hij: „Ik keek of er nog strepen op het raam waren."

„Ik ben Bartels, ik heb de opdracht je een beetje in de gaten te houden. Ik zou maar weer eens aan de slag gaan. Je was goed op tijd vanmorgen, dat heb ik al gecontroleerd.”

De jongen heeft de pest in, hij kan er niet tegen als hij gecontroleerd wordt, thuis niet en hier ook niet. Dan is hij geneigd zijn hoofd in de wind te gooien. Ook nu ligt een brutale opmerking voor in zijn mond, maar hij begrijpt dat hij het daarmee alleen maar erger maakt.

Hij wringt de zeemleren lap uit en begint opnieuw.

Hij zou die Bartels het liefst een emmer water over zijn hoofd willen gooien. Het idee, zo’n druipende kerel… Hij glimlacht. Hij moet het veel meer van de humoristische kant zien, dan valt het allemaal wel mee.

„Doe je best, jongen, dat geeft de meeste voldoening.”

Het klinkt vriendelijk en Tom begrijpt dat de man zo moet doen omdat het anders een onoverzichtelijke boel zou worden.

„Dat weet ik,” zegt hij.

De strepen zijn van het raam af, het is het raam van een van de grote keukens. Hij krijgt opeens honger, maar hij moet nog een poos wachten voordat hij wat krijgt. Als hij hier wat krijgt… Zijn moeder rekent erop dat hij gewoon thuis komt eten, hij kan zich niet voorstellen dat dat doorgaat. Enfin, dan belt hij haar wel op.

Er loopt een meisje in de keuken, ze lijkt op Jessica. Hij zou haar willen vragen hoe ze heet. Er is opeens pijn, een gevoel van verlatenheid. Hij kan zich moeilijk op het vervelende werk concentreren.

Jessica… hij wil naar haar toe, hij moet haar zien, haar spreken, vanavond gaat hij naar dat tehuis. Hij heeft haar eens een briefje geschreven, eigenlijk een nietszeggend, mal briefje. „Ik weet zeker dat je na een poosje weer naar huis mag. Dat zal de mooiste dag uit m’n leven zijn, ik voel me verantwoordelijk voor je. Ik kan me beter op papier uiten dan het persoonlijk tegen je zeggen, ik hoop zo dat je het begrijpt. Ook mijn leven is drastisch veranderd, ik voel me ongelukkig, maar er is niemand die dat merkt…”

Hij had nooit antwoord gekregen, hij begrijpt dat ook wel, wat moet ze hem terug schrijven?

Hij werkt opeens intensiever, als hij aan Jessica denkt verandert er iets in hem, het is of donker en licht dan in elkaar overgaan en er een toekomst is.

Hij zou kunnen zingen omdat er een opening is in zijn gedachten.

Hij kan moeilijk haten, kwaad blijven, hij probeert altijd het waardevolle te zien. Zijn vader vindt dat 'sentimenteel', maar hij weet nu dat zijn vader erg streng en liefdeloos opgevoed is. Hij zou hem zo graag beter willen leren kennen.

„Hoe bevalt zo'n eerste dag?"

De arts die hem in het ziekenhuis zo menselijk begeleidde, glimlacht naar hem.

„'t Gaat wel," zegt de jongen.

„Jij komt er wel, in het leven bedoel ik."

Hij vecht tegen opkomende tranen, het staat zo kinderachtig als hij zich zou laten gaan, toch glijden er een paar over zijn wangen, hij veegt ze bruusk weg.

Hij heeft de afgelopen tijd bijna niet gehuild. Alleen als hij aan Jessica denkt, komt dat gevoel van schuld boven, hij zal dat gevoel zijn leven lang niet meer helemaal kwijt raken.

„U bent de enige met wie ik kan praten," zegt de jongen.

„Geef iedereen de tijd, vooral jezelf, je ouders, Jessica's ouders. Er komt een dag dat je je gevoelens beter aankunt, dat je ermee kunt werken. Dat is de bedoeling van alles wat we meemaken in het leven, dat je er iets mee doet, er iets van overhoudt dat in je voordeel kan werken."

„De tijd is altijd je beste vriend."

De jongen doet een poging om te glimlachen. „Tenminste, dat zeggen ze altijd."

„Het is de harde realiteit. Kom, ik moet weer verder."

Hij kijkt de arts na, hij zou achter hem aan willen hollen, hem tegenhouden en zeggen dat hij zich zo wanhopig voelt.

Het tehuis is een licht, vriendelijk gebouw, omringd door bossen. Hoge bomen strekken hun kruinen naar de grijze hemel, de takken met de dunner wordende bladeren bewegen vermoeid in de wind.

Hij heeft thuis niet gezegd waar hij naar toe ging. „Ik moet er even uit," zei hij.

De herfst is merkbaar, 's avonds wordt het vroeger donker. Hij kijkt op zijn horloge, het is tegen halfnegen, Jessica's ouders zullen er nu niet meer zijn.

Hij loopt de lange gangen door, zijn voetstappen zijn hoorbaar op de zandstenen vloer.

„Kamer vijftien, eerste etage," heeft een vriendelijke receptioniste gezegd.

Hij heeft het koud, hij voelt een stekende pijn in zijn arm, die al lang genezen is. Hij is bang dat hij de situatie niet aan zal kunnen, dat alles zal tegenvallen, dat hij zal verliezen wat hij door zijn ziekte gewonnen heeft, dat hij opnieuw zal moeten beginnen, als de jongen die hij was vóór het ongeluk.

„Jij komt er wel, in het leven bedoel ik."

De arts had makkelijk praten. Het is niet eerlijk zo te denken, de arts heeft levenservaring, hij heeft vertrouwen in hem, die gedachte zal hem helpen er iets van te maken.

Hij staat voor nummer vijftien, hij klopt op de deur. „Binnen," roept een stem.

Hij duwt de deur open, hij staat in de opening en weet niets te zeggen. Ze kijkt hem aan, verward en treurig, hij voelt dat ze ook niet weet wat ze met zichzelf moet beginnen. Daarin vindt hij troost.

„Ik moest je zien," zegt hij, „ik moet weten hoe het met je gaat."

Verbeeldt hij het zich, lacht zij even spottend?

„Er staat daar een stoel." Haar stem is hoog en zangerig.

Hij kijkt naar haar ogen, ze zijn niet afwerend, maar naar binnen gekeerd, naar een wereld die voor niemand bereikbaar is. Alsof onbereikbaarheid de enige basis is om het aan te kunnen.

Hij kent dat, maar hij weet ook dat hierna, na dat vreemde stille, opeens een opening komt, een beetje licht, een nieuwe kracht. Omdat je wilt leven, hoe moeilijk het ook is. Je bent jong en je wilt leven, dat is het enige dat telt.

Misschien wil Jessica niet leven, omdat er beperkingen zijn, onzekerheden in haar toekomst.

Hij trekt de stoel dichter bij de bank, hij hoopt dat ze hem begrijpt, dat juist haar ontreddering een band tussen hen kan smeden.

„Ik kan me zo goed in jou verplaatsen," zegt hij, „waarom kun jij dat niet?"

„Ik ben er nog niet aan toe."

„Ben je boos op me?"

„Nee. Maar het doet pijn je te zien, ik moet dan weer denken aan die avond... dan is het er allemaal weer en ik wil het vergeten."

Ze draait haar hoofd opzij, ze kan door het raam de bossen zien, ze heeft de vogels horen zingen, de wind horen praten, ze heeft met haar hond Barrel en haar moeder over de stille paden gereden.

„Ik heb gisteren voor het eerst gelopen."

Zijn ogen, zijn hele gezicht ontroeren haar. „Hoe ging het?"

„Het viel mee, ik was erg moe, ik moet elke dag oefenen, ze zeggen dat het met het lopen wel goed komt."

„Wat komt er dan niet helemaal goed?"

„Ik heb nog geen kracht in m'n armen en m'n handen trillen, maar misschien wordt dat beter, dat weten ze nog niet."

Ze zegt het kleurloos, het is of ze een lesje opzegt. Maar hij is blij dat ze zich niet meer zo opsluit, iets toelaat dat je in je gevoel kunt plaatsen.

„Heb je daarom nooit op dat brief je van me geantwoord?" Ze tast met haar ogen zijn gezicht af.

„Het was een mooie brief," zegt ze, „ik heb hem wel drie keer overgelezen."

„Ik ben net zo beschadigd als jij, alleen anders."

„De angst is weg," zegt ze, „als ik jou zie komt die avond terug, maar die is nu op de achtergrond, het is of er een groot waas voor zit, ik zie alleen maar jou."

„Omdat je erover praat, je hebt er nooit echt over kunnen praten, hè?"

„Nee."

„Ik wel, dat is het verschil."

„Ik hoopte dat je op een dag zou komen en ik was er ook bang voor, maar ik heb nu geen angst."

Hij heeft nog nooit zo dicht bij een ander mens gestaan, zo diep gevoeld wat er in Jessica omgaat.

„Ik heb ook angst, ik ben bang dat ik er nooit los van kom, van dat stomme dat ik heb gedaan."

„Ik ben niet boos op je."

Er is iets zachts in haar stem, er glijdt een warmte over haar wangen. „En ik meende het niet toen ik in het ziekenhuis zei dat je maar niet meer moest komen."

„Ik begrijp dat wel."

Hij zegt niet wat hij bedoelt, namelijk dat ze sterk door haar ouders wordt beïnvloed, dat ze erg onder hun macht is en zich daar niet van kan losmaken.

„Ik ben moe."

„Zal ik weggaan?"
„Ja, het pakt me erg aan."
„Mag ik nog eens terugkomen?"
Ze gaat rechtop zitten. „Ik ken mezelf niet meer, ik dacht dat ik een hekel aan je zou hebben, maar vooral na dat briefje is alles zo anders."
„Ik kom gauw weer."
Verbeeldt hij het zich of glijden er tranen langs haar gezicht?
„Misschien kunnen we elkaar er doorheen helpen," zegt ze, „volwassenen doen zo moeilijk."
Hij knikt. „Ik heb vandaag mijn eerste strafdag gehad."
Hij wil haar op andere gedachten brengen, hij is bang dat ze straks, als hij weg is, in haar eentje zal liggen huilen. „Het viel niet mee." Hij raakt haar wang aan. Hij kan haar zo niet achterlaten, zo kwetsbaar en tegelijk bezig krachten te verzamelen die nieuw zijn.
„Ik heb ook erg gehuild," zegt hij, „daar knap je van op."
Ze bijt op haar lippen, het is net of ze een beetje spijt heeft dat ze zich heeft laten gaan, of ze aarzelt of ze niet terug zou willen in die wereld van lusteloosheid, angst en duisternis.
„Vind je me niet kinderachtig?" fluistert ze.
„Nee, ik vind je erg flink, ik denk dat jij er in het leven wel komt. Met alles, je bent een vechter. Ik ben alleen verdrietig dat je door mij dit allemaal moet doormaken."
Ze legt haar hand op zijn mouw, het is een horterige, onzekere beweging, hij voelt haar vingers trillen.
„Je mag altijd komen, Tom."
Hij weet niet wat hij moet zeggen. Ze heeft voor het eerst zijn naam uitgesproken. Hij pakt haar hand en brengt met een teder gebaar arm en hand weer naast haar lichaam. Hij zou haar een zoen willen geven, maar hij doet het niet. „Je gaat niet liggen huilen, hè?"
„Nee."
„Anders kom ik nooit meer."
Ze heeft zo'n lief gezicht, het is rustig en ontspannen.
„Dag," zegt hij, „dag Jessica."
„Ik kan je niet voor het raam nazwaaien."
„Misschien kun je wel voor het raam gaan staan, dan kijk ik naar boven."
„Je mag niet zien hoe ik dat doe."

Hij loopt naar de deur, hij zou zoveel tegen haar willen zeggen, maar hij weet niet wat.

Als hij beneden is, kijkt hij naar haar raam, ze staat daar als een smalle boom met sterke wortels. Een boom die misschien nog kan uitgroeien.

Hij steekt zijn hand op. Hij voelt zich schuldig omdat hij kan zwaaien.

13

Hans maakt zijn auto schoon, het is rustig in de straat, de meeste mensen slapen uit, vooral nu het 's morgens langer donker is. Hij is een man van vroeg opstaan en aanpakken.

Tom pakt zijn fiets uit de schuur. „Hoe laat is het, pap?"

„Half negen."

„Dan ben ik mooi op tijd."

Hij waardeert het dat zijn vader noch zijn moeder hem gisteravond heeft uitgehoord over hoe het ging op het werk in het ziekenhuis. Ze laten hem met rust omdat ze weten dat hij er in zijn eentje uit moet zien te komen. Geen medelijden, geen gezeur. Tom moet gewoon doen wat hij moet doen.

Toch is het of vooral zijn vader ouder is geworden, zijn lach is minder gul en open, zijn humor, die dikwijls wat spottend was, mist overtuiging. Omdat er niemand anders op straat is dan zijn vader en hijzelf is het gemakkelijker om met elkaar te praten.

„Gaat het wat, Tom?"

De jongen staat met één been op de trapper. „Het valt mee."

Hij zegt niets van zijn bezoek aan Jessica, er zijn geheimpjes die van jou alleen zijn.

Hij zou zijn vader willen zeggen wat hij gisteravond in bed bedacht: de vader van Jessica had gelijk, ik had zes maanden straf moeten hebben.

Nooit vergeet hij het machteloze gebaar waarmee Jessica haar hand op zijn mouw legde, het trillen van haar vingers.

Mijn schuld, mijn schuld… Hij kon niet inslapen. Het was al een beetje licht toen hij insliep.

„Nou, ik ga, tot vanavond, pap."

„Hou je haaks."

Hij kijkt de jongen na; die is flinker dan hij voor mogelijk heeft gehouden, hij heeft zich in de jongen vergist.

Een van de buren passeert hem met een hond. Hij mag die man niet, hij heeft overal last van, van eenden die overvliegen en kwakend neerstrijken, van duiven die in de bomen zitten te koeren.

Tom geeft de dieren wel eens wat brood of duivenkorrels, vooral als er ijs in de sloten ligt en sneeuw op het land.

„Hoe gaat het met Tom?" vraagt de buurman. Er klinkt leedvermaak in zijn stem.

„Naar omstandigheden redelijk."

Dit is zo'n mens die geniet van andermans zorgen, die zichzelf beter en waardevoller vindt omdat hij nog nooit een merkbare fout heeft gemaakt. Zijn het niet juist de fouten die iemand tot mens maken?

Hij gaat door met het wassen van zijn wagen.

De hond likt zijn hand. Hans streelt het dier. Wat zou buurman zeggen als hij eruit flapte: je moest wat meer op je hond lijken, dan zou je gelukkiger leven.

„Nou ik ga maar weer, kom mee Max."

„Tot ziens." Bij de hoek van de straat kan de buurman het niet laten te zeggen: „Jammer voor jullie dat dit gebeurd is."

„We slaan ons er wel doorheen, je hebt zelf ook zoons, je weet het maar nooit."

„Mijn jongens doen zoiets niet."

Hans lapt ogenschijnlijk rustig door, maar inwendig kookt hij. Het is niet zo verwonderlijk dat er altijd oorlog is. De ene mens al maakt het de ander zo moeilijk. Zelfs in een onbeduidende straat.

Hij is zelf niet anders. Een man als Jessica's vader zou hij een slag in zijn gezicht kunnen geven; je schiet er niets mee op, maar het zou ontspannend werken. Waarom haat hij die man zo? Omdat die niets met zijn zoon te maken wil hebben? Niets is natuurlijker dan dat. Als zijn kind was aangereden, zou hij dan zo enthousiast zijn de dader te zien?

Hij probeert zich te ontspannen; als hij zo boos naar zijn werk gaat, maakt hij zelf misschien ook nog brokken.

Marjet heeft gelijk, hij lijkt sprekend op zijn vader. Hij heeft dezelfde bevelende toon, alsof iedereen zijn mindere is. Hij gebiedt en is pas tevreden als hij voelt dat hij weer gewonnen heeft. Maar dat andere, waardoor hij zijn vader minacht, dat heeft hij niet. Hij wil daar nooit meer aan denken. Hij heeft tijden lang geloofd dat het niet waar was, dat zijn vader nooit tot dergelijke praktijken in staat was. Hij wilde van hem blijven houden, vooral toen hij nog jonger was. Maar dat andere, dat was de harde waarheid en hij moest ermee zien te leven.

Hij had in Tom eigenschappen gezien van zijn vader, maar dat kwam omdat hij zijn eigen zwakheden niet wilde onderkennen. Toen Tom nog een kind was, heerste er harmonie tussen hen. Naarmate de jongen groter werd, had hij hem eigenschappen toegedicht die hij in zichzelf afkeurde en wilde overwinnen, omdat ze samenhingen met zijn eigen vader. Hoe leg je dat je zoon uit? De jongen wist niets van zijn grootvader, maar op een dag, als hij ouder was, zou hij erachter komen. Mensen vinden het nu eenmaal heerlijk een jongen iets te vertellen dat een schandaal in de familie is. Nog altijd. Toch had hij niet daarom met zijn thuis gebroken, dat lag anders. Zijn moeder kon Marjet niet uitstaan, dat was de eigenlijke reden dat hij er niet meer kwam.

Toch waren er heel vroeger wel betere tijden geweest. Hij denkt aan de geur van eigengemaakte oliebollen op oudejaarsavond, aan het samen dekens kloppen en daarbij de slappe lach krijgen, aan huiswerk maken in de huiskamer onder de grote lamp die boordevol warme gezelligheid op je leerboeken scheen. Jammer dat díe tijd zo kort had geduurd, dat dat andere, die ongezonde, pesterige sfeer de overhand kreeg.

De auto is glanzend schoon, hij gaat achter het stuur zitten, hij rijdt de straat uit. Soms kan hij gedachten van zich afschudden alsof ze niet bestaan. Hij zal dit ook nú moeten doen, wil hij vandaag iets presteren.

„Je bent twee minuten te laat."

Bartels staat daar als een robot, koel en onpersoonlijk.

„Ik weet niet hoe het komt, ik ging op tijd de deur uit."

„Dan ga je voortaan nog vroeger de deur uit."

De jongen zegt niets terug, het is een overwinning op zichzelf, één van de vele. Thuis probeert hij ook zoveel mogelijk de harmonie te bewaren, alsof hij daarmee zijn gevoel van neerslachtigheid wil overwinnen.

„Waar moet ik vandaag werken?" vraagt hij.

„In de keuken."

Hij kent al een beetje de weg, loopt zonder verder iets te vragen de goede richting uit.

Ze zijn aardig tegen hem in de keuken, er heerst een sfeer van gemoedelijkheid. „Begin maar met de afwas, het is een beetje meer dan je thuis gewend zult zijn."

Hij kijkt de jongen, die leerling-kok is, lachend aan. „Zoveel scheelt het niet, we zijn thuis met z'n veertienen."

„Maak dat de kat wijs."

Hij begint aan de enorme stapel borden, messen, vorken.

Een oudere man zegt: „Stop het maar in de afwasmachine, dacht je dat we dit met de hand deden? Dan waren we al lang gek geworden."

Tom kleurt.

„Geintje," zegt de jonge kok.

„Daar kan ik wel tegen."

De kok komt bij hem staan. „Wat heb je precies uitgevreten?"

„Ik heb mijn bruid laten zitten, ze staat nu nog voor het stadhuis te wachten."

Tom weet dat niemand iets over wat er gebeurd is mag vragen, hij voelt zich vrolijk, hij heeft opeens zin een bord door de ruimte te keilen. Het lijkt hem niet zo verstandig dit te doen, er wordt overal waar hij werkt, rapport over hem uitgebracht.

In de pauze drinkt hij koffie met de jonge kok, Peep, een rasechte Amsterdammer.

„Weet je hoe we die daar noemen?" Hij wijst op de zuster met de grote borsten. „Marie Houvast."

„Ik weet wel minder stevige objecten om je aan vast te houden."

Tom grijnst. „Je moet maar boffen."

„Hoe oud ben jij?"

„Net zeventien."

„Dan ben je wijs voor je jaren. Heb je al een vriendinnetje?"

„Al jaren, het is een Indiaanse, erg warmbloedig en zo."

Waarom doet hij zo? Hij kent zichzelf niet.

„Je bent een gore opschepper!"

„Je moet toch iets zijn."

Tom grinnikt. „Opscheppers zijn de beroerdsten niet."

Hij ziet in de hoek van de kantine Bartels kijken, hij zou zijn hand willen opsteken, zich willen ontspannen, overmoedig zijn. Maar daar zou hij voor moeten boeten.

Misschien komt het ook omdat hij gisteravond een andere vader leerde kennen dan de pa die hij meende te kennen. Hij moest iets zoeken op zijn kamer, een schroevendraaier, hij had een mooie plaat voor Jessica gezien in een schilderijenwinkel, een hond die met zijn baas door de hei holt, de bruine voetzolen in de paarse heide, de lucht dreigend grijs boven een groot brok natuur.

In de la van zijn vaders bureau vond hij opeens die blaadjes. Het had hem verbaasd, maar sterker dan dat gevoel was de pijn om zijn vader.

Waarom deed hij dit? Had hij aan zijn moeder niet genoeg? Of schuilde er onder dat harde harnas waarmee hij de wereld dacht aan te kunnen, nog iets van een onvolwassen kerel? Wanneer kende je iemand? Hij hoopte dat zijn vader binnen zou komen, dat hij het hem kon vragen, er zou dan misschien een wat betere band tussen hen ontstaan. Maar er kwam niemand.

Hij schoof de lade dicht, greep de schroevendraaier en de hamer en stopte die in zijn schooltas.

Het beroerde is dat hij zo van zijn vader houdt.

Hij komt er niet uit, dit kan zijn vader niet zijn, zo is hij nooit geweest, of misschien heeft hij hem altijd op een voetstuk gezet.

Toen hij hem vanmorgen zijn auto zag wassen kostte het hem moeite gewoon tegen hem te doen.

Hij was een stuk gaan omrijden en kwam daardoor twee minuten te laat op zijn werk.

Hij wilde vergeten, maar hij kan niet vergeten.

Hij drinkt haastig zijn koffie.

„Je bent een rare," zegt de leerling-kok, „eerst kwebbel je honderduit en nou lijk je wel een dooie."

„Ik dacht aan m'n meisje," zegt Tom. Hij staat op. „Ik moet weer aan de slag, ik heb een klein kwartiertje om te pauzeren en die tijd is zo om."

„Uitslover."

„Ik moet wel."

In de keuken doet hij zijn werk eerst automatisch. Eerlijk gezegd laat de hele boel hem koud, hij doet het omdat het moet en voor de rest zal het hem een zorg zijn.

Nee, zegt een stem in zijn binnenste, het laat je niet onverschillig, je weet dat je dit verdient en je zet je in. Zo simpel is het.

Dan maakt hij de lange aanrechten in de grote keuken schoon, hij doet het nu precies en ijverig. Hij weet niet dat Bartels door de ramen naar hem kijkt en dat er een lach om zijn mond ligt, niet spottend, maar vol respect.

's Avonds zit hij in de huiskamer naar de televisie te kijken, maar hij kijkt meer naar het gezicht van zijn vader, naar zijn nek, zijn houding, de uitdrukking in zijn ogen. Alles is net als altijd, en toch is ieder gebaar anders.

„Heb je geen huiswerk?"

Hij wipt met de achterste twee poten van de stoel heen en weer. „Ik wil dit programma even zien, het duurt niet lang, dan ga ik naar boven."

Hij is zelfstandiger geworden, minder gehoorzaam, hij komt voor zichzelf op omdat hij het anders niet volhoudt, hij wil niet gebukt gaan onder het gevoel 'een beetje besmet te zijn, iets te hebben gedaan wat volkomen buiten de grens van het normale valt'.

Door onverschilligheid, bijna bruut zijn eigen weg te bepalen geeft hij zichzelf een harde trap.

„Je kunt beter eerst aan je huiswerk gaan en dan tv kijken."

De stem van zijn vader is gebiedend.

De jongen heeft er maling aan. „Ik wil dit zíen, pap."

Hij heeft zijn vader in zijn macht, hij oefent een vorm van chantage op hem uit.

„Als je blijft zitten, heb je er nog een probleem bij."

De jongen wipt niet meer met de poten van de stoel. „Dat zie ik dan wel."

Marjet kijkt naar de jongen. Hij wordt harder, mannelijker, hij kijkt naar Hans alsof die een vreemde kerel is die zich met zaken bemoeit die hem niet aangaan.

Ze weet zich geen houding te geven, het is moeilijk een buffer tussen je man en je kind te zijn, van beiden evenveel te houden en beiden te willen helpen.

„Doe niet zo brutaal," zegt zijn vader. In een moment van verwarring voelt hij dat hij bezig is de greep op zijn zoon te verliezen. De greep waaraan hijzelf houvast op het leven ontleende.

„Ik deel m'n huiswerk zelf wel in."

„Ik ken je zo niet," zegt Marjet.

„Misschien verander ik, dat is toch niet zo gek na alles wat er gebeurd is."

„Maak er geen groter drama van dan het al is."

Opeens is hij weer de Tom die met zijn vader in de boot de Hoornse haven uitvaart, boordevol vriendschap en gehechtheid, blij dat hij een vader heeft die tijd voor hem neemt.

„Het spijt me," zegt hij, „ik weet niet wat ik heb."

Hij staat op. „Misschien is het toch beter als ik aan m'n huiswerk ga. Televisie kijken kun je altijd nog."

Boven op zijn kamer zou hij zijn vader willen vragen: waarom? Waarom ben je zo?

14

De oktobermaand is verstild, de kleuren van de herfst verdiepen zich. De zon is nog mild, de wind overdag zacht en geduldig. Er komt een middag waarop Tom gehoopt heeft.

„Vóór de winter begint en we de boot opbergen, zou ik nog wel een tochtje willen maken."

„Geen gek idee," zegt de jongen.

„Je hebt vanmiddag vrij als ik het goed begrepen heb, dan neem ik ook vrij. We zouden om een uur of één kunnen vertrekken."

„En mam?"

Marjet lacht. „Ik ben niet zo'n liefhebber van het water, wel als het zomer is, maar nu is het niet aan mij besteed."

De jongen heeft na lange tijd weer een gevoel van geluk.

Waarom doet zijn vader dit? Hij heeft het visioen van een heel kleine jongen, die zijn pap nazwaaide, onhandig en uitbundig; die een stukje achter de auto aan holde en net zo lang op de weg bleef staan kijken tot de wagen uit het zicht verdwenen was. Datzelfde gevoel heeft hij nu weer, al is hij veel ouder.

Het kind van toen komt warm in hem naar boven.

Misschien had zijn vader die blaadjes van iemand op de zaak, die ermee inzat en ze kwijt wilde. Of misschien... Nee, daar wil hij niet aan denken. Trouwens, hij heeft er samen met Bas en de anderen ook een keer een paar gekocht. Ze hadden zich slap gelachen. Bas lag voortdurend in een deuk. „Het zal best goed betalen," zei hij, „maar mij krijgen ze er niet voor."

„Ze zullen jou ook nooit vragen, je bent geen adonis."

„Maar ik heb wel een prachtig lijf, moet je mijn spierballen eens zien."

Ze hadden er in de klas succes mee gehad. Alleen de meiden hadden ze er natuurlijk niks van laten zien, die mochten raden waarom ze de slappe lach hadden en zo geheimzinnig deden.

„Ze sporen niet," zei Lot.

Hij zou ze Lot nooit laten zien, het paste helemaal niet bij haar. Als hij aan haar dacht, was het anders, minder banaal.

„Wat sta je daar nou te suffen? Pak je dikke trui en je sportschoenen!"

Hij rent naar boven. Hij voelt zich gelukkig. Hij denkt aan Jessica, wat zou het fijn zijn als ze ook mee kon, warm toegedekt, haar haren in de wind, haar lach over het water.

Maar wat heb je aan dromen die toch nog niet uitkomen?

Misschien gebeurde dat veel later nog wel eens. Dan zou hij weer weten hoe het verder moest, kunnen leven en idealen waar maken.

Hij grijpt zijn donkerblauwe trui.

Hij gaat met zijn vader het water op, er is iets terug dat weg was.

Hij 'neemt' de trap met drie treden tegelijk.

Het water is grijs, het lijkt te bestaan uit schichtige lichtflitsen, vooral als het wolkendek openbreekt en brede banen blauw het schuchtere zonlicht vrij spel geven.

Tom heeft de boot losgemaakt, hij kijkt naar de romp, de kleur en de vorm ervan. „We moesten hem het volgend jaar helemaal crème schilderen," zegt hij, „dat harde groen is lelijk."

„Het is een kleur die wel opvalt."

Hij neemt het roer, manoeuvreert behendig door de sluizen van de haven. Voor hem is het oneindige wijde van water en wolken. Aan de ene kant verbergen de oude patriciërshuizen met hun melancholieke uiterlijk zich achter de trotse Hoofdtoren. Langs de andere zijde gloort het late groen van een kleine bebossing, achter het dichte grijs van de kademuur, waarop de drie jongens uit het boek 'De Scheepsjongens van Bontekoe', door Johan Fabricius, speels zijn afgebeeld: Hayo, Padde en Rolf. Het is rustig op het water, slechts enkele boten passeren. Tom leunt over de railing, wat heeft hij hier naar verlangd, naar de ontspanning van de prikkelende lucht, de rust van het water en vooral het monotone geklots van de golven die breken tegen de boeg.

Alles lijkt hier vergeten, hij ademt de geur van het water, volgt de speelse wolken die meeglijden met het schip.

„We hadden er veel eerder eens op uit moeten gaan," zegt Hans, „ik weet niet waarom dat niet gebeurde."

Het is net of hij opeens zijn vader terug heeft; die heeft geen bevelende klank in zijn stem. Het is gewoon prettig bij elkaar te zijn, naar elkaar te kijken en te luisteren.

„Kijk jij eens of er nog koffie in de kajuit is en zet dan een flinke pot."

„Oké!"

Het is een beetje stoffig in het vooronder. Tom vindt na wat zoeken de koffie. Hij giet het water in de glazen pot, drukt het elektrische lichtje aan en hoort het zachtjes pruttelen van het koffieapparaat.

Voorzichtig komt hij met twee dampende kommen het dek op. Hij blaast over de hete kom heen. Opeens vraagt hij: „Heb je je schroevedraaier en je hamer niet gemist? Ik heb ze van de week even van je geleend en nog niet teruggelegd."

„Waar had je die voor nodig?"

„Zomaar, voor een klusje."

Hij had nog een mooie lijst, de prent paste er bijna in, hij had er een opvallende rand van af moeten knippen.

Hij bestudeert het gezicht van zijn vader, hij ziet er niets bijzonders op. „Er gaan maanden voorbij dat ik die dingen niet gebruik."

Tom ziet de zachte golfslag om de boot spelen. Opeens weet hij het zeker, het zullen zijn eigen bladen zijn geweest. Hoe heeft hij ooit kunnen denken dat zijn vader… Hij was zelf geen haar beter dan Jessica's vader… Hij raakt verward in zijn gedachten en gevoelens.

De jongen kijkt naar de ruimte om zich heen, zijn gevoel voor humor komt boven. „Weet je, pap, ik vond m'n eigen bladen in jouw la, ik heb ze er destijds zelf in gestopt, dat was ik vergeten en nou dacht ik dat jij…"

„Dat ze van mij waren?" Hans kijkt met een plezierige glimlach naar de jongen. Deze verrassende openheid kent hij niet meer van hem.

„Als je jong bent, vind je die lectuur wel eens leuk, maar alleen als je jong bent zoals jij."

„Heb jij vroeger nooit in dergelijke blaadjes gekeken?"

Er is een vertrouwelijkheid tussen hen die nieuw is.

„O, jawel, ik kocht ze ook wel eens, maar ik vond er al gauw niks meer aan. Dacht je echt dat ze van mij waren?"

Hij lacht, het geluid klinkt breed over het water. „Zie je me nog voor zó jong aan?"

Hij raakt even de schouder van zijn zoon aan. „Volwassen worden is moeilijk, maar ik heb het gevoel dat jij het nú al een beetje bent."

„Ik ben erg veranderd," zegt de jongen rustig, „niet alleen door dat ongeluk, door nog zoveel meer dingen."

„Zo," zegt Hans, na een lange stilte waarin hij alleen met het sturen van de boot is bezig geweest.

„Ik voel dat je me niet meer zo mag als toen ik erg jong was, dat we elkaar een beetje kwijtraken, begrijp je?"

„Je bent me nooit kwijt geweest."

„Ik heb je teleurgesteld, niet alleen met die auto, ik kan niet goed leren, je hebt te veel van me verwacht en dat kan ik moeilijk veranderen."

„Je bent goed zoals je bent."

„Dat liet je me nooit merken."

Hans werpt een blik op deze lange dunne jongen. Het doet pijn wat hij zegt, want hij weet maar al te goed dat het waar is. Hij verwachtte veel van hem, hij was streng en hard, misschien omdat zijn vader hem nog harder en strenger had aangepakt. Opvoeden, dacht hij, was een kind liefde bijbrengen: aanpakken en volhouden, hem laten voelen dat dat de enige manier is om er te komen. Waar? Waar kom je dan? Waar staat hij zelf? Als mens?

Hij heeft succes in zijn werk, iets bereikt, maar is dat het leven? Heeft de jongen dan toch gelijk als hij zegt: 'ik wil iets met mezelf doen, uit me halen wat erin zit.'

Hij herinnert zich dat gesprek. „Wat heb je aan dromen?" had hij Tom gevraagd.

„Veel."

„Fouten maken is niet zo erg," zegt hij zacht, „als je ze maar herstelt."

„Ik kom er op mijn éigen manier, ik hoop dat je dat gelooft. Ik ben niet zoals jij, ik heb andere idealen, als ik ouder ben en de school achter me heb, ga ik naar Afrika."

Hoe heeft hij ooit kunnen denken, fantaseren dat dit joch op zijn vader lijkt? Hoe heeft hij zichzelf zo voor de gek kunnen houden?

Hij ziet het beeld van zijn vader voor zich, dat strenge, harde gezicht waarop geen enkele vriendelijkheid merkbaar was. Wat weet hij van de man die zijn vader was? Van de eenzaamheid die hij heeft doorstaan?

Hij heeft het zeker Tom nooit verteld, hij schaamde zich voor zijn vader en tegelijk had hij medelijden met hem. In de oorlog van 1940-1945 was zijn vader 'fout' geweest, hij stond aan de kant van de vijand, de Duitsers. Hij, Hans, was nog heel klein en begreep niet waar het om ging. Maar toen hij groter werd, voelde hij de spanningen in huis, vooral toen zijn vader werd opgepakt en gevangen gezet.

En veel later, toen het normale leven weer zijn loop nam, kwamen op school de 'beschuldigingen', werd zijn vader uitgemaakt voor verrader, overloper. Hij had zich verweerd, door te zeggen: „Ik ben toch mijn vader niet?"

„Je bent de zoon van een verrader!"

Niemand, ook Marjet niet, heeft hij ooit kunnen vertellen hoe hij daaronder geleden heeft als kind, als opgroeiend mens, hoe hij een eeltlaag op zijn ziel plakte om het aan te kunnen.

Veel later, toen hij getrouwd was, liet hij iets los, maar niet genoeg om er ooit helemaal mee in het reine te komen. Daar zorgden de mensen wel voor, die hem nog steeds lieten voelen dat hij 'maar' de zoon van een verrader was.

Dat verborgen verdriet had hem gevormd tot de man die hij nu was. Hij zou het Tom graag willen zeggen, maar hij kan het nog niet. Misschien later als ook deze lange puber beter en dieper heeft leren begrijpen.

„Pap," vraagt de jongen, „ik weet dat mam en jij nooit meer bij jouw ouders komen, dat die vooral mam hebben bezeerd en beledigd, maar... als jij het goed vindt, zou ik ze eens willen opzoeken. Ik ben nieuwsgierig, het is alleen maar nieuwsgierigheid, begrijp je?"

Hij kijkt naar zijn zoon alsof hij hem voor het eerst echt zíet.

„Ik kan het je niet verbieden, anders deed ik het."

„Heb jij zo'n hekel aan je ouders?"

„Ja, ze hebben mijn leven en dat van je moeder voor een gedeelte verknoeid, maar dat wil niet zeggen dat ik jou wil beletten ze op te zoeken."

De sfeer tussen hen, die zo vertrouwelijk was, is nu stugger.

„Vind je het vervelend als ik erover begin?" vraagt de jongen.

„Nogal. Laten we over iets anders praten."

De jongen zwaait naar passagiers van een passerende boot. Hij weet dat hij op een dag naar Tilburg zal reizen om zijn grootouders te zien...

dat geen mens hem daar vanaf kan houden. Hij weet ook dat hij meer en beter van zijn vader houdt dan vóór dit gesprek.

Zijn vader staart over het water, hij zou graag weten wat er nu in hem omging.

„Zal ik eens sturen?" Het is een poging tot toenadering en Hans voelt dat.

„Laat maar eens kijken of je er nog iets van terechtbrengt."

„Alweer dat gebrek aan vertrouwen in mij."

Tom zegt het lachend, maar er schuilt ook iets van weemoed in.

„Zo bedoel ik het niet." Hij volgt de koers van zijn zoon; deze bestuurt de boot trefzeker.

„Weet je waar ik je hamer en schroevedraaier voor nodig had?" vraagt de jongen.

„Geen idee."

„Ik heb een mooie plaat voor Jessica ingelijst, die wil ik haar van de week gaan brengen."

„Hoe is het met haar?"

„Ze wordt vast weer beter, ik weet het zeker, ik bedoel..."

„Je bent er dus al een keer geweest?" Tom kijkt voor zich uit, meeuwen vliegen krijsend over het water, dé boot snijdt door de golven, de wolken drijven verder naar de horizon.

„Eén keer," zegt hij, „het was goed dat ik het gedaan heb."

Hans volgt een vlucht vogels die wegtrekken naar warme landen.

„Als je het moeilijk hebt, wil je er dan met me over praten?" zegt hij.

„Misschien, pap." Hij kijkt zijn vader aan, er is ontroering op zijn gezicht te lezen, het is veel minder ontoegankelijk en doet hem denken aan de tijd toen alles tussen hen goed was. „Tot hoever gaan we?"

„Tot voorbij de horizon."

De jongen grinnikt. „Dat is érg ver."

„We hebben de tijd. Is er nog koffie denk je?"

„Ik zal eens kijken."

De jongen loopt langs zijn vader heen, hij zou hem willen aanraken, maar hij doet het niet...

15

Soms kun je door een gebaar, een blik iets van je gevoel laten merken aan de ander. Tom kan dat. Sinds hij met zijn vader met de boot de haven uit ging, is er iets in zijn houding tegenover hem veranderd; hij heeft er nog geen woorden voor, maar het maakt hem blij. Hij let nauwlettend op zijn vader, hij merkt dat hij nooit helemaal zichzelf is, een rol speelt om zich te handhaven. Waarom is dat zo?

Een van de jongens op school gaf van de week plagend het antwoord. Ze hadden geschiedenis, de Tweede Wereldoorlog werd aan de hand van feiten besproken. De rol van de collaborateurs, NSB-ers, landwachten.

Joep Verhage zat naast Tom. „Ik heb van mijn grootouders gehoord dat jouw opa er ook één was, vraag het thuis maar eens. Mijn grootouders wonen ook in Tilburg, ze kennen die van jou, geloof ik, nog van vroeger."

„Als dat zo was, had ik het vast wel eens gehoord," zei hij.

„Daar praat je toch niet over, man, ze zijn niet gek. Maar het is waar, ik weet het zeker."

Hij heeft zijn 'werk-weekend' achter de rug, het was vermoeiend, hij heeft gesjouwd, stapels dozen, kisten.

Hij voelt een moeheid onder in zijn rug, hij tilt niet zo dikwijls en zo veel, zijn spieren zijn het niet gewend. Hij gaat naar de boekenkast. Zijn vader heeft veel boeken, over de meest uiteenlopende onderwerpen. Hij pakt een deel van de reeks boeken van dr. Lou de Jong over de oorlogsjaren. Hij bladert er zomaar in. Hij wil weten. Niet wat er allemaal in staat, maar dat éne dat misschien opheldering kan geven. Een antwoord op de vraag waarom zijn vader zo hard kan zijn. Hij staat met het boek in zijn handen, gluurt over de rand van het kaft naar zijn vader.

„Wat lees je?" vraagt Hans.

„Een boek over de Tweede Wereldoorlog, we behandelen de gebeurtenissen op school, ik wil er het een en ander op naslaan."

Hans knikt. Eén keer is hij er met Tom over begonnen. Hij had toen voorzichtig gevoelens benaderd die zijn leven, zijn jeugd hadden bepaald.

„Het interesseert me geen snars," had de jongen gezegd, „dat is al zo lang geleden, ik leef nú, ik ben geïnteresseerd in deze tijd."

„Dat kan ik me voorstellen," had Hans geantwoord. Hij was niet op het onderwerp doorgegaan. Nu vraagt hij zich af of hij daar goed aan deed.

„Heb je er nu wel belangstelling voor?"

„Ik wil een voldoende halen, dat is alles," zegt Tom. Hij voelt een spanning in de kamer, zijn moeder ruimt iets op dat al netjes ligt, ze heeft meer kleur op haar gezicht.

„Jij bent in de oorlog geboren, hè?" vraagt de jongen.

„Je weet hoe oud ik ben. Ik herinner me alleen het laatste jaar van de oorlog nog, ik was toen vier jaar, ik vond het, geloof ik, nogal spannend."

„Spannend?"

„Ja, er gebeurde zoveel."

„Had je ook honger?"

„Nee, mijn vader zorgde daar wel voor, hij kwam altijd met iets thuis, meel om pannekoeken van te bakken, brood en soms koffie."

„Maar iedereen had toch honger?"

„Mijn vader was handig."

De jongen slaat het boek dicht. „Was je jeugd wel fijn, pap?"

„De eerste jaren waren niet slecht, de narigheid kwam later... ik bedoel, ik praat er niet graag over."

Er is iets zachts in het gezicht van Tom. Waardoor is zijn vader gevormd tot de man die hij is geworden? Die zowel vriendelijk als meedogenloos kan zijn?

„Waarom niet, pap?"

Hij begint niet over Joep Verhage. Zo jong als hij is, voelt hij dat hij dat niet kan doen.

„Mijn hoofd staat er nu niet naar, ik vertel je er nog wel eens iets over."

„Later zeker? Er is geen later, er is een nú."

Waarom daagt hij uit, wil hij shockeren?

Hij heeft op een geweldige manier de pee in, omdat hij nooit iets heeft vermoed, omdat zijn vader hem overal buiten heeft gehouden.

„Je hoeft niet zo'n toon aan te slaan," zegt Hans, „daar bereik je bij mij niets mee, dat weet je."

„Ik wil gewoon dat je me een beetje helpt bij m'n huiswerk, anders niet."

Hij neemt het boek van dr. L. de Jong mee. „Ik ga op m'n kamer wat

Ze hoort Hans komen, ze voelt zijn arm om haar middel. „Als je niet weet wat hoofdpijn is, kun je het niet uitleggen," zegt hij.

Ze draait zich om. „Als je weet wat liefhebben is, zou je het kunnen proberen."

Hij voelt zich moedeloos, soms overvalt hem een gevoel van neerslachtigheid omdat er een stuk eenzaamheid in hem is dat hij met niemand kan delen.

„Ik kan me niet voorstellen dat een ander in mijn jeugd geïnteresseerd is."

Ze glimlacht naar hem, het is een glimlach, geboren uit liefde. „Het gaat niet alleen om belangstelling, maar om zoveel méér."

„Wat dan?"

„Het gaat erom dat ik je gedrag beter begrijp, me dieper in je kan inleven. We zouden het nog beter met elkaar kunnen hebben."

„Ben je niet gelukkig?"

„Lang niet altijd en dat komt omdat je zoveel gevoelens voor jezelf houdt."

„Ik zal m'n leven beteren." Hij zegt het speels alsof het er niet toe doet, hij verbergt zich opnieuw, het is zijn tweede natuur geworden.

„Wat heb ik aan zo'n antwoord?" zegt ze zacht.

Voor de kamer van zijn zoon blijft Hans staan, er brandt nog licht, er schijnt een smalle bundel onder de deur door. Hij aarzelt. Dan vraagt hij: „Hoe laat ben je van plan naar bed te gaan?"

Tom doet de deur open. „Over een halfuur, ik had niet zoveel huiswerk."

Hij heeft de hartelijkheid in zijn vaders stem gevoeld.

„Als je vragen hebt, wil ik ze wel eens beantwoorden, maar daar moeten we tijd voor nemen. Jammer dat de boot opgeborgen is, het praat gemakkelijk op het water."

De jongen kijkt zijn vader aan. „We zouden langs de haven kunnen gaan of over de dijk lopen."

„Dat zou ook kunnen. Maak het niet te laat, jongen, je hebt een zwaar weekend gehad."

„Ik red het wel, pap."

„Daar ben ik zeker van."

Hij blijft in de deuropening staan.

„Het is als met jouw ongeval, je kunt nooit alles zeggen wat ervan in je achterblijft, hoe graag je dat ook zou willen."

„Wat bedoel je daarmee, pap?"

„Dat vertel ik je nog wel eens. Soms is er geen nú, omdat je niet weet waar je moet beginnen."

„Heb je het moeilijk gehad vroeger?"

„Ja," zegt Hans.

„Heb je daarom ook aan mij getwijfeld?"

„Ik denk het wel, maar ik twijfel niet langer aan jou, nog wel aan mezelf."

Tom voelt zich jong, en onzeker. Wat zeg je nu tegen je vader?"

„Weet je wat je eens tegen me zei," zegt hij zacht, „je bent goed zoals je bent. Ik zou hetzelfde tegen jou willen zeggen."

„Oké, jongen… maak je huiswerk af en ga naar je bed."

„Welterusten, pap."

16

Hans kijkt naar het plafond, de nacht is oud, de klok van de gerestaureerde kerk slaat hard drie slagen. Hij tast met zijn hand naar Marjet, hij voelt haar zachte nachthemd, de warmte van haar lichaam. Wie zou hij zijn zonder haar steun, haar geduld, haar vermogen tot luisteren? Een zwerver op zoek naar een thuis. Naar zichzelf. Meer nog een beschadigd kind, hunkerend naar begrip.

Flitsend als het lichten van het onweer schieten scènes uit zijn jonge jaren aan hem voorbij, de angst een uitgestotene te zijn, er niet bij te horen, bij de andere kinderen uit de straat, een eenling te zijn. En dan ga je je ook gedragen als een eenling, je terugtrekken in een wereld die je zelf maakt, een droomwereld, die niet bestaat, maar waarin je datgene invult waarnaar je verlangt.

„Jouw vader is een verrader!"

Een overvloed aan eten, mensen over de vloer die een vreemde taal spraken, die aardig tegen je deden, maar die je eigenlijk moest haten. Hij had het van zijn vader nooit begrepen, vooral niet in de jaren na de oorlog toen hij naar de middelbare school ging, gemeden werd alsof hij een ziekte had.

Hij had het zijn vader dikwijls gevraagd: „Waarom was u voor de Duitsers?”

Hij had geen regelrecht antwoord gekregen, maar hij begreep dat zijn vader er financieel niet slechter van was geworden.

Het allerergste echter waren de maanden na de bevrijding, toen zijn vader met veel andere plaatsgenoten opgepakt werd en in een oude gevangenis, die bijna niet meer gebruikt werd, als een misdadiger werd opgesloten. Die beelden raakt hij niet meer kwijt.

Hij ging er met zijn moeder heen, hij liep die lange houten brug op, het gebouw rook naar teer en naar zout. Misschien verbeeldde hij zich dat, omdat de gevangenis omringd was door water. Het was zijn vader niet die in die dagen tegen hem praatte, naar hem keek, het was een vreemde harde man die zich miskend voelde, angst inboezemde.

En toen zijn vader na maanden thuis kwam, was hij een vader die hij niet kende, die alleen maar strafte, beledigde en uitlachte. Zijn moeder werd ook feller, ze lachte zelden en als ze het deed, was het schel en onnatuurlijk.

Eén keer had hij het zijn vader verweten, hij was niet langer bang voor hem, hij was in de twintig en bezig een eigen leven op te bouwen.

„U heeft mijn jeugd verknoeid en er nooit spijt van gehad, dat neem ik u nog het meeste kwalijk. Als u maar één keer had laten merken dat u er spijt van had, als ik maar eens gevoeld had dat u van me hield, dan zou alles anders zijn geweest. Maar nu… ik ben blij dat ik eindelijk uit huis ga.”

Zijn vader zag er oud uit, ouder dan hij was. Bijna had hij gezegd: waarom moest dit zo gaan? Wat heeft u eraan gehad? Maar het antwoord dat vader gaf was als een messteek in zijn ziel: „Als er weer oorlog komt, zou ik hetzelfde doen.” Hij wist dat hij vanaf dat moment geen vader meer had.

Veel later, toen hij met Marjet was getrouwd, hadden ze elkaar nog eens ontmoet en later, toen de kinderen geboren werden, hadden ze sporadische ontmoetingen.

Marjet had erop aangedrongen het weer ‘goed’ te maken en hij had geprobeerd de nare dingen te vergeten. Maar ze bleven leven, omdat zijn ouders verbitterde mensen waren geworden, die niets hadden geleerd en nog steeds anderen overal de schuld van gaven.

„Hoe lang lig jij al wakker?”

„Heel lang."

Hij heeft behoefte aan haar warmte, hij trekt haar naar zich toe. In het diepe duister van de nacht praat hij onsamenhangend over alles wat er door hem heen is gegaan. Het is de eerste keer dat hij zich uit, het maakt hem leeg en wanhopig. Hij voelt ook schaamte en pijn, het is als een schuldbekentenis.

Ze luistert, ze weet dat niets zo genezend is als luisteren. Er zijn om te luisteren.

Ze heeft er een kind bij, maar ze zal hem dat nooit zeggen.

„Als Tom dit weet, zal hij geen behoefte meer hebben jouw vader en moeder op te zoeken."

„Ik hoop het," zegt hij, „maar je weet hoe Tom is, hij is nieuwsgierig en ik wil het hem niet beletten. Hij moet zelf oordelen."

„Weet je wat het moeilijkste is?" Ze weet niet hoe ze erop komt. „Om te vergeven, ik denk aan de ouders van Jessica, ik hoop dat ze eens zover komen dat ze dat kunnen. Zo is het ook met ons, ik zou jouw ouders na al die jaren moeten kunnen vergeven, maar ik weet dat ik dat nooit zal kunnen."

„Er is ook wel enig verschil."

Hij knipt het bedlampje aan, hij ziet aan haar ogen dat ze gehuild heeft. „Waarom?" vraagt hij.

„Om jou, ik wist niet dat het allemaal in je jeugd zo gegaan was, al had ik er wel een vermoeden van."

„Het is goed dat we niet alles van elkaar weten, dan blijft er iets te raden over."

„Probeer nog wat te slapen."

Ze geeft hem een zoen. Voor de zoveelste keer beseft ze dat je nooit over een mens kunt oordelen...

Jessica loopt door de tuin, langzaam en geconcentreerd, ze wil haar ouders verrassen, ze weet dat niets hen zo gelukkig maakt als haar lichamelijke vooruitgang.

Ze loopt met een stok, ze probeert er niet te veel op te steunen, hoe eerder ze de kracht van haar lichaam helemaal terug heeft, hoe beter. Heel misschien mag ze dan over een maand naar huis. Ze ziet er tegenop, ze heeft hier meer zelfstandigheid geleerd dan thuis, moeder is overbezorgd, vader let op alles wat ze doet. Het is een liefde die verstikkend is.

En ze weet niet hoe ze hun dat duidelijk moet maken zonder woorden te krijgen. Ze is volwassener geworden, eenzamer, ze leeft in een totaal andere wereld, die niets gemeen heeft met de onbezorgde dagen van voorheen.

Misschien is dat winst. Ze was altijd bezig met kleding, uitgaan, succes op fuifjes. Het komt haar nu allemaal zo oppervlakkig voor; alsof dát het leven waardevol maakt... Ze weet intussen beter, niets is zo belangrijk als gezond-zijn, aan alles kunnen meedoen, sporten, dansen, hardlopen, je lekker voelen in je eigen huid. Er was een tijd dat het vanzelfsprekend was dat ze snel haar haren borstelde, nu brengt ze haar armen met een houterige beweging omhoog en kost het haar veel moeite om die simpele beweging te maken.

Er is zoveel in haar veranderd, ze leeft bewuster, ze vecht, niet alleen voor haar lichaam maar ook voor innerlijke zekerheid, ze denkt en voelt anders dan vroeger, ze is een nieuwe Jessica. Het is alleen zo moeilijk om dat aan anderen kenbaar te maken.

De wind is koud, ze huivert in haar dikke jas, ze komt niet snel genoeg vooruit om zich te verwarmen, ze stapt nog aarzelend en zoekend naar het juiste evenwicht.

Boven haar hoofd kwetteren vogels, wolken jagen somber voorbij en overal is het zingen van de wind.

„Ben je buiten met dit weer?"

Ze hoort de stem van haar moeder. De overbezorgheid erin ergert haar.

„Het is heerlijk herfstweer," zegt ze stroef.

Ze voelt moeders zoen, een zoen die je geeft aan een klein kind dat gevallen is. Het is niet eerlijk zo te denken, maar ze wil geen medelijden, ze wil behandeld worden als de Jessica van vroeger, zonder al te overdreven bezorgdheid.

„Zullen we teruggaan? Je hebt het koud."

„Ik ben erop gekleed, mam, bovendien houd ik van dit prikkelende weer."

Het valt ze niet eens op dat ik lóóp, ze zijn zo bezig met hun eigen angsten en zorgen dat ze niet zien dat ik alweer vooruitgegaan ben.

Misschien hebben ze weer woorden gehad, dan zijn ze altijd wat afwezig. Het doet pijn, maar ze kan er niet over beginnen.

Ze keert zich langzaam om, ze steunt nu op de stok. Harder dan ze wil, zegt ze: „Valt jullie niks op?" Even kijkt haar moeder onzeker.

„Ik loop *buiten*, ik ben voor het eerst zonder wagen buiten, met alleen maar een stok." Ze ziet dat ook haar vader zich onzeker voelt. „Ja, ja natuurlijk."

„Ik had jullie willen verrassen."

„Dat is je volop gelukt, maar we waren bezorgd dat je kou zou vatten, dat je ziek zou worden."

„Jullie zagen het niet!" Ze vecht tegen een opkomende drift. Ze kan driftig uitvallen en dan zegt ze veel meer dan ze kan verantwoorden.

„Wat weet jij daarvan?"

Ze kijkt naar haar vader, hij is eenzaam, denkt ze, zijn bewegingen, zijn praten, alles duidt op eenzaamheid, hij is geen gelukkig mens. En haar moeder? Wat weet je van elkaar?

„Zo bedoel ik het niet," zegt ze mat, „maar ik was voor jullie naar buiten gegaan, ik loop elke dag beter, de dokter zegt dat ik, als alles goed blijft gaan, over een maand naar huis mag."

Ze stapt uiterst geconcentreerd over de lage drempel het grote gebouw binnen, maar de diepe vreugde die ze voelde toen ze helemaal alleen deze overwinning behaalde bij een eerste poging zichzelf te bewijzen, is nu minder.

„Dat is een fantastisch bericht," zegt haar vader, „ik had er niet op gerekend."

„Ik wel," zegt Jessica, „ergens wist ik het, ik wilde beter worden, ook voor..."

Voor Tom, zou ze willen zeggen, maar ze zegt dit niet.

„Ook voor jullie," zegt ze zacht.

Ze loopt naar haar kamer, ze zet haar stok bij haar bed, dan ziet ze Tom, hij heeft iets in zijn handen, hij staat daar als een overwinnaar, er straalt wilskracht van hem uit.

Even voelt ze zich uit het veld geslagen, dan zegt ze hartelijk: „Hallo Tom."

„Dag."

De jongen voelt de blik van Jessica's vader. Dat een mens zo kan kijken, zo vol haat en afweer, alsof hij een besmettelijke ziekte heeft, een outcast is. Het is niet eerlijk, hij heeft niet expres hun dochter aangereden. Maar zij voelen alleen de pijn van hun kind, alleen maar dat, voor iets anders is geen plaats. Hij begrijpt de haat en toch voelt hij er iets oneerlijks in, hij kan het niet verklaren.

„Ik ga maar," zegt hij.
Ze schudt haar hoofd. „Nee, je blijft, ik zou graag willen dat je bleef."
Ze ziet de felheid op haar vaders gezicht, het is of ze voor deze jongen kiest en toch is dat niet zo. Ze begrijpt hem, alleen maar omdat zijn situatie met die van haar verbonden is. Als er iemand boos op hem zou moeten zijn, was zíj dat, maar ze is niet boos. Ze heeft in de achter haar liggende maanden zoveel geleerd. Omdat ze iets te bevechten had, worstelde met de vraag: word ik weer goed of blijf ik een kruk? Die angst, die dodelijke eenzaamheid waarmee ze helemaal alleen was, maakten dat ze zo gegroeid is, meer begrijpt dan iemand die niet beseft wat deze duisternis betekent.
Tom aarzelt. „Ik heb iets voor je, ik zet het hier wel neer."
„Wat is het?"
„Dat zul je wel zien, nou tot kijk."
„Wat ben jij een lafaard!" Haar stem is hard. „Je moet niet weglopen."
„Ik doe het voor jou, ik wil de sfeer niet bederven."
„Ik wil graag dat je blijft."
Ze kijkt haar ouders aan. „En als iemand de sfeer verpest... zijn... zijn zíj het, jij niet!"
Ze kan moeilijk zeggen wat er in haar omgaat: ze zagen me niet eens buiten lopen, ze zagen niets en nu zien ze alleen jou. Ze haten je omdat ze er niets van begrijpen, niets van jou en niets van mij, ze weten niet wat het is als je wacht op begrip, geen medelijden, op een gebaar en woorden die je verder helpen, waardoor je alles beter aankunt. Ze zijn te veel met zichzelf bezig. Ze veegt de tranen niet van haar wangen. „Ik kan daar niet tegen."
De jongen staat verloren bij de deur, onhandig zegt hij: „Kijk nou eens wat er in dat pak zit." Hij zegt het om haar op andere gedachten te brengen.
Ze probeert het papier los te maken, maar haar vingers lijken machtelozer dan in het begin.
Haar vader, die machteloos heeft toegekeken, probeert haar te helpen, hij weet niets anders te doen dan het papier los te trekken.
Hij voelt dat Jessica een beetje gelijk heeft, dat het niet helemaal goed is wat hij doet, maar ze kan zich niet in zijn gevoelens verplaatsen, omdat ze zijn kind is. Later, als ze zelf kinderen heeft, kan ze dat misschien wel. Hij wil de jongen, die haar die trillende vingers bezorgde,

niet zien, hij wil niets met hem te maken hebben.

Hij zal vergeten wat Jessica er allemaal uitflapte, ze was overspannen, hij neemt het haar niet kwalijk. Het doet alleen zo'n pijn dat ze het voor die jongen opneemt, die stomme knul die een stuk van haar leven en haar gezondheid in de waagschaal heeft gegooid.

Hij kijkt nauwelijks naar de ingelijste plaat die Jessica tegen de rand van het bed zet, hij is te zwaar om vast te houden.

„Ik heb 'm zelf ingelijst," zegt de jongen, „ik had die lijst nog."

„Het is prachtig," zegt haar moeder, „en de hond lijkt warempel een beetje op onze Barrel."

Ze kijkt nu wat minder onverschillig naar de jongen. Ze is een beetje verder dan haar man, ze haat die Tom niet, ze weet niet hoe haar houding tegenover hem moet zijn, het is of ze verraad pleegt tegenover zichzelf als ze aardig tegen hem doet.

Echt aardig kan ze trouwens niet tegen hem zijn, maar het harde gevoel dat aan haar vreet, is zwakker geworden.

Tom staat daar als een marionet, hij wil weg, maar zijn voeten zijn aan de grond genageld. „Ik zag de plaat in een winkel, ik vond 'm mooi," zegt hij.

Jessica knikt, ze zou de heide die daar zo warm paars in overvloed bloeit, willen aanraken, de hond willen strelen, het geheel tegen zich aan willen drukken om het te voelen, het léven erin. Tom heeft het begrepen, ze wil leven zoals de heide bloeit, ongerept, blij met een groei die onstuitbaar is, die deel uitmaakt van een groot geheel.

Een ongekende warmte overspoelt haar, ze zou hem een zoen willen geven om deze 'toekomst'. Ja, ze zal weer een toekomst hebben, bloeien betekent: mogen leven.

Ze kijkt opeens fel naar Tom. „Je had me geen groter plezier kunnen doen."

Ze ziet dat haar vader zich omdraait, ze heeft medelijden met hem omdat hij het niet begrijpt. Waar is nu de man die ruimte om zich heen wil? Met liefde voor een land als Afrika? Met zoveel begrip voor kinderen die het moeilijk hebben?

Als je van elkaar houdt, doe je elkaar pijn, omdat ieder mens twee kanten heeft, zowel goed als kwaad in zich draagt. Ze weet niet hoe ze aan die gedachten komt, maar ze weet dat ze gelijk heeft. Zelf heeft ze ook goed en kwaad in zich. Waarom haar vader dan niet?

Haar woede tegen hem, die meer pijn dan boosheid is, meer teleurstelling dan kritiek, wordt minder.

„Ik zei lelijke dingen tegen jullie," zegt ze eerlijk, „probeer het te vergeten, soms lig ik zo met mezelf overhoop."

Ze voelt haar vaders blik, ze houdt die vast, het is of ze meer zegt dan woorden kunnen uitdrukken.

„Ik ga," zegt Tom. Hij voelt zich een indringer, hij hoort hier niet bij te zijn. „Ik wist niet dat je ouders er zouden zijn."

„Was je dan weggebleven?"

„Ja," zegt hij, „dan was ik nooit gekomen."

Hij kijkt alleen naar Jessica.

„Kom gauw weer, Tom." Hij knikt.

„Ik zal vragen of het schilderij hier een maand mag hangen."

„Een maand?"

„Ik mag waarschijnlijk over een maand naar huis."

„Jeempie," zegt hij. „Jeempie, Jes, wat goed!"

Hij zou willen dansen, door een korenveld willen hollen, de golven van de zee tegen zijn lijf willen voelen. „Goh..." zegt hij.

Hij moet de kamer uit, naar buiten, hij neemt niet de lift, hij 'neemt' de trappen met sprongen, hij lijkt op een veulen, dat voor het eerst buiten rent door de weilanden.

Bij een bloemenstal, die voor een van de zijstraten staat, koopt hij een bosje witte rozen, hij loopt terug naar het tehuis waarin Jessica verpleegd wordt. Bij de receptie vraagt hij of de bloemen naar Jessica de Lange gebracht kunnen worden.

Hij voelt wind door zijn haar, om zijn gezicht, de takken van de bomen worden kaler en kaler, magere bladeren hangen hier en daar nog aan de glanzende twijgen.

Na lange tijd voelt hij zich weer gelukkig.

17

Marjet is moe, het is een drukke middag in de bibliotheek geweest, het publiek, vooral het jonge publiek wordt brutaler, heeft weinig geduld om te wachten, je moet voortdurend overal op letten.

Ze pakt haar handtas en gaat naar buiten, het is rustig herfstweer, een van die vredige dagen met wat zon en een milde temperatuur.

Ze loopt de Kerkstraat door, naar de Rode Steen, richting haven, ze houdt van de haven met zijn bedrijvigheid en stille schoonheid die ontspant. Ze gaat op een bankje op de pier zitten, ze ziet het wijde, grijze water dat door de zon wordt beschenen, de vele 'slapende' boten, de vrolijke wolken, bij elkaar gehouden door lange banen blauw.

„Ik zag je lopen," zegt Ed Brinkman.

Hij staat achter haar, hij heeft naar haar blonde haar gekeken, dat door de bries werd aangeraakt, naar haar gezicht dat zo rustig is.

Ze draait zich om. Ze bloost niet, de tijd van blozen is voorbij, zoals ook de tijd van opwinding voorbij is. Is dat zo? Houdt ze zichzelf voor de gek?

„Kom erbij zitten."

Hij ziet er slordig uit, zijn trui hangt slobberig. Zijn ogen zoeken haar gezicht af, naar een uitdrukking die hij herkent. Naar een lach om haar mond, iets uitdagends in haar houding.

„Wat doe je hier op deze tijd?"

„Ik kom uit mijn werk, ik ben moe en ik ontspan als ik hier dan ga zitten."

„Waarom werken vrouwen als ze een man hebben?"

„Ouderwets hoor, jouw vrouw werkt toch ook?"

Hij heeft haar eens verteld dat zijn vrouw part-time les geeft aan buitenlandse kinderen. Hij heeft haar zoveel verteld, zonder op wie of wat kritiek te hebben, gewoon zomaar alsof hij tegen zichzelf luidop zat te praten.

„We laten elkaar volkomen vrij."

„Wat versta je daaronder?"

„We hebben ieder een eigen leven en als we elkaar zien, is er veel te vertellen."

„Dat zal wel."

Ze zou nooit zo kunnen leven, ze begreep het ook niet, ze had medelijden met hem. Elkaar vrij laten hield zoveel in, zowel in positieve als negatieve zin. Maar het was toch vooral negatief. Ze zou dat met Hans nooit kunnen. Ze verstonden elkaar lang niet altijd goed, maar het ging om de momenten waarop ze elkaar wel begrepen, en die ogenblikken waren in de meerderheid.

„Je ziet er goed uit."

Ze glimlacht. „Ik wilde dat ik dat ook vond."
„Je verandert niets."
„O, jawel, je hebt geen idee hoe ik verander, vooral innerlijk."
„Je houdt niet meer van een goeie flirt?"
Het klinkt plagend. Ze doet haar best om haar fantasie uit te schakelen. „Hans en ik flirten vaak."
„Ik heb je gemist."
„Dat zal wel. Tegen hoeveel vrouwen zeg je dat?"
„Unfair zoiets te zeggen."
„Misschien."
Ze praten langs elkaar heen, ze kijkt naar haar schoenen zonder iets te zien.
„Hoe gaat het met Tom?"
„Hoezo?"
„Ik weet alles... ik hoorde het van vrienden."
„Hij maakt een afschuwelijke tijd door. Hij is erg veranderd."
„Ik wilde dat ik hem kon helpen."
„Nee," zegt ze. Ze denkt aan het gesprek op het strand.
„Die man is gek op je," maar ik niet op hem.
„Hij heeft ons, we redden het samen wel, het is niet onhartelijk bedoeld."
„Je begrijpt het niet, ik heb hetzelfde meegemaakt, hoewel het buiten mijn schuld om gebeurde. Een kind stak achter een bushalte om de weg over, ik kon het niet meer ontwijken. Ik ben daar erg door veranderd, ik word nooit meer die ik was, ik bedoel... als iemand Tom begrijpt, ben ik het wel, ik zou eens met hem willen praten."
„Dat zou niet goed zijn."
Ze kan hem niet zeggen dat de jongen doorhad hoe het tussen hen was, hij was er ook nooit meer op teruggekomen.
„Ben je me daarom gevolgd?" Er is teleurstelling in haar stem.
„Het hield me bezig."
„Als je zoiets doormaakt," zegt ze zacht, „hoe kun je dan nog zo leven? Ik bedoel, zo vrij? Ik dacht dat je dan veel meer aan iemand gebonden was."
„Ik heb een geëmancipeerde vrouw, ze is erg op haar vrijheid gesteld, ik noem haar 'Aletta', die naam past bij haar."
Ze kijkt hem vragend aan, wie is Aletta?

„Gelukkig ben jij niet zo'n vrouw die alles weet."
„Ik weet weinig, ik leer vaak nog van mijn kinderen."
„Heb je nog nooit van Aletta Jacobs gehoord, de eerste vrouwelijke arts?"
„Wanneer leefde ze?"
„Ik meen dat ze in 1854 geboren is en in 1929 stierf."
Ze kijkt peinzend over het water. „Ik wou dat ze mij Sofia of Liv noemden."
„Help me eens op weg?"
„Sofia Loren of Liv Ullmann, ik dacht dat alle mannen die namen kenden."
„Ik vind je interessanter dan de vrouwen die je opnoemt. Enfin, dat moet je langzamerhand duidelijk zijn."
Ze kijkt hem recht in zijn gezicht. „Waarom heb je nooit meer gebeld?"
„Jij wilde het niet."
„Nee," zegt ze. Ze zal hem nooit zeggen dat ze maanden aan hem dacht, zijn telefoontjes miste, nog wel eens mist, en niet kan zeggen waarom dat zo is.
„Je wilt het nog niet?"
„Nee, ik heb het fijn met Hans. We zijn alle twee mensen die zelf proberen iemand te zijn zonder op de ander te steunen. Ik denk dat dat een gevoel van vrijheid geeft waar ik iets mee kan doen."
„Bravo."
Het klinkt gemaakt vrolijk. Hij geeft veel om Marjet, meer dan hij wilde, het groeide onverwacht zonder dat hij erop uit was. Mensen hebben niet altijd alle gevoelens in de hand, er ontsnapt er wel eens eentje die je niet de baas kunt en waar je radeloos van wordt. Hij zal haar niet zeggen hoe zijn gevoelens voor haar zijn, die bewaart hij voor zichzelf. Hij wil haar van tijd tot tijd zien, maar hij begrijpt dat het onverstandig is. Dat hij afstand moet nemen van iets dat geen enkele toekomst heeft.
„Je vindt me een vent van niks."
„Dat zijn jóuw woorden..."
Ze staat op. „Ik moet naar huis, het is beter als je echt geen enkel contact meer zoekt, je maakt er mij niet gelukkig mee."
„Ik kom niet alleen voor jou, ik denk ook aan Tom."
„Fijn dat je hem wilde helpen, maar hij is in goede handen, hij redt het

wel, al zal het lang duren voordat hij het een beetje kan vergeten."

„Hij zal het nooit vergeten," zegt Ed. Hij glimlacht. „Vroeger was alles anders tussen ons."

„Vroeger is voorbij, we waren jong en jij was de eerste waar ik een beetje weg van was." Ze ziet er opeens meisjesachtig uit.

„Jammer dat dat voorbij ging."

Oprecht zegt ze: „Zo'n eerste verliefdheid is nog wel eens in je gedachten, maar toen ik Hans ontmoette..."

„Kwam de echte liefde?"

Ze knikt.

„Waarom dan toch die spielerei tussen ons?"

„Ik denk dat ik weer een tijdje terug wilde naar mijn jeugd, dat dat het is. Ik heb soms ook zo'n gevoel als ik oude schoolschriften tegenkom, of tijdens een reünie. Het is een heimwee naar iets dat voorbij is en dat je weer even wilt terugroepen. Maar het is voorbij."

„Toch hadden we een fijne tijd, Marjet, niet alleen op school, ook later, toen ik je op dat feestje ontmoette, we wel eens met elkaar koffie dronken, met mijn auto ergens heen reden en genoeg te praten hadden."

„En te lachen."

Ze loopt de pier af, ze komt daarbij bekenden tegen, ze vindt het vervelend en toch is er niets waarover ze zich moet schamen.

„Ben je een gelukkig mens, Ed?"

Ze moet het hem vragen.

„Wat is een gelukkig mens? Ik ben niet ongelukkig, ik maak van het leven wat er van te maken is, ik heb geen financiële zorgen, mijn vrouw en ik zijn redelijk goede vrienden, het enige dat ik mis zijn kinderen... Ik had bijvoorbeeld graag kinderen van jou gehad."

„Praat niet zo."

„Ik geef je antwoord op de vraag of ik gelukkig ben. We hebben een kind in Tanzania geadopteerd, maar ik kan het niet voelen, aanraken, in slaap zingen."

Ze schaamt zich. Omdat ze zich soms wat overbodig begint te voelen, de kinderen worden groter, ze gaan meer en meer hun eigen gang, ze hebben hun ouders minder nodig.

Ze is een beetje op zoek soms naar zichzelf, naar wat ze met haar leven wil, waar ze staat. Daarom ook is ze in de bibliotheek gaan werken, als een bevestiging van zichzelf.

Toch is het tussen Hans en haar lang niet slecht. Ze heeft een huwelijk nooit geïdealiseerd, ze heeft gehoopt en veel van haar verwachtingen zijn uitgekomen.

„Ik hou van kinderen."

Bij de Rode Steen staat ze stil. „Ik wil dat je weggaat, dat je niet verder met me meeloopt."

„Je bent hard."

„Je weet wel beter."

„Ik mag nooit meer bellen?"

„Nee. Maar als Hans bijvoorbeeld jarig is, mag je wel met je vrouw een borrel komen halen, dan kunnen we bijpraten."

„Reken daar niet op."

„Het zou fijn zijn als dat kon, dan was het..."

Ze zoekt naar een woord dat haar gevoelens uitdrukt. „Dan was het zuiver."

„Van mijn kant zal het nooit helemaal zuiver zijn, dat weet je."

„Ga nu naar huis, dat is het beste."

„Ik ga in een café een wijntje drinken, doe je mee?"

Ze heeft een paar keer met hem op het terras van Het Witte Paard een kop koffie en later een wijntje gedronken. Het waren heerlijke momenten, omdat het niet mocht, er was spanning in, het was iets nieuws dat anders was en daarom inspireerde.

Ze glimlachte, er was herinnering in die glimlach en een beetje eenzaamheid omdat het voorbij was, omdat het goed was dat het verleden tijd was.

„Het beste met Tom."

Hij weet de juiste snaar te raken, ook nú.

„Dank je. Het beste met jou en met je vrouw, met 'Aletta'."

Ze lacht. „Wat een bespottelijke naam, hij doet me denken aan een exotische zuidvrucht."

„Weet je waar Marjet me aan doet denken? Aan een breed strand en wuivende palmen."

„Dag." Ze moet opeens weg. Dit is zijn charme, gevoelens oproepen waarin je bijna gelooft.

„En dan samen in de branding van de zee."

Ze kijkt om, hij staat daar, groot, fors en eenzaam, een man vol fantasie, met alléén maar fantasie...

Ze loopt door de straten, een beetje grijs van binnen, een beetje hunkerend naar warmte, naar kleur.
„Ik had bijvoorbeeld graag kinderen van jou willen hebben..."
Dwaze, onvolwassen, onweerstaanbare Ed...

18

Ze opent de deur van de huiskamer, wilde, luide muziek golft haar tegemoet, Dorrit is kennelijk al thuis.
Ze legt haar tas op de bank. Ze heeft behoefte iets of iemand aan te raken, het huis komt zo leeg en ongezellig op haar af Ze begrijpt de kinderen opeens beter. „Moet je nou per se naar die bibliotheek? Het is niks gezellig als je thuiskomt."
„Jasses, mam, je was er weer niet, ik heb zelf thee gezet."
Doet ze er goed aan de deur uren per dag achter zich dicht te slaan en afleiding te zoeken?
Ze weet het niet, ze heeft er behoefte aan naast het huishoudelijk werk iets anders te doen, waardoor ze in evenwicht blijft.
Ze ziet Tom in de schuur, hij is dikwijls in de schuur te vinden, hij knutselt graag, hij heeft er handigheid in. Hij is geen studiehoofd, maar hij heeft andere eigenschappen. Ieder mens heeft iets unieks, vindt een plaats waarvoor hij geboren lijkt te zijn.
Ze tikt tegen het keukenraam en steekt haar hand naar hem op, hij zwaait terug, kort maar vriendelijk.
Ze kent haar Tom niet meer. Wat laat hij soms zijn gevoel zien!
Zoals laatst. „De ouders van Jessica waren er, daarom ben ik vroeger terug."
„Hoe deden ze tegen je?"
„Hoe zou jíj doen, mam, als Dorrit... aangereden was?"
„Ik weet het niet."
„Zou je die jongen haten?"
„Ze weten zich geen raad met hun gevoel."
„Ze haten me."
Ze schrok van de felheid in zijn stem, ze kon hem niet helpen, niemand kon dat, hij moest er alleen doorheen, steunend op zijn nieuw verworven inzicht en moed. Het doet zo'n pijn je kind niet gelukkig te zien,

niet te weten hoe je daarin verandering kunt brengen.

Ze roept naar Dorrit of de muziek zachter kan. Ze krijgt geen antwoord. Ze gaat naar haar kamer, klopt op de deur.

De muziek is zo luid dat ook kloppen niet gehoord wordt.

Ze smijt de deur open. „Zachter! Het is om gek te worden! Hou je dan nooit rekening met een ander?"

Dorrit zet de radio zachter.

„Hou jij de laatste tijd ooit rekening met mij? Alles draait om Tom, jullie zíen mij niet eens meer staan. Je moet eerst iets vreselijks uitvreten om gezien te worden!"

De uitval verrast Marjet. Hij doet pijn, maakt haar weerloos.

„Zo hebben je vader en ik dat nooit bedoeld, dat weet je ook wel!"

„Dat zal wel, maar ik word er mal van als ik aan Tom denk. Als hij na z'n werk-weekend thuiskomt, is het: ging het wat? Waren ze aardig tegen je? Ben je moe? Hij heeft het aan zichzelf te danken dat hij daar werkt en hij mag hartstikke blij zijn dat het allemaal zo is afgelopen, hij had net zo goed in de gevangenis kunnen zitten. Het is goed, mam, dat hij de weekenden moet aanpakken. Ik vind het rot voor hem, maar ik vind het óók goed!"

Dorrit zwijgt, ze heeft een hoogrode kleur, haar haren zitten verward, er is een ontevreden trek om haar mond.

„Ik voel me vaak zo alleen."

„Dat is toch nooit onze opzet geweest, het is voor ons ook niet zo eenvoudig, Dorrit, als je daar eens aan denkt. Je bent teveel met jezelf bezig."

„Dat zal wel, maar ik heb de laatste tijd het gevoel dat ik er maar zo'n beetje bij hang."

„Als het omgekeerde het geval was, zou Tom dat denken."

„Ik krijg een hekel aan hem."

„Omdat je een hekel aan jezelf hebt, niet begrijpt wat hij doormaakt. Je kunt je niet in anderen verplaatsen, maar daar ben je dan ook pas vijftien, bijna zestien voor."

„Ga nou niet staan zedepreken, daar kan ik niet tegen, ik doe altijd alles verkeerd, dat is altijd zo geweest."

„Kom eens bij me."

„Waarom?"

„Zomaar."

Onverschillig doet Dorrit een paar passen in de richting van haar moeder. Ze voelt dat haar moeder haar tegen zich aan trekt, een arm om haar heen slaat. Ze wil zich losrukken, maar opeens is het heerlijk armen om je heen te weten, te voelen dat je vader en moeder nog steeds van je houden. Hoe heeft ze zo mal kunnen denken? Ze is jaloers, jaloers nota bene op haar broer die het moeilijk heeft, die deze maanden probeert door te komen. Ze kan alleen maar vaag vermoeden wat hij doormaakt.

Marjet houdt dit kind stevig tegen zich aan. Ze heeft de laatste maanden weinig aandacht aan haar gegeven, ze dacht: Dorrit staat haar mannetje wel, die doet haar werk op school behoorlijk, daar zijn weinig problemen mee.

„Zeg het maar," zegt ze.

„Ze plagen me op school met Tom, daar kan ik niet tegen, ze zeggen lelijke dingen, dat hij vast wel gedronken heeft toen dat ongeluk gebeurde, dat hij een slome is en weet ik wat allemaal meer..."

„Jij weet toch wel beter." Marjet streelt haar over haar haren.

„Waarom heb je ons daar niets over verteld?"

„Jullie hebben zorgen genoeg."

Soms leer je je kind op een heel speciale manier kennen, soms weet je opeens dat het een fijn karakter heeft.

„Die heb jíj ook," zegt ze zacht, „als je met iets zit, moet je het ons altijd zeggen, het maakt niet uit wat het is. Het was voor Tom ook niet zo makkelijk om het te zeggen. Ik wil dat je ons vertrouwt, dat je weet dat we van je houden."

„Stom van me, hè?"

„Ontzettend stom."

Ze laat het kind los. „Ik wist niet dat je je zo eenzaam voelde, dat spijt me. Je moet maar denken dat ouders ook maar mensen zijn die fouten maken."

„Ja," zegt Dorrit.

Er glijdt een lach over haar gezicht. „Nu zeg ik weer iets stoms."

Houdingloos staat ze in de kamer. „Het was verkeerd van me," zegt ze zacht, „maar begrijp je het wel een beetje?"

De uitdrukking op Marjets gezicht is vriendelijk.

„Je bent een fijne meid, loop niet meer zo lang met problemen rond," zegt ze, „dat helpt."

„Gemeen, hè, op school?"

„Zo zijn sommige kinderen, het is altijd jaloezie, van volwassenen trouwens ook. Jaloezie is iets vreselijks, daar moet je tegen vechten, anders maakt het je kapot.”

Ze gaat naar beneden, ze voelt scherp dat ze door dit gebeuren met Tom veel meer van haar dochter heeft leren kennen. Het kind heeft er ook voor gezorgd dat ze Ed Brinkman een beetje is vergeten.

Tom fietst naar huis, het is een koud weekend. Hij is moe en teleurgesteld, vooral teleurgesteld in zichzelf. Het is of hij minder vechtlust heeft dan in het begin, of hij minder gemotiveerd is. Er gingen veel dingen verkeerd dit weekend, hij kan er niet tegen als hij fouten maakt, het maakt hem onzeker. Op school is hij niet zo’n ster, als hij dit werk nu al niet goed aankan, wat is hij dan? Echt in alle opzichten een mislukkeling?

Morgen gaat Jessica naar huis, het maakt blij en het maakt verdrietig. Hij kan haar thuis niet opzoeken, dat geeft een heel machteloos gevoel. Hij weet dat hij daarom het meeste in de put zit. Hij wil haar goedendag zeggen, haar zien, weten dat ze elke dag sterker en beter wordt, dat er tussen hen een begrip gegroeid is dat nooit mogelijk zou zijn geweest als er niet zo’n tragisch gebeuren aan ten grondslag lag.

Hij keert om, hij kan haar nog zien en spreken, dan is hij maar wat later thuis.

Zijn vermoeidheid is op slag verdwenen, hij krijgt een overmoedig vrolijk gevoel, de fouten van vandaag zijn onbetekenend, er is maar één ding van belang: Jessica. Hij weet dat wat hij voor haar voelt niets met verliefdheid te maken heeft, het is een veel dieper gevoel, het is of ze familie van hem is.

Hij fietst snel, hij voelt zich jong en bijna zorgeloos. Hij spurt en laat dan z’n beide benen wijd heen en weer zwaaien.

„Rij niet zo onverantwoord, man!” Een vrouw met een kind achter op de fiets passeert hem. Het is of hij een harde slag krijgt. Hij krimpt in elkaar, zet zijn voeten op de trappers. Dit fietsen was niet echt onverantwoord, het kwam omdat hij zich gelukkig voelde. Hij zou het de vrouw willen zeggen, maar ze zou er niets van begrijpen. Hij heeft in zijn leven één keer onverantwoord gereden… één keer… dat zal hem nooit meer gebeuren. Hij heeft nooit meer, zelfs niet wanneer hij naast zijn vader zat, een verlangen gehad het stuur van een auto vast te houden.

Misschien gaat hij er nooit meer achter zitten, want altijd zal hij die geluiden weer horen, die doodsangst voelen en dat schuldgevoel. Zijn diepe blijdschap is weg, hij is weer in die grijze grauwe stemming die beklemt, stil maakt en klein.

Hij fietst langzamer, de koude wind blaast langs zijn gezicht, hij huivert. In de verte ziet hij tussen het geboomte het gebouw waar Jessica haar laatste avond ingaat.

De wielen van zijn fiets rijden bijna onhoorbaar over het dichte dek van afgevallen bladeren met felle, warme kleuren, waarin de mager schijnende zon nog wordt vastgehouden. Hij zet zijn fiets tegen een boom. Hij hoopt dat haar ouders er niet zijn, hij wil haar alléén zien, alléén goedendag zeggen.

Hij loopt de trappen op naar haar kamer.

Voordat hij op haar kamerdeur klopt, gaat de deur open. Eenvoudig zegt ze: „Ik zag je aankomen."

„Ik wilde je goedendag zeggen."

„Doe je jas uit, straks heb je er buiten niets aan." Hij gooit zijn jas op een stoel. Hij is verlegen.

„Ik heb niets voor je bij me," zegt hij.

„Ik heb die plaat toch van je? Ik hang 'm op mijn kamer thuis, hij is al ingepakt." Ze ziet er vrolijk uit, toch is er iets van onzekerheid in haar stem.

„Ben je bang?" vraagt hij.

„Ja."

„Waarom?"

„Ik weet het niet, voor mezelf denk ik, ik weet niet of ik het aankan, ik voelde me hier veilig, ik was hier een van de vele patiënten, thuis is alles anders."

„Ik zal je schrijven."

„Ik schrijf je terug."

„Dat heb je nog nooit gedaan."

„Het is moeilijk voor me om te schrijven, mijn handen zijn onzeker."

„Al schrijf je maar een paar woorden, dan weet ik hoe het met je gaat. Ik wil weten hoe het verder met je gaat, Jessica."

„Je kunt toch... nee, ik begrijp het wel, je durft niet langs te komen, niet bij mij thuis."

„Begrijp je dat?"

„Ja, ze zijn fout, maar ik begrijp het toch wel een beetje. Ik ben hun enig kind, alles ligt zo gevoelig… ik bedoel…"

Hij knikt.

„Weet je wat ik wel kan doen? Een keer naar jou toekomen. Met een taxi…"

„M'n vader zou je kunnen halen."

„Dat mag niet van m'n ouders, maar… ik verzin wel iets."

Hij staat voor haar, hij heeft haar één keer een zoen gegeven, toen ze in coma lag, hij raakt dat beeld nooit kwijt, die hulpeloosheid… Hij zou het wéér willen doen, maar hij kan het niet.

„Tom," zegt ze, „zul je je niet alléén schuldig blijven voelen? Je hebt me ook andere gevoelens geleerd, misschien ik jou ook, dat weet ik niet."

„Wat bedoel je?"

„Je hebt me leren knokken."

„Ja," zegt hij, „jij mij ook, je weet niet dat ik dikwijls wilde vluchten, weg van alles, zomaar ergens heen gaan waar ik niet steeds aan die avond zou moeten denken."

„Vluchten helpt niet," zegt ze zacht, „vogels vluchten, mensen niet, jij bent geen vogel."

„Ik wilde dat ik het was, dat ik helemaal vrij was en kon vliegen waarheen ik wilde."

Er glijdt een breekbare glimlach over haar gezicht. „Ik kan je nergens bij helpen, Tom, je moet alles alleen doen."

„Jij ook," zegt hij.

Hij voelt dat deze harmonie sterker is dan wat ook ter wereld, dat hij daar later, als hij zijn gevoelens weer beheerst, regelmatig aan zal blijven denken. Aan wat ze met elkaar gemeen hebben en wat hij bij geen enkel ander mens ooit zo diep zal herkennen.

„Tot ziens, Jessica."

„Ja," zegt ze, „ik weet zeker dat we elkaar weer zien, ik weet alleen niet wanneer."

Hij voelt haar handen op zijn schouder. „Misschien zien mijn ouders alles ook nog wel eens anders…"

„Dat zou geweldig zijn," zegt hij.

Hij houdt haar trillende vingers vast.

Hij laat haar abrupt los, omdat hij met zijn gevoel geen raad weet.

„Geen vogel zijn, Tom."
„Jij ook niet."
Hij grijpt zijn fiets, hij rijdt weg zonder om te kijken. Hij weet niet dat ze voor het raam staat en haar hand voorzichtig opsteekt.

19

„Je bent laat, ik was ongerust."
Tom kijkt zijn vader aan. „Ik was bij Jessica, ze gaat morgen naar huis, ik heb haar goedendag gezegd."
„Het eten is koud geworden."
„Dan warm ik het even op."
Hij hoopt dat ze verder niets vragen, hem alleen laten. Soms is het heerlijk om alleen met jezelf te zijn, niemand begrijpt zoveel van je diepste gevoel als jijzelf. Je bent je beste vriend en je beste vijand.
„Ik doe het wel."
Dorrit kijkt hem speels aan, ze is niet brutaal, ze is het jongere zusje dat hem heel vroeger wel eens nodig had. „Help jij me m'n schoenveters te knopen?"
„Probeer het eerst zelf maar."
„Ik heb het al honderd keer geprobeerd."
„Kom dan maar."
„Ik heb niet zoveel honger," zegt hij, „ik heb ook in het ziekenhuis al iets gegeten."
Marjet vraagt niet: hoe ging het deze keer? Ze denkt aan alles wat Dorrit zei. Ze heeft het verkeerd gedaan, het enige excuus dat ze daarvoor heeft, is het feit dat ze nooit eerder iets moest verwerken als dit gebeuren met Tom. Het is een zwak excuus, ze moest beter weten, Dorrit is nog een kind, ondanks haar vijftien jaren.
„Als je wist wat ik opwarm! Je eet je vingers erbij op!" Dorrits stem is vrolijk.
„Ik ben benieuwd."
„Nasi goreng."
„Heerlijk!"
De vroegere sfeer is er weer even. Tom wil die sfeer niet doorbreken, hij begint niet over Jessica, hij heeft ook nog nooit iets verteld over de

jongen, Joep, die zijn grootvader uitschold voor 'verrader'. Hij kan zijn vader vooral nu niet nog meer verdriet doen, hoewel hij steeds nieuwsgieriger wordt. Zo jong als hij is, weet hij dat hij punt voor punt af moet werken, wil hij het aankunnen. Eén punt is al bijna rond, Jessica gaat naar huis.

Daarna zal hij zijn straftijd afronden, zich weer helemaal op zijn huiswerk kunnen concentreren en als hij zijn diploma heeft, áls... dan wil hij zijn grootouders opzoeken. Misschien doet hij dit laatste wel eerder, dat hangt van zijn stemming af.

„Hoe smaakt het?" Dorrits stem klinkt gespannen.

„Prima."

„Die heb ík gemaakt, had je niet gedacht, hè?" Hij schraapt zijn bord leeg. „Zet nog eens zo'n rotplaatje van je op, die wilde muziek, ik heb er behoefte aan."

„Jij? Ben je Mozart ontrouw? En Bach? Of hoe al die klassieken mogen heten?"

„Ik ben ervoor in de stemming."

Dorrit rent naar haar kamer, even later klinken de meest dierlijke oergeluiden door de ruimte, die je ooit hebt gehoord. De ritmiek is fel en meeslepend.

Tom grinnikt, hij pakt Dorrit om haar middel en danst met haar door de kamer, hij kent zichzelf niet en hij wil zichzelf niet kennen, deze muziek beantwoordt aan de chaos die hij van binnen voelt.

„Nou zeg..." Dorrit kijkt stomverwonderd naar haar broer, „ik dacht dat je er niks aan vond."

„Ik vind het fantastisch."

Hij heeft een vreugdedronken gevoel, hij is alles, clown, dominee, voetballer, dirigent, hij is honderd jongens in één lijf.

„Wat zei Jessica?"

„'Vogels vluchten, mensen niet'. Je hebt me leren knokken." Ze zei zovéél met zo weinig woorden. Hij zou hard door de tuin willen hollen, eindeloos zichzelf opjagen tot hij niet meer kon.

De muziek zwijgt, hij komt tot zichzelf, hij moest zo doen, het is de uiting van een gevoel dat nooit aan de oppervlakte komt, maar dat er soms uit moet.

„Je bent raadselachtiger dan ooit." Dorrit heeft het warm.

„Het was een bedankje voor de nasi goreng," zegt hij.

Hij kijkt naar zijn vader. Misschien begrijpt die hem, misschien praten ze er later samen over. Hij brengt zijn lege bord naar de keuken. Hij zou nu weer aan dat onmogelijke huiswerk moeten, maar het kan hem opeens niets schelen, hij blijft naar alle waarschijnlijkheid toch wel zitten. Hij heeft meer moeite dan vroeger om zich op de opgaven te concentreren, bovendien doet alles er zo weinig meer toe. Het belangrijkste is dat Jessica op een dag naar hem toekomt, haar handen naar hem uitstrekt en dat die handen dan niet onzeker zijn, maar dat er weer kracht in zit en toekomst. Hij weet dat die kans uiterst klein is. Maar je moest toch ook in kleine wonderen blijven geloven, anders had het leven weinig waarde.

„Ik ga naar mijn kamer," zegt hij, „een paar opgaven nakijken."

De innerlijke storm is wat geluwd, hij voelt een bijna vredige stemming. Hij gaat achter zijn kleine schrijfbureau zitten, hij schrijft Jessica een kort briefje, korter kan het bijna niet: „Welkom thuis, Jessica! Groeten van Tom."

Hij zal dat briefje nog snel even naar de brievenbus brengen, misschien heeft ze hem dan morgen nog.

„Ik breng even een brief weg," zegt hij in de huiskamer, „ik blijf niet lang weg."

„Wat ben je onrustig, jongen!"

„Dat heb ik nodig, pap." Hij trekt zijn jas aan, het is aardedonker buiten, er lijkt al iets van de winter in de prikkelende lucht te zitten, maar dat zou wel erg vroeg zijn. Hij luistert naar het klikken van zijn voetstappen op straat.

De brief floept in de bus, hij loopt nog een stukje om voordat hij weer naar huis gaat, de koude buitenlucht doet hem goed.

Hij slaat een zijweg in en komt uit 'Achter op 't Zand', een romantische straat die tegen de dijk aanleunt alsof ze steun zoekt.

Boven op de dijk zie je het IJsselmeer, zwermen meeuwen scheren krijsend over het wijde water, horizon en wolken vloeien in elkaar over.

Een man met een hond passeert hem.

„Goedenavond," zegt Tom. Hij is van huis uit gewend te groeten.

„Goedenavond." De man houdt zijn passen in. Tom herkent de arts die hem in het ziekenhuis zo goed begeleidde.

„Zo jongen, hoe gaat het?"

„'t Gaat wel."

„Ik heb je nooit meer gezien, ik dacht dat je nog eens langs zou komen."

„Ik durfde niet zo goed," zegt Tom, „u hebt een drukbezet leven."

„Jouw leven interesseert me," zegt de arts, „hoe ver ben je met jezelf?"

„Soms kan ik het aan, de meeste dagen is het of ik word geleefd, of niets er meer toe doet."

„Alles doet ertoe, angst heeft zin, twijfel, eenzaamheid, geluk."

„U heeft makkelijk praten," zegt de jongen opeens, „u weet niet wat schuldgevoelens zijn, hoe je daarmee moet leren omgaan."

„Weet ik dat niet? Ik heb ook zo het een en ander achter de rug, ik praat uit ervaring. Er is één ding dat ik heb overwonnen, dat is mezelf een minderwaardigheidsgevoel aanpraten, mezelf voortdurend met m'n neus op bepaalde feiten drukken, daar kom je geen stap verder mee."

„Waarmee dan wel?"

„Jezelf nemen zoals je bent, doorgaan waar je bent blijven steken, je zelfrespect terugwinnen. Een mens die geen respect voor zichzelf heeft, blijft niet overeind staan."

„Ik heb totaal geen respect voor mezelf."

„Vroeger dan wel?"

„Ik weet het niet, het is een gevoel waar ik geen raad mee weet. Ik doe m'n best, maar ik kom niet verder, ik heb niet zoveel waardering voor mezelf."

„Als een ander maar waardering voor je heeft, Tom."

„Ja, dat zou fijn zijn."

„Ik weet dat je ouders dat gevoel voor je hebben, ik heb dat ook."

„U kent me niet."

„Ik ken je beter dan je denkt. Als een jongen ergens niet overheen komt omdat hij zich schuldig acht, als dat gevoel eerlijk is, dan weet ik dat ik met een fatsoenlijke knul te maken heb, met een fatsoenlijk geweten. Denk daar maar eens over na. Ben je op weg naar huis?"

De jongen knikt.

„Ik loop een stuk met je mee, ik woon bij je in de buurt."

De jongen loopt mee zonder iets te zeggen, hij weet ook niks te verzinnen. Voorheen in het ziekenhuis toen hij patiënt was, en later toen hij deze arts ontmoette tijdens werkzaamheden die hem opgedragen waren, toen was er iets vertrouwds, maar nu in de kille avondwind op de stille dijk is hij geremd en in zichzelf opgesloten.

„Jessica gaat morgen naar huis," zegt hij opeens.
„Dat weet ik."
„Ze zal het niet gemakkelijk krijgen, haar ouders laten haar niet vrij, ze zijn zo overbezorgd."
„Hoe zijn ze tegen jou?"
„Zoals ik verwacht had. Ik begrijp het wel, maar ik vind het zo triest dat ik niet met ze kan praten, dat dat al bij voorbaat kansloos is. En zolang dat nog zo is, kan ik moeilijk waardering voor mezelf krijgen."
„Ze hebben erg veel tijd nodig, gun ze die tenminste, ontwikkel geen haatgevoelens, daar heb je jezelf mee, de ander niet. Haat is dodelijk."
„Schuldgevoel óók."
De jongen staat stil. „Bedankt voor het gesprek."
„Je hebt er niet veel aan gehad, hè? Nu niet."
De jongen glimlacht. „Ik zal nooit de hulp van een psychiater inroepen, ik weet zelf wat ik doen moet, afwachten en in die periode veel sporten, m'n lichaam afmatten, zodat ik goed slaap. Ik heb goed naar u geluisterd, hè?"
„Dat heb je. Dag, Tom. Verwacht altijd veel van jezelf en weinig van anderen, dan zijn er minder grote teleurstellingen."
De jongen knikt, hij loopt verder langs de lange dijk, de horizon wordt grimmiger, het kon morgen wel eens een stuk kouder zijn.

20

Het is november, door de natte straten loopt een jongen. Hij kijkt naar de plassen, naar de regen die troosteloos uit een dichtgrijze hemel valt. Het is een late zondagmiddag, de schemering hangt over de stad, maakt de wereld kleiner en intiemer.
Het is voorbij. Zijn weekendstraf zit erop, hij heeft de mensen die toezicht op hem uitoefenden goedendag gezegd, het personeel uit de keuken, enkele verpleegkundigen.
Ze hadden hem te verstaan gegeven dat alles nu echt afgelopen was, dat hij een streep onder dit gedeelte van zijn leven moest zetten. Maar het is niet voorbij, niemand beter dan hij weet dat het allerbelangrijkste nog bevochten moet worden, hij moet terug naar zichzelf. Hij moet weer Tom van Hasselt worden die graag fluit, in de tuin werkt, met jongens

naar een disco gaat, af en toe een pilsje drinkt. Zo'n gewone jongen zoals er miljoenen zijn.

Hij is geen gewone jongen meer, hij heeft een strafblad, hij heeft een afschuwelijk misdrijf gepleegd en hoewel hij daar drie maanden aan herinnerd werd doordat hij in de weekends hard en systematisch moest aanpakken, neemt niemand de pijn weg in zijn ziel. Op de meest onverwachte ogenblikken voelt hij zich neerslachtig en vooral… zonder hoop. Hij begrijpt nog steeds niet hoe hij ertoe gekomen is de auto van zijn vader te lenen, met een stel vriendjes uit zijn klas naar een disco te rijden zonder rijbewijs en geen voorrang te geven.

„Je hebt je uitstekend van je taak gekweten, je er niet met een jantje van leiden van afgemaakt. Ik hoop dat je je les geleerd hebt en dat je wat je misdreven hebt, nooit zult herhalen."

Hij keek naar de man die deze mooie volzinnen naar voren bracht, hij zei simpel: 'u hoeft niet bang te zijn voor herhaling, ik heb veel, zo niet alles geleerd.'

Hij schopt natte bladeren weg, probeert zich als een opgelucht, blij mens te gedragen, maar hij is niet echt blij. Het is net als met een ongeneeslijke ziekte, de patiënt mag naar huis, maar hij weet dat het ergste nog moet komen.

Hij wilde niet dat juist vanavond iemand hem kwam ophalen; zijn vader had dat aangeboden van de week.

„Nee," zei hij, „liever niet." Hij zag het gezicht van zijn vader betrekken.

„Ik bedoel, ik ben liever alleen."

Nu zou het fijn zijn als opeens zijn vader om de hoek op hem af zou komen met zijn grote stappen en zijn fiere houding, waarin hij een diep weggeborgen minderwaardigheidsgevoel had ontdekt.

Regendruppels glijden in de kraag van zijn jas, hij trekt de kraag omhoog; alles aan hem is nat, zijn haar, zijn schoenen, maar het hindert niet. Niets hindert. Hij heeft een periode in zijn leven afgesloten. Dat zegt men, maar hij staat nog midden in een proces en hij weet niet hoe dat zal eindigen.

Hij hoort een hoog, schel fluitje. Er is er maar één die zo vals kan fluiten, waarom doet hij dat nu?

Bas komt naast hem lopen, hij geeft hem een stomp. „Je hebt het hem geflikt, je bent er vanaf."

„Ja," zegt Tom.

„Nu kunnen we weer eens met z'n allen ergens heen, snap je? Lekker een avondje dansen en zo… naar de meiden kijken."

„Hè, ja." Tom lacht, Bas meent het zo goed, hij is een vriend geworden, ze hebben elkaar op een merkwaardige manier leren waarderen. Maar híj is ouder dan zeventien, hij is te snel naar volwassenheid gegroeid en Bas is zijn leeftijd trouw gebleven. Een ogenblik leek ook hij te groeien, maar naarmate de tijd verstrijkt, komt de 'oude' Bas weer boven die de bink van de klas is en wil blijven.

Wat is er eigenlijk aan om populair te zijn? Je moet dan aan de meest krankzinnige verwachtingen voldoen. Het is beter bij de 'middenmoot' te horen, dan kun je alleen maar opklimmen.

„Hoe voel je je nou?"

„Vreemd, je moet niet van die idiote vragen stellen."

„Nou, zeg… kom ik je speciaal halen… leuke reactie hoor!"

„Het is goed dat je er bent, maar ik wil liever alleen naar huis, snap je? Gewoon alléén."

„Je spoort niet helemaal."

Tom grinnikt. „Dat je dat niet eerder ontdekt hebt…"

Bas is opeens verlegen, hij snapt het niet helemaal, het is toch goed als er iemand bij je is die weet wat je hebt doorgemaakt… Misschien is Tom er nog niet uit. Zijn straf is voorbij, maar zijn hart is nog niet gerust.

Hij denkt aan een winkeldiefstal die hij zelf een keer had gepleegd, het was niets bijzonders, een pakje sigaretten en een paar zakken chips. Hij werd betrapt, maar kwam er met een berisping en terugbetaling van de meegenomen goederen vanaf. Het was dus afgehandeld… maar als hij langs die winkel loopt waar hij dat jaren geleden uit bravoure deed, blijft er iets naars van over.

Er blijft iets over… altijd. Je voelt je na die tijd doodongelukkig en je begrijpt het niet.

„Nou, dan ga ik maar," zegt Bas.

„Fijn dat je me tegemoet kwam," zegt Tom, „begrijp je het?"

„Ik denk het wel. Tot kijk! Tot op school, maandag."

„Gaan we gauw weer eens stappen?"

„We zien wel…"

Hij kijkt Bas na, die fluit en loopt als een jongen die de hele wereld in zijn zak heeft en niet weet dat er een gat in de voering zit…

Hij loopt langzaam naar huis, het is overal rustig, het is weer een beetje het stadje waar hij als kleine jongen op straat kon voetballen, omdat er niet zo veel auto's waren. Iedereen kende iedereen, iedereen had aandacht voor de ander. De straat waarin hij toen woonde, het Kleine Noord, was een gezellige straat met veel middenstanders die voor elkaar opkwamen. Hij herinnert zich de koemarkten in het najaar, de dieren stonden rijen dik, er werd gehandeld, handjeklap gedaan, geschreeuwd. En in hotel De Roskam kwamen de boeren bij elkaar, er werden borrels geschonken, en hij liep er als kleine jongen tussendoor.

Hij kreeg eens een sliert van een koe tegen zijn benen, een van de buren kwam met een doek een veegde de poep eraf. En vooral op zomeravonden stonden buren buiten voor hun huis, ze maakten een praatje, bespraken de dagelijkse dingen. Het was zo'n vertrouwd gezicht, die buren die je vanuit je slaapkamer zag, want natuurlijk hing hij naar buiten te kijken.

Hij bukt zich, grijpt een hand vol bladeren en gooit die de lucht in. Hij kan opeens zijn huis zien, nou ja, het huis waarin hij naderhand met zijn ouders en Dorrit is gaan wonen. Het staat in een van die ouderwetse straten in de binnenstad, waar eeuwenoude patriciërswoningen een zestiende-eeuwse gracht omlijsten. Het is er goed wonen, hoewel lang niet alle mensen in harmonie met elkaar leven; er is nogal wat afgunst, men let op elkaars doen en laten, men weet graag alles van elkaar. Maar dat schijnt, zegt zijn vader, overal in de wereld zo te zijn en als je je er maar niets van aantrekt en je eigen gang gaat, is het er goed wonen.

Voor de hoge stoep van zijn huis loopt de hond van de buren. Hij zou het dier willen roepen, het willen strelen, al was het maar om zich een houding te geven, want hij voelt zich zo vreselijk onzeker.

Hij heeft de vorige week Jessica een keer opgebeld. Haar moeder nam de telefoon aan en hij vroeg, zonder zijn naam te zeggen, of hij haar aan de lijn kon krijgen.

Hij heeft kort met Jessica gepraat, het was een beetje onpersoonlijk door zo'n apparaat, maar uit haar stemming proefde hij hoe eenzaam zij was. Zij zocht naar sfeer en houding, maar kon die niet vinden.

„Neem een taxi en kom naar me toe," zei hij.

„Misschien doe ik dat binnenkort wel."

Hij wachtte nu al vele dagen, maar ze was tot nu toe nog niet gekomen.

Hij steekt de sleutel in het slot, kijkt om zich heen, steekt zijn hand op naar enkele buren die hem goed gezind zijn.

Zijn vader staat in de gang, hij doet net of hij daar toevallig moest zijn, maar de jongen kent hem beter. Hij heeft een geweldige vader, die op zijn eigen wijze om hem geeft.

„Het zit erop," zegt Tom.

„Gelukkig."

Hij hangt zijn natte jas aan de kapstok, doet de kamerdeur open, een geur van koffie komt hem tegemoet, de schemerlampen geven gezelligheid en een gevoel van thuis-zijn, Dorrit zit te lezen, ze is voor haar doen opvallend rustig.

„Hallo, mam," zegt hij.

„Wil je koffie?" Ze doet gewoon, alsof er helemaal niets aan de hand is en dat is het enige dat hij nu nodig heeft.

„Graag."

„Trek die natte schoenen uit," zegt ze, „je kunt kou vatten."

„Ik haal m'n sloffen wel even."

Hij gaat naar boven, zijn kamer wacht op hem, het is of die nog nooit zo op hem gewacht heeft. Hij kijkt naar de paar goede reprodukties aan de wanden, van Renoir, van Dürer, hij heeft er ook een paar van Willink.

Er staan gelukkig geen bloemen, alles is als altijd. Hij opent de ramen en kijkt de tuin in, de duisternis bedekt de klimop, de takken en kruinen van de bomen, het schuurtje; alleen het grint licht wit op tussen al het donkere.

Hij trekt zijn schoenen uit, hij vecht tegen een opkomend gevoel van verlatenheid. Hij had Jessica willen zien, hier, nu, als een houvast, maar ze is er niet. Vaag had hij gehoopt dat ze er juist nú zou zijn… maar misschien weet ze helemaal niet meer dat het zijn laatste weekend was.

Hij gaat de trap af, hij voelt dat hij vanaf nu moet proberen de aandacht van zichzelf af te leiden, de plaats in het gezin terug te winnen die hij had, niet alleen voor zichzelf, ook voor de anderen, voor Dorrit, voor zijn vader en zijn moeder.

Hij komt de kamer binnen. Onhandig zegt hij: „Bas kwam me tegemoet, dat had ik nooit van hem verwacht."

„Waar is hij nu?"

„Ik heb hem weggestuurd." Hij pakt een tijdschrift en bladert erin. Hij wil weer gewóón doen en hij kan het niet.

„Stom hoor," zegt Dorrit, „hij is een opschepper, maar ik mag hem wel."

„Misschien is het stom," zegt hij.

„Ik stik van het huiswerk, wil je me straks overhoren?"

„Moet dat?"

„Het moet niet, ik zou het fijn vinden als je het deed."

„Na het eten," zegt hij.

„Oké."

Het gewone leven… huiswerk, school, misschien straks met de jongens weer een avondje uit, lachen en je uitleven… jong zijn…

Alle dingen moet in hun vroegere ritme terugkomen. Hij wil niets liever dan dat, maar of het kan?

21

De sneeuw valt geruisloos, miljoenen vlokken maken de wereld wit en geheimzinnig.

Tom veegt de straat schoon, niet alleen de stoep van hun eigen huis, maar ook die van buren die ouder zijn en er tegenop zien de weg berijdbaar te maken.

Hij voelt nieuwsgierige blikken achter de ramen, één buurvrouw staat in de open deur. „Hoe gaat het met je?"

„Hoe gaat het met u?"

Hij heeft geleerd zich niet zo gauw gewonnen te geven, maar het raakt hem als ze zinspelen op iets dat achter hem ligt.

De vrouw kleurt, ze gaat naar binnen.

Tom heeft de neiging haar stoep maar over te slaan, maar wat wint hij daarmee?

Het is ook op school niet altijd even gemakkelijk, hij weet dat dat in hoofdzaak aan hem ligt, hij reageert geprikkeld, is al bij voorbaat in de verdediging. De klas heeft nu verschillende meningen, de eenheid die er in het begin was, is verdwenen. Bas neemt het niet meer zo sportief voor Tom op en Bas is nog steeds dé jongen van de klas.

„Je bent veranderd," zei hij tegen Bas.

„Hoezo?"

„Dat hoef ik je niet te zeggen."

„Ik ben me van geen kwaad bewust, trouwens, als je zo graag alleen wilt zijn, moet je niet vragen om gezelschap."

„Je valt me tegen."

„Jij mij ook."

Hij stond voor hem op het schoolplein. „Vergeet niet dat er meer schuldigen zijn dan alleen maar ik." Hij had dat niet moeten zeggen, maar hij was opeens door het dolle heen. „Wie kwam op dat onzalige idee mijn vaders wagen te lenen?"

„En wie kon er niet autorijden? Laat naar je kijken!"

Vanaf dat ogenblik was het oorlog tussen hen. Al deed dat pijn, het maakte ook sterker. Hij wist dat de houding van Bas oneerlijk was, dat niet híj, maar Bas fout was. Sterker werd je door moeilijkheden waaraan je niet zelf schuldig was, maar die een ander veroorzaakte, uit jaloezie.

Bas was dom. Vroeger had hij dat nooit zo gezien, nu merkte hij het. Bas kon er niet tegen als hij niet de eerste viool speelde.

Hij veegt de sneeuw naar de grachtkant, hij heeft het warm en leunt op de bezem. De gracht ligt wat eenzaam en verlaten, eenden scharrelen behoedzaam op het eerste ijs, de oude gevels hebben witte pruiken, de takken van de bomen zijn beladen, alles is stil en door een toverstaf veranderd. Er is harmonie in deze weergaloos witte wereld, maar het is of hij er zelf geen deel van uitmaakt.

„Stop nou maar eens Tom, de lucht is nog dik, er komt nog veel meer sneeuw."

„Ik schei al uit," roept hij.

Zijn vader staat in de deuropening. „Ga je mee een stuk omlopen?"

„Doe ik, pap."

Het is alweer een poos geleden dat ze samen door de natuur liepen en elkaar aanvoelden zonder veel woorden. Niet zo lang als het nazwaaien van de auto die het pad af reed.

De jongen neemt rustige grote stappen, zijn laarzen zakken een stuk in de sneeuw. Hij voelt de vlokken op zijn gezicht, in zijn haren. Opeens zegt hij: „Ik word steeds nieuwsgieriger naar mijn opa."

„Hij is een moeilijke man," zegt Hans. Hij is geschrokken van Toms woorden.

„Je herinnert je hem toch nog wel van toen je jong was?"

„Een beetje."

Hij kent de verhalen van de breuk tussen zijn ouders en zijn grootouders, hij weet van het 'pesten' van zijn oma, de hatelijke houding van zijn opa. Maar hij hoort alles van één kant, hij wil zélf oordelen, vooral na de geschiedenisles op school.

„Heb je er iets op tegen, pap, als ik er eens heen ga? Ik ben nu ruim zeventien."

„Dat weet je wel, ik kan je niet tegenhouden."

„Verlang jij nooit naar ze?"

„Nee." De jongen kijkt op. „Wil je het me niet vertellen?"

„Ik heb er moeite mee."

„Weet je nog wat je tegen me zei toen ik Jessica wilde opzoeken in het ziekenhuis? Je zei dat elke overwinning op jezelf een gevoel van bevrijding is."

„Dit ligt heel anders."

Hij heeft zo'n gesprek niet verwacht, hij is er totaal niet op voorbereid. Misschien dat hij juist daarom nu een opening vindt, woorden om de pijn toe te laten en te uiten.

„Mijn vader heeft me, toen ik jong was, erg veel verdriet gedaan, ook zichzelf, al zal hij dat blijven ontkennen... Het verbaast me, eerlijk gezegd, dat je het niet eerder hebt gehoord, mensen zijn niet altijd zo aardig voor elkaar. Mijn vader stond in de oorlog aan de kant van de Duitsers. Je kunt je misschien voorstellen dat ik later op school een outcast was."

Hij hapert, alles komt weer boven, wat hij met geweld onderdrukt had, de trots en overtuigingskracht van zijn autoritaire vader, waardoor die bijna zelf geloofde dat hij gelijk had. Zijn onbegrip voor het isolement waarin het hele gezin kwam te leven, het 'meedoen' van zijn moeder om toch maar niet helemaal alleen te staan, maar vooral zijn eigen onbegrip: waarom werd hij uitgescholden, gemeden, waarom betrok niemand hem ergens bij, als er op school iets voorbereid werd, een feestje? Altijd en overal was hij alléén. Hoe breng je dat over op een jongen die zich een oorlog niet kan voorstellen? Misschien wel met zijn verstand, maar nooit met zijn gevoel.

„Ik voel me ook een outcast," zegt de jongen, „ik kén het, pap, ik zal me nooit meer zo thuis voelen op school als vroeger, hoewel ik me toch die drie maanden heb ingezet om door hard werken iets goed te maken en te boeten. Als je niet bent als de anderen, lig je eruit."

Hans kijkt zijdelings naar zijn zoon.

„Ja," zegt hij, „dat ontdekte ik later pas, jij hebt het nu al door."
„Je had het me veel eerder moeten vertellen," zegt de jongen, „dan had ik veel beter begrepen waarom je... waarom je er zo vaak niet echt was, waarom je zo vervelend tegen me deed. Ik viel je vaak tegen, hè?"
„Ik denk dat ik mezelf tegenviel... ik geef toe dat ik een hoop van je verwachtte, dat ik in jou een droom verwezenlijkt wilde zien die ik zelf nooit had waargemaakt. Dat ik wat ik in mezelf miste in jou bevestigd wilde zien. Toen dat ongeluk kwam, lagen alle verwachtingen aan scherven, maar ik ben nu gaan inzien dat je een sterkere persoonlijkheid bent dan ik ooit in je gezien heb. Ik bewonder het in je dat je dat meisje bent blijven bezoeken terwijl je wist dat haar ouders je vijandig gezind zijn. Ik bewonder je geweten..."
„Je moet me niet zo bewonderen," zegt de jongen rustig, „als je je schuldig voelt, is het normaal dat je je door dat gevoel laat leiden."
Hij zou zijn vader een hand willen geven, met hem door de dikke sneeuw willen ploeteren, lastige hindernissen nemen en winnen.
Hij zou hem willen zeggen dat hij meer van hem houdt dan vroeger, en anders, met een rijpere liefde, maar dat heeft hij al een beetje laten merken toen ze samen laatst dat boottochtje maakten en hij nog niets wist van de ballast die zijn vader met zich meedroeg. „Daar komt bij dat ik in enkele opzichten op mijn vader lijk."
„In welke opzichten?"
„Ik eis meer van mezelf dan ik aankan, dat is mijn trots; mijn vader is een trotse man die denkt dat hij altijd gelijk heeft."
„Ik herinner me dat hij weinig fantasie heeft," zegt de jongen. Hij is opeens zijn vader en zijn vader is de zoon. „Hij speelde wel met ons, maar hij maakte zelf de spelregels en hij was erg streng. Toch vond ik het niet vervelend naar hem toe te gaan, hij kon mooi zingen."
Mooi? denkt Hans. Hij zong liederen met een felopzwepend ritme, hetzelfde ritme waarop soldaten marcheren. Misschien was zijn stem zuiver, dat herinnert hij zich niet meer zo goed.
„Weet je wat ik de laatste jaren van je mis?" vraagt Tom.
„Ik ben nieuwsgierig."
„Vroeger zwaaide je naar me als je naar je werk ging, dan deed je het autoraampje open en toeterde je nog op de hoek. Dat doe je de laatste jaren nooit meer."
„Ik vond je er te groot voor worden, je was geen kind meer."

„En je had altijd zo'n haast."
„Ik weet niet hoe dat kwam, vergeet het."
Nooit zal hij de jongen zeggen dat hij bang was dat die 'een zacht ei' zou worden, zo een die te veel leunt, een vader-en-moedersjongetje. Hij was ermee gestopt toen hij merkte dat het kind zich meer en meer aan hem begon te hechten, zijn voorbeeld navolgde en alles wat hij, zijn vader, zei voor zoete koek aannam.
„Ik miste het, ik mis het nog wel eens. Mam is ook zo vaak weg, het is dan zo ongezellig in huis. Als ik trouw, wil ik niet dat mijn vrouw zo dikwijls niet thuis is, het is ongezellig."
Wat doen we elkaar aan? denkt Hans. We vormen een gezin, we geven om elkaar, veel meer dan we laten blijken. Het is modern niet te laten merken wat er in je omgaat, flink te zijn, stoer. Maar het zou veel gezonder zijn elkaar te laten merken wat je voelt, gevoel is soms een grotere kracht dan flink-zijn.
„Zo zie je maar, jongen, dat mensen nooit volmaakt zijn."
Hij heeft de jongen lang niet alles uit zijn jeugdjaren verteld, niet van het 'oppakken' van zijn vader, van een luid schreeuwende menigte die op één dreun riep: „Van Hasselt gaat voor de bijl, Van Hasselt gaat voor de bijl."
Hij was een kleuter, hij was in de tuin toen ze zijn vader kwamen halen. Soms, ziet hij dat beeld nog voor zich... Je kunt nooit alles vertellen wat je hebt gedragen en verborgen...
„Waar gaan we heen, pap?"
„Nog even naar de boot kijken."
De boot betekent een harmonisch gevoel, betekent elkaar aflossen bij het sturen, de haven uit manoeuvreren, de zeilen hijsen, dat betekent je één weten met de ander, omdat water, wind en zon je begeleiden, je vrienden zijn. Dat is in elkaars schoenen staan.
Hij begrijpt waarom zijn vader over de boot begint. Het is neutraal terrein en toch is het een terrein waarop ze elkaar begrijpen en vinden. Ze hebben de boot nodig, nu.
„Eén ding, jongen, je kunt op school een outcast zijn en je kunt je verbeelden dat je dat bent..."
Ik verbeeld het me niet, denkt de jongen, maar hij zegt niets.
„Je laat je er niet onder krijgen, begrijp je?"
„Ik had Bas niet weg moeten sturen."

„Dan zeg je hem dat, je ruimt alle obstakels om je heen weg, het gaat om je toekomst!"

Ik ben er nog lang niet, denkt de jongen, ik ben nog maar halverwege. Hij knikt. „Ik hoop dat we meer met elkaar praten, pap."

Hans kijkt naar de jongen. Jongen? Er loopt een man naast hem, hij steekt bijna een kop boven hem uit.

„Dat is dan afgesproken."

Ze lopen langs de haven, de Hoofdtoren heeft een witte muts op, het water draagt breekbaar ijs en boven alle sneeuw en ongereptheid is de oneindige grijze hemel die nog meer sneeuw belooft.

„Ik zie hem," zegt Tom.

„Ik ook."

De jongen ziet veel meer dan de boot, hij ziet zijn vader, anders, weerlozer, en tegelijk een vader om trots op te zijn. Hij zou hem dit laatste willen zeggen, maar hij kent hem, als hij eenmaal met je gepraat heeft, komt hij zelden of nooit op het onderwerp terug.

„Ik zou graag altijd op een boot willen leven, jongen."

„Misschien zou dat tegenvallen, als je hebt wat je wilt, is er niets meer te bevechten."

„Je moet je dromen houden, bedoel je?"

„Altijd. Je hebt er eens om gelachen, je zei me dat een mens pas geslaagd is in het leven als hij een goede baan heeft, een huis, een toekomst. Ik wil nog steeds naar de ontwikkelingslanden, ik denk dat ik daar een stuk geluk vind."

„Het is een vlucht, jongen, en je moet nooit vluchten."

„Je lijkt Jessica wel, die zei dat ook. Ik vlucht niet, ik wilde het jaren geleden al."

Hans kijkt naar het water, het beweegt, het leeft zoals een vis leeft, een mens, het wordt aangeraakt door de wind, het geeft zich over, buigt en strekt en rolt.

Hij voelt de jongen naast zich, hij legt zijn arm op zijn schouder.

„Hallo, Tom," zegt hij.

„Hallo, pap."

22

De nacht is stil, vaag is het geluid van een auto te horen, het blaffen van een hond.

„Ik heb met hem gepraat," zegt Hans.

„Eindelijk."

Ze heeft het warm, ze heeft vergeten de verwarming lager te zetten. Ze knipt het bedlampje aan, ze kijkt naar hem, ze wil niet alles weten, ze wil zien, zijn ogen, zijn mond, de uitdrukking op zijn gezicht.

„Nieuwsgierig?"

„Nogal."

Ze kent Hans, je moest wachten tot hij iets prijsgaf van dat wat hem bezig hield.

„Ik heb de jongen verkeerd beoordeeld."

Ze zwijgt. Na een moment zegt ze: „Je hebt niets van je vader, die zou dat niet durven bekennen."

„Ik heb medelijden met mijn vader, Tom weet nu het een en ander van mijn vader, ik weet niet wat hij ermee doet, of hij nog naar hem toe wil."

„Reken er maar op dat hij gaat, hij weet niets van de Tweede Wereldoorlog, hij kan het zich moeilijk voorstellen."

„Hij weet wel van onbetrouwbare karakters, van mensen die met alle winden meewaaien."

Aarzelend, alsof hij haar pijn zal doen, vertelt hij in korte zinnen wat hij de jongen gezegd heeft, ook van dat najouwen van zijn vader toen hij opgepakt werd.

Ze ligt tegen hem aan en luistert. Ze heeft spijt dat ze ooit tegen hem gezegd heeft dat hij veel van zijn vader heeft. Zijn karakter is betrouwbaar en gevoelig, dat heeft ze al die tijd geweten.

„Hij vindt het ook ongezellig dat je er dikwijls niet bent als hij uit school komt."

„Zei hij dat?"

„Ja."

„Moet ik mijn werk zomaar opgeven? Omdat een jongen die misschien nog maar enkele jaren thuis zal zijn, het ongezellig vindt als er geen koffie is na school? Ik denk er niet over die baan op te geven, het is heerlijk werk, je ontmoet verschillende mensen. Het is een aanvulling op het huishouden."

„Maak je niet zo druk, hij zei het gewoon."

Het raakt haar dieper dan ze wil toegeven, alles reilt en zeilt toch zoals het moet in een gezin? Of heeft Tom gelijk? Ze heeft hem na dat gebeuren met de wagen niet elke dag kunnen opvangen, ze was er niet. Maar Tom is een jongen die de dingen het liefst zelf verwerkt. Maakt ze zich nu wat wijs of is het de werkelijkheid?

„Je maakt me onzeker," zegt ze, „ik dacht dat ik het goed deed."

„De enige manier om dat aan de weet te komen is het hem zelf te vragen."

„Ja." Leven is moeilijk, denkt ze, je kiest elke dag en je weet niet of je het goede kiest.

„Probeer nou te slapen," zegt hij.

„Kun jij dat, nadat je teruggegaan bent naar je moeilijkste jaren?"

„Misschien."

Ze streelt zijn gezicht, ze weet dat er weer iets aan hun huwelijk wordt toegevoegd. Ze hebben te weinig met elkaar gepraat, alles altijd zelf willen oplossen.

Ze keert zich om, ze voelt de warmte van zijn lichaam. In de eerste jaren van hun huwelijk was er de verliefdheid, er is zoveel bijgekomen, verdraagzaamheid, een kunnen en vooral willen geven. Ze kan geven zonder iets terug te vragen, ze is jarenlang ondergeschikt geweest. Die periode is voorbij, die had al veel eerder voorbij moeten zijn. Ze had in de tijd van de ruzies met zijn ouders voor zichzelf moeten opkomen, opstaan en weggaan. Ze bleef omdat het tenslotte zijn ouders zijn.

Nu weet ze dat dat fout was. Ze is eindelijk bij zichzelf. Ze blíjft werken, ze is nog jong, geen mens kan van haar verlangen dat ze de hele dag in haar huis bezig is, ze wil een stukje eigen leven.

„Ik hoop dat Tom op een dag naar jouw ouders gaat, dat dan zijn ogen opengaan."

„Dus toch gevoelens van wraak?"

„Vind je dat vreemd? Ze hebben mij vernederd, in de grond getrapt, ik vergeef het ze nooit."

„Ze waren jaloers op je."

„Dat kan wel, maar het was een jaloezie die grensde aan vernietigingsdrang, ik heb dat nooit begrepen."

Hij houdt van Marjet, toch is er ook een gevoel van pijn als ze op die manier over zijn ouders praat, het is een gevoel dat hem in verwarring brengt. Als hij die 'ouwe' nu eens onverwachts zou tegenkomen? Hoe zou zijn houding dan zijn? Zijn haat is groter dan zijn liefde, hij zou hem passeren, zonder iets te zeggen, maar hij zou hem wel in een etalageraam nakijken en het zou pijn doen.

„Ik wil niet meer denken," zegt hij, „ik wil slapen." Hij geeft haar een zoen, hij heeft een bijzondere vrouw, ze heeft karakter.

Ze slaat haar armen om hem heen, ze voelt zijn opwinding... „Nee," zegt ze, „dat kan ik niet, nu niet."

Mannen zijn anders, misschien is dat hun aantrekkingskracht.

Hij laat haar los, hij ligt in het donker te staren, alles in hem is eenzaamheid, omdat het nooit helemaal weg zal gaan, die periode waarin hij kind was en geen kind kon zijn.

Zíjn kinderen leven in een totaal andere wereld, ze kunnen zich ontwikkelen zoals ze willen, alles is bereikbaar op materieel gebied. Maar innerlijk zijn ze misschien net zo ontredderd als hij in zíjn kindertijd. Alleen anders...

Hij luistert naar Marjets ademhaling, hij kan zich niet voorstellen dat ze slaapt. Hij buigt zich over haar heen, haar haren krullen slordig langs haar gezicht, hij ziet haar wimpers, haar smalle hals, de fijne lijnen langs haar mond.

Veel meer dan dat ziet hij de uitdrukking van zachtheid op haar gezicht. Zonder haar was hij een totaal andere man, een zoeker, een vreemdeling op weg naar een thuis.

Tom loopt naar school met een gevoel van vreugde, zijn vader heeft gelijk, hij moet met Bas praten, hij zal hem zeggen dat hij naar hun vroegere verstandhouding terug verlangt.

Hij lijkt wel een zacht eitje, hij heeft die jongen toch niets gedaan, het is juist andersom. Maar je wordt nooit de mindere als je je positief opstelt.

Hij ziet Bas op het schoolplein, als altijd staat hij te midden van veel klasgenoten, hij is een echt stoer jochie, dat aandacht wil en kwaad is als hij die niet krijgt.

Hij loopt langs de jongens heen zijn klas in.

„Kon je niet groeten?" vraagt Bas.

„Je was zo in gesprek dat je niet eens hoorde dat ik het deed en trouwens, ik zou hetzelfde aan jou kunnen vragen."

„Sla niet zo'n toon tegen me aan."
„Soms verdien je dat."
„Je krijgt kapsones, daar heb je geen reden voor."
„Misschien heb ik die kapsones van jou geleerd, ik ben een snelle leerling."
„Sinds wanneer?"
Tom staat naast Bas, hij zou hem graag een klap geven, zo'n fikse opduvel, die goed hard aankwam.
„Sinds ik jou beter leer kennen, heb ik meer respect voor mezelf, ik hoef niet zo nodig populair te zijn, me in allerlei bochten te wringen om overal nummer één te zijn, dat is nogal opschepperig."
„Jij en respect voor jezelf hebben? Jongens, horen jullie dat? Dat rijdt iemand aan, heeft net zijn straf erop zitten en vindt zichzelf geweldig."
Toms hand schiet uit, hij slaat Bas tegen de grond. „Zeg dat nog eens als je het lef hebt! Jij, die je altijd achter anderen verschuilt, die zelf nog te stom bent om een fout te erkennen! Je bent een miezerige niksnut en je hebt een gemeen karakter."
Hij heeft een voet op de liggende Bas. „Kom overeind als je durft, als je kunt, je hebt geen kracht in je lijf, omdat je een verwend rotjochie bent."
Niemand uit de klas kwam ooit tegen Bas in opstand. Tom is de eerste die dat durft.
„Goed zo!" roept er één. Het is Joep.
„Jij bent een nog veel grotere lafbek!" zegt Tom.
Hij draait zich om, hij heeft een vreemd gevoel, hij was van plan het met Bas weer een beetje goed te maken, maar het pakte anders uit.
Hij ziet Bas langzaam omhoog krabbelen, hij heeft een blauw oog, maar het meest treft Tom de onderdanige houding van de jongen.
Waarom doet die idioot zo?
Hij verwacht een flinke optater terug, maar Bas sluipt als een schuwe zwerfkat langs hem heen. Zijn ze ooit 'vrienden' geweest?
Heeft hij deze klier een vriend genoemd?
Hij voelt dat ze in de klas met bewondering naar hem kijken omdat hij het lef had Bas aan te pakken. Het maakt geen indruk op hem, hij wil niet de sterkste zijn, hij wil er alleen maar bij horen.
Hij kan zijn aandacht niet bij de lessen houden, het zit hem dwars dat hij zich zo in Bas heeft vergist. Toch was híj het die hem die bewuste

zondag met dat malle fluitje tegemoet kwam…

Na schooltijd haalt hij zijn fiets uit het fietsenhok, verschillende jongens uit zijn klas komen om hem heen staan, ze praten allemaal door elkaar heen. „Je gaf hem goed van katoen, eindelijk iemand die hem aandurft, wat zal hij de pee in hebben!"

Het irriteert Tom, dit heeft hij niet gewild. „Laat me nou maar," zegt hij.

Hij fietst langzaam naar huis, hij weet niet hoe hij zichzelf moet zien, hij is geen overwinnaar en ook geen verliezer.

Hij ziet Bas voorovergebogen op zijn fiets een hoek omslaan. Hij moet hem spreken, hij versnelt zijn vaart. Als hij naast hem fietst zegt hij: „Heb je zin in een pilsje?"

De jongen kijkt schuw opzij, zijn oog is blauw en gezwollen.

„Doet het pijn?"

„Een beetje."

„Ga nou mee naar de Witte Engel, we kunnen ook koffie nemen."

„Ik fiets liever, ik zie er niet uit."

Tom blijft naast hem fietsen. „Wat had je nou?"

„Niks."

„Maak dat de kat wijs."

„Het gaat je niet aan."

„Nou, dan niet, aju." Hij slaat een zijweg in.

Bas komt naast hem fietsen. „M'n ouders… ze gaan uit elkaar… het ging niet om jou… maar om zoveel meer."

„Hoe kon ik dat nou weten? Je stelde je zo aan, je beledigde me, en zoiets neem ik niet, van niemand."

„Dat zou ik ook niet doen. Ik meende het niet, ik zei het zomaar, ik weet niet waarom."

Tom grinnikt. „Ik ging naar school met het idee om wat met je te praten, ik wilde je zeggen dat ik het hartstikke fijn vond dat je me die zondag tegemoet kwam, met dat stomme fluiten van je, maar ik moest alléén zijn, begrijp je dat?"

„Naderhand begreep ik het, ik had de smoor in."

„Omdat je niet gewend bent dat iemand niet naar je pijpen danst."

„Dat is maar een houding."

„Als het thuis erg gespannen is, zoek je een manier om af te reageren."

„Hoe lang is dat thuis al zo?"

„Een hele tijd, ik word er gek van, ik moest je… kwetsen, ik kwets altijd degene om wie ik wat geef."

Het raakt Tom. Hij weet niet hoe hij Bas op kan beuren, hij kent het niet, spanningen thuis. Hij heeft alleen maar een tijdje zijn vader gemist omdat hij dacht dat die hem een nietsnut vond. Hij heeft het zijn moeder verweten dat ze naar de bibliotheek ging. Maar het is wel gezellig thuis, ook al is er wel eens wat, is Dorrit soms onuitstaanbaar, gaat alles niet zoals hij het zou willen.

Hij heeft véél… hij heeft veel meer dan hij ooit geweten heeft…

„Kom morgen je huiswerk bij me maken," zegt hij.

„Met zo'n oog zeker."

„Dat zakt wel weer."

Bij zijn huis mindert Tom vaart, hij sjort zijn schooltas van zijn fiets, hij stompt er Bas mee. „Kom je morgen?"

„Oké."

Hij kijkt Bas na. Hij verlangt ernaar dat die weer een beetje fluit, maar hij hoort niks.

Hij komt de kamer in, smijt zijn tas in een hoek. Zijn moeder is aan het koffie zetten.

„Wat ben je vroeg!" zegt hij.

„Nee, jij bent laat."

Hij zou haar zomaar een zoen willen geven, maar dat zou bespottelijk zijn, hij zou ook wel een plant van het raamkozijn willen smijten, iets omver schoppen.

„Vind je het ongezellig als ik niet thuis ben?" vraagt Marjet.

„Hoezo?"

„Ik dacht het, meestal ben jij eerder thuis dan ik."

„Je bent toch een geëmancipeerde vrouw?"

„Dat vraag ik je niet."

„Wil je het eerlijk weten?"

„Ja."

„Ik miste je vaak als ik binnen kwam en je was er niet, maar dat is nu niet meer zo, ik weet dat je altijd komt."

„Ik begrijp je niet."

Hij slingert haar in het rond. „Ik wil koffie… jij ook?"

23

Op een dag zegt Tom: „Ik ga morgen naar je ouders."
Hans heeft het zien aankomen, maar hoopte dat de jongen er vanaf zou zien.

„Wat moet je daar nou doen?" Dorrits stem is hard. „Als je maar niet denkt dat ik met je meega, ik kijk wel uit."

„Dat vraag ik je niet."

Hij kijkt naar zijn vader, hij hoopt dat hij begrijpt dat hij na jaren zijn grootouders wil zien. Hij kijkt ook naar zijn moeder, ze doet of ze hard bezig is, maar er komt niets uit haar handen.

„Je weet hoe ik erover denk," zegt Hans.

De jongen knikt, hij weet niet hoe hij het zijn vader duidelijk moet maken, maar hij hoopt dat alles tussen hen beiden zich hierdoor nog meer zal verdiepen. Want als hij gaat, kan hij zelf oordelen en dan zal hij begrijpen.

„Ik ga met de trein van kwart over acht, hoe laat ik terug ben zie ik wel."

„Je vindt jezelf zeker erg flink?" hoont Dorrit.

„Het heeft met flink-zijn niets te maken." Het heeft veel meer met 'houden van' te maken, denkt hij, met mijn vader…

Hij gaat naar zijn kamer, hij begrijpt niet dat hij zo kalm is, innerlijk rustig, alsof het goed is wat hij gaat doen. Hij hoort Dorrit hard de trap oplopen, ze gooit de deur van zijn kamer open. „Hoe kun je dat nou doen? Je weet wat ze pap en mam hebben aangedaan."

„Daarom juist, ik wil het zelf zien, en ga nou alsjeblieft mijn kamer uit."

„Je bent de laatste tijd onuitstaanbaar."

„Ga nou maar."

Die avond zegt hij zijn vader en moeder welterusten. Als hij morgenochtend vroeg weggaat slapen ze nog, ze slapen altijd uit op zondag.

„Kom niet te laat thuis," zegt zijn moeder, „het is zo vroeg donker."

„Ik heb er een hekel aan als je zo bezorgd doet, over een klein tijdje word ik achttien, mam."

Ze glimlacht verontschuldigend, ze wil nog meer tegen hem zeggen, maar ze weet geen begin.

Hij kijkt zijn vader aan; sinds die hem vertelde over zijn jeugdjaren, over de oorlog, voelt hij zich sterk met hem verbonden, hoewel hij zich zelf nu op school geen outcast meer voelt. Nadat hij Bas tegen de grond sloeg, heeft hij aan populariteit gewonnen.

„Welterusten, pap."

„Welterusten, Tom."

Als Dorrit niet op de gang had gelopen, had hij tegen zijn vader gezegd: maak je niet ongerust, daar is geen reden voor.

Hij gaat naar zijn kamer en knipt het licht aan. Hij is zeker van zichzelf, maar toch, ergens diep binnenin, is er ook een gevoel van verraad tegenover zijn ouders.

De trein raast door het kale, winterse landschap, de natuur is eenzaam en ijzig. Tom volgt de voorbij schietende landschappen, de wolken, de verten. Hij heeft geen zin in een gesprek, het is trouwens stil in de trein, het lijkt wel of er op zondag weinig mensen met de trein gaan.

Tegen elven is hij in Tilburg.

Hij heeft gisteravond zijn grootouders gebeld. „Ik moet in de omgeving zijn, ik zou u wel weer eens willen zien als dat kan."

„We verheugen ons er erg op. Je bent zeker al een hele kerel, Tom?"

„Ja," zei hij.

Er klonk oprechte vreugde in de stem van zijn oma. Maar hij weet hoe goed ze kan toneelspelen, hoe zelden ze echt is.

Hij loopt het perron in Tilburg af, bij de uitgang ziet hij ze staan, twee oude mensen van dik in de zeventig. Hij kijkt naar ze zonder dat ze hem kunnen zien. Zijn dat nu zijn grootouders? Deze grijze, magere mensen? Hij let het meest op zijn grootvader, het lijkt een wankele, onzekere man. Heeft hij ooit gezegd: „Als er weer een oorlog komt, zou ik hetzelfde doen."

Gevoelens van afkeer en nieuwsgierigheid wisselen elkaar af. Hij loopt langzaam de lange trap af. Het lijkt of ze hem niet herkennen, maar als hij vlak bij hen is, voelt hij de armen van zijn grootmoeder om zich heen.

„Je lijkt op je vader."

„Dag Tom." Zijn grootvader geeft hem een hand. „Welkom bij ons."

Als de jongen had geweten wat zijn grootvader tegen zijn vrouw zei toen ze de telefoon neerlegde, was hij zeker niet gekomen.

„Wat moet die jongen hier? Zeker rondneuzen en thuis vertellen hoe we het hier hebben."

„Ik vind het fijn dat hij komt."

„Ik niet, we hebben een rustig leven, ik heb geen behoefte aan spanningen."

„Als jij je een beetje in toom houdt, komen er geen spanningen."

„Als jij niet roddelt, kan het misschien meevallen."

Eenzame mensen, na al die jaren nog steeds niet thuis bij elkaar, altijd prikkelbaar, achter alles iets zoekend dat er niet is.

„We wonen maar eenvoudig," zegt zijn grootvader, „niet zo mooi als jullie."

„Wat is mooi wonen?" vraagt Tom. „We hebben een huis als iedereen, het is alleen erg gezellig bij ons thuis."

„Je vader heeft geld, met geld kun je alles doen."

„Ik geef niet om geld." Tom lacht. „Als je maar gezond bent."

„Zo is het."

Hij voelt een kneepje in zijn arm, hij kijkt in het gezicht van zijn grootmoeder. Eigenlijk is 'grootmoeder' een veel mooier woord dan 'oma'.

„Het is niet ver." Zijn opa loopt langzaam, hij heeft er zichtbaar moeite mee.

Als Joep van school wist dat hij hier loopt met een 'verrader'…

Toch voelt de jongen in deze oude man veel meer een verrader van zijn vader dan van het vaderland.

„We zijn er," zegt oma.

Ze staan voor een rijtjeshuis, een van die honderden huizen met kleine voortuinen, kleine ramen en een deur in het midden. Er staan planten op de kozijnen, de voordeur knarst.

„Hier wonen we. Je kunt thuis zeggen dat we ons nog best redden."

Hij kijkt naar het gezicht van zijn opa, het past bij zijn stem, streng en bevelend. Hij kan zich voorstellen hoe hij tegen zijn vader was.

Het is een klein huis, er staat te veel in waardoor het nog kleiner wordt, een oude kat schuurt langs zijn benen.

„Dat is Josha, ze is al veertien, we hebben haar uit Spanje meegenomen, we gaan meestal 's winters naar Spanje, maar mijn man voelde zich dit jaar niet zo goed en…"

„Wat klets je nou? Ik voel me uitstekend, ik had alleen geen zin, alle dagen die hete zon en geen mens die je verstaat. Voor mij hoeft het niet... maar je wilt er wel eens uit, hè?"

„Hoe is het met je vader?"

Tom kijkt zijn oma recht in het gezicht. „Goed, we hebben het fijn met z'n vieren."

„En je moeder? Draagt ze nog altijd van die dure kleding? Het zal je vader veel kosten om aan haar modegrillen tegemoet te komen."

De jongen zwijgt, hij voelt zich wijzer dan zijn oma. Hij ziet haar zware lichaam met de grote boezem, de goedkope kleding, de grijze haren die slordig om haar gezicht hangen. Is zijn nieuwsgierigheid nu bevredigd? Weet hij wat hij wilde weten?

Wat hebben zij en opa met zijn moeder gedaan? Hij heeft wel eens iets opgevangen, maar hij was te onervaren om het te doorgronden.

Waarom doen mensen elkaar pijn? Waarom blijven Jessica's vader en moeder afwijzend tegenover hem, terwijl ze zo langzamerhand heel goed weten dat hij eronder gebukt gaat?

„Had je niets anders kunnen zeggen?" De stem van zijn opa is spottend.

„Ik meen het niet zo," zegt de oude vrouw.

Je meent het wel, denkt Tom, alles wat je zegt, meen je, dat is juist het ergste. Jullie passen bij elkaar, opa met zijn honger naar macht, oma met haar eeuwige kritiek.

„Ik ga later naar Afrika," zegt de jongen, „ik wil iets doen voor mensen die het moeilijker hebben dan wij."

Het kost hem moeite een neutraal onderwerp te kiezen. Het liefst was hij opgestaan, had hij gezegd: ik wilde jullie zien en horen, er is niets dat me aan jullie bindt, helemaal niets.

Maar hij blijft zitten, drinkt wat stijfjes zijn koffie, eet een plakje cake. Wat moet hij hier?

„Ik heb nog ouwe foto-albums, misschien vind je het leuk erin te bladeren."

Hij krijgt dikke albums op zijn knie, hij kijkt, hij ziet voor het eerst zijn vader als jongetje, zijn moeder als heel jong meisje. Het pakt hem aan, hij zou de albums mee willen nemen om er thuis nog eens lang in te kunnen kijken. Hij ziet ook foto's van zijn grootouders, er is één bladzijde die zijn oma snel overslaat, misschien stond opa daarop in een of ander uniform.

„Mag ik zo'n album meenemen?"
„Waarom? Om ze aan je vader en moeder te laten zien?"
„Ja," zegt Tom.
„Dan moeten ze zelf maar komen, we geven niets uit handen."
De jongen voelt tranen komen, voor geen goud mogen ze zien dat hij ontroerd is.
„Jammer," zegt hij, „ik had het voor pap leuk gevonden."
De dag verloopt grijs. Tom wist niet dat dagen kleuren hebben; zondag thuis is licht en vrolijk, behalve in de weekends dat hij moest 'werken'. Toen waren ze donker.
Hij hoopt dat deze zondag tenminste nog iets positiefs zal opleveren, maar er gebeurt niets dat hem boeit.
Hij had zo graag meer over zijn vader en moeder willen weten, maar het is net of deze mensen niet van hen houden.
„Wanneer komt Dorrit eens hier naar toe?" vraagt oma.
„Die komt niet," zegt de jongen eerlijk, „ze wil niet."
„Ze heeft er niets van begrepen, jongen, geloof me, als mensen elkaar niet goed verstaan, ligt de schuld aan twee kanten, nooit aan één. Jij hebt ook altijd alles van één kant gehoord, dat is niet goed."
„Het interesseert me niet zo erg," zegt Tom.
„Je kunt me nog meer vertellen! Dat geloof je toch zelf niet? Waarom ben je na al die jaren naar Tilburg gereisd?"
„Ik moest hier in de buurt zijn en ik wilde… zélf zien hoe het met u was. Ik vond laatst albums van mam, maar we hebben thuis bijna geen foto's van pap. Hij is over twee maanden jarig, ik dacht een fotoboek te maken met foto's erin vanaf zijn vroegste jeugd."
„Je mag er wel een paar hebben."
Vergist hij zich? De stem van zijn oma is zacht en vriendelijk.
Ze haalt er een paar uit het album. „We hebben niet veel kiekjes uit zijn eerste levensjaren, je weet dat er toen oorlog was en dat je geen foto's kon laten maken."
Tom stopt de kiekjes in zijn schooltas. Hij zou van alles willen vragen over die oorlog, maar hij durft niet. Hij kijkt naar zijn opa die de albums opbergt. Hoe wordt een mens zo? Zo hard en onzeker? Hij ontdekt bij de oude man een geremdheid ondanks zijn bravoure. Bas heeft dat ook. En zijn eigen vader. Hij weet nu hoe dat komt, hij doorziet scherp waar het aan ligt. Maar hoe komt deze kalende, stugge man eraan? Hij haat hem

en hij heeft medelijden, hij wil hem bezeren en beschermen.
„Je bent een stille jongen, je lijkt op je vader."
„Dat hoop ik," zegt hij.
Hij daagt uit maar hij krijgt geen weerwoord.
Wat had hij gedacht hier te vinden?
Het begint te schemeren, de jongen zegt: „Ik moet naar huis, ik ben nog zeker drie uur onderweg." Ze lopen met hem mee naar het station.
„Doe je ouders de groeten," zegt oma.
Tom knikt. Hij heeft zelf geen groeten van thuis overgebracht, hij kan niet liegen.
Opa zegt niets, hij legt zijn handen op Toms schouders.
„Ik hoop dat je niet weer zoveel jaren wacht. Ik ben al een oude man."
Een ogenblik staart hij voor zich uit, hij wil er iets aan toevoegen, hij zou willen vragen: wat hebben ze je over mij verteld?
„Ga nou maar en tot ziens."
Tom vecht tegen een gevoel van ontroering. „Ja," zegt hij, „misschien tot ziens."
„En als je vader en moeder in de buurt moeten zijn..."
„Ik zal vragen of ze langskomen."
Hij staat op het perron, hij loopt heen en weer, de wind waait tochtig, hij hoort het geluid van zijn voetstappen op de harde stenen.
De trein komt, de jongen hoort heel even scherp het gieren van remmen, het dichtslaan van deuren, stemmen die luid over het perron gaan.
Niet aan denken, niet nu. Gewoon instappen, voor het raam gaan zitten en je laten meewiegen op de maat van de wielen. Een grote eenzaamheid overspoelt hem, hij voelt zich opeens kwetsbaar en alleen. Zal het nooit overgaan, blijft hij het zijn hele verdere leven voor zich zien?
Als de remmen van de trein niet zo gegierd hadden was dat gevoel niet naar boven gekomen. Het is weken geleden dat hij er 's nachts wakker van werd en voor het open raam ging staan om tot rust te komen.
Hij haalt diep adem, hij concentreert zich op het voorbij stuivende landschap.
Hij beseft dat er veel vormen van pijn en eenzaamheid zijn.
„Als je vader en moeder in de buurt zijn..."
„M'n ouders... ze gaan uit elkaar."
Is zijn nieuwsgierigheid bevredigd?
Langzaam verlaat de spanning hem.

24

Hij hoort zijn vader in de wagen het pad af rijden, hij gaat voor het raam staan en steekt zijn hand op, het is lang geleden dat hij dat deed.

De oude, vertrouwde wereld is een beetje terug; die is teruggekomen na het gesprek met zijn vader; daaruit is een groot begrijpen geboren. Tom en hij zullen niet op dezelfde wegen gaan, maar wel náást elkaar.

Gisteravond kwam hij thuis, hij smeet zijn schooltas in een hoek, hij voelde dat drie nieuwsgierige gezichten naar hem keken. Hij kon niet zeggen wat hij zo graag had willen zeggen: het zijn afschuwelijke mensen.

Hij glimlachte, hij zei: „Het was een beetje vreemd na al die jaren, ik voelde niet zo veel verwantschap."

Daarmee had hij eigenlijk alles gezegd. En hij had niemand bezeerd, zijn vader niet, zijn moeder niet. Hij had het niet erger gemaakt, het verdriet dat al groot genoeg was om er niet te veel aan te denken.

Misschien later… als hij nog eens met zijn vader de haven uit zou varen, misschien dat hij dan iets zou loslaten…

Hij gaat bij het raam vandaan. Vanaf vandaag moet het weer een beetje normaler gaan, de school, zijn huiswerk, alles.

Hij gaat naar Jessica, hij heeft haar wekenlang niet gezien, hij hoopte elke dag dat ze zou doen wat ze hem beloofde: langs komen met een taxi. Waarom heeft ze dat nooit gedaan?

Is ze opnieuw onder de invloed van haar ouders? Heeft ze zichzelf nog steeds niet gevonden?

Hij heeft een paar keer gebeld, het waren gesprekken die hem goed deden maar die hem toch niet helemaal bevredigden.

„Ik wil je zien."

„Dat komt heus wel weer gauw, je moet niet zo ongeduldig zijn." Er klonk blijdschap in haar stem.

Omdat er zoveel gebeurd was, op school en in het weekend dat hij naar Tilburg ging, had hij wat minder aan haar gedacht.

Vanmiddag na schooltijd gaat hij haar opzoeken. Al laten ze hem voor de deur staan, hij zal aanbellen!

Voor haar voelt hij een totaal andere nieuwsgierigheid dan voor zijn grootouders, zij is een stuk van zijn leven, van zijn toekomst.

Hij fietst naar school, de wegen zijn glad, het heeft gevroren, de natuur is koud en verlaten.

Hij zet zijn fiets in het vertrouwde schoolhok.

Bas komt naast hem met zijn fiets.

„Hallo," zegt hij.

„Hallo."

„Je oog is nóg blauw."

„Dat is zo gauw niet over."

„Help je me met m'n proefwerk?"

„Ik ben ook niet zo'n kei in geschiedenis."

Bas mag het best weten van zijn opa, Bas wel…

Hij is veranderd en toch is hij nog dezelfde opschepper, die in het middelpunt moet staan. Maar het is opeens zo erg niet meer, hij kan meer van hem hebben.

„Is het goed dat ik na schooltijd m'n huiswerk bij jou maak?" vraagt Bas.

„Ik kan vanmiddag niet, morgen komt beter uit."

„Jammer."

„Ja," lacht Tom, „voor jou wel."

In de sloten en vaarten ligt het ijs dik, schaatsers zwieren over het IJsselmeer, de wind veegt restjes sneeuw bij elkaar en boven de oude stad verzamelen de wolken zich als wijze ronde vrouwen in een triest dispuut.

Tom loopt door de namiddag die langzaam overgaat in de avond, er is angst in hem en vreugde, beklemming en ontspanning.

De wind strijkt koud langs zijn gezicht, zijn sjaal waait naar de wolken. Hij ziet zijn adem de lucht in gaan, kleine, witte wolkjes, die snel vervagen.

„We eten op tijd, Tom, je vader heeft vanavond een vergadering."

Hij had zijn moeder even aangekeken. „Ik ben niet zo laat terug, ik ga even naar Jessica." Hij zag angst in haar ogen, hij begreep waarom.

„Misschien word ik niet weggestuurd," zei hij.

Hij gaf haar de foto's van zijn vader.

„Oma gaf ze mee," zei hij.

„Hoe was het?"

„Ik had het nooit moeten doen, ik had het gevoel dat ik jou en pap in de steek liet.” Ze nam de foto’s aan en keek ernaar.

„Daar zal hij blij mee zijn,” zei ze.

Ze streek hem door zijn haar. „Ga nou maar.”

Ze aarzelde. „Als het anders loopt dan je gedacht had, zul je dat moeten accepteren.”

„Dat weet ik.”

Hij loopt langs de haven, de boten liggen beschermd onder de zeilen, hij kan hun eigen boot niet zien.

Op een dag, als de zon warmer wordt en de wind driftiger, zal hij er weer met zijn vader op uitgaan, ze zullen de golven trotseren, naar het klapperen van de zeilen luisteren, de wolken voorbij zien gaan, de lucht van het water opsnuiven en elkaar af en toe eens aankijken.

Zolang hij dit allemaal heeft: een thuis, een zuster die af en toe een vervelende pestkop is, vrienden en een toekomst, waar is hij dan bang voor?

Hij heeft een strafblad, zijn naam zal altijd verbonden blijven aan een afschuwelijk delict. Omdat hij erbij wilde horen... dat laatste neemt hij zichzelf nog het meeste kwalijk, dat hij bij anderen wilde horen, niet bij zichzelf. Dat hij niet genoeg had aan zichzelf.

Schaatsers zwieren lang hem heen, de Hoofdtoren staat als een oude wachter over haven, boten en grachten te waken.

Hij slaat de weg in naar de Schellinkhouterdijk, hij wil het hele stuk lopen. Lopen is goed als je je beklemd voelt en niet weet waar je aan toe bent. De dijk snijdt het oude land doormidden, aan de ene kant huizen en wegen, aan de andere kant het wijde IJsselmeer, dat nu in de schemering, glinsterend als een spiegel ligt te blinken.

Als hij het dorp binnen loopt, staat hij stil. Schapen grazen op een klein stuk land, bomen hebben bevroren takken, geluiden worden zachter.

Voor het huis van Jessica loopt hij heen en weer. Dan zet hij zijn vinger op de bel van de voordeur.

Hij hoort voetstappen. Hij stopt zijn handen diep in de zakken van zijn jack.

In het licht van de gang staat Jessica’s moeder, ze herkent hem, hij ziet aan haar gezicht dat ze hem herkent.

„Waarmee kan ik je helpen?”

„Ik wil Jessica zien.”

Ze aarzelt, de jongen vindt hoop in die twijfel.
„Ik wil weten hoe het met haar gaat. Dat wil ik wéten."
„Het gaat goed met 'r, ik zal haar de groeten van je doen."
„Ik wil haar zien."
„Dat kan niet, neem me niet kwalijk, maar dat kan niet."
„Wie is daar, Martine?" Ze doet de voordeur dicht. Hij hoort haar zeggen: „Zomaar iemand, niks bijzonders."
Niks bijzonders?
Hij stampt op de grond. Is een jongen die hun dochter aanreed, haar leven veranderde niks bijzonders?
Hoe komen mensen zo stom, zo zonder gevoel?
Hij zou stenen door de ramen van het huis willen smijten, maar het zou aan de situatie niets veranderen.
Hij zal hun houding moeten accepteren, maar hij kan het niet.
Hij komt later thuis dan hij van plan was, hij heeft zomaar wat rondgelopen, gekeken zonder echt te zien.
Hij doet de deur van zijn huis open, hij doet het hard, hij gaat naar zijn kamer, hij stampt bijna, hij wil alles luid doen en onbeheerst omdat zijn hele lijf schreeuwt van pijn en onmacht.
Hij zou willen huilen, maar hij kan het niet.
Hij kijkt op als het licht in zijn slaapkamer aangaat. Hij ziet zijn vader staan.
„Ik dacht dat je naar een vergadering moest?"
„Die heb ik afgezegd."
„Waarom?"
„Om jou."
„Niemand hoeft voor mij iets te doen, jij ook niet, ze hebben me voor de deur laten staan, laten staan, ja, ze hebben die voor mijn neus dichtgedaan. Weet je wat die moeder zei? 'Niks bijzonders'."
„Wat had je dan gedacht? Dat ze je met open armen zouden ontvangen? Jij zou dat misschien doen, maar er zijn mensen die anders voelen dan jij."
Het is niet de vader van Tom, die dit zegt, op deze koude, onpersoonlijke toon, het is het kind dat ziet hoe ze zijn vader komen ophalen, dat hoort hoe de mensen lachen en schreeuwen.
Er zal altijd iets van dat kind in hem blijven bestaan, want waar je door gevormd wordt, daar blijf je mee leven, dat zit diep onder je huid. Dat

heeft hij van het leven geleerd, dat zal ook Tom moeten leren. Hij heeft niets aan zachte woorden.

„Denk niet dat ik niet voel wat jij voelt, maar ik kan je niet helpen Tom, dat moet je zelf doen."

„Laat me met rust."

„Dat zal ik."

Bij de deur zegt hij: „Je komt erdoor, ik weet het zeker."

De jongen ziet niet dat zijn vader op de gang een gevecht levert tegen tranen en woede.

Die nacht, als de wind om het huis speelt, rijdt Hans in zijn wagen naar het huis van Jessica. Hij heeft de motor pas aangezet buiten het pad, niemand mag horen wat hij van plan is. Alleen Marjet is op de hoogte. „Zou je dat wel doen?"

„Ik moet," zegt hij, „ik heb geen keus."

De wegen zijn glad, hij rijdt langzaam, hij heeft het koud hoewel de autokachel aan is.

Er brandt nog licht in het huis van Jessica.

Hij parkeert zijn wagen op het zijpad, hij belt aan.

Boven wordt een raam open geschoven.

„Wie is daar zo laat?"

„Ik."

Hij hoort gestommel, het openmaken van een klein raampje in de voordeur. „Wat moet u zo laat?"

„Ik ben de vader van Tom, ik wil dat u de deur opendoet, ik moet met u praten."

„Het is één uur."

„Doet u alstublieft de deur open."

Hans hoort het wegschuiven van sloten, hel wit licht schijnt door de nacht.

Een grote zware man zegt zakelijk: „Komt u binnen."

„Uw vrouw heeft zo straks mijn zoon de deur gewezen, de jongen heeft het hele stuk van mijn huis naar het uwe gelopen, hij wilde uw dochter zien, alleen maar zien en weten hoe het met haar gaat. Doet u dat dan helemaal niks?" Hans kan zich met moeite beheersen.

„Ik weet niets van uw zoon, ik heb hier geen jongen gezien."

„Uw vrouw deed dat, ik wil uw vrouw spreken."

„Met welk recht staat u hier te schreeuwen?”

„Het spijt me, ik kom u alleen maar vragen mijn zoon één keer te ontvangen, hij heeft er meer last van dan u vermoedt.”

„Mijn vrouw slaapt.”

„Ik slaap niet.”

Aarzelend loopt Jessica’s moeder de trap af. „Ik heb er zo’n moeite mee,” zegt ze zacht, „ik probeer hem te begrijpen maar het lukt me niet.”

„U hebt hem de deur gewezen.”

„Dat weet ik.”

„Praat één keer met hem, het hoeft niet híer te zijn, het mag ook bij ons thuis of ergens anders.”

„Ik zal erover nadenken.”

„Dat hebt u toch al die tijd al gedaan?”

Ze knikt. „Ik weet dat je moet kunnen vergeven, maar ik ben daar nog niet aan toe.”

„Tom heeft u nodig,” zegt Hans, „u, uw man en uw dochter. Ik hoop dat u begrijpt dat u zijn leven kunt beïnvloeden, ten goede of ten kwade.”

„We zullen er met elkaar over praten.”

„Neem me niet kwalijk dat ik op dit uur bij u aanbelde.”

„We nemen u niets kwalijk, rij voorzichtig, het is glad.”

Er gaat een week voorbij, de winter wordt feller, de sneeuw ligt centimeters dik op de straten.

Op een morgen ligt er een brief op de mat. Marjet maakt hem open, ze is blij dat ze alleen is, Tom is aan het schaatsen, Hans is naar zijn werk.

„Neemt u me mijn houding van vorige week niet kwalijk, Jessica is opnieuw opgenomen, ze maakt een crisis door, ze vraagt naar Tom. Wilt u dit aan hem doorgeven? Ze ligt in het Westfries Gasthuis, kamer 115, tweede etage. Loek en Bert de Lange.”

Als Tom zijn schaatsen naar de schuur brengt, roept ze hem. Ze geeft hem de brief, de jongen leest hem aandachtig, zijn magere gezicht vertrekt.

„Dat ze zo’n brief schrijven aan meneer Niks Bijzonders, wat denken ze wel? Dat ik een taxi neem en naar het ziekenhuis stuif?”

Hij is bezeerd, hij is bezig een hardere jongen te worden. Hij heeft die nacht de wagen van zijn vader gehoord, hij heeft in zijn kussen gebeten van woede omdat ze zich met iets bemoeiden waar ze van af moesten blijven. En hij heeft zijn vader later ter verantwoording geroepen.

„Soms doe je iets stoms omdat je het niet kan aanzien dat iemand verdriet heeft," was zijn vaders enige commentaar.

„Ik ben razend op je."

„Ik hoop dat dat overgaat."

Vanaf die dag was Tom stiller, hij was er wel en hij was er niet, hij was bezig alles op een rijtje te zetten en er in zijn eentje uit te komen.

„Je praat nu precies als haar ouders praatten." Marjet gaat verder met het voorbereiden van het eten.

De jongen loopt naar buiten. Hij weet niet wat hij doen moet, gaan, niet gaan? Als hij gaat, is dat geen verliezen, het is een grotere winst dan hij ooit behaald heeft. Hij gaat niet voor zichzelf, hij gaat voor haar, voor Jessica, zodat ze ook deze terugval te boven zal komen.

Hij is zonder jas naar buiten gelopen, hij huivert in de harde vrieskou. Wanneer weet je dat je iets goed doet? Het moeilijkste in het leven is iemand vergeven, hij kan het niet, hij kan het haar ouders nooit vergeven, hij heeft geen gevoel meer. Niet voor hen. Maar voor Jes dan? „Je eerste gevoel is dikwijls het beste dat je hebt."

Zijn vader kan makkelijk praten, hij staat zelf niet achter deze woorden, hij heeft zijn eigen vader en moeder niet eens meer opgezocht, hoewel dat best te begrijpen is. Maar als je werkelijk in staat zou zijn een ander tegemoet te komen, dan was je een beetje meer gelukkig.

Wat moet hij nu? Als hij haar ouders daar ontmoet, is hij zo verdwenen… Hij krijgt het koud, hij komt de warme keuken in. Hij ziet zijn moeder bezig, hij weet dat ze ook het een en ander in het leven heeft meegemaakt, dat lang niet altijd alles zo vlot verloopt als je dat zou willen. Zo is het met ieder mens, je moet leren incasseren.

Hij ziet zich nog voor die deur staan, bij Jes. Zou ze er iets van weten? Misschien is ze door de houding van haar ouders ingestort, door hun zogenaamde liefde. Nee, het is niet eerlijk zo te denken, hij heeft geen kinderen, hij kan zich onmogelijk in hun toestand verplaatsen.

Hij trekt zijn jack van de kapstok. „Ik ga erheen," zegt hij. Hij zegt het kort, hij wil niet opnieuw door een dal van emoties gaan.

„Er is nu geen bezoekuur."

„Des te beter."

Ze kijkt de jongen na, één ding moet ze erkennen, hij is bezig een persoonlijkheid te worden. Hij is getrapt maar hij staat weer op. Hij is jong, maar ouder dan hij eruit ziet.

Voor de deur van haar kamer aarzelt hij, hij weet niet wat hij moet doen.

Hij doet de deur open en kijkt naar binnen. Ze slaapt, haar handen liggen roerloos op het laken, ze lijkt rustig en ontspannen.

Hij neemt een stoel en gaat bij haar zitten. Hij moet naar haar kijken, een overweldigend gevoel van zachtheid overvalt hem en dat is het laatste dat hij wil, hij moet sterk zijn, hard, met hardheid kom je verder in het leven, dan heb je eelt op je ziel, ben je niet meer kwetsbaar.

Maar hoe hou je dat vol?

Hij ziet dat ze zich beweegt, haar ogen opslaat, om zich heen kijkt. Hij ziet de hulpeloosheid van haar houding. Langzaam glijdt haar blik door de kamer, hij weet niet of ze hem ziet, hij blijft roerloos zitten.

Zacht is haar stem, zachter dan hij die ooit van haar gehoord heeft. „Ben jij het, Tom?" Het snijdt door hem heen.

„Ja," zegt hij.

„Hoe weet je dat ik hier lig?"

„Dat heb ik gehoord." Hij komt dichter bij haar zitten, haar ogen zijn bang, ze hebben dezelfde uitdrukking als de zijne toen hij 's nachts gillend van angst wakker werd uit een nachtmerrie. Maar hij kon erover praten, Jessica heeft nooit over zichzelf gepraat, ze ging door de dagen als een slaapwandelaar, ze was er en ze was er niet. Ze heeft zich nooit helemaal kunnen uiten.

Hij legt zijn warme hand om haar vingers, hij voelt een schokbeweging.

Ze begint te huilen, het zijn tranen die ze maanden opspaarde. Hij weet dat niets zo bevrijdend is als huilen, hij heeft het alleen 's nachts gedaan als niemand het hoorde, als hij alleen was met zichzelf. Hij heeft gehuild toen hij schrok van zichzelf, toen hij begreep wat hij had gedaan.

Hij voelt geen hardheid meer, geen woede, hij is weer de Tom van vroeger, de Tom die hij begrijpt, die hem vertrouwd is.

„Stom, hè?" zegt ze zacht.

„Nee."

„Ik mocht niet naar je toe van mijn ouders en toen ik je die namiddag hoorde voor ons huis, toen ik mijn moeder hoorde... toen..."

„Het is voorbij, het is allemaal voorbij."

„Ik wilde naar je toe maar ik kon niet, ik loop nog niet zo snel dat ik bij de deur kon komen. Een paar dagen later ben ik ingestort... gek, hè?"

„Wat is gek? Je had me moeten bellen, ik wachtte op je telefoontje."

Ze staart voor zich uit, ze ziet hem niet, ze kijkt naar de ramen waar sneeuw tegen aan zit, dichte witte vlokken.

„Ik wilde je bellen… maar opeens lag ik hier. Hou je van sneeuw?"

„Ja."

„Ben je aardig tegen me omdat je iets om me geeft?"

„Nee, niet op de manier die jij bedoelt, ik voel me verantwoordelijk voor je."

„Ik hoopte dat je iets anders zou zeggen."

„Ga jezelf nou niets wijsmaken."

Ligt dit mede ten grondslag aan het feit dat ze is ingestort? Ze is een beetje verliefd op hem geworden, op de jongen die haar bijna dood heeft gereden. Het geeft hem een onsmakelijk gevoel. Hij zou haar nooit anders zien dan door de bril van zijn schuldgevoel.

„Je komt hier doorheen," zegt hij, „je bent sterk en je was al een heel stuk op weg. Je gaat mijn schuldgevoel toch niet nog groter maken, Jes?"

„Nee." Ze tilt haar rechterhand op. „Hij trilt iets minder, zie je wel?"

„Ik zie het." Hij vindt opeens de woorden die hij haar al zo lang heeft willen zeggen: „Je moet leren leven zonder mij, zonder mijn aandacht. Die was er alleen maar omdat ik je nodig had, omdat we hetzelfde doormaakten aan angst en onzekerheid." Ze geeft geen antwoord, ze kijkt hem aan en hij wordt onzeker onder die blik.

„Je moet knokken, Jes, dat heb je me zelf eens gezegd, je moet het alléén doen… dat heb ik ook moeten leren…"

„Ik verlang ernaar helemaal genezen buiten te lopen, zoals die enkele keren in het tehuis… toen liep ik door de bossen."

„Op een dag loop je weer, niet bij dat tehuis, maar thuis of ergens anders." Hij buigt zich over haar heen.

„Als het waar is wat je zegt en je voelt iets voor me, laat dat dan merken, vecht om te winnen, voor mij!"

De jongen hoort de kamerdeur opengaan, hij ziet Jessica's ouders. Hij staat op, hij loopt naar de deur.

„Tot ziens, Jessica."

Hij hoort haar vader achter zich aan komen. „Ben je lopend?" vraagt hij.

„Nee, op de fiets, het is niet ver, waarom?"

„Anders had ik je een lift gegeven."

„Ik had die lift niet aangenomen." Hij zegt het verbitterd.

„Dat begrijp ik. Ook volwassen mensen kunnen fouten maken, Tom."

De jongen knikt. „Dat zal wel. Wilt u me nu doorlaten, ik ga naar huis."

Hij fietst door de winterdag, hij weet niet goed raad met zijn gedachten.

Op een dag zal hij wakker worden en misschien niet meer zo intensief aan alles denken… niet meer zo gebukt gaan onder een last die te zwaar is om te dragen. Hij is jong, het zal wat vergroeien en op een dag zal hij zijn kinderen zeggen: „Bega niet dezelfde stommiteit als ik vroeger." Zijn kinderen… hij glimlacht om die gedachte.

Hij fietst naar huis, hij gooit zijn fiets tegen het hek. Hij hoopt dat zijn vader thuis is, soms is hij er tussen de middag. Hij zal hem zeggen dat hij nooit echt boos op hem is geweest, maar dat hij nooit meer iets moet doen waar hij niets van weet.

Hij ruikt de geur van gebakken cake. Hij heeft andere ouders dan Jessica…

Hij zegt niets, gaat aan de keukentafel zitten, speelt met zijn vingers.

Hij kan zijn ouders nooit zeggen dat hij bezig is 'los' te komen van Jessica. Wegens een gevoel dat hij voor zichzelf houdt.

Marjet vraagt niets.

„Haar vader wilde me een lift geven," zegt hij schamper. „Nú wel…"

Ze hoopt dat die verbittering overgaat, op z'n tijd.

Ze zou hem willen zeggen dat je met 'haatgevoelens' niet kan leven, dat je daarmee alleen jezelf beschadigt.

Ze geeft hem een kop koffie.

De jongen slurpt het in een enkele teug naar binnen.

„Ik ga naar Bas," zegt hij, „als pap thuiskomt, vertel je het hem maar."

„Wat moet ik hem zeggen?"

„Dat alles oké is."

Ze kijkt door het raam naar zijn rappe manier van lopen, naar zijn nieuwe houding, fier en een beetje bravoure-achtig.

Wat weet je van je eigen zoon?

Je hoeft nooit alles van elkaar te weten; ze denkt in een flits aan Ed Brinkman, het was een episode in haar leven die een beetje winst bracht, die toevoegde in plaats van af te nemen.

Ze ruimt de lege kopjes op, de dag heeft weer nieuwe mogelijkheden…

Tom fietst naar Bas, hij maakt een kleine omweg, hij gaat langs eenzame singels. Hij klemt zijn handen om het stuur. Jessica wordt beter, hij weet het zeker, en op een dag zal ze hem niet meer nodig hebben.

Wonderlijk genoeg hij haar wel. Ze zal er altijd zijn in zijn gedachten, als hij 's nachts niet kan slapen omdat hij totaal onverwachts al die beelden weer voor zich ziet.

Helemaal weg gaan ze nooit. Maar hij is bezig ermee te leren leven, nu, morgen, altijd.

Hij belt voor het huis van Bas.

Hij hoort een schel hoog fluitje. Malle Bas.

Hij verlangt opeens hevig naar zijn vader.

Hij zal hem zeggen dat hij… hij zal hem misschien niets zeggen, hem alleen maar laten merken dat hij van hem houdt, dat alles weer een beetje is als vroeger.

DANSENDE HALMEN

1

Hilde ziet de sneeuwvlokken over het land. Ze vallen in trage regelmaat en maken de wereld kleiner, intiemer. Achter haar is de veilige beslotenheid van het huis: de gloed van de haard, de rust van de oude hangklok en de vertrouwdheid van de schommelstoel. Voor haar zijn de kilte en de zoete schoonheid van de steeds dikker wordende sneeuw. Als kind was sneeuw het grootste geschenk van de winter, was er die hartstochtelijke overgave aan het spel, de slee, de sneeuwpop, waren er de koude handen en wangen. Vader was er dan als je moe, voldaan en rozig thuis kwam. Er was een grote veilige schoot waarop je in slaap viel, er was een heerlijke, besloten wereld die handen vol geluk betekende. Waarom blijft een mens niet altijd een beetje kind? Ja, waarom? Omdat dat niet kan; de maatschappij wacht, de wereld, je eigen groeiproces. Je wilde niet die wereld in, maar je had geen keus, je moest.

Ze ziet in de verte bij de kromming van de dijk het wagentje van Toon.

Toon, haar man, haar nooit helemaal te begrijpen man met zijn rustige, bruine ogen die haar kunnen aankijken alsof ze een nieuw gezicht ontdekken. Toon. Lang, sympathiek, evenwichtig, met handen die tederheid kenden, liefde kenden, die wisten te geven en te ontvangen. Een huwelijk is zo totaal anders dan je je als jong meisje voorstelt, het is een proces van vallen en opstaan, van twijfel en zekerheid. En van nog zo heel veel meer.

Ze hoort hem de wagen de garage in rijden, kalm en zeker.

Hij komt de kamer binnen, staat even naast haar.

„Als je binnen bent is sneeuw prachtig," zegt hij, „maar buiten... Nee, voor mij hoeft het niet, die winter."

„Wil je koffie?" vraagt ze.

„Als je nog hebt?"

„Ik heb net gezet."

Dit is altijd het prettigste moment van de dag, denkt ze, zo even samen zijn, voordat de kinderen komen: Jes, met haar dikke vlecht en zachte gezichtje; Anneke, altijd blij en opgetogen, druk snaterend en bezig; Wouter, de jongste van elf een wijsgerig kereltje dat altijd loopt te dromen en te denken. De twee oudsten zijn de deur al uit. Taco van tweeëntwintig heeft al trouwplannen, het wachten van hem en Els is alleen nog op een huis; Michiel van twintig heeft – na ontelbare vriendinnetjes –

eindelijk het meisje van zijn leven gevonden, de pittige Jeanine. „Ik wil met haar gaan samenwonen, mam," zei hij de vorige maand, „we kunnen een geschikt flatje krijgen; het scheelt ons de helft in de huur."

Samenwonen... Ze is niet voor niets vijfenveertig, niet oud, ook niet jong. Ze staat met één been in de oude tijd, met het andere een beetje, een heel klein beetje in de nieuwe.

„Je vindt het natuurlijk niet goed," had hij bot gezegd.

„Ik heb nog geen woord gesproken."

„Nee, dat hoeft ook niet. Ik zie het wel aan je gezicht."

„Je oordeelt te snel, jongen."

Ze had naar hem gekeken, naar dat frisse, door niets nog beroerde jongensgezicht waarop alle verwachtingen van de wereld voor het grijpen waren. Deze tijd is dikwijls zo onbegrijpelijk, zou ze willen zeggen, voor moeders en vaders is het vaak zo moeilijk te begrijpen wat jullie willen.

„Nou, wat vind je?" had hij ongeduldig gevraagd.

Ze glimlachte. „Heeft het er iets mee te maken wat ik wil? Het gaat om jullie."

„Nou ja," zei hij stuurs, „als jij en pap ertegen zijn is voor ons immers ook de lol eraf. Je kent Jeanine; ze is een verdraaid fijne meid, we zullen het best rooien. Ze wou je vragen of je haar wilde helpen met nieuwe gordijnen. Je hebt smaak, zei ze."

„Zo," zei ze lachend, „heb ik smaak? Dat is dan alvast wat."

Ze hadden samen thee gedronken, haar lange zoon Michiel en zij. Opeens, zonder veel woorden, was de gemeenschappelijke weg er, het land waarop ze beiden stonden.

„Ik ga zaterdag wel met haar de stad in," zei ze.

Eigenlijk was er zo weinig te bepraten. Eigenlijk benijdde ze diep in haar hart de jonge mensen van nu. Ze wisten meer, ze waren positief en eerlijk, hadden een eigen mening. Ze móchten die hebben. Vroeger moest je je mond houden; als je je ergens in mengde, vroeger, werd je behandeld als een kind.

„Afgesproken dan," zei Michiel. Hij was geen jongen om 'dank je' te zeggen. Hij was net als Toon; recht toe, recht aan.

Nu, over de hete kop koffie, kijkt ze naar Toon, een man voor een gezin, een man die opgaat in het lief en leed van de kinderen, schik heeft in hun malligheden, zorgen kent om hun problemen.

„Ik kom een beetje bij," zegt hij.

„Je had het in de auto toch niet koud?"

„Nee, maar je moet je dubbel concentreren met die sneeuw. Voor je het weet zit je in een slip. Mij niet gezien. Lekkere koffie heb je."

„Ik heb altijd lekkere koffie."

„Niet waar, soms gooi je er te veel heet water op en is het geen drinken."

Ze lacht. „Ja, dan hebben de kinderen onverwacht vriendjes mee."

„Heeft Taco nog iets van een huis gehoord? Wat mij betreft kan hij beter kopen; hij is nog jong. Als hij helemaal afgestudeerd is kan hij een goeie baan krijgen."

„Je weet dat zijn meisje op dit moment kostwinster is. Els heeft niet voor niets gestudeerd en staat eindelijk voor de klas. Het lijkt mij veel beter als ze voorlopig op een huurhuis wachten, dan kunnen ze rustig uitzien naar iets anders. Als je jong bent hoef je niet alles opeens te hebben, je moet er naartoe leven."

„De huren zijn hoog," zegt hij, „en die zullen nog wel hoger worden. Wat is nou beter? Het geld is elk jaar minder waard."

„Hoe zijn wíj begonnen?" vraagt ze.

„Je kunt die tijd onmogelijk met nu vergelijken."

Ja, hoe begonnen ze...? Een klein huisje in een kleine stad, een huis in een rijtje, een voor- en een achtertuintje, een gehorige huiskamer, moeilijkheden met de douchecel, soms met de verwarming. En toch waren het waarschijnlijk hun allerbeste jaren, vol met tevredenheid, met humor en originaliteit. Toen Toon meer begon te verdienen keken ze uit naar iets anders, weer een huurhuis. De kinderen kwamen, groeiden op en kostten handen met geld. Ze waren eens aan nieuwe meubelen toe, maar het kon er niet af; altijd gingen de kinderen voor. Je dacht niet, je deed.

Sinds drie jaar bewonen ze nu dit fijne huis, buiten, in een klein dorp, vlak bij de grote stad. Drie jaar nog maar. Ze hadden het voor een niet te hoge prijs kunnen kopen. Een huis met een stuk grond, met oude bomen voor het bruine hek, met een bank aan de zijkant en met overal zon, wind en ruimte, of met regen, storm en hagel. Een huis om van te houden. Niet wat schoonheid betreft, maar het had karakter; een oud huis met nissen, hoeken en kasten, waar je die niet zou vermoeden, een vriendelijk huis met een voortdurend lachend gezicht.

„Waar denk je aan?" Haar gezicht is warm.

„Aan hoe wij zijn begonnen. Weet je nog dat je de stoelen voor de keuken zelf maakte en dat de poten steeds wiebelden?"

„Je had het slechter kunnen treffen," zegt hij. „We hebben ze nog steeds."

„Ze staan op zolder."

„Wouter speelt vaak op zolder, hij gebruikt die ouwe dingen nog met zijn vriendjes."

Hij zet het lege koffiekopje neer. Hij zou opeens willen zeggen, dat zijn leven zo veranderd is, sinds hij haar kent, sinds dat ogenblik dat hij haar bij een concert in de wandelgangen ontmoette. Een zacht, aardig gezicht met grijze ogen die afstaken tegen het blonde haar. Met een grote, gulle mondlijn en wenkbrauwen die sierlijk boven haar wimpers lagen. Een gewoon meisje, dat zich gewoon gedroeg. Maar er was een kleine vonk overgewipt toen hij haar wat langer bekeek. Een vonk van verliefdheid.

Ze hadden naderhand samen ergens in een klein café koffie gedronken.

Het was allemaal zo gewoon, het leek een vooropgezet plan te zijn, vanzelfsprekend, en door God uitermate goed in elkaar gezet. Voor hij haar kende, was hij een wat verlegen man, niet in staat iets geestigs te zeggen, op te vallen door een bepaalde charme. Toch vond ze hem aardig, maakte ze door haar ongedwongen manier van doen zijn geremdheid een beetje los.

In de loop der jaren was hij die spanningen helemaal kwijtgeraakt, kwam meer en meer zijn ware aard boven. In die jaren ging hij begrijpen dat zijn ouders hem niet helemaal de juiste kans hadden gegeven zich te ontplooien. Hij was in zijn jonge jaren niet sterk, werd daardoor verwend en in de watten gelegd. Zijn vriendjes moesten niet te wild met hem spelen, want daar 'kon hij niet tegen'.

„Toch jammer," zegt ze opeens, „dat je zo weinig tijd meer hebt iets te maken. Wouter heeft langzamerhand wel een bureau nodig. Je zou best een brede boekenplank tegen de muur kunnen timmeren."

„Daar heb ik nooit aan gedacht. Als hij het leuk vindt wil ik het wel proberen. Hoewel... Zijn vriendjes zullen wel een groot bureau hebben. Hij heeft vrienden die altijd alles duurder en mooier hebben."

„Daar heb ik niets mee te maken. Elk mens doet voor zijn kind wat hij het beste vindt. Ik vind dat je niet aan alles kunt meedoen wat een ander nou toevallig wel heeft. En misschien zijn zijn vriendjes wel jaloers op die plank, omdat hun vader dat nou toevallig niet kan maken."

„Misschien begin ik er het volgend weekend aan," zegt Toon. Ze móet gemerkt hebben dat hij de laatste tijd maar doet alsof hij het druk heeft.

Hij wil haar niet laten delen in zijn zorgen. De zaak gaat een fusie aan en de vraag is: wie blijft er en wie gaat eruit. Hij heeft dikwijls werk mee naar huis genomen om toch maar vooral een buitengewone indruk te vestigen. Als je elkaar lang kent, als je elkaar zo langzamerhand al zo'n slordige twintig jaar lang meemaakt, vóelde je meer dan je kon uiten, was een uitdrukking, hoe snel ook, herkenbaar, een lach, een stemnuance van betekenis.

Hij hoort Wouter thuiskomen. Er is geen jongen die zo met de deuren kwakt als hij, die vanuit de verte zo duidelijk laat merken dat hij in aantocht is.

„Ha, die pap! Weet jij waar mijn slee is?"

„Dag Wouter. Boven op zolder, denk ik, maar maak niet zo'n bende."

„Je kunt op de slee best een boodschap voor me doen," zegt Hilde.

„Moet dat?"

Hij heeft de ogen van Toon, denkt ze, warme, bruine ogen en hetzelfde sliertige haar dat slordig over zijn voorhoofd valt. En hij heeft het enthousiasme van een jongen van elf.

„Het moet niet," zegt ze. „Ga maar buiten spelen, maar kijk een beetje uit wat je doet." Ze wil nog zeggen, „je doet altijd zo wild," maar hij is de kamer al uit.

2

De sneeuw en de vorst houden aan. De lange, smalle vaarten zijn onherkenbaar veranderd, honderden mensen en kinderen zijn op de ijsbanen te vinden.

Het is zondag en de wind komt met forse vlagen uit het noorden.

Wouter, Jes en Anneke zijn al vroeg op. Als het daglicht nog maar nauwelijks zichtbaar is, staan ze al in hun trainingspakken met sjaals en wollen mutsen, en de schaatsen in hun handen.

„Je zult nog een half uurtje moeten wachten," zegt Hilde. „Je kunt nu geen wak zien. Ik wil dat jullie wachten."

„Maar we zouden allemaal om negen uur bij elkaar zijn," zegt Anneke vinnig.

„Daar heb ik niets mee te maken. Als jullie wachten," ze kijkt vrolijk naar Toon, „gaan we misschien mee. Als je vader het tenminste nog kan."

„Dan trekken we hem wel."

„Heb jij nog schaatsen?" vraagt Toon rustig.

Ze knikt. „Geen doorlopers, gewone dingen met riemen. Maar ik kan er best mee uit de voeten."

Hij trekt aan haar haren. „Ik ben benieuwd."

Even kijkt hij naar haar gezicht. Het is niet eens zoveel ouder geworden, wel veel rijper, ronder ook. Haar lichaam is wat voller dan toen hij haar leerde kennen. Het blonde haar, los en jong om haar wangen, laat enkele grijze strepen zien.

„Niks an, als jullie meegaan," zegt Wouter. „Zo kinderachtig, net of we niet alleen kunnen."

„Je bent gek," zegt Anneke, „juist fijn. Kunnen we ze eens laten zien wat we kunnen."

„En als ze nou eens een gek figuur slaan?" zegt Jes verlegen.

„Wat dan nog? Dan schaatsen we door."

Jes kleurt. Vervelend dat ze zo vaak kleurt, dat ze in gezelschap verlegen is, nooit goed weet wat ze moet zeggen, zelfs niet bij Koos. Koos is leuk; veel meisjes doen hun best bij hem in de gunst te raken. Zij doet daar nooit aan mee, omdat haar verlegen aard haar dat niet toestaat.

Toch vroeg hij haar van de week: „Kun je schaatsen?"

„Natuurlijk," zei ze.

„Dan zie ik je zondag wel op de ijsbaan, bij de vijver, als je er tenminste bent."

„Ik hou van schaatsen," zei ze.

„Oké, tot zondag."

Koos wil arts worden, zelf heeft ze zich laten inschrijven voor kleuterleidster. Ze houdt van kinderen. Ze wil later net zo'n gezin als thuis. Waarom juist net zo, dat weet ze niet. Misschien omdat het altijd zo gezellig is, omdat iedereen altijd welkom is en mam nooit zegt dat het haar te veel is. Op haar kamer mag ze met vriendinnen zoveel platen draaien als ze maar wil en het vorige jaar, toen ze achttien werd, hielden ze een tuinfeest. Het was het feest van haar leven geweest. Haar ouders bleven in de voorkamer, lieten haar de leiding. Het was grandioos, lekker gek met lampions en schemerlicht.

„Wat duurt wachten lang," zucht Wouter.

„Jongen, zeur niet zo. Als je in een wak rijdt, ben je verder van huis."

„Hé, mam, wat zie je er mal uit."

Hilde glimlacht. Haar lange broek heeft niet de meest moderne vorm, haar jack is misschien niet nieuw meer, maar de rode muts staat haar goed, dat weet ze. Ze weet ook, waarom Anneke vindt dat ze er mal uitziet. Ze valt op, door die muts en die sjaal. Kinderen willen niet dat hun ouders hoe dan ook uit de toon vallen, zich jong proberen voor te doen. De kleur rood is fris en opvallend.

„'t Is zo lekker warm," zegt ze en trekt de muts wat dieper over haar oren.

„Gaan we?" vraagt Toon. Hij voelt zich een beetje belachelijk en weet niet waarom. Misschien omdat hij zich opeens zesenveertig voelt.

„Gaan jullie maar vooruit," lacht Hilde. „Wij oudjes komen wel."

„Je bent helemaal niet oud," zegt Jes.

Mam heeft een lief gezicht, vooral als ze lacht. Ze is nooit echt boos op je, alleen als ze verdriet om je heeft is haar gezicht stil, zoals die keer dat ze later thuiskwam dan ze had beloofd. Mam was nog op, ze zat in de stoel, haar gezicht was ernstig. „'t Is half twee," zei ze.

„Dat weet ik."

„Ik wil niet dat je zo laat thuiskomt, je bent zestien. Als het weer gebeurt kom ik je halen."

„'t Was zo gezellig."

„Je kunt niet zo laat op straat, er gaan geen trams meer."

„Ze hebben me in een auto weggebracht, we waren met z'n vieren."

„Toch gebeurt het niet meer."

Er werd niet meer over gesproken, alleen was mam wat koel tegen haar. Dat deed pijn.

„Bedankt voor het compliment," glimlacht Hilde. „Kun jij er nog wat van?" zegt ze tegen Toon.

„Van schaatsen? Vroeger deed ik het goed, maar dat is toch wel een jaar of tien terug. We zullen wel zien. Zeg, die muts staat je leuk."

„Dat weet ik," zegt ze.

„Ben je echt vijfenveertig?"

„De burgerlijke stand zegt het."

„Ze hebben een fout gemaakt."

„Dat lijkt me heerlijk. Kom nou mee."

In de gang voelt ze even zijn vluchtige zoen.

Het is overdruk, hoewel het zondag is. De vaart is onherkenbaar, het krioelt van mensen. Het is net of een vleugje zomer over alles hangt, kleur en warmte. Of iedereen zich jonger voelt, tot meer in staat.

„Ik bind die schaatsen wel onder," zegt Toon.

„Nee, je doet het veel te strak, laat me nou maar."

Ze kijkt naar de kinderen, Wouter is niet meer te zien, Jes schaatst sierlijk, met lange halen. Soms voel je je zo trots op je kinderen, besef je zo wat je hebt aan gevoelens van geluk. Lieve, stille Jes, meer naar binnen levend dan naar buiten, zo geleidelijk aan groeiend naar volwassenheid.

Anneke schaatst wild, heeft als een jongen haar handen op haar rug. Haar bovenlijf lijkt smaller. Haar hele houding is uitdagend.

Er is een glimlach op Hildes gezicht, in haar ogen en om haar mond. Ze grijpt Toons hand. „Ben je zover?"

Hij knikt.

Ze zou willen zeggen dat hij het echt niet goed hoeft te doen, dat het alleen maar fijn is zo samen te genieten van de prikkelende lucht, een zorgeloos gevoel en de zekerheid een beetje bij elkaar te horen, van elkaar te zijn.

Ze schaatsen als zoveel mensen die het jaren niet meer hebben gedaan, rustig, onzeker, met kleine halen. Maar na een half uur proberen, wankelen en net niet vallen, komt er iets van de vroegere vaardigheid terug.

Ze wagen iets meer, slaan de benen gemakkelijker uit, voegen zich losser naar elkaar.

Hildes wangen gloeien. Haar ogen hebben een warme gloed. Haar lichaam voelt zich jong, jong en overmoedig. Het is opeens of ze geen kinderen heeft, of ze voor het eerst met een vriend op de ijsbaan is, of het leven één groot luidruchtig feest is.

Toch kampt ze even met een gevoel van vermoeidheid als ze tegen de wind in rijden en het ademen zwaarder gaat. Ze leunt meer op Toon.

Nee, zo snel als de jeugd zal ze niet meer schaatsen. En wat dan nog? Waar gaat het in het leven om? Alleen maar om jeugd? Als je ouder werd kwam er een andere kracht, meer innerlijke zekerheid.

„Ik kan niet meer," zegt ze lachend.

„Ik ook niet. Laten we daar in dat café iets gaan drinken."

„Dat lijkt me een goed idee. Kom."

Jes roept: „Geven jullie het op?"

„Even wat gebruiken in het café."

„Oké." Hilde kijkt haar na. Er rijdt een lange jongen naast Jes. Wat wil je, als je achttien bent!

Het is warm en vol in het café, er hangt een geur van chocolademelk.

„Ik zou best een jonkie lusten," zegt Toon. Zijn gezicht staat vermoeid.

Voor geen goud zou hij bekennen dat het hem meer dan tegenviel, dat hij zichzelf heeft overschat.

„Geef mij maar hete chocolademelk," zegt Hilde.

Ze huivert als ze haar dikke jack uittrekt. De kachel in het café brandt roodgloeiend, toch huivert ze. Je moest alles bijhouden, zwemmen, fietsen, schaatsenrijden. Dan was je lichaam meer getraind.

Ze drinkt vergenoegd en met kleine slokjes. De hete melk glijdt haar lichaam in, maakt het warm en loom.

Toon nipt aan zijn jonkie. „Ik zou niet graag nog eres gaan. Hé, wie hebben we daar?" Hij is altijd verrast als hij Taco en Els ziet, Taco hun oudste, een sympathieke knul met een klein hart.

„Ik had zo'n vermoeden dat jullie hier zouden zijn," zegt de jongen. „Nee hoor, niet waar! Jes zei het. Hoe ging het, vader, op de ijzers?"

„Lekker," zegt Toon.

„Eigenlijk moeten wij trakteren," zegt de jongen blij. „We hebben een huis! Niet groot, een driekamerflat. Met uitzicht op het IJsselmeer."

„Ga zitten," zegt Toon. Hij lacht naar Els. „Nou leer je hem pas echt kennen," zegt hij, „zijn snurken, zijn slordigheid, zijn nooit uit bed kunnen komen."

„Alsof ik dat niet allang wist," zegt Els.

Hilde heeft haar twee handen om de hete kop melk. Zou er ooit werkelijk een tijd veranderen? Zijn niet alle dingen hetzelfde, alleen een beetje verschoven? Ze kende Toon een half jaar toen ze alleen met hem op vakantie ging. Haar ouders dachten hetzelfde wat zij nú denkt, maar je houdt de natuur nooit tegen.

„Wat drink jij?" vraagt Toon aan Els. Als zijn andere twee zoons ook met eenzelfde type vrouw trouwen mag hij zijn beide handen dichtknijpen.

Els is uit het goeie hout gesneden, altijd bezig, intelligent, en niet op de voorgrond tredend. Bovendien ziet ze er leuk uit, niet knap, maar wel geestig, met die hoog ingeplante wenkbrauwen.

„Ook chocolademelk."

„Ik ben met de wagen, pap, geef mij maar koffie."

„Wanneer kunnen jullie in die flat?" vraagt Hilde.

Het is opeens of ze haar zoon kwijtraakt. Geen Taco meer die met zijn was aan komt zetten in het weekend, geen uren 's nachts meer wakker liggen omdat hij nog niet thuis is, geen malle en vaak ook serieuze gesprekken. Kinderen logeren in zekere zin een aantal jaren bij je, dan laat je ze los, moet je dat doen. Maar pijn doet het wel.

Taco grinnikt. „We hebben de sleutel al."

„Maar we willen eerst trouwen," zegt Els. „We hadden zo gedacht begin maart. Het lijkt ons een goed begin van het voorjaar."

De eerste van alle kinderen die zijn eigen weg heeft gevonden, denkt Hilde. Die meent het geluk in zijn handen te hebben en nog niet weet dat je elke dag voor dat geluk moet vechten.

„Eindelijk weer eens een feestje in het vooruitzicht," lacht Toon.

„Ik geef een rondje," antwoordt Taco.

Hilde ziet de blik waarmee hij naar Els kijkt. Ze kent die blik en het gevoel dat erbij hoort. Het leven is goed voor degene die mag liefhebben, die zichzelf kan bewijzen in de ander.

Jes komt binnen. De lange jongen loopt wat slungelig naast haar.

„Dit is Koos," zegt Jes rustig.

„Kom er bij," zegt Hilde. Met één oogopslag voelt ze dat deze jongen haar kind niet gelukkig kan maken, dat hij nog volop in zijn eigen groeiproces zit, niet in staat is aan een ander te denken.

„Kom eens een keer bij ons een kop koffie drinken," zegt ze tegen Koos.

„Dan leren we elkaar een beetje beter kennen."

Ze voelt dat Koos daar absoluut geen zin in heeft. „Ik zie nog wel," zegt hij.

Anneke komt lawaaiig binnen. „Hartstikke leuk op het ijs," zegt ze. Haar ogen dagen uit, haar stem doet dat ook. „Zeg mam, mag ik met de klas naar Parijs? Het is voor een weekend, het kost maar vijfentwintig gulden."

„Maar vijfentwintig," zegt Taco. „Bij jou is een tientje gelijk aan een cent."

„Ik heb het niet tegen jou," zegt Anneke fel.

Toon hoort de gesprekken geamuseerd aan. Hij kijkt naar de verschillende gezichten die bij de stemmen horen. Gezichten die nog onaf zijn, die ook nog niets verraden van een groei. Zelfs Taco met zijn tweeëntwintig jaar is in veel opzichten nog een jongen, geen man.

Het wordt drukker in het café.

„Zullen we maar eens opstappen?" zegt Hilde.

„Schaatsend?" zegt Toon.

„Voor geen goud," bekent Hilde.

„We trekken jullie wel," biedt Jes aan.

Toon glimlacht. „We gaan op onze eigen manier, lopend."

De kinderen verspreiden zich om naar het ijs te gaan. Toon loopt met Hilde de lange vaart langs. In de huizen brandt overal al licht. Het is een leuk gezicht, die warme lichten in de vallende duisternis. Hij geeft Hilde een arm. Na een goed kwartier zijn ze thuis.

3

„Moeder," zegt Jes, „kan ik je even spreken?"

Het is een rustige avond. Toon is naar een vergadering, Anneke heeft gym, Wouter is nog bij een vriendje.

„Toch geen moeilijkheden?"

„Misschien."

Het is bijzonder als Jes probeert zich te uiten, meestal is ze gesloten. Alleen als ze het niet meer weet vraagt ze hulp.

„Kom er maar mee voor de dag."

Jes kleurt. „Als een jongen soms vraagt om meer dan een zoen, moet je daar dan aan toegeven? Op school zeggen ze van wel, omdat je anders niet meer gevraagd wordt op fuifjes en zo. Je hoort er dan niet meer zo bij."

„Hoe denk je er zelf over?"

„Ik kom er niet uit."

„Wil je het zelf ook?"

„Ik geloof het niet. Ik vind het veel fijner om met Koos uren langs het strand te lopen en dan ergens wat te gaan eten."

„Daar neemt hij geen genoegen mee, hè?"

„Nee," zegt Jes. Ze aarzelt. Dan vraagt ze. „Hoe was jij toen je achttien was?"

Hilde glimlacht. „Ik was niet toegeeflijk. Ik had m'n eigenwaarde. Je moet je nooit aan een jongen geven omdat hij dat wil. Probeer het te bewaren voor je huwelijk. dat is de beste basis."

„Dat is gemakkelijk gezegd. Maar hoe ging het bij jou?" vraagt Jes.

„In mijn tijd was dit geen probleem. Je had een poosje verkering, je verloofde je en je trouwde. Alle gevoelens gleden in elkaar over, de gevoelens voor elkaar."

Hilde kijkt naar dit zachte, open gezicht, naar het glanzende in een vlecht gedraaide haar, naar die grote, vriendelijke ogen. Een kind is ze allang niet meer, een vrouw ook nog niet. Het wachten is op de overgang van meisje naar vrouw. Niemand weet wanneer dat moment er zal zijn.

„Eén ding wil ik je graag zeggen," zegt Hilde. „Doe alleen dingen waar je achter staat, die je met je gevoel aankunt. Je bent níet de meisjes uit je klas, je bent een eigen unieke persoonlijkheid, die het recht heeft te handelen zoals ze dat zelf wil. Misschien heb je nog een beetje zelfrespect. En misschien kan dat je helpen."

„Ik kan met vader niet zo praten."

„Dat kan geen enkele dochter. Er zijn dingen die alleen vrouwen aangaan."

Ze zou nog meer willen zeggen, maar daar is het nog te vroeg voor. Ze zou willen zeggen: 'Als een jongen dat van je vraagt, is het geen verliefdheid, of misschien liefde. Het is niks, een naakt, verloren gevoel dat nergens bij hoort. Na jou neemt hij een ander meisje, misschien meer. Je moet geen knaap nemen die een gevoel van liefde niet serieus neemt.'

„Misschien maak ik het wel uit," zegt Jes opstandig, „maar dan ben ik de weekends weer alleen en misschien ook op feestjes."

Hilde slaat een arm om haar heen. „Maak het niet moeilijker dan het is, en vertrouw een beetje op je geluk, het is zo de moeite waard."

Anneke komt binnen en er is geen gelegenheid verder te praten.

Misschien komt er nog een volgende gelegenheid.

„Zo stom," zegt Anneke, „die nieuwe gymnastiekleraar. Hij denkt dat hij beter is dan de vorige. Nou, hij kan me de pot op met zijn bevelen: opletten, niet op de klok kijken, het is nog lang geen tijd; hé, lange, jij daar achteraan, sta niet zo te kletsen. Bah, wat een naarling. Als het zo moet ga ik er liever af."

‘Vijftien is ze,’ denkt Hilde, ‘een steigerend paard dat in wilde draf over de vlakte rent.’

„Dit is je vierde hobby,” zegt ze voorzichtig, „eerst wilde je met alle geweld viool spelen, daarna moest je op ballet, toen wilde je weer toneelspelen en nu… Het wordt zo vermoeiend, Anneke. Het is net als met een huwelijk, je moet het blijven proberen.”

„Ik trouw niet, ik ga later naar Isräel, in een kibboets werken, dan zie je nog eens wat van de wereld. Wat heb je hier nou?” Ze wijst om zich heen.

„Erg veel, vind ik,” zegt Hilde. „Ruim, vlak land, een steeds weer wisselende horizon, frisse lucht en een fijn huis.”

„Maar er gebeurt niks! Het is een saai stil dorp, met zelden een leuke uitvoering. Neem nou die gym, eens per jaar een uitvoering, en wat voor een, met in de pauze een stomme verloting en na afloop een dansje. Ik ben gek op dansen maar dan wel met jongens van mijn leeftijd, niet met ouwe kerels.”

„Wil je nou op die gym blijven, of niet?” vraagt Hilde rustig. Met Anneke moest je niet boos worden, dan werd ze onredelijk en driftig.

„Ik wil het nog een paar weken aanzien, maar als die leraar zich zo blijft gedragen, geloof ik dat veel leden van gym zullen afgaan.”

„Da’s jammer,” zegt Hilde. „Het is voor de man ook geen pleziertje met trotse, koppige meiden te werken. Als je redelijk bent, stap je naar hem toe en vertelt wat je bezwaren zijn. Dat is veel reëler dan hem achter zijn rug te bekritiseren.”

„Da’s geen gek idee,” zegt Anneke. Ze zegt het zo nadenkend dat Hilde met moeite haar glimlach bedwingt.

De telefoon gaat en ze neemt op. „Met Peters, de leraar van Wouter. Hij heeft met voetballen een schop in zijn lies gekregen, hij klaagt over pijn. Hij is hier achter gebleven in de klas. Wil ik hem met de wagen komen brengen?”

„Is er niets gebroken?”

„Voor zover wij het hier kunnen beoordelen, niets. Ik zal de wagen voorrijden, dan zijn we met een klein kwartiertje bij u. Maakt u zich geen zorgen, hij heeft geluk gehad.”

Ze voelt hoe scherp haar stem is.

„Gelúk…?”

„Het had heel anders kunnen zijn.”

„Ja," zegt ze toonloos, „neemt u het me niet kwalijk."

Na een kwartier hoort ze een wagen voor hun huis stil staan. Het is vreemd dat het niet Toons wagentje is. Er komen zelden mensen hier, en helemaal niet op dit ogenblik van de dag.

Ze gaat bij het raam vandaan en opent de deur.

Bij Wouter geen sentimentaliteiten, alleen maar rustig zijn en hem helpen.

„Leun maar op me," zegt ze, „je moeder is sterk."

Hij glimlacht flauwtjes. „Dat ben ik ook," zegt hij.

Jes is zo slim de huisarts te bellen. Als er iets aan de hand is, is ze op haar best.

Wouter wil graag beklaagd worden; als hij als kind was gevallen deed hij uren lang erg zielig.

„Zo," zegt Hilde, „en nu maar wachten op de dokter. Wil je wat drinken?"

Het valt Hilde op dat Jes hem op de juiste manier tegemoetkomt; geen franje, alleen hulp. Ze zou een goeie verpleegster zijn.

„Graag limonade," zegt Wouter. Hij strekt zich uit op de bank en kan een kreet van pijn niet binnenhouden.

Na een paar minuten is de arts er, een sympathieke jonge man met een grote praktijk. Een ouderwetse arts bovendien die niets ziet in het slikken van pillen, maar een gesprek vaak de oplossing vindt.

Hij bekijkt de jongen, betast de zere plek.

„Te wild gevoetbald?"

„Ja," zegt Wouter. „Ik trapte Henk tegen zijn scheenbeen en toen gaf hij me een harde linkse terug. Moet ik naar het ziekenhuis?"

De arts glimlacht. „Dat zou je wel willen, hè? Alle schoolvrienden om je bed, lekker verwend worden... Nee, daar komt niks van in. Een paar weken rust en je bent er weer."

„Jammer," zegt de jongen. „Als er wat gebroken was zou de hele klas wel komen, nu niet natuurlijk. Weet u wat ik later wil worden?"

„Geen idee."

„Duiker, diepzeeduiker dan. Het lijkt me machtig in zo'n pak, met zo'n ding op je hoofd en zo'n slang eraan in de zee te kunnen kijken. Natuurlijk zou ik mijn zwemvliezen niet vergeten en mijn onderwaterbril."

„Een zwaar vak," zegt de arts.

„Maar wel een avontuurlijk vak. Stel je voor dat je op de bodem van de zee een wrak van een schip zou vinden en dat dan vol met oude, waardevolle schatten zou zitten. Super, dan was ik in één slag rijk."

„Wil je dan zo graag rijk zijn?"

„Natuurlijk, u niet?"

„Ik ben al rijk. Ik heb werk waar ik van houd, ik heb een fijn huis en een leuk gezin. Dat is dacht ik al heel veel."

Hilde laat de arts uit. Ze neemt een breiwerkje en gaat naast Wouter zitten.

„Twee weken is hartstikke lang," zegt Wouter, „ik zal me doodvervelen."

„Misschien valt dat wel mee."

„Natuurlijk valt dat níet mee, dat weet je best. Heb jij wel eens weken stil moeten liggen?"

„Nee," zegt Hilde, „maar wat moet dat moet. Ik zal een paar boeken voor je pakken. En, Wouter, niet de hele dag met een verveeld gezicht zitten te kijken, daar kan ik niet tegen."

De jongen kleurt. „'t Is ook zo stomvervelend. We hadden notabene in de eerste helft goed gespeeld en zouden zeker hebben gewonnen na de rust, als Henk en ik elkaar niet te grazen hadden genomen."

Hilde geeft hem een paar boeken.

„Lezen," zegt hij smalend, „buiten schijnt de zon."

„Die zal er over twee weken nog wel zijn."

Ze besluit geen aandacht meer aan hem te besteden. Hij is als jongste een beetje verwend, bekent ze zichzelf. Hij scheelt vier jaar met Anneke, dat is op deze leeftijd veel.

Ze gaat de tuin in. De kille februarizon schijnt uitdagend op schrale bloemen en planten, verstopt zich in bij elkaar gebonden heesters en duikt weer te voorschijn in de achterkant van de tuin. Boven haar hoofd gaan rusteloze wolken; bij de horizon is een lange rechte lijn getrokken, gedompeld in een wazig rose en zachtcrème. Over een maand is de lente er weer, zullen de vogels weer zingen, zal de mens zich openen voor een nieuwe groei, een gevoel van verwachting.

Soms, zoals nu, met die vochtige wind langs haar gezicht en de bijna tastbare stilte, heeft ze het gevoel één te zijn met alles wat groeit en leeft.

Toon zou glimlachen om deze beschouwing. Hij kan ontroerd zijn bij het zien van leed, hij wordt geraakt als er met een van de kinderen iets is. Maar een dromer, die zomaar stilletjes een poos kan staan dagdromen, is hij niet.

Misschien is het wel goed dat mensen allemaal van elkaar verschillen. Ze haalt de hark uit de schuur en schraapt de gevallen bladeren bijeen.

4

Op een nacht kan Hilde niet slapen. Buiten, in de veilige duisternis, zijn geen geluiden, overal heerst volslagen rust. Naast haar is de kalme ademhaling van Toon.

Ze weet hoe hij slaapt, de knieën opgetrokken, zijn gezicht diep in het kussen. Ze heeft hem wel eens bespied als hij in diepe rust naast haar lag. Ze keek dan naar de ontspannen, vredige trekken, die verraden dat hij het wel getroffen heeft in het leven. Eén keer streek ze impulsief over zijn gezicht, langzaam en teder. Hij mompelde iets in zijn slaap. Ze had het naderhand niet meer gedaan. Ze weet dat hij zijn slaap hard nodig heeft.

Ze weet nog meer... De laatste dagen is hij stiller dan ze hem kent en ze vermoedt dat het met zijn werk heeft te maken. Als ze ernaar vraagt doet hij quasi-vrolijk, maar het is een vrolijkheid die ze doorheeft. Hij kan haar niet bedriegen; zijn ogen zeggen het haar, zijn mond en vooral de manier waarop hij antwoordt. Er is in deze stille nacht een sluipende angst in haar. Zou de zaak een fusie aangaan? Zou hij zorgen hebben over zijn baan? Hij is al twintig jaar op dat kantoor. Het zou niet sportief zijn als ze hem zouden ontslaan. Maar wat betekent sportief als het om banen gaat, om eerzucht, hunkeren naar succes, nóg meer salaris, nog meer aanzien.

Ze kan een gevoel van bezorgheid niet wegdrukken. Hoe help je iemand die een groot stuk van je leven is, die je kent en aanvoelt. Ze gaat op haar andere zij liggen, Toon wordt wakker.

„Wat doe je?”

„Niks, ik keer me gewoon om.”

„Dat noemt ze gewoon omkeren.”

Ze lacht.

„Wat is er nou te lachen?”

„Zoveel.”

„Ik ben nog te slaperig om de clou van je woorden te begrijpen.” Hij keert zich weer om en probeert opnieuw in slaap te komen.

„Toon,” zegt ze.

„Wat nou weer?”

„Je moet niet zo snel geprikkeld zijn, daar los je niets mee op.”

„Ik ben niet geprikkeld.”

Ze probeert in het donker zijn hand te vinden. „Waarom vertel je het me niet?”

„Wat niet?”

„Dat je zorgen hebt.”

Het duurt even voordat hij antwoord geeft. „Hoe weet je dat?”

„Ik ken je.”

„Je kent me niet, alleen maar een beetje. Elk mens bewaart zijn diepste gevoelens voor zichzelf. Misschien is dat zijn reserve.”

„Praat er nou niet omheen.”

„Doe alsjeblieft niet zo opvoederig tegen me, daar kan ik niet tegen. En laten we nu gaan slapen. 't Is morgen weer vroeg dag, ook voor jou.”

Ze weet niet hoe ze hem kan benaderen, hoe zijn trots te breken, ervoor te zorgen dat de innerlijke spanningen verdwijnen.

„Als je vindt dat ik er niks mee te maken heb, heb je het mis,” zegt ze zacht. „Samen iets dragen is zoveel eenvoudiger. Waarom sluit je je af en vecht je alleen?”

„Laat me nou, ik wil slapen.”

Er is een bedroefd gevoel in haar. Dit is de eerste keer dat hij haar buitensluit, dat hij probeert haar te sparen. Hij beseft niet dat de basis van samengaan ligt in het elkander te betrekken in kleine en grote dingen. Kunnen zorgen een mens zo veranderen? Ze herinnert zich het overlijden van hun eerste baby. Het kind was twee maanden te vroeg geboren en had te kampen met grote ademhalingsmoeilijkheden. Ze had de baby direct na de geboorte even gezien. Ze had naar dat ronde, onzegbaar kleine kind gestaard, naar hun dochter. Ze hadden al een naam voor d'r, ‘Merel’. Die naam deed denken aan verfijning, gratie, lichtvoetigheid. Vanaf een afstand kon ze het kind in de couveuse zien liggen. Het leek het in het begin goed te doen.

‘We hebben goede hoop,’ zei de arts. Toch ging het mis, het kind verloor de strijd.

In die dagen veranderden ze beiden, Toon en zij. Ze zochten steun bij elkaar en konden die geven; ze werden beiden kwetsbaarder, verwachtingsvol soms als ze spraken over de toekomst.

„We zijn nog jong, er zullen meer kinderen komen," zei Toon.

„Maar geen van die kinderen zal onze Merel zijn."

Twee jaar later kwam Taco, een stevige boy. De bevalling ging vlot en zonder complicaties. Toen ze de baby hoorde schreien, schreide ze mee, zonder tranen. Ze wilde Toon en haar een tweede teleurstelling besparen.

„Het kind is kerngezond," zei de arts, „maakt u zich deze keer niet ongerust."

In die dagen die boordevol emoties en geluk waren, vonden Toon en zij elkaar in een ontroerende liefde.

Waarom konden ze elkaar toen wél helpen? Waarom ook de eerste keer toen het mis ging? Ze droegen het samen, het stille verdriet, de diepe teleurstelling. Ze waren zelden zo één geweest.

En nu?

Ze besluit er niet meer over te beginnen. Op een dag zal hij het haar zeggen. Ik hou van je, denkt ze, ik hou zo van je…

Toon ligt in het duister voor zich uit te staren. Hij heeft zich al dagenlang voorgenomen met Hilde te praten, hij mist er de moed voor. Zijn ijdelheid is bezeerd, zijn eigenwaarde verdwenen. Van de week moest hij bij de baas komen. Hij is nooit bang geweest voor die grote, respect afdwingende baas.

„Ga zitten," zei deze. „Roken?"

Hij had een sigaar afgewezen.

„Denk niet, Poortman, dat ik het prettig vind, dit gesprek te moeten voeren. Maar ik heb geen keus. Je begrijpt misschien wel waar het om gaat. De fusie is erdoor, we zitten nu met een personeelsoverschot. De jeugd van het bedrijf, de mensen onder de dertig, gaan met ons mee. De mensen boven die leeftijd, diverse tenminste, kunnen niet gehandhaafd blijven."

„Ik werk hier al twintig jaar," had hij gezegd; het was net of het zijn eigen stem niet was, maar die van een ander.

„Dat weet ik. Ik vind het beroerd. Er zullen meer machines nodig zijn en je weet; meer machines, minder werk voor mensen."

„Hoe regelt u deze zaak financieel?"

„Maak je daar geen zorgen over, dat komt wel in orde."

Hij durfde niets meer te vragen. Alleen nog dit ene: „wanneer kan ik gaan?"

„Over twee maanden. Tja, het spijt me echt, Poortman, maar ik zie geen andere mogelijkheid."

Hij was de lange trap afgelopen. Het leek net of hij jaren slaap te kort was gekomen, of zijn lichaam en geest zich wilden overgeven aan een vluchten, een uittreden in een niemandsland. Hij was naar een café gegaan. Hij haat cafés, maar soms, zoals die bewuste dag, had hij er opeens behoefte aan. Hij kon zich plotseling voorstellen hoe iemand aan de drank verslaafd raakt.

Hij bestelde twee jonkies tegelijk. Het was overvol in het café, veel jeugd, veel ouderen. Hij had naar een stel jongens gekeken, knullen onder de dertig. Er was een gevoel van haat in hem bovengekomen en hij had de jongens wel willen toeschreeuwen: „Over vijftien jaar, of iets langer, liggen jullie er ook uit. Nu denk je nog de hele wereld te kunnen veroveren; later zul je leren hoe hard het leven is. Dan besef je dat je je beste jaren hebt verloren, dat je je hebt ingezet voor niets."

De borrels hadden hem goed gedaan. Hij had er best nog een paar gelust, maar ergens in zijn hoofd ging die middag een lampje branden en zag hij een bordje: Stop, niet verder.

Er viel natte sneeuw toen hij naar huis ging. De hemel was dicht en dreigend. Hij liep door de straten als een vreemdeling, een onbekende voor zichzelf. Hij bekeek zich in de etalageramen; een gewone man, in een gewone jas. Van binnen koud, eenzaam. „Daar loop je nou," dacht hij, „daar ga je nou, stap voor stap. Een man zonder werk, een werkloze. Daar ga je nou. Vanmorgen wist je nog van niks. Je hebt op kantoor met de anderen koffie gedronken, een paar moppen verteld, met plezier je werk gedaan. Je had vertrouwen in het leven, omdat het je steeds een vertrouwde, zekere hand had toegestoken. En nu...?"

Op straat had hij geoefend in 'glimlachen'. Hij wilde net als altijd opgewekt thuiskomen, gewoon zeggen: „heb je nog koffie?" gewoon met de kinderen praten, met kleine Wouter, met Anneke en Jes.

Hij weet nog dat er een sterke ontroering in hem bovenkwam als hij dacht aan de mensen die zijn hart hadden, Hilde en de kinderen. Hij meende de laatste dagen de situatie best aan te kunnen. Niemand merkte immers iets aan hem?

Maar Hilde dan? „Als je vindt dat ik er niks mee te maken heb, heb je het mis. Samen iets dragen is zoveel eenvoudiger..."

Hij beseft opeens dat er tranen over zijn gezicht lopen. Wat voor een man is hij? Een sentimentele kerel? Of gewoon een mens in grote geestelijke nood?

Hij weet dat het het laatste is. Hij vecht inderdaad alleen, vechten is dikwijls het enige dat een mens op de been houdt. Hij voelt haar hand over zijn haar. Hij lijkt wel alsof hij een kind is. Hij doet of hij niets merkt. Hij hoort haar stem – geen vrouw heeft een stem als zij, sterk en troostvol. „Wouter heeft met voetballen een ongeluk gehad. Hij moet een paar weken thuisblijven." Hij draait zich in het donker naar haar toe. „Erg?"

„Nee, 't viel gelukkig allemaal wel mee."

Morgen, denkt hij, morgen zeg ik het haar. Van die baan, van alles wat hem benauwt. Waarom niet nu? Hij is een man die altijd naar de dingen moet toegroeien, die tijd nodig heeft. Zo pardoes kan hij nooit met iets voor de dag komen. Dat is het grote verschil tussen hen; Hilde is open en spontaan, hij trekt zich vaak terug. Hij wilde wel dat hij was zoals zij, een beetje maar. Hij zou dan misschien meer warmte voelen, meer warmte te geven hebben, maar hoe verander je jezelf?

Hij voelt dat hij haar teleurstelt. Ze heeft een opening gemaakt, geestelijk een hand toegestoken. Hij maakt er geen gebruik van. Hij kan dat niet.

„Laten we maar gaan slapen," zegt ze. „Welterusten."

Opeens knipt hij het licht aan; het kleine lampje boven het bed beschijnt een stukje van haar haren en haar wanglijn.

„Hilde..."

„Wat is er nou?" Hij neemt haar in zijn armen. Ze weert niet af; ergens ver weg is een vorm van begrijpen, van willen geven wat hij verlangt. Ergens is ook een begin van een nieuwe harmonie. Mensen leren elke dag van elkaar, krijgen steeds weer een kans opnieuw te beginnen.

Ze streelt met haar hand door zijn haren.

Hij ligt tegen haar aan, zijn hoofd op haar borst.

„Gaat het om de zaak?" vraagt ze. „Sorry," zegt hij, „ik hoop dat je het begrijpt, dat van nu..."

„Wat is er op de zaak?"

„Over twee maanden sta ik op straat." Ze heeft het vermoed, toch komt de klap aan.

„We vinden er wel iets op."

„Ik had het je willen besparen."

„Praten is altijd beter."

Ze hoort hem uit bed gaan, naar de badkamer. Als hij weer terugkomt, gaat hij dicht naast haar liggen. „Ik maak me zoveel zorgen," zegt hij, „over de toekomst, over de kinderen en... over jou."

„Je vergeet dat ik nog altijd mijn diploma Engels heb, dat ik op de mavo en de havo les kan gaan geven."

„En ik dan zeker de huishouding doen? Nooit."

Waarom niet, denkt ze, waarom de zaak niet eens omkeren? Toch weet ze dat het voor een man geen eenvoudige taak is een hele dag in de huishouding te zitten, Toon is daar geen man voor.

„'s Nachts los je niets op," zegt ze. „We praten erover als het weer licht is." Ze zoent hem.

Met haar arm om hem heen valt ze in slaap.

5

Lente... Eindelijk een gevoel een nieuw mens te zijn, te mogen leven, ademen, zingen. Eindelijk een kracht voelen die je maandenlang miste.

Toon Poortman kijkt de drukke vogels na die juichend recht op de wolken afstormen, hij kijkt naar alles wat groeit en ontluikt en hij ruikt uit de aarde verjonging en bloei.

Zijn laatste dag op kantoor is voorbij. Tot het laatst toe had hij gehoopt dat hij met stille trom zou kunnen vertrekken, dat hij, net of er niets aan de hand was 'goeie middag' zou kunnen zeggen, zijn jas aantrekken, zijn tas nemen. Maar tegen half vier, het ogenblik waarop de koffie altijd komt, stond de baas opeens naast hem. Hij zei iets tegen hem, tegen hem en nog een paar anderen. Wat hij zei weet hij niet meer. Wel dat hij zich moest beheersen de 'enveloppe met inhoud' niet botweg in het gehate gezicht van de baas te smijten. Wonderlijk, zo gecompliceerd een mens in elkaar zit. Hij wist nooit dat hij kon haten.

Hij had de woordenstroom over zijn hoofd laten gaan, had naar buiten gekeken, naar de wolken en de hoge bomen en naar de mensen aan de overkant bij de bruggen. Hij had een man met een handkar gezien, een paar jongens op fietsen, de kleuren van een bloemenstalletje. Hilde, had hij gedacht, ik kom straks thuis met armen vol bloemen. Iets anders was er niet in hem bovengekomen. Hij weet nog dat veel mensen hem een hand gaven en hem het beste wensten en dat hij daar maar gestaan had, vreemd voor zichzelf, vreemd voor de anderen.

Hij had de koffie gedronken, de miserabele koffie uit de auwouteraat, die altijd door de jongste van de afdeling in bekertjes op je bureau werd gezet.

Tegen half zes had hij zijn jas gepakt. Hij wilde niemand meer zien, niemand meer groeten. Voorbij... Twintig lange, waardevolle jaren, waarin hij van zichzelf het beste gaf dat hij kon geven. Toch had het hem even goed gedaan toen een van de typistes naast hem kwam lopen en zei dat ze hem erg zou missen, omdat hij nooit hard uitviel als ze brieven verknoeid had. Hij had even geglimlacht. „Viel ik echt nooit uit tegen je?"

„Nee," zei ze.

Waarom pijnigt hij zichzelf zo met die ellenlange middag in zijn geheugen te griffen. Hij neemt de weg langs de dijk. Het water klotst glanzend tegen de harde stenen, de zon tovert er gouden banen in; in de verte gaan schepen langs de horizon. Hij blijft staan. Een jongensdroom komt boven; ver weg gaan naar een vreemd land, een land met ruimte. Australië, Nieuw Zeeland. Ergens helemaal opnieuw beginnen, met alleen maar je wil om te werken, de inzet van je levenservaring.

Nee, vluchten is nooit een oplossing. „Als ik via relaties iets voor u weet, Poortman, hoort u van me." Hij kan het gezicht en de stem van de baas niet kwijtraken.

Een man en zijn hond passeren hem. Hij kijkt naar het spel dat beiden spelen; een stuk hout weggooien en laten terugbrengen; hij hoort het blije blaffen van het dier. „God," zou hij willen bidden, „hoe moet ik leven, waar is de weg?" Hij heeft het gevoel in een lange stikdonkere tunnel te lopen, snakkend naar licht en openheid.

Hij gaat verder, hij heeft het verwarde gevoel in één enkele middag jaren ouder te zijn geworden.

Heeft hij nu zelfmedelijden? Is hij – als zoveel mensen – iemand die alleen aan zichzelf denkt? Straks komt hij thuis. Hilde zal de koffie wel klaar hebben, ze zal haar werkbroek wel dragen, zo'n lang geval met boven smalle bretels, haar haar zal speels om haar gezicht bewegen en haar ogen zullen zijn gezicht aftasten om daarop te lezen hoe het met hem is. De kinderen zullen er wel zijn. Wouter met zijn huiswerk, Jes en

Anneke. Hoe kan een mens het zich dan veroorloven zich te laten gaan? Met een gezicht van ouwe lappen binnen te komen en onmiddellijk de sfeer verknoeien?

Aan het eind van de dijk neemt hij de weg naar de bloemenmarkt. Er is een schampere stem in hem: „Wat doet een bedelaar met rode rozen...?"

Een jong meisje kijkt hem aan en schenkt hem een glimlach. Heeft hij als kerel van zesenveertig nog charme voor een jong ding? Hij kikkert er een beetje van op. Soms geven kleine dingen een mens opeens een ruggesteuntje.

Hij koopt twee bossen tegelijk.

„Wat goed te maken, meneer?" vraagt de marktkoopman.

Hij schiet in een lach. Da's een goeie, denkt hij. Hij lacht zo gul dat de man hem verbaasd aankijkt.

„Zo kun je het wel noemen, ja," zegt hij.

Hij heeft zin weg te rennen, de bloemen een eind weg te gooien, langs het kantoor te gaan en naar boven te kijken, naar de derde verdieping waar hij twintig lange jaren van half negen tot half zes heeft gewerkt.

Hij weet zich te beheersen. Hij wacht op de man, die de bloemen in papier wikkelt.

„Tot ziens, meneer. Dank u beleefd."

„Tot ziens." Hij houdt de bloemen dicht tegen zich aan; ze vertegenwoordigen een wereld van vreugde en toekomst.

Hilde ziet hem aankomen, ze hoort het bekende gesnor van de wagen.

Vanmorgen heeft ze met de kinderen gepraat. „Je kunt nooit alles in het leven hebben," zei ze, „er moet ergens iets te bevechten blijven."

„Waar heb je het over?" vroeg Jes.

Wouter zat met zijn melk te knoeien, Anneke probeerde een nieuwe haardracht voor de spiegel.

„Pap is met ingang van morgen niet meer op kantoor. Hij is ontslagen, de zaak gaat samen met een andere firma en nu zijn er mensen te veel."

„Mijn vader?" vroeg Wouter. „Da's een gemene gore rotstreek. Zijn we nou arm?"

„Nee," zei ze, „arm zijn we nog lang niet. Pap gaat natuurlijk solliciteren, maar het kan wel even duren eer hij wat anders heeft. Jullie zien hem nu dus veel vaker thuis."

Jes had haar stil aangekeken. „Wat zal hij zich ellendig voelen," zei ze.

Anneke was doorgegaan met haar nieuwe kapsel. „Vervelend," zei ze, „nou zal hij vast mijn huiswerk vaak overhoren."

„Die kans zit er wel in," zei ze. Ze glimlachte om de drie verschillende reacties.

Ze hoort de deur gaan, ziet hem in de gang staan, zijn armen vol bloemen, zijn gezicht daarboven vreemd leeg en ver weg. Ze schaamt zich niet. Kinderen mogen best zien dat volwassenen van elkaar houden.

Ze slaat haar armen om zijn hals. Ze schreit niet. Tranen helpen zo zelden. Ze voelt dat hij tegen haar aanleunt, zoekend naar houvast.

„Wat een heerlijke bloemen," zegt ze. „Misschien betekent dat een nieuw begin."

Later, veel later, herinnert ze zich nog de manier waarop hij haar aankeek, hulpeloos en tegelijk lief. Mannen kijken zelden lief, ze schamen zich hun gevoelens te tonen.

„Kom erin," zegt ze. „Geef mij die bloemen maar, ik zal ze in een vaas zetten."

Kinderen reageren altijd op de juiste manier. Wouter komt hem tegemoet. „Mam zei het me, van je werk. Zal ik je helpen zoeken in de advertenties van de krant?"

„Da's zo'n gek idee nog niet."

„Als je je nou maar niet met alles bemoeit," zegt Anneke. „Mams alleen is soms al lastig genoeg."

Haar gezichtje is strijdlustig.

„Je hebt je haar anders," zegt hij.

„Vind je het mooi?"

„Een beetje volwassen."

„Ik word toch zeker al zestien straks?"

„Dat vergat ik. Ja, als je zestien wordt..." Hij trekt haar plagend aan haar arm.

„Hè, toe nou, pap..."

Ze zal een felle jongedame worden, denkt hij, geen katje om zonder handschoenen aan te pakken. Hij verbiedt niet zo vaak. Om die opmerking van straks had hij haar kunnen straffen. Maar hij begreep dat dat voortkwam uit machteloosheid, uit een niet weten hoe te doen.

„Gaan we dit jaar nog met vakantie?" vraagt Wouter.

Toon kijkt naar het gezicht van Jes. Jes, zijn oudste dochter, vanaf baby een gevoelig, bescheiden ding, altijd nog vechtend tegen een gevoel van onzekerheid. Hij vraagt zich af hoe ze zo komt. Soms begreep je van je eigen kinderen zo weinig.

Ze voelt zijn blik. Er glijdt een blos over haar wangen, haar vlecht zit wat slordig op haar rug. Hij houdt met zijn blik haar ogen vast. Er is een glimlach in zijn ogen en ze kijkt naar beneden.

„Wat zei je, Wouter?"

„Of we nog met vakantie gaan."

„Waarom zouden we niet? We hebben immers dat huis op Terschelling gehuurd? Ik zou niet weten waarom dat niet zou doorgaan."

Hilde en hij zijn geen mensen voor lange buitenlandse reizen, ze zoeken meestal de rust van de eilanden. De laatste jaren, nu Wouter nog op de lagere school is, moeten ze helaas wel in de drukke vakantietijd gaan, maar misschien is daar wel een mouw aan te passen. Bij Wouter in de klas is een jongen die in de winter met zijn ouders naar de wintersport gaat en daar dan enkele dagen vrij voor krijgt. Een winter op Terschelling zou veel boeiender zijn dan een zomer. Of eigenlijk, anders.

„Ik weet nog best van vorig jaar," zegt Wouter. „Weet je nog, pap, die reiger die we vonden en die jij in de wagen naar de dierenarts bracht? Ik denk er nog wel eens aan of we hem terug zouden zien."

„Hoe kan dat nou," spot Anneke. „Alle reigers lijken op elkaar. Hoe zou je nou weten dat dat jouw reiger was?"

„Hoepel op," zegt Wouter.

Hilde schenkt koffie. Gelukkig, denkt ze, we kibbelen weer. Kibbelen is een vorm van openheid, van oprechtheid. Meestal laat ze de kinderen hun gang gaan, alleen als het de spuigaten uitloopt grijpt ze in.

De bloemen in de hoge witte vaas vullen de kamer met een bijzondere geur. De wind door de hoge bomen danst met de takken, het land ligt groen en uitdagend.

Hilde neemt het in zich op, de kamer met Toon en de kinderen, de wereld die van hen samen is, waarin ze horen en elk een eigen plaats hebben, de wereld buiten die van iedereen is, gevaarlijk en aantrekkelijk, nemend en gevend.

„Jij nog koffie?"

„Graag," zegt Toon.

Ze is blij dat de kinderen de grauwe tint van zijn gezicht hebben geveegd met hun gepraat en gevraag.

„Heb je Michiel al gebeld?" vraagt Toon, „en Taco?"

Ze knikt.

„Ga nou eens voor de spiegel vandaan, Anneke," zegt Jes, „vind jezelf niet zo fantastisch."

„Dat komt omdat ik langere wimpers heb dan jij."

„Kan het niet een beetje anders?" zegt Toon. „Ik wil geen herrie als ik koffie drink. Anneke, leg die kam weg, je kamt je haren maar boven op je kamer."

„Wil jij nog even koffie halen, Wouter?" vraagt Hilde.

„Ik ga wel," zegt Jes. Ze loopt langs Toon. Heel even legt ze haar hand op zijn schouder. Het is zo'n zacht gebaar, dat het bijna is of het niet gebeurde.

De rust is voor een ogenblik weer terug. Maar voor hoelang?

6

Het is een vreemde wereld waarin ze met zijn allen leven, de kinderen, Hilde, Toon. Het is wonderlijk elke dag man en vader over de vloer te hebben. Het brengt kleine strubbelingen, spanningen die niet uit de weg zijn te gaan.

„Zal ik je helpen?"

Hoe dikwijls per dag vraagt hij dat niet. Aan de kinderen, aan Hilde.

Ze staat te strijken, Hilde Poortman-Hagens. Toon leest een krant.

De strijkbout gaat bedachtzaam over het ingevochte goed. De strijd van Toon is moeilijker dan ze voor mogelijk hielden. Gisteren schreef hij weer op vier advertenties.

'Boekhoudkundige kracht gevraagd, liefst met ervaring, salaris nader overeen te komen.' Ze voelt zijn strijd, maar ze kan niet helpen.

Als er geen leeftijd bij de advertenties staat, klaart zijn gezicht op.

„Gelukkig, nou kan een ouwe vent ook nog eens solliciteren." Zijn sarcasme gaat een beetje op haar over. Ze moet zich dwingen niet ruw uit te vallen. Soms herkent ze hem niet, dan is hij niet te bereiken.

Hij rommelt wat in de schuur, heeft de slaapkamer van Wouter behangen, klusjes in huis gedaan.

Hoe lang moet dit nog duren? Ze wil vechten voor het geluk van hun gezin, voor de sfeer die altijd – ondanks wat gewone wrijvingen – goed was, goed in die zin dat er liefde leefde en blijheid.

Gisteren kwam Jes tegen achten beneden. Ze had een aparte jurk aan, ze droeg haar haren los over haar schouders.

„Ga je uit?" vroeg Toon.

Ze knikte.

„Waar ga je heen?"

„Met Koos naar vrienden, 't zal niet laat worden."

„En daar weet ik maar helemaal niks van?"

„Maar pap, mam wist het."

„O. O ja, dat vergat ik. Vroeger zat ik vaak boven nog wat te werken." Ze had voor het eerst willen uitvallen, Hilde. Hem willen zeggen niet zoveel zelfmedelijden te hebben, maar voor de lieve vrede had ze gezwegen.

Ze kijkt naar hem, naar de manier waarop hij de krant leest, ongeïnteresseerd, alsof hij niet meer bij de wereld hoort. Ergens voelt ze dat ze zelf veel strijdbaarder is dan hij, dat ze meer wilskracht heeft. In tijden van tegenspoed leerde je elkaar op een totaal nieuwe manier kennen, kwamen er eigenschappen boven die tot diepere groei aanleiding gaven, of tot verwijdering. Dit laatste wil ze niet. Geen verwijdering, geen harde woorden en verwijten. Het steekt haar dat hij niet zoveel trots heeft, niets van collega's wil accepteren. Hij krijgt nog wel eens telefoontjes van de vroegere zaak. Er is wel eens een collega die hem een idee geeft, een tip. Hij verzet zich dan tegen die goedgemeende raad. „Ik heb nog vier sollicitaties lopen, die wacht ik eerst eens af. Bedankt."

Alle dagen lijken op elkaar, schuiven in elkaar over als de schemering in de nacht, hebben minder kleur en inspiratie.

Als een man van huis is, denkt Hilde, is het een feest als hij om half zes de deur binnenstapt. Als hij de hele dag om je benen is, is het een belasting. Ze bekent het zichzelf. Hoe goed ze ook met elkaar overweg konden en nog steeds kunnen, het is niet goed elkander steeds te zien en tegen te komen.

Ze legt het laatste restje wasgoed op de plank.

„Verveelt je dat nou nooit?" vraagt Toon.

„Wat? Dat strijken? Ik weet wel leuker werk, maar het moet gedaan. En je kunt er zo heerlijk bij denken."

„Wat denk je dan allemaal?"

„Van alles."

„Je bent vaag."

„Je kunt gedachten ook niet altijd overbrengen."

„Denk je ook wel eens aan mij?"

„Wat bedoel je?"

„Doe niet zo vervelend, je weet wat ik bedoel."

Ze schakelt de strijkbout op 'wollen' goed.

„Ik wil daar niet zo vaak aan denken," zegt ze zacht, „ik wil overeind blijven, de sfeer houden zoals die altijd was. Kinderen mogen gerust een beetje de zorgen van hun ouders weten, maar die zorgen mogen niet overheersen."

„Daar komt de post," zegt Toon.

Ze staat daar met de strijkbout in haar hand. Even verliest ze haar zelfbeheersing. „Laat het deze keer nou eens lukken," denkt ze, „alsjeblieft."

Het raakt haar te zien met hoeveel verwachting hij de brieven openmaakt. Hij gebruikt geen briefopener, hij scheurt ze wild open.

„En?" Ze móet het vragen.

„Op één brief is een antwoord. lk moet me komen voorstellen. Alleen het salaris staat me niet aan, het is driehonderd gulden minder dan ik verdiende."

Maar het is van zoveel belang dat je weer werkt, zou ze willen zeggen, dat je weer leeft, op tijd de deur uitgaat, op tijd terugkomt. Begrijp je dan niet waar het om gaat. Om werk... om levensvreugde.

Ze strijkt door. Het is opeens prettig, te strijken. Je behoeft er niet al te geconcentreerd bij te zijn, je maakt niet zo gemakkelijk fouten.

„Wat denk je?" vraagt hij, „zal ik gaan praten?"

Ze weet niet wat haar bézielt, waar de harde klank in haar stem vandaan komt, de stroom van woorden, de verwijten. „Je hebt zo weinig keus, natuurlijk ga je. Je bent nog in de kracht van je leven, je kunt er nog van alles van maken, van jezelf en van ons..."

Ze haat zichzelf omdat ze huilt, omdat ze niet kan ophouden, omdat alle reserves opeens niet meer bestaan. Ze huilt om gevoelens die geen woorden hebben, geen vormen.

„Moet je je daarom zo laten gaan?" Hij begrijpt er niets van. Hij wil toch het beste, het allerbeste voor hun hele gezin. Een goed salaris, veel mogelijkheden om behoorlijk te leven. Maar door deze gedachten heen glijdt toch wel een draad van verwijt. Als hij heel eerlijk tegenover zichzelf is, moet hij toegeven dat ze gelijk heeft, dat hij de laatste maanden bezig is een andere vent te worden, een ontevreden, ongelukkige kerel die zich overal mee bemoeit en weinig opbouwends inbrengt.

„God, Hilde, ik heb het echt goed bedoeld."

Dat is het juist, denkt ze, daar gaat het om. Je bedoelt het goed, maar je kiest het verkeerde.

Ze wrijft snel met haar hand over haar gezicht. Ze kijkt hem aan. Zijn gezicht is ouder geworden, het is haar Toon niet meer, de man met zijn kwinkslagen, zijn humor, zijn liefde. Schrijnend voelt ze dat ze al die woorden misschien niet tegen hem had moeten zeggen, maar dat het goed is dat ze gezegd zijn. Schrijnend is er een gevoel van eenzaamheid, in haar, in hém, dat er nooit de mogelijkheid is elkaar volledig te bereiken. Zou elk mens eenzaam zijn? Je werd alleen geboren, je stierf alleen en de jaren daartussenin probeerde je de kracht van de liefde in je aan de man van wie je houdt te geven. Maar is die kracht voldoende? Blijft een mens niet altijd in gebreke?

„Ik weet dat je het goed bedoelt," zegt ze zacht, „maar het is voor je gevoel van eigenwaarde zo goed als je weer een baan hebt, als je op die oproept schrijft. Ook al verdien je minder, dat is niet zo erg belangrijk."

„Ik dacht altijd dat jij de kinderen het beste van het beste wilde geven?"

„Ja," zegt ze, „dat is ook zo, maar wel het beste in eenvoud."

Ze is blij dat de kinderen nog niet thuis zijn. Het is niet goed als een kind ziet dat zijn moeder heeft gehuild.

Ze legt het strijkgoed op een stoel. Ze kijkt ernaar. Zo groot als alles wordt, de hemden, de blouses. Er was een tijd dat je het ondergoed van de kinderen in je twee handen kon vasthouden, zo klein was het, zo vrolijk. Ze wendt haar gezicht snel opzij. Ze ziet Toon over de brief gebogen. Ze vermoedt een strijd in hem, een gevecht om het overwinnen van trots. Ze kan hem niet helpen. Een mens moet altijd alle dingen zelf doen.

„Je bent er toch geen snars minder om," zou ze hem willen zeggen. „Je bent toch niet alleen maar geslaagd in het leven als je een uitmuntend salaris meebrengt?"

Maar ze spreekt die woorden niet uit. Ze heeft een opening gemaakt, hij moet de rest zelf doen. „Ik breng even het strijkgoed naar boven," zegt ze.

Als ze langs zijn stoel gaat zegt hij: „Misschien heb je wel gelijk."

Ze glimlacht. „Misschien heb ik helemaal geen gelijk, maar ik weet wel dat je je een stuk gelukkiger zult voelen als je weer bezig bent."

Ze gaat naar boven. In de spiegel boven de wasbak op de kamer van Wouter ziet ze haar gezicht. Het is rood en een beetje vlekkerig.

Ze wast haar wangen, maakt zich wat op bij het heldere licht van de dag. Ze bestudeert haar gezicht, het is alweer een tijdje geleden dat ze aandachtig naar dit gezicht keek. Er komen kleine, ragfijne rimpeltjes bij haar ogen, er lijken van die tere kloofjes rond haar mond te zijn en bij haar kin. Maar haar ogen zijn nog steeds de grijze, peilende ogen van altijd, ogen die alles willen weten en onderzoeken, die alles zien en onthouden.

„Mam, ben je boven?" Met een schuldig gevoel legt ze de poederdoos weg.

„Ja, ik kom eraan."

Anneke kan nooit wachten. Ze vraagt zich wel eens af waar het kind die felle levensdrang vandaan heeft. Misschien van Toons vader, dat was ook zo'n driftkikker.

„Wat zie je er leuk uit," zegt Anneke. „Je hebt je opgemaakt, dat moet je meer doen."

„Ik zal eraan denken."

„Zeg mam, we willen dat gekke mens, o nee, pardon, die lerares Frans die van school gaat omdat ze ziekteverlof heeft, iets geven. Hoeveel geld mag ik hebben?"

„Wat doen de anderen?"

„Ze geven allemaal een riks. Dat moet wel, anders kom je met zo'n flutcadeau aan en dat kan natuurlijk niet."

„Hoe heet die lerares ook weer?"

„De Wilde. Geen goeie naam voor d'r, ze is zo tam als een vogel in een kooi. Nou, mam, wat doe je?"

Juffrouw De Wilde… een aardig gezicht, grijzend haar, een smalle, eenvoudige vrouw, niet geschikt om de jonge mensen van nu in toom te houden.

„We bespreken het beneden wel."

„Hè jakkie, waar vader bij is? Hij bemoeit zich overal mee. Laatst…"

Waarom slaat ze het kind? Haar hand vlaagt snel over Annekes wang. Ze begrijpt niet waarom ze slaat. Het is lang geleden dat ze zoiets deed.

Het kind kijkt haar aan. Er is haat in die ogen, haat op dat hoekige gezicht, haat in haar stem.

„Bah, wat gemeen!"

Ze hoort haar de trap afrennen, de buitendeur dichtslaan. Haar hart bonst. Waar zijn we nu met zijn allen aan bezig, denkt ze. Waarom houden we niet meer zo van elkaar? Het duurt lang voordat ze beneden komt.

7

Als ze weer in de kamer is, vraagt Toon: „Wat heeft Anneke?"

„Ik heb haar een klap gegeven, God weet waarom ik het deed. Ze was brutaal, ze zei iets over jou en dat verdraag ik niet."

„Wat zei ze precies?"

„Dat je je overal mee bemoeide. Ze kan niet alles eruit flappen wat ze wil, daar moet ze rekening mee houden. In de maatschappij kun je dat ook niet. Je moet je leren aanpassen, daar zit niks anders op. Maar het spijt me wel dat ik me zo liet gaan."

Ze kijkt hem niet aan. Ze wil zijn gezicht niet zien. Misschien had ze niet precies moeten weergeven wat het kind zei. Hij is kwetsbaarder dan voorheen.

„Misschien heeft ze wel gelijk," zegt hij langzaam. „We vergeten wel eens hoe we zelf waren op die leeftijd. Ik was ook zo'n schatje niet."

Hij komt naast haar staan. „Je bent behoorlijk over je toeren, geloof ik."

Ze knikt. „Zonder dat ik het wil, het overvalt me allemaal zo. De indeling die we vroeger hadden was prettig, veel beter. Een man moet niet dagen lang thuis zijn, daar kan een vrouw niet tegen. Ik tenminste niet, ik word er nerveus van."

Ze hoopt dat hij zal zeggen: 'Ik solliciteer wel op die minder betaalde baan,' maar hij zegt iets heel anders.

„Misschien kunnen we er zondag met z'n allen eens een dag op uit. Zomaar ergens heen. En dan onderweg een hapje eten."

„De kinderen worden groter, ze gaan niet graag meer mee. Jes al helemaal niet meer, Anneke misschien... Anneke... waar zou ze naar toe zijn?"

„Anneke is een nuchtere, die doet geen gekke dingen. Maak je geen zorgen, over een uurtje is ze weer terug."

„Ik hoop het."

„Ze zal wel naar Bas zijn."

„Wie ter wereld is Bas?"

„Ze heeft een vriendje geloof ik. Er tuft hier vaak een jongen op een brommer langs, een leuk joch. Als hij mij ziet keert hij om. Ik vroeg haar wie die jongen was. Ze keek zo stralend. 'Bas is de beste van de hockeyploeg', zei ze."

Ze kijkt naar Toon. Zijn hele gezicht lacht. Soms heeft hij vertrouwelijke gesprekken met het kind, soms bedilt hij d'r. Ze voelt een vaag gevoel van jaloezie. Met haar heeft ze er nog nooit over gesproken. Ze had geen idee dat er een Bas bestond.

Ze hoort de deur. Hoe zacht die ook opengaat, ze hoort het.

In de gang staat Anneke. Haar gezicht is kil, haar ogen spreken een harde taal. „Jammer, dat je me ziet," zegt ze. „Ik wilde m'n koffer pakken en ervandoor gaan. Nu zal me dat niet lukken, maar op een dag ga ik weg. Weg van jullie, van alles hier." Haar wang heeft een rode plek. Hilde kijkt ernaar.

„Ga even mee naar boven," zegt ze.

Mokkig zit Anneke tegenover haar.

„Volwassen mensen maken ook fouten," zegt Hilde. „Ik praat tegen je als tegen een mens die sommige dingen moet leren begrijpen. We hebben allemaal vervelende dagen achter ons en misschien zijn die dagen waarin iedereen op iedereen let, niet gauw voorbij. Maar één ding moet je weten, het spijt me dat ik je die klap gaf. Je bent me te dierbaar om er geen last van te hebben. Ik had het niet moeten doen. Maar ook mij is deze hele situatie met vader een beetje te veel. Daar komt het uit voort."

„En vertel me nu eens waar je naar toe zou gaan als je hier vandaan ging?"

Anneke kleurt. Ze probeert heel flink te antwoorden. „Nou, naar een vriendin of zo. Ik zou best bij Daphne kunnen logeren."

„Hoezo bij Daphne?"

„Haar moeder is er vaak niet, die heeft een vriend of zo. Haar vader woont al lang niet meer thuis. We hebben daar vaak veel lol, alles mag daar. Laatst hebben we rosé gehad, je bent daar geen kind."

Wat weet ze van haar eigenwijze dochter af? Wat móet ze weten en wat niet? Rosé... jongens en meisjes van amper zestien jaar in een huis zonder toezicht. Opeens begrijpt ze het kind. Het heeft een veel grotere strijd te voeren dan ze vermoedt.

„Is het niet ongezellig om alleen maar te doen waar je zin in hebt?"

Er verandert iets in Annekes gezicht. „Ik zou niet graag zo'n moeder hebben," zegt ze eerlijk. „Daphne moet vaak ergens gauw iets halen omdat de winkels dicht zijn en er niets in de ijskast staat. Ze koopt dan kroketten, of frites, soms haalt ze slaatjes uit een auwouteratiek. Die zijn niet lekker."

Het duizelt Hilde. Jarenlang probeerde je van een kind een zo harmonisch mogelijk mens te maken, zette je je in om het zo goed mogelijk te doen. Gezelligheid in huis, aandacht, en vooral veel liefde. Voor het eerst sinds ze moeder is beseft ze hoe moeilijk opvoeden is, hoe je voorbereid moet zijn op teleurstellingen. Buiten de veilige haven van het huis is een veel grotere wereld, een wereld van gevaar en leegte.

„Hoe kom je eigenlijk aan Daphne?"

„Ze zit bij me in de klas, gewoon. Ze is best leuk, erg vlot."

„Anneke," zegt Hilde en ze weet dat ze alle warmte die ze in zich heeft in dat ene woord legt, „Anneke, alsjeblieft ga er niet te vaak heen."

„Ik weet best waarom je dat zegt. We zouden eens gekke dingen kunnen gaan doen, met jongens en zo." Ze zegt het open en op de man af. „Maar zo stom ben ik niet."

„Je bent jong," zegt ze, „erg jong en kwetsbaar en gemakkelijk over te halen. Hier heb je bijvoorbeeld nog nooit rosé gedronken."

„Ik vind het niet eens lekker," zegt Anneke. Ze kijkt naar Hildes gezicht.

Het is waar wat ze straks zei, „ik zou niet graag zo'n moeder als Daphne hebben."

Altijd is mam er als je haar nodig hebt. Als je een rot proefwerk hebt gemaakt en je het niet durft te zeggen, als je je onzeker voelt en daardoor een grote mond opzet, als je met deuren smijt en het eigenlijk niet wilt. Je moet die dingen gewoon doen, dwars tegen alles ingaan, je afzetten. Je voelt je vaak zo verward, dan boven op de berg, dan in het dal. Alles nam mam van je, nou ja, niet alles, maar wel veel.

Ze houdt van haar, ook van pap, natuurlijk houdt ze ook van pap. Het is vervelend als ze in de klas zo pesterig vragen: 'Chaperonneert je pa je nog steeds?'

Meiden zijn vaak gemeen tegen elkaar. Ze is trots op haar vader; hij is groot en ziet er leuk uit. Ze kan het niet hebben als ze op school iets over hem zeggen. Daarom ook viel ze zo uit.

„Vergeet maar wat ik zei," zegt ze.

„Blijf je voorlopig nog bij ons?" vraagt Hilde. Er is een ernstige ondertoon in een lachend gestelde vraag.

„Tuurlijk. Ik zou het immers nooit doen."

„Dat hoop ik."

„Waarom?"

„Omdat wat jou pijn doet, ook mij raakt. Een kind hebben is jezelf kwetsbaarder maken, hulpelozer ook. In dat kind dat het niet kan vinden, zit een stuk van mij. In alles, in blijdschap en in moeilijkheden."

Anneke trekt haar jas uit, smijt hem op het bed.

„Ik wou dat ik weer was als vroeger," zegt ze hulpeloos. „Vroeger kende ik mezelf, nou vaak niet meer."

„Die strijd heb je niet alleen als je zestien bent," zegt Hilde. „Elk mens, op elke leeftijd, heeft dagelijks een gevecht te leveren. Maar je moet me één ding beloven, ik zou zo graag willen dat je dat kon. Ga niet te vaak naar Daphne. Nodig vriendinnen hier uit, ook vriendjes, dat is gezelliger. Je hebt een grote kamer. Wat daar kan, kan hier niet. En het is beter als iets niet kan. Later zul je begrijpen wat ik daarmee wil zeggen. Liefde heeft veel kanten."

„Had je gehuild straks?" vraagt Anneke.

„Daar hebben we het nou niet over. Ik vroeg je iets."

„Ik wil het wel proberen."

„Dat is alvast iets. Wat jouw vraag betreft, ja, ik huilde straks. Het is soms wel eens goed, spanningen af te reageren. Ik had het alleen niet op jou moeten doen."

„Mam, zullen we er nou over ophouden?"

Echt Anneke. Stoppen als ze er geen zin meer in heeft, zich terugtrekken in haar eigen kleine vesting.

„Ja," zegt ze. Ze zou het kind – want veel meer dan een groot kind is het nog niet – graag in haar armen willen nemen, haar willen beschermen tegen de scherpe kanten van het leven, haar laten opgroeien in een gezonde harmonie. Maar de tijd van tranen drogen en elkaar een zoen geven lijkt opeens voorbij te zijn. Alleen op verjaardagen, of op oudejaarsavond, wordt er nog wel eens een vluchtige zoen gewisseld.

„Zullen we kijken wat er op de tv is?" vraagt Anneke.

„Ja en misschien kun je eerst nog Wouter's huiswerk een beetje nakijken. Zijn zwakste punt is nog altijd zijn Nederlands."

„Daar was ik ook nooit zo'n ster in," zegt Anneke. Haar ogen hebben weer een beetje de glans van altijd terug, ze is weer een beetje een zorgeloos kind dat dansend door het leven gaat.

Bij de deur zegt ze: „Zeg mams..."

„Ja."

„Ik had die klap verdiend."

Hilde voelt een harde zoen op haar wang. Ze hoort rappe voeten naar beneden rennen en onder aan de trap een jolige stem: „Kom je nou nog?"

Kinderen hebben, denkt ze, is elke dag een beetje verder groeien in begrip en liefde. Gecorrigeerd worden door de mensen die je het meest dierbaar zijn.

Scherp, als in een flits, is er een diep gevoel van dankbaarheid. Om wat ze heeft en dikwijls niet beseft. Het is niet waar wat de mensen zeggen: „Het is geen tijd om kinderen te hebben."

Het is altijd tijd om het aan te durven ze in de wereld te plaatsen. Je moet ze met hart en ziel wíllen hebben. In het begin van hun huwelijk, vooral na het overlijden van kleine Merel, hadden ze hun leven wat kinderen betreft willen 'plannen'. Maar Toon zei op een avond: „Ik wil niet dat je die pil slikt."

„Ik dacht dat we dat juist wel moesten doen. We kunnen toch geen groot gezin hebben?" Hij had een arm om haar heen geslagen. Met zijn wijsvinger raakte hij haar wangen aan, de lijn van haar mond. „Ik wil graag dat je gezond blijft."

Ze begreep wat hij bedoelde. Ze had de pil niet geslikt, ook niet stiekem.

Ze hadden na Merel nog vijf kinderen gekregen en met elk kind waren ze even blij, met de blozende Taco, de huilerige Michiel, met Jessica, die al gauw Jes werd genoemd, en met de twee jongsten, vrolijke Anneke en nadenkende Wouter.

„Waar blijf je nou?" roept Toon.

„Ik trek even iets anders aan. Ik kom zo."

Als ze naar beneden gaat staat de deur van de huiskamer een stuk open.

Ze ziet het gedempte licht van de schemerlampen, het schijnt op Toon, op Anneke, op Wouter die zijn schriften en boeken op tafel heeft liggen.

Ze zou dit beeld voor altijd vast willen houden; de grote kamer, in de hoek bij het raam de lamp, de sfeer van rust en gezelligheid. Ze heeft opeens moeite haar tranen te bedwingen.

Soms voelt een mens wat hij allemaal hééft.

8

Ze is vroeg wakker die zaterdag, waarop ze weer een jaar ouder is geworden, Hilde. Ze ligt naar het plafond te kijken en naar de smalle strook pril daglicht, die langzaam hoger probeert te klimmen, tot aan de gordijnen. Toon slaapt nog. Ze kan een pluk van zijn bruine haar zien.

Hij trekt het laken altijd hoog over zijn gezicht. In het begin van hun huwelijk dacht ze dat hij het erom deed.

Het is overal nog erg stil, op straat zijn nauwelijks geluiden waarneembaar. Soms roetst een wagen voorbij, of een brommer. In de verte is een scherp kakelen van kippen en van tijd tot tijd klinken er voetstappen van voorbijgangers, mensen die geen vrij hebben en naar hun werk gaan. Zesenveertig is ze nu. Weer een jaar erbij. Ze zou God willen vragen hoeveel jaren ze nog heeft. Ze heeft het wel eens gedaan en zelf het antwoord gegeven: veel, eindeloos veel. Een mens wil zo graag leven, bestaan, ademen, horen, lachen. Hij schakelt het begrip 'dood' bij voorbaat al uit, al weet hij dat de dood bij het leven hoort.

Ze huivert. Waarom loopt of ligt ze toch zo vaak te denken? Denken is groeien, is proberen steeds hoger te komen in innerlijke kracht. Zo denkt ze nu; tien jaar geleden zou het niet in haar zijn opgekomen diepzinnige gedachten een kans te geven.

De kerkklok in de zijstraat van het kleine dorp slaat met heldere slagen zeven uur. Het daglicht is nog maar nauwelijks over de kim gegleden, heeft zich nog niet voldoende kunnen hechten aan huizen en straten.

Ze trekt haar knieën op en probeert nog wat te slapen. De dag zal druk genoeg worden, Michiel en Taco met hun aanhang zullen er zeker om een uur of elf al zijn, de vrienden zullen komen, vrienden van Toon, vrienden van haar, Lidy zal met haar kleine eigenwijze wagentje het pad op rijden. Hoe lang kent ze Lidy al? Minstens vanaf de schoolbanken.

Lidy's leven is zo totaal anders dan het hare. Voor Lidy geen man en geen gezin, wel een baan die voldoening gaf. Soms, als de kinderen druk en moeilijk zijn, zou ze wel eens met haar willen ruilen – Lidy een dag hier, zij een dag in haar ruime flat, met een riant uitzicht over zee, met veel smaak ingericht, met eigenlijk alles wat een vrouw zich aan luxe kan denken.

Ze rolt zich op als een poes. Ze is blij dat ze nu eindelijk twee eenpersoonsbedden hebben gekocht, zodat de ander bij elke beweging niet onmiddellijk wakker wordt.

„Goeiemorgen," zegt Toon opeens.

Ze draait zich om. Zijn gezicht is nog kreukelig van de slaap, zijn ogen zijn kleiner, zijn haar ligt slordig op zijn hoofd.

„Jij bent ook vroeg," zegt ze.

Hij knikt. Hij ligt zomaar wat naar haar te kijken, naar haar blote schouders die boven het laken uitkomen, naar haar halslijn en de vorm van haar lichaam. Hun liefde is rustiger geworden, sterker, veel meer in staat dat wat komt te incasseren. Hij is blij dat hij destijds toch naar dat kantoor is gegaan, hoewel hij dan de eerste tijd toch minstens wel driehonderd gulden minder zou thuisbrengen. Er zat wel wat muziek in die baan, niet direct, maar over enkele jaren.

„Wat kijk je," zegt ze. Het is fijn als je tijd voor elkaar hebt, als de dag begint met die kleine, prettige momenten.

„Waarom zou ik niet naar je kijken?"

„Ik ben 's morgens niet op mijn mooist."

„Je bent altijd mooi." Hij strekt zijn hand uit en raakt haar schouder aan.

„Op dit uur van de morgen?"

„Ja, ook op dit uur van de morgen."

Ze schuift dichter naar hem toe. Soms heeft de klank van zijn stem iets strelends, iets dat haar prikkelt, soms zijn het alleen zijn ogen, de manier waarop hij naar haar kijkt, met een diepglanzend gevoel van liefhebben.

Ze voelt zijn warmte, zijn hand die over haar schouders glijdt. Het is een heerlijk gevoel, die zachte, zoekende hand.

„De kinderen kunnen komen," zegt ze, „niet doen."

„Die slapen nog."

„Maar vandaag is het anders. Je weet hoe Wouter is, hij kan zijn cadeautje nooit lang voor zich houden."

„Zijn cadeautje." Zijn hele gezicht lacht, er springen honderden lichtvonkjes in zijn ogen. „Je bent jarig... ik had er zo gauw niet aan gedacht.

Knoop je nachthemd dicht, hoe durf je er zo bij te liggen.”
Hij neemt haar in zijn armen.
„Dat komt door mijn man,” zegt ze.
„Wat is die man van jou voor een vent?”
„Hij is brutaal.”
„En wat nog meer?”
„Hij heeft me nog niet gefeliciteerd.”
Hij bedekt haar gezicht met kussen, houdt haar dicht tegen zich aan, blij met haar zoete aanwezigheid, met de geur die uit haar haren opstijgt, uit haar hele zijn, blij met haar overgave. Als hij haar loslaat vraagt ze dromerig: „Is dit mijn cadeau?”
„Je begint een dure vrouw te worden.”
„Als je me mijn gang zou laten gaan zou ik een bijzonder dure vrouw zijn.”
„Wat zou je allemaal kopen?”
„Mooie spullen, misschien een bontjas. En nog zoveel dingen meer…”
Ze hoort op de slaapkamerdeur kloppen. Het is prettig dat ze de kinderen van jongs af aan geleerd hebben altijd eerst te kloppen en nooit zomaar binnen te vliegen.
Eén keer vergat Taco het en zag haar naaktheid. Hij bekeek haar aandachtig, wees op haar borsten. „Heb jij daar hoedjes?”
„Nee,” zei ze. „Uit hoedjes kun je niet drinken, uit een borst wel. Jij hebt daar vroeger, toen je heel klein was, uit gedronken.”
Hij was vijf en voor zijn leeftijd een ernstig kind. „Vond ik dat lekker?”
„Ja, je groeide ervan. Je werd elke dag een beetje groter.”
Hij had zijn beer uit zijn handjes laten vallen en minachtend gezegd eer hij de kamer uitging: „Je bent nou net een andere moeder.”
„Kom er maar in,” roept ze.
Wouter stort zich op haar alsof hij haar maandenlang niet heeft gezien.
„Ik heb wat voor je,” zegt hij, „je raadt nooit wat het is.”
Ze haalt z’n haren nog wat meer door de war. Een zoen ontvangen wil hij al lange tijd niet meer.
„Ik heb er hartstikke lang aan gewerkt,” zegt hij. Hij is nog steeds in alle opzichten een kind; zo voorlijk als de meisjes zijn, zo onvolwassen zijn de jongens.

Ze haalt het papier eraf en houdt een vierkant postzegeldoosje in haar handen. Het is met enthousiasme en liefde gemaakt. Het heeft alle fouten van jongensvingers, maar het heeft een eigen karakter.

„Daar ben ik blij mee," zegt ze.

„Je was altijd je postzegels kwijt. Ik heb het niet alleen gemaakt, Taco heeft me een beetje geholpen. Vind je 't mooi?"

„Erg mooi." Ze trekt hem even tegen zich aan, maar hij maakt zich los.

„Ik zal zeggen dat ze mogen komen," zegt hij.

Jes komt voorop. Het valt Hilde op dat ze weer langer is geworden. Met wat meer zelfvertrouwen zou ze een kleine schoonheid kunnen zijn.

„Gefeliciteerd, mam. Het is nog wel een beetje vroeg, maar straks zul je hem fijn kunnen gebruiken. Het was een uitverkoopje, anders had ik hem nooit zo goedkoop kunnen krijgen."

Er ligt een gevlochten strandtas op het bed, een tas met een vrolijk gezicht en een ruim, diep lijf, echt zo'n tas die ze altijd graag wilde hebben.

Ze kust Jes.

Er komt iets zachts in de ogen van het meisje.

Ze doet verlegen een stap opzij, om Anneke aan de beurt te laten komen.

Er is tussen Hilde en dit moeilijke kind de laatste tijd een stevige band gegroeid; de brute aanvallen blijven achterwege, er is wat meer wederzijds begrip en geduld.

„Als je het niet mooi vindt, draag ik het wel," zegt Anneke. Haar zoen is wild en onstuimig.

Hilde vindt het sjaaltje niet mooi, de kleur is te opvallend, te hel. Ze houdt het tegen haar hals.

Anneke bekijkt haar kritisch. „In de winkel met dat helle licht leek de kleur zachter," zegt ze verlegen. „Hij staat je niet, mam, veel te jeugdig."

„Maar jíj krijgt hem niet," zegt Hilde. „Dat zou je wel willen. Ik houd hem zelf, ik vind hem wel mooi. Weet je waar ik hem bij draag? Bij die saaie zwarte trui, of misschien losjes uit mijn overhemdbloes."

Ze zal hem dragen, mooi of niet mooi. Er lag zoveel verwachting in de ogen van het kind, dat zo dikwijls verkeerd gerichte gevoelspijlen afschoot, dat zo vaak bezeerd werd door een spontaan geuite opmerking, dat nog zo helemaal niet wist rechts of links te gaan.

Ze houdt haar wang even tegen die van Anneke. Een moeder moet van al haar kinderen evenveel houden, maar ze kan er niets aan doen dat deze dochter een extra groot stuk van haar hart heeft. Misschien omdat ze in haar veel van zichzelf terugvindt.

„Het ontbijt staat al klaar," zegt Jes.

„'t Was haar idee," zegt Wouter. Hij wijst naar Jes.

„Ik heb er niets van gehoord," zegt Hilde. Haar ogen houden het gezicht van Jes vast, dwalen van haar gevoelige mond naar haar heldere, onbevangen ogen, naar haar loshangende haren die haar iets jongs geven.

„'t Was zomaar een idee."

Ze moet de juiste man krijgen, denkt Hilde, een man die dieper puurt dan alleen maar de buitenkant, die tegenwicht biedt voor Jes' aangeboren bescheidenheid.

„Als jullie nou allemaal naar beneden gaan kunnen we ons tenminste douchen en aankleden," zegt Toon.

Wouter kriebelt hem onder zijn voet en Toon gilt het uit van het lachen en ook een beetje van onbeholpenheid. „Hou op, Wouter, vooruit, nou ophouden."

Als het hele stel beneden is, zegt Toon: „Wat zijn ze groot allemaal, zelfs Wouter lijkt een lange knul te worden."

„Zijn vader is ook lang," zegt Hilde. Ze speelt met het sjaaltje, het ding heeft de kleur van de liefde.

„'t Is altijd goed als je in een kind de vader herkent."

Hij geeft haar een zacht duwtje. „Ga jij nou eerst douchen, de jongens komen altijd vroeg."

Ze staat naast het bed. Ze kijkt neer op zijn ondeugende gezicht. Het is fijn jou te hebben gevonden, denkt ze.

9

Er zijn in elk mensenleven dagen vol zon en warmte en dagen vol regen en kilheid. Dat is allemaal zo geregeld en zo is het goed. Wie dit kan accepteren heeft innerlijk veel meer rust dan de opstandige mens.

Hilde kijkt naar haar bruine armen. De zomer begint goed, de zon staat de hele dag uitbundig te gloeien, de wind stoeit speels met bloemen en twijgen.

Tegen de horizon dansen flarden herinneringen: de dag waarop Taco en Els trouwden, momenten van intense vreugde om mensen die het met elkaar aandurven. Ze zag in gedachten Toon weer glimlachen. „Wat een poespas maken ze ervan," fluisterde hij. „Al dat uiterlijk vertoon, voor mij hoeft het niet."

„Jij bent ook al getrouwd," fluisterde ze terug.

Toen zij zelf trouwden gingen ze een lang weekend naar Parijs, nadat ze in het bijzijn van een paar vrienden en wederzijdse ouders op het kleine stadhuis in de echt waren verbonden. Ze hadden de goedkoopste dag genomen en ze stonden voor de ambtenaar van de burgerlijke stand als een paar kwajongens die het leven menen te kennen.

„Ik begrijp niet wat je in mij ziet," zei Toon die dag. Hij zag er vreemd netjes uit in zijn lichte kostuum.

„Dat begrijp ik zelf ook niet," had ze gezegd.

Toen had ze niet begrepen waarom haar moeder huilde. Ze vond het oersentimenteel. Maar de dag waarop Taco met zijn heldere jongensstem 'ja' zei, maakte haar vreemd eenzaam. Zo snel gaat de tijd.

Ze kijkt op als ze Lidy ziet komen. Het is prettig als die er is; ze hebben samen veel herinneringen uit hun schooljaren, eerste verliefdheidjes, honderden avonturen vol glans. Jammer, dat Lidy de stap naar een huwelijk niet had aangedurfd. Kansen had ze wel gehad, maar ze miste een bepaald gevoel voor verantwoordelijkheid. Ze speelde met het leven, was vaak verliefd, maakte het weer uit, ging nieuwe relaties aan en kwam nooit verder dan een gewone leuke vriendschap.

Toch jammer, denkt Hilde. Als ze zichzelf zou kunnen vergeten zou ze een geschikte echtgenote zijn. Maar misschien is het nu al te laat om nog te trouwen. Lidy is zo gewend aan haar vrijheid. De hele wereld draait om haarzelf, om haar hond en haar kleine, overbezette leventje.

Niet gehuwd zijn, denkt ze, hoe zou dat zijn? Geen Toon met zijn eigenaardigheden, geen Jes, Annekeje en Wouter. Geen grote zoons. Een leven vol spanning en geluk zou niet tot ontplooiing zijn gekomen.

„Dag Lied, leuk dat je er bent."

„Ik was toch naar moeder geweest, ik hoef niet eens zo ver om te rijden. Wat ben je al bruin?"

„Soms hebben huisvrouwen wel eens tijd lekker in de zon te zitten. Ga er bij zitten. Wat wil je? Iets fris, of koffie?"

„Iets fris graag."

Lidy kijkt naar Hilde. Ze zijn even oud, maar het is net of Hilde er jonger uitziet met haar gave gladde huid en haar heldere ogen. Of het geluk van het leven om de lijnen van haar mond ligt, in de manier waarop ze haar hals houdt, in de bewegingen van haar handen. Geen mens weet wat er in haar, Lidy, omgaat, waarom ze nooit de moed heeft gehad zich aan een man te binden. Zelfs Hilde heeft nooit de waarheid vermoed.

Die avond dat ze met z'n allen uitgingen, Hilde en Toon, zij en Jan. Jan was pas terug uit Australië. Hij deed joviaal, trakteerde, zat goed in zijn geld. Hij trok haar aan door die sfeer van ruimte om hem heen, van royaliteit. Misschien zou ze met hem getrouwd zijn, als Toon er niet was geweest. Toon, die haar op een moment een zoen gaf, zo maar een vriendschappelijke zoen. Hij was toen alleen nog maar bevriend met Hilde, er waren nog geen serieuze toekomstplannen. Die zoen veranderde haar leven. Dat een man zo kon zijn, zo teder en tegelijk dwingend, zo helemaal man, hevig veroverend, en tegelijk een jongen, die niet weet of hij succes zal hebben.

Toen hij haar losliet hadden ze elkaar even aangekeken. De anderen kwamen, Hilde en Jan. Ze zagen er zo jong en uitgelaten uit.

„Waar zaten jullie nou?"

„We zochten jullie."

Toon lachte.

In Hildes gezicht was geen spoor van jaloezie geweest, van twijfel. Op dat ogenblik besefte ze het gevaar van 'spelen met vuur'. Ze had het vaak gedaan, was zelf altijd de winnende partij, kon afdanken wat haar niet meer boeide. Maar Toon was iets nieuws, liet iets in haar achter en ze wist niet wat dat voor een gevoel was. Op dat moment nam ze zich voor dít spel niet mee te spelen.

Het duurde jaren eer ze weer de zekerheid had het aan te kunnen, gewoon bij ze op bezoek te gaan. Haar gevoelens van vriendschap voor Hilde hadden het uiteindelijk gewonnen.

„Je bent slanker geworden," zegt Hilde. „Ik heb zo het idee dat je lang niet elke dag voor jezelf kookt."

„Het is niet zo leuk, alleen eten. Hè, verrukkelijk, ik heb dorst."

Lidy drinkt langzaam, kijkt over de rand van het glas de tuin in.

„Waarom ga je niet eens met ons mee op vakantie? De kinderen vinden dat ook leuk. Ze zijn op je gesteld, dat weet je."

„De kinderen? Daar bedoel je dan alleen Wouter mee, hoewel die ook geen kind meer is."

Nee, mee op vakantie wil ze niet. Dagenlang Toon zien en horen, zijn stem, zijn oogopslag, zijn hartelijkheid. Nachtenlang wakker liggen, weten dat ze in de andere kamer samen zijn, wat na liggen te praten over de dag, elkaar kussen en bezitten.

Nergens is een gevoel van eenzaamheid zo hevig als temidden van gehuwde mensen, van mensen dan, die een goed, harmonisch huwelijk hebben.

„Ik zie nog wel eens," zegt ze. „Ik heb het nogal druk op het ogenblik, ik moet voor de zaak nog naar Parijs."

Lidy is modeverslaggeefster voor een groot damesblad. Ze ziet er apart uit, met glad, kortgeknipt haar en expressieve ogen.

„Je hebt toch maar een heerlijk afwisselend bestaan," zegt Hilde. „Wij gehuwde vrouwen zullen wel elke dag op de thuiskomst van de man wachten, op die van de kinderen en zo draait elke dag om de andere heen."

„Het is niet zo'n straf op de thuiskomst van een man te wachten," zegt Lidy. Ze drinkt snel haar glas leeg. „Waar is Wouter?"

„Hij had geloof ik een proefwerk. 't Is zo moeilijk met hem. Hij kan wel leren, maar hij ziet zoveel andere dingen om zich heen. Hij kan zich slecht concentreren. Ik hoop dat dat nog eens verandert. Het is moeilijk voor hem."

„Modeverslaggeefster zijn is niet eenvoudig," zegt Lidy, „huisvrouw zijn helemaal niet."

„Daar komt Toon, hij is vroeg vandaag."

Nog steeds werkt Toon op hetzelfde kantoor. Van salarisverhoging is nog geen sprake; er zijn dagen dat ze de touwtjes moeizaam aan elkaar moet knopen. Maar hun hele verstandhouding lijkt zich door de zorgen te hebben verdiept. Hun leven heeft een nieuw begin, lang niet gemakkelijk, wel de moeite van het proberen waard. Soms hoort ze hem weer zingen als hij met een of ander karweitje bezig is. Het was lang geleden dat hij zong.

Lidy verbergt haar handen onder haar tas. Het is nooit gemakkelijk Toon te ontmoeten, hoewel hij zich van die ene zoen en dat vluchtige contact niets meer schijnt te herinneren.

„Dag Lied." Hij geeft haar een stevige hand. „Mooier dan ooit."

„Ouder dan ooit, bedoel je," zegt ze.

Ze houdt even zijn aandacht vast. „Daar let ik nooit zo op. Welke muziek wil je horen? Brahms? Zwaar hoor, in de zomer. Ik zou een sierlijk Straussje prefereren."

Even later komt hij terug. Uit de huiskamer komt gracieuze muziek.

„'t Zou mij te warm zijn om te walsen," zegt Hilde. In de zomer is haar haar nog blonder, heeft het een tint van honing, is er een gouden glans overheen.

Wat heeft Hilde, dat ik mis, denkt Lidy. Waarom zijn mannen in mij alleen tijdelijk geïnteresseerd? Mis ik charme? Ben ik te weinig gekleurd?

Anneke komt binnen met de mededeling dat ze 'vast niet overgaat.'

„Dat stomme geleer ook altijd, wat heb ik eraan?"

„Je zult in ieder geval dit diploma moeten halen," zegt Toon.

Hij kijkt naar Lidy's lange benen. Ze is aardig, meer niet. Hij begrijpt nooit zo goed wat Hilde aan haar vindt. Ze kan alleen maar over zichzelf praten en dat is dikwijls vermoeiend.

„Ik wou dat ik een jongen was," zegt hun flapuit van een dochter. „Dan zat je veel beter. Dan moest je wel leren, maar dan wist je tenminste waarvoor. Ik weet niet wat ik worden wil."

„Je wilde immers later naar Isräel, in een kibboets?" helpt Hilde. Mooi zijn kinderen op deze leeftijd niet. Annekes tanden zijn wat te groot, haar armen en benen lijken dat ook, ze is een uit de krachten gegroeid renpaard.

„Misschien doe ik dat ook wel. O ja, mams, ik ben van gym af. Jos, Margriet en de anderen ook. Er is nou nog maar een klein pestkluppie over."

„Arme leraar," grapt Toon.

„Er is eigenlijk niets om te lachen," zegt Hilde fel. „Mooi hoor, met z'n allen een man zo pesten dat hij niet meer tegen jullie op kan. Het is alleen maar erg onvolwassen."

„Hij begint altijd zelf," moppert Anneke.

Lidy kijkt naar Toon. Sommige mannen worden interessanter als ze ouder zijn, Toon hoort bij dat slag. Zijn bij de slapen lichtgrijze haren geven zijn gezicht iets voornaams. Ze lacht er zelf om. Toon en iets voornaams...

„Als we van de winter naar Terschelling gaan," zegt Hilde, „zou het dan niet gezellig zijn als Lidy meeging?"

Ze kijkt Toon aan. „Misschien kunnen we ook de Renckensen meevragen. Jan kaart onvoorstelbaar goed en zijn vrouw Marleen kan er ook wel wat van."

Hij heeft helemaal geen zin met die mensen uit te gaan. Jan kan zich alles permitteren op financieel gebied. Hij heeft een baan om u tegen te zeggen. Voor Jan geen ontslag of een tree lager. Bovendien lust die vent zo slordig graag een borrel (alleen 's avonds dan, voor het naar bed gaan), dat hij hem ook op dat terrein niet aankan. Hij kan zelf helemaal niet zo goed tegen drank. Het maakt hem agressief en hij zegt dan dingen die hij niet meent en waar hij later spijt van heeft. Vroeger had hij dat niet. Maar sinds hij die andere baan heeft, heeft hij het gevoel minder te zijn. Het is stom zo te denken, dat weet hij, maar hij voelt het nou eenmaal zo. Hij wil met Hilde, Anneke en Wouter op vakantie.

Misschien wil Anneke dit jaar ook wel niet meer mee. Dat gaat zo, als je zestien bent. Dan maak je trektochten langs jeugdherbergen met je vrienden en vriendinnen. Nu is alleen Wouter er nog. Over een aantal jaren gaat ook die zijn eigen weg. Dan zijn ze met z'n tweeën. Tegen die tijd is er nog gelegenheid genoeg vrienden mee te vragen. Nu voelt hij er niets voor.

„Waarom zeg je niks?" vraagt Hilde.

„Ik zit er over na te denken."

Hij kan nu moeilijk botweg zeggen dat hij Lidy helemaal niet mee wil hebben.

„Daar doe je dan wel lang over."

Het valt hem op dat er van de mondain geklede Lidy iets eenzaams uitgaat. Er komt een gevoel van hartelijkheid in hem boven. Soms heeft hij dat gevoel. Hij kan er geen verklaring voor geven. „Zij kan altijd mee," zegt hij.

„In de winter?" vraagt Lidy.

De wintermaanden zijn lang en somber. Het zou heerlijk zijn mee te kunnen.

„We zouden er de kerstvakantie wel voor kunnen nemen," zegt Hilde. Ze heeft, heel even, iets van blijdschap in Lidy's gezicht gezien. „En dan blijven tot na nieuwjaar."

„Dat zou fantastisch zijn," zegt Lidy. Ze heeft het warm, niet alleen van de zon, maar van het simpele feit dat er mensen zijn die een beetje om je geven, die je om zich heen willen hebben. Waar is haar bravoure gebleven? Haar zelfverzekerdheid?

Op de zaak wordt ze bijzonder gewaardeerd, ze is een goede kracht, heeft smaak, durf en vooral een goed combinatievermogen. Haar modellen zijn erg in trek en ze heeft dikwijls het gevoel niet helemaal voor niets te leven. Dikwijls. Maar soms, soms sluipt die tergende, moordende eenzaamheid, die sleur, de leegte van de prachtige flat, op je af. Dan kun je er niet meer tegen op, dan bel je kennissen, vrienden, je praat uren aan één stuk door, je vertelt over je werk, over de interessante mensen die je ontmoet, over het feit dat je zo je leven altijd al wilde: onder de mensen zijn, veel succes hebben. Niemand van haar vrienden vermoedt onder haar rustige zelfverzekerdheid een diepe eenzaamheid, een verlangen te groot voor woorden.

„Ik neem het graag aan," zegt ze.

Anneke slingert spontaan twee armen om haar hals. „Zou jij me willen helpen met zo'n lang sportvest? Ik kan wel een beetje breien, maar die patronen zijn altijd zo ingewikkeld. Het lijkt me machtig zo'n lang vest, met zakken, een grote kraag en grote knopen, alles in het wit."

Wonderlijk, hoe koel de huid van zo'n wild kind aanvoelt. Hoe zacht en stevig.

„Ik help je," zegt ze.

„Ik wil graag een trui," zegt Toon.

Ze glimlacht. „Die maak je zelf maar."

„Is dat nou eerlijk, Hilde? Nou heb ik iemand die snel en mooi dingen in elkaar kan zetten en nou vertikt ze het."

„Jammer, dat ik niet goed kan breien," zegt Hilde. Haar gezicht lacht. 't Is fijn als Lidy meegaat. Vrouwen hebben met elkaar altijd heel andere dingen te bespreken dan man en vrouw.

10

„Moeder," zegt Taco.

Ze hoort aan zijn stem dat er iets bijzonders is.

„Wat is er?"

„Kun je morgen niet een dagje komen?"

„Een dag? Nee, wie moet er dan op Wouter passen en bovendien, we eten pas om half zes. Wat is er dan?"

„Kom dan morgenochtend, moeder. Els heeft je nodig, Ze heeft vanmorgen een miskraam gehad. Ik wilde je nog niet vertellen dat ze in verwachting was, omdat we niet wisten of het door zou gaan. Je weet dat Els suikerziekte heeft en dat daarom de kans op een gezonde baby moeilijker ligt. Maar we wilden het risico nemen."

„Hoe ver was ze heen?"

„Drie maanden. Het ging juist zo goed, ze rustte veel."

„Ik kom morgen," zegt ze.

Zo is elk mensenleven beladen met zorgen en spanningen, denkt ze, het leven kan alleen maar intens geleefd worden als een mens iets te verwerken heeft, als hij beseft dat je moet vechten om iets te mogen ontvangen.

Els... vrolijke, optimistische Els, die een paar jaar geleden haar moeder verloor en met haar vader niet meer zo veel contact heeft. Die zich helemaal hecht aan Taco's familie, er een eigen vaste plaats in heeft, onopvallend, maar zeker.

Ze kijkt voor het raam naar de wereld buiten, naar de zomerzon die vrolijke gezichten trekt, naar de glans van groei en hevig leven. Soms werd een leven afgebroken. De dood is midden in het leven, ook in de zomer. Ja, ze weet het, elk denkend mens weet dat, maar je wilt er nooit aan, je duwt het met grote handen weg omdat dat bij jou niet hoort, in jouw leven niet past.

Die dag dat Merel stierf... Ze had het kindje niet meer willen zien.

Toon wel. Die dag scheen toch óók de zon, waren er zingende vogels, springende kinderen. Die dag was het leven sterk en de moeite waard.

Els moet in deze uren hetzelfde voelen. Een leegte, een nimmer te zeggen verdriet. Er is iets weg uit je lichaam.

Je kende het nog niet. Wist niet wat het zou worden, maar je miste het. Je lichaam was erop voorbereid, het verlangde, was één met de baby. Het hield van het kind nog voor het was geboren. Het had in gedachten al vorm en warmte, zachtheid en liefde.

Kind, denkt ze, kind – Els, ik kan je niet helpen, morgen niet, overmorgen niet. Je moet er zelf helemaal alleen doorheen, maar één ding kan ik je misschien zeggen: dat de zin van het leven niet ophoudt bij een verlies. Nooit... Het gaat door, langzaam en onmerkbaar, stilletjes en op sluipende voeten. Maar het blijft groeien. De liefde, het verlangen, de kracht om te geven.

„Heb je het eten nog niet opgezet?"

„Nee," zegt ze, „Taco belde zo-even. Els heeft een miskraam gehad."

„Ik wist niet dat ze een kind verwachtte."

Toons stem is wat kriegel. Waarom heeft hij het niet geweten? Allemaal weer achter zijn rug om bekokstoofd zeker, vrouwengedoe. Alsof het hem niet zou interesseren te weten dat zijn oudste zoon vader zou worden.

„Ze wilden meer zekerheid in verband met de ziekte van Els. Ik ga er morgen even heen."

„'t Is niet naast de deur."

„Met de wagen is het een goed uur rijden. Ik ga direct na het ontbijt, dan kan ik tussen de middag weer thuis zijn."

„Kom gerust wat later, ik vang Anneke en Wouter wel op. Een boterham klaarmaken kan ik ook wel."

„Ja," zegt ze, „ik weet dat je dat kan."

Ze herinnert zich de lange eenzame uren waarin hij doelloos door het huis ging, waarin hij om haar heendraaide en haar nerveus maakte.

Ze leunt even tegen hem aan. Ze voelt zijn warmte, zijn kracht. Wat is een vrouw zonder man? Zonder die vanzelfsprekende ruggesteun en liefde? Hij houdt haar vast.

„Taco zal door dit wat meer man worden," zegt hij. „Ik vond hem vaak nog zo'n jongen en bovendien kunnen ze nu nog geen baby gebruiken."

„Daar wordt niet altijd naar gevraagd," zegt ze zacht.

Hij glimlacht. „Wij hadden ook niet gedacht dat we vijf kinderen zouden krijgen."

„Vind je het te weinig?"

„Nee. 't Is goed zoals het is, maar ik denk wel eens hoe snel alles gaat. Over een jaar of vijf gaat Wouter ook wel heen en weer reizen en een paar jaar later wil hij natuurlijk op kamers. Dan zijn wij nog jong, vijfenvijftig ongeveer. Dan ligt er nog een groot stuk leven voor ons."

„Je hebt kinderen nu eenmaal om ze weer af te staan," zegt ze.

„'t Is gek, Hilde, maar ik zie er soms tegen op weer met z'n tweetjes verder te gaan. Het hele gezin de deur uit en wij tweeën alleen in dat grote huis. Soms zie ik daar zo tegen op. Jij ook?"

„Ik denk er nooit zo aan. Tegen die tijd hebben we misschien een paar kleinkinderen te logeren. Dan hebben we daar weer veel plezier van."

„Jij ziet altijd van alles de positieve kant," zegt hij. „Ik wilde dat ik dat ook kon."

„Je kunt jezelf moeilijk veranderen, maar misschien wel een beetje proberen wat vertrouwen te hebben."

„Ik moet er bijvoorbeeld niet aan denken oud te worden, oud en hulpbehoevend. Ik zou dat niet kunnen verdragen."

„Je weet niet wat je kunt. Als je ervoor staat krijg je een nieuwe impuls en gaat het."

Hij ruikt haar haren, er gaat een pittige zoete lucht vanuit. Het gebeurt niet zo vaak meer dat er op de dag tijd is zo bij elkaar te staan, wat te praten, voelen dat er ondanks verschil in temperament en karakter, zoveel samen is. De kinderen, de gebeurtenissen van alledag, de weg die ze gaan, moeizaam vaak en eindeloos lang, lichtvoetig soms en speels. En dat dat alles samen ervaren liefde is.

„Arme Els," zegt hij.

„Ze komt er wel door, wij kwamen er ook door."

Maar ze zijn nog zo jong, zou hij willen zeggen. Hij glimlacht.

„Ik dacht zoiets geks," zegt hij, „ik vind ze nog zo jong. Ik ben vergeten dat wij niet veel ouder waren."

Ze kijkt hem aan. Het is niet aan hem te zien dat hij al gauw vijftig zal zijn. Het lijkt oud, maar ze weet dat het dat niet is, dat geen enkele leeftijd de ouderdom bepaalt, wel de gezondheid, de elasticiteit van de geest.

„Kom," zegt ze. „Ik ga even de stad in, wat mager vlees halen. Dan kan ik morgen wat bouillon voor haar meenemen."

„Je bent een zorgzame moeder," zegt hij.

„Ik ben een moeder als alle anderen."

„Nee," zegt hij, „dat ben je niet, dat ben je nooit geweest."

„Laat me er nou door, Toon."

Zijn gezicht is ernstig. „Ik praat er niet zo gemakkelijk over," zegt hij, „ik zeg het je eigenlijk nooit. Maar wat jij voor ons doet, is fantastisch. Je bent er altijd, voor iedereen die je nodig heeft. Dag en nacht. Weet je, Hilde, de eerste jaren van ons huwelijk waren lang niet gemakkelijk. Ik ben geen gemakkelijke vent. Maar je hebt het toch maar al die tijd met me uitgehouden."

Ze glimlacht stil.

„Je hebt me vooral ook de laatste jaren, waarin ik twijfelde aan mezelf, weer een duw omhoog gegeven. En weet je wat zo mooi is?"

„Nee," zegt ze.

„Dat het je altijd lukt. Ik wilde het je niet zeggen eer ik zekerheid had.

Ik heb op de zaak promotie gemaakt. Ik verdien tweehonderd gulden per maand meer."

„Nee..." zegt ze. Hij heeft opeens het gezicht van een jongen. Ze houdt hem even vast. Niet lang. Bij Toon nooit sentimentaliteiten, bij hem alleen gezonde gevoelens van geluk.

„Fijn," zegt ze. „Vooral voor jezelf."

„Ook voor jou."

„Niet voor het geld."

„Nee, voor dat andere, jouw inzet."

„Nou ga ik vlees halen. Laat me erdoor, m'n hele schema loopt anders in de war."

„Goed," zegt hij. Hij geeft haar een tik voor haar achterste.

Ze houdt niet zo van dit soort grapjes, maar deze keer zegt ze: „Pas op, of ik sla terug."

„Dat doe je niet."

„Wat doet mam niet?" vraagt Wouter.

„Jou 's avonds voorlezen. Je kunt het best zelf."

„Ze leest nóóit meer voor."

Hij lacht om het verongelijkte gezicht van zijn zoon. Zijn Wouter, het jochie dat als baby lelijk was en elke dag dat hij langer leefde liever werd, aanhankelijker ook als je hem daar de gelegenheid voor gaf. Zijn zoon die gek was op verhalen vertellen en soms op zijn schoot in slaap viel, met een tot raar propje ineengedraaid doekje tegen zijn neus.

„Jongen," zegt hij opeens, „waarom groei je zo snel?"

„Omdat ik goed eet."

Hij strijkt hem even over zijn haar. „Ik vind het soms jammer dat je alweer zo groot bent. Zo volwassen."

„Ik kan toch niet altijd een kind blijven?"

„Nee, dat kan niemand, maar soms zou je dat wel eens willen. Het is net als jij met je kleine konijnen vroeger, je vond die kleintjes veel liever dan de grote."

„Nee, pap, ik vond de grote anders lief, maar evengoed lief. Zeg, weet je wat ik zou willen? Een hond."

„Nee," zegt Toon, „daar hebben we het al eens eerder over gehad. We gaan te vaak weg en dan zou zo'n hond overal mee naar toe moeten. Dat kan niet altijd."

„Reken maar dat ik hem goed zou opvoeden, pap."

„Je neemt maar een hond als je zelf getrouwd bent en een eigen huis hebt."

„Soms," zegt de jongen nadenkend, „soms vind ik je geen goeie vader."

Hij loopt de tuin in, Toon kijkt hem glimlachend na. Dat hij vaak geen goeie vader is, weet hij. Maar hij blijft ernaar streven, het wel te zijn...

Hilde draagt de tas voorzichtig de wagen uit. De rit naar Els was, ondanks een gevoel van verdriet, plezierig.

De zomer loopt alweer een beetje naar het eind, de bladeren van de bomen dragen een tint van verborgen herfst, de luchten lijken minder blauw. Maar de natuur vecht nog steeds met kleuren en zachtheid, en lijkt hier en daar te winnen.

De flat van Taco en Els is niet groot, maar de buurt is ruim opgezet, met veel speelgelegenheid voor kinderen.

Hilde belt, wacht. Dan voelt ze de armen van Els om haar schouders.

„Wat fijn dat je er bent."

Het gezicht van het meisje is smaller dan anders, de ogen staan te groot in een mager snoetje. Maar wat haar het meest treft is de zekerheid die uit die ogen straalt, de kracht het leven weer op te nemen, hoe moeilijk ook.

„Ik heb zelfgetrokken bouillon," zegt ze.

„Da's fijn," zegt Els. „Taco is daar ook dol op."

Hilde bekijkt de kamer, de keuken. In één oogopslag ziet ze dat de boel er wat verwaarloosd uitziet. Dat de ramen niet gelapt zijn, de parketvloer vol stof is.

„Ik dacht dat je eens in de week hulp had," zegt ze zacht.

„Ik heb haar moeten ontslaan, ze was niet helemaal eerlijk. Ik miste steeds kleine dingen en toen heb ik een keer in haar tas gekeken. Ik heb niets gezegd maar haar wel haar congé gegeven."

„Maar je kunt alles nog niet zelf doen."

„Moeder," zegt Els, „behandel me niet als een kind. Ik ben geen kind meer, ik ben getrouwd en ik doe mijn best. Maar de laatste weken heb ik veel gerust en dan kwam er van goed de boel bijhouden niet zo veel terecht, dat kun je begrijpen. Nu wil ik juist wat om handen hebben. Ik doe het langzaam, ik wil elke dag een klein beetje doen. Weet je, moeder, dan heb je weinig tijd om te denken."

Er is iets intens triests in Els' stem.

Hilde sluit dit kind in haar armen. Dit grote, vertwijfelde kind, dat de rol van volwassene probeert te spelen, maar zo vaak nog haar rol niet kent.

Ze voelt het slanke lichaam licht bewegen alsof het zich kromt en weer opricht. Haar hand glijdt door het lange haar, drukt het gezicht dicht tegen haar borst. Een mens kan nooit echt helpen, denkt ze, alleen maar er zijn, met alle liefde die te geven is.

„U weet het ook, hè?" zegt ze zacht. „Taco vertelde het me. U hebt het ook meegemaakt. Dit was een jongetje. Taco wilde zo graag een zoon."

„Ja," zegt Hilde, „ik heb het ook meegemaakt. Het is of de wereld ophoudt te bestaan. Maar op een dag leeft die wereld weer, dat is het wonderlijke van mens zijn."

Ze laat Els los.

„Ik ga wat bouillon voor je warmen," zegt ze, „en dan ga je rusten, uren lang."

„Fijn, dat je er bent, mam."

„Fijn, dat jij mijn dochter bent," zegt ze.

11

Els laat zich alles heerlijk aanleunen, de geurige bouillon, de zorg en aandacht. Op deze ogenblikken mis je je eigen moeder. Hilde is een schat ze zou zich geen betere moeder kunnen wensen maar het is niet haar eigen moeder, er blijft, hoe klein ook, een verschil.

„We wilden de baby zo graag," zegt ze. „We zijn niet van die planners. Taco zegt altijd: 'We zien wel, als het komt is het goed'."

„Dat is ook zo," zegt Hilde. „Zo dachten wij er vroeger ook over. Er is alleen één enorm verschil, de huizen van nu worden er niet meer op gebouwd, ze zijn te klein voor een flink gezin."

„Met stapelbedden kom je een heel eind."

„Met studeerruimte voor elk kind niet."

Ze kijkt in dit prille gezicht. Het weet nog zo weinig van het leven, heeft nog zo'n kleine inbreng. Als je goed over alles nadenkt vraag je je af waar jonge mensen de moed vandaan halen samen te durven gaan. Want voor een huwelijk is moed nodig, inzet van je hele persoonlijkheid.

Hoe ouder je wordt, hoe beter je dat ziet. We hebben vaak zo veel geluk, denkt ze, in het opvoeden van kinderen, in het begeleiden van elkaar.

Dikwijls doe je dingen gevoelsmatig, soms is dat midden in de roos, soms zit je er goed naast. Maar het leven mixt alles door elkaar en wat blijft is meestal het goede, het lieve van elkaar. Zelf was ze helemaal geen gemakkelijk kind, vroeger, erg beweeglijk, druk en vol fantasie.

Een lastig kind voor ouders die weinig van opvoeding begrepen. Er was dikwijls ruzie met haar moeder, vooral met haar moeder. En toch blijven, na haar dood, de zachte dingen bestaan; het samen zingen bij de afwas, het lachen bij het kloppen van de dekens, het bij elkaar zijn in dagen waarin je elkander nodig had.

Zo zal het met elk mens wel gaan, denkt ze. Er is altijd een onbekend stukje grond van elkaar en het is goed dat dat er is.

„Misschien kunnen onze kinderen wel niet leren," zegt Els. „Dat zou me trouwens niets kunnen schelen; een goed vakman is zijn geld meer dan waard."

„Weet je wat ik het meest onverstandige van je vind? Dat je niet op de bank gaat liggen. Je hebt veel rust nodig."

„Dat zei de dokter ook, maar als u er bent, vind ik dat jammer."

„We kunnen toch even goed praten, of heb je daar geen behoefte aan?"

Opeens zijn de tranen er, rustig en ontspannen. Huil maar, denkt Hilde, schrei je verdriet uit, het maakt ruimte voor genezing.

„Taco weet niet goed wat hij tegen me moet zeggen," snikt Els. „Hij loopt rond met een stil gezicht, maar hij zegt zo weinig."

„Hij moet het zelf ook verwerken. Elk mens doet dat op zijn eigen manier, Toen het ons overkwam, Toon en mij, waren we in het begin ook twee mensen, later, toen we elkaar vonden, was het of we een veel sterkere eenheid hadden."

„Taco is vaak zo stil."

„Hij is een dromer," zegt Hilde zacht. „Dromers hebben het in het leven niet gemakkelijk. Het is geen tijd voor mensen die de werkelijkheid proberen te ontvluchten."

„Weet je wat ik ook zo gek vind? Hij kan zo van de hak op de tak springen. Zo praten we over het kind en even later wil hij naar de werkruimte om wat te gaan timmeren."

„Mannen zijn even moeilijk te doorgronden als vrouwen."

„Ja, dat zal wel."

„Ik zou graag willen dat je nu op de bank ging liggen," zegt Hilde. „Het is geen kleinigheid wat je overkomen is."

Els doet het. Het valt Hilde op hoe bleek haar gezicht is. „Ben je lid van de een of andere gezinshulp?"

„Ja. Maar Taco doet veel als hij thuiskomt."

„Dat is voor een paar dagen erg mooi, desnoods voor een week. Maar langer niet. Je moet deskundige hulp hebben. En bovendien valt het voor een man die de hele dag in touw is geweest, niet mee ook 's avonds nog aan de slag te gaan. Daar komen spanningen door en onvermijdelijk ruzies."

„Je weet ook altijd alles beter," zegt Els opeens fel.

„Misschien komt dat, omdat ik een paar jaar ouder ben."

Ze raakt vluchtig Els' haar aan. Het is maar zo'n simpel, klein gebaar, maar soms is iets heel kleins voldoende om je te openen.

„Ik meen het niet zo, ik zit zo met mezelf in de knoop."

„Ja," zegt Hilde, „zulke dingen gebeuren."

„En jij wordt nooit kwaad. Daar kan ik niet tegen. Je moet me door elkaar schudden. Het is maar goed dat ik de baby niet heb, ik ben nog lang niet in staat een kind op te voeden. Misschien wel nooit..."

Laat je maar gaan, denkt Hilde, trap jezelf op dit ogenblik maar de grond in, vernietig je gevoel van eigenwaarde. Des te meer mogelijkheid is er uit dat niets omhoog te groeien naar iets veel beters, iets dat men dan 'ervaring' noemt.

„Nooit is erg lang," zegt ze. Ze zou dit hulpeloze hoopje mens in haar armen willen nemen, zeggen dat leven altijd moeilijk is, ook in tijden waarin alles goed gaat.

„Zal ik thee zetten?" vraagt ze.

Els knikt, Ze schaamt zich. Ze heeft vaker deze buien, ze had ze ook toen het kind nog in haar groeide. Misschien hoort het erbij, die onevenwichtigheid, die twijfel.

Ze hoort Hilde naar de telefoon gaan. Ze heeft het belletje niet eens gehoord. Ze hoort praten, maar kan niet verstaan wat er gesproken wordt. Het kan haar ook niet schelen. Wonderlijk toch, dat je zo in jezelf zat opgesloten dat weinig gebeurtenissen van buitenaf je interesseerden.

Hilde komt binnen met de thee. Ze hoopt dat Els niet zal vragen wie daar belde. Ze zou niet goed weten wat ze daarop zou moeten zeggen.

Ze hoort nóg de stem van Taco.

„Moeder, ik moet het tegen iemand kunnen zeggen. Ik heb de arts gesproken. Het kindje zou geen normaal kind zijn geworden, het had alle eigenschappen van een mongooltje. Els mag het niet weten. Ze zou zoveel angst hebben voor een volgende zwangerschap."

„Nee," had ze zacht gezegd, „nee, dat gebeurt nooit. Daar moet je niet over piekeren. Ik ben blij dat je me het verteld hebt. Ik was juist thee aan het zetten."

„Hoe is ze?"

„Een beetje leeg en verdrietig. Jullie zullen elkaar de komende tijd goed moeten opvangen. En, Taco, zorg dat er zo gauw mogelijk hulp komt, gezinshulp bedoel ik. Zorg dat die er uiterlijk overmorgen is. Ze kan niet zonder, ze moet overdag iemand om zich heen hebben."

„Ik zal ervoor zorgen. Zeg, moeder, is jou bekend dat er in de familie al eerder zo'n kindje werd geboren?"

„Nee," had ze hard gezegd, „hoe kom je daarbij?"

Terwijl ze het zei wist ze dat ze loog. Haar moeder had een zusje gehad dat niet ouder dan twaalf jaar werd; ze vertelde er wel eens over, vroeger, als er van die kleine vertrouwelijke ogenblikken waren. „Zo'n kind verliezen is moeilijker dan een gezond," had haar moeder gezegd. „Als je ouder bent zul je begrijpen waarom. Een moeder wil zorgen, wil alleen maar geven, en dat kind vroeg zorg van de morgen tot de nacht."

„Wat een zegen dat het niet oud is geworden," had ze toen wijsneuzig opgemerkt.

„Geen mens weet waar alles goed voor is. Toen jij werd geboren en ik je zo gezond in m'n armen had, wist ik niet waaraan ik het verdiend had dat je goed was. Er is dan alleen maar dankbaarheid, omdat je weet dat het ook anders kan."

Razendsnel gaan Hildes gedachten. Dit gesprek met Taco moet tussen hen tweeën blijven. Ze zal er zelfs met Toon niet over praten. Mannen hebben hun werk en hun verantwoordelijkheid; als ze thuiskomen staan ze nog met één been in de 'zaak', met het andere proberen ze de overgang te maken naar huiselijkheid en de sfeer van het huis.

Ze drinkt genietend de thee, Els drinkt tevreden mee.

„Ik zou jou best als dagelijkse hulp willen hebben," zegt ze. Haar gezicht is nog wat vlekkerig van het huilen.

„Maar ik jou niet als patiënte."

„Waarom niet?"

„Je kunt goed koken, misschien wel beter dan ik. Ik zou het misschien nooit goeddoen."

„Moeder, doe niet zo flauw, je weet wel beter."

Gek toch, denkt Hilde, dat zoveel ouders denken dat je je kind verliest als het gaat trouwen. Je krijgt er juist zoveel bij, gevoelens die je kent en door kunt geven.

Ze blijft tot vijf uur, tot Taco thuiskomt. Ze hoopt dat Taco's gezicht niets verraadt.

„Gezellig dat je er nog bent," zegt hij. Hij kust Els. Hij doet het zacht en respectvol alsof hij haar in bescherming wil nemen. Even glijdt zijn blik naar het gezicht van Hilde. Zijn ogen spreken een eigen taal, er is een geheim tussen hen. Hij voelt zich volwassener, tot veel meer in staat, en toch ook jong en onervaren.

Hij laat Hilde uit. Bij de deur wil hij iets zeggen, maar hij weet de woorden niet.

Ze kijkt naar zijn ogen, nieuw en ernstig.

„Zorg goed voor haar," zegt ze, „en ook voor jezelf."

„Rij voorzichtig, moeder, het is altijd druk in het spitsuur."

Ze glimlacht. Ze is bijna verlegen tegenover deze nieuwe Taco. „Dat weet ik, jongen."

Ze zou hem graag een kus geven, maar ze doet het niet.

12

„Ik kan nog hogerop komen," zegt Toon. „Ik weet alleen niet of ik het zal aannemen. Het vraagt lange werkdagen en veel van huis zijn."

Hilde zit onder de lamp knoopjes aan kindergoed te zetten. Ze kijkt niet op. „Je moet zelf beslissen," zegt ze.

„Het is natuurlijk een enorme uitdaging. Je weet dat ik nooit meer zo'n kans krijg. Ik loop er al een week mee rond, maar ik kom er niet uit."

„Ik kan je niet helpen," zegt ze. „Als ik mijn voorkeur zou laten merken zou ik dat later misschien nog wel eens moeten horen."

„Kon ik het maar een tijdje op proef doen. Ik weet nu niet waaraan ik begin. Ik heb wel een beetje een idee, maar het ware weet ik nog steeds niet."

Hilde kijkt op, laat haar naald rusten. „Toch help ik je niet," zegt ze zacht. „Je weet zelf heel goed wat je wilt."

„Eigenlijk wel," zegt hij onhandig. „Ik zou die kans best willen grijpen. Ik ben alleen bang voor de consequenties."

„Welke zijn die?"

„Niet zo vaak thuis, vaak vermoeid, de weekends meer zin hebben om rustig thuis te zijn dan om er met jou en de kinderen op uit te trekken."

„Je moet kiezen voor dat wat je gelukkig maakt."

„Gelukkig zijn is ook met minder tevreden zijn."

Er komt een gevoel van onbehagen in Hilde. Een echte vechter is Toon niet; hij probeert het te kort, hij begint hevig, maar geeft meestal gauw op.

Geen knokker op de lange baan, denkt ze. Toch is er ook een gevoel van vreugde omdat hij haar in zijn toekomstplannen betrekt, rekening houdt met haar en de kinderen.

„Voor sommige mensen is gelukkig zijn: veel eigenwaarde hebben. En jouw gevoel van eigenwaarde kan nog wel een duwtje omhoog verdragen."

„Je geeft me dus toch een beetje raad?"

„Een goed verstaander..." zegt ze.

Wat gun ik het hem, denkt ze, wat zou ik graag meemaken dat hij boven zichzelf en zijn twijfel uitgroeit, dat hij weer zingt bij het doen van kleine karweitjes, weer lacht als hij haar in zijn armen neemt. Werk komt voor een man op de allereerste plaats, op de tweede komen vrouw en kinderen. „Ik zal dan vaak in het buitenland zijn," zegt hij, „dat is mijn enige bezwaar."

„De kinderen worden steeds groter," zegt ze, „steeds meer volwassen, ze hebben ons niet meer zo nodig."

„Wij hebben elkaar wel nodig. Je weet dat ik niet lang buiten jou kan, vooral 's nachts niet."

„Het geeft misschien een nieuwe impuls," zegt ze zacht.

„Zal ik het toch maar aannemen?" Ze hoort een verlangen in zijn stem.

„Ja," zegt ze, „ik zou het maar doen."

„Wat ben jij toch voor een vrouw?"

„Een heel gewone."

„Je voelt precies aan wat ik graag wil."

„Dat is na al die jaren zo moeilijk niet."

„Ik zal morgen tegen de directeur zeggen dat ik graag voor die baan in aanmerking kom."

„Daar maak je me gelukkig mee."

„Misschien. Het kan best zijn dat ik de volgende week al een paar dagen het land uit moet."

„Dat maakt niets uit."

Ze drukt een gevoel van ontroering weg. Ze voelt dat ze een ander leven zullen krijgen, nog beter misschien; heel anders, maar nooit minder. Alles wat een mens onderneemt heeft een inbreng. Ze doet flink tegen zichzelf, maar onder die flinkheid zit een gevoel van heimwee, van beseffen hoe fijn het is als hij elke avond thuiskomt, zijn jas aan de kapstok hangt, zijn stem meestal vrolijk, 'wat ruikt het hier lekker. Wat eten we?' zegt. Ze zal zo veel moeten missen, maar het zal de moeite waard zijn.

Jes komt de kamer in. Het valt Hilde op dat ze stiller is dan anders. Ze wil niets vragen. Bij Jes moest je wachten tot ze haar probleem had verwerkt. Dan kon ze opeens voor je staan en je in vertrouwen nemen. Maar de dagen gaan voorbij en Jes praat niet. Ze loopt door het leven als een slaapwandelaarster. Het is of ze ergens ver weg leeft en geen deel heeft aan de gesprekken van de mensen om haar heen.

Op een avond kan Hilde het niet langer uithouden. Het is zo'n stille herfstavond, als het nog lang licht is. Over enkele weken zal het steeds vroeger donker worden.

Ze gaat naar Jes' kamer. Het is een ruime, lichte ruimte met veel kleur en goede combinaties. Ze gaat op een stoel zitten. „Vertel nou maar eens wat er met je is. Ik merk al dagen dat je iets dwarszit."

Jes kijkt op. Er is eenzaamheid in haar ogen. Haar ogen zijn volwassen, haar trillende mond is het niet. Ze plukt nerveus aan haar nagels, keert haar gezicht van Hilde af. Dan zegt ze, rustig en bedachtzaam: „Ik verwacht een baby."

Hilde zegt niets. Haar lichaam is koud en eenzaam, er is iets uit weg, dat ze niet kan missen. Er is een stuk toekomst weg, voor haar kind, dit kind, deze zo langzaam uitgroeiende Jes, met haar bescheidenheid. Wat is het voor een dochter? Naar buiten zacht en verlegen, en van binnen?

Ze dwingt zich rustig te zijn en begrijpend. „Van wie?" Nog steeds kijkt ze naar die lange magere rug, naar de vlecht die met een elastiekje bijeen is gebonden.

„Dat het kan, moeder, van één keer, van de allereerste keer. Ik dacht niet na, ik vertrouwde op Koos. Ik dacht dat hij wel alles zou weten met zijn studie medicijnen. Hij dacht dat ik wel de pil zou gebruiken."

Nu moet ik geen preek houden, denkt Hilde, niet nog meer bezeren. Nu moet ik m'n verstand gebruiken, een oplossing zoeken. Voor het eerst moet ik mijn trots laten vallen, mijn ijdelheid. IJdelheid vernietigt liefde. En ze houdt van dit kind, van haar gevoelige natuur.

Ze zit stil op de stoel, haar gedachten gaan als razend... Niets tegen Toon zeggen, nu niet, later misschien. Nu zijn vreugde niet bederven, maar aan Jes denken, aan dat wat ze moet verwerken.

„Wil je de baby?"

Ernstige meisjesogen, die zich vullen met tranen, wimpers die nat worden, een niet te peilen gevoel van verdriet.

„Ja. En Koos wil trouwen. Maar ik weet niet of dit een basis is om op te trouwen, ik weet het niet, moeder." Tranen die opluchten, gevoelens die moeten rijpen.

Ze denkt aan Taco, aan dat wat hij haar laatst door de telefoon zei: „De baby zou geen normaal kind zijn."

Er zou nu opnieuw een baby in de familie komen, een gezonde baby natuurlijk. Een kind van Jes.

„Het hangt ervanaf of je om Koos geeft. Dat is eigenlijk alles waar het om draait."

„Mag ik de baby houden?"

„Wat had je dan gedacht?"

„Ik heb het met Koos over adoptie gehad. Als hij de baby niet wilde zouden we hem aan een kinderloos echtpaar geven."

„Geven...? Je eigen baby?"

„Uit angst... angst voor de mensen, voor hun geklets."

„Je hebt me op één ding nog geen antwoord gegeven. Hou je van Koos?"

„Ik weet het niet," zegt Jes eerlijk. „Als hij bij me is vind ik het prettig, als hij weggaat ook."

„Je hoeft niet per se te trouwen," zegt Hilde zacht, „ons huis is groot genoeg. Het is alleen jammer van je studie. Hoewel je die natuurlijk over een aantal maanden weer zal kunnen opnemen."

„Ben je niet boos, moeder?"

Ze lijkt op een klein, verdwaald kind, is opeens weer een beetje de

Jessica die met haar hoofd tegen de schommel liep, die 's nachts naar droomde en haar dan uit bed riep.

Boos? Haar hart is barstensvol liefde, een nieuwe liefde, geboren uit zorg en begrip. Ze gaat wat dichter bij haar zitten. Opeens zijn haar armen om het kind heen, houden dat tengere lichaam vast alsof ze het wil beschermen. Ze wiegt haar zacht heen en weer als in de dagen van haar kleuterjaren. Moeder zijn is heerlijk, denkt ze, maar ook vreselijk. Je bent zo verantwoordelijk.

„Kind, toch," zegt ze. „Kon ik je dit alles maar besparen. Maar ik sta zo machteloos."

Jes heft haar beschreide gezicht op. „Ik wil beslist geen abortus, moeder, ik wil het kind ook niet afstaan en ik wil níet trouwen...

„Waar maak je je dan zo druk om? Hoe ver ben je heen?"

„Nog maar ruim twee maanden. Ik verwacht het in april. 't Is zo gek, ik begrijp er niets van. Het is net of ik loop te dromen en straks wakker word."

Was het maar waar, denkt Hilde, was dit alles maar een droom. De toekomst zal voor dit kind van nu af moeilijk worden. De maatschappij is nog steeds hard, ook al denkt men dat een ongehuwde vrouw met een kind tegenwoordig vlot geaccepteerd wordt. Vergeet het maar. De roddel bestaat nog, de onzekerheid. De nieuwsgierige blikken zijn er nog, de spottende gezichten, de stiekeme beschuldiging.

Heeft ze Jes toch te weinig voorgelicht? Na dat ene gesprek die avond, leek alles gezegd te zijn. Hoe komt het dat tussen haar en Jes de laatste tijd een kleine afstand is gegroeid? Nauwelijks merkbaar, wel aanwezig.

„Zeg nog maar niets tegen pap," zegt Jes.

„Hij zal het moeilijker accepteren dan ik," zegt Hilde, „hoewel ik er ook moeite mee heb, dat begrijp je immers?"

„Dat begrijp ik best, moeder..."

„Ik vertel het hem wel als ik denk dat het moment goed gekozen is, nu zou het helemaal niet kunnen. Hij krijgt een andere afdeling en moet voor de zaak dikwijls naar het buitenland. Hij is daar erg blij mee en zou nu zo'n domper niet kunnen gebruiken."

„Hoe denk je eigenlijk dat ik het zelf vind? Je bent bijna net als alle andere mensen, moeder, je laat me goed voelen dat ik het jullie erg moeilijk maak. Maar ik heb het zelf ook hartstikke moeilijk."

„Ik wil je immers niet bezeren."

„Maar dat doe je wel. Ongemerkt en zo heel fijntjes. 'Hij zou nu zo'n domper niet kunnen gebruiken'. Híj krijgt geen kind, maar ik."

Ze kent Jes zo niet, zo fel en opkomend voor zichzelf. Wat ze zegt is waar.

„Je kunt je misschien wel voorstellen dat ik hier niet zit te trappelen van vreugde. Ik moet het ook verwerken, dat heeft tijd nodig."

We lijken steeds verder bij elkaar vandaan te groeien, denkt ze, we zijn nu al bezig elkaar te bezeren.

„O, zijn jullie hier? Wat is er? Jullie kijken of je al je geld hebt verloren."

Anneke smijt haar schooltas op tafel. „Ik heb zoveel huiswerk, bah. Help je me, Jes? Ik ben stom in Frans. En er is nog wel een repetitie morgen."

Hoe zou de vrolijke, spontane Anneke het vinden, denkt Jes, als ik het haar nu pardoes zou zeggen. Anneke weet overal alles van, ze is bovendien erg open.

„Nou, wat zitten jullie daar nou? Heb je wat uitgespookt, Jes?"

„Laat dat Frans maar eens zien," zegt Jes langzaam. Ze zou moeder een zoen willen geven, maar het is of ze mijlen ver van haar af staat.

13

„Ik ga volgend weekend naar Londen," zegt Toon. Hij is in enkele dagen tijds veranderd, lijkt weer helemaal op de Toon die ze kent: attent, hulpvaardig, vrolijk. Dat werk, vooral verantwoordelijk werk, voor een man zo veel betekent.

„Ik zal je wel missen," zegt hij.

Hilde glimlacht. „Toch wel? Het is immers zo weer zaterdag. Je gaat van donderdag tot zaterdag? Dan ben je zondag fijn hier. Neem wat voor me mee."

Hij kijkt haar peinzend aan. Er ís iets met haar. Als ze zich onbespied weet is haar gezicht ernstig, is het net of het zijn Hilde niet meer is, of ze ergens over inzit. Hij vraagt het haar niet. Hij kent 'r. Ze komt altijd bij hem met problemen, ze is eerlijk en verbergt nooit iets. Ze is een vrouw zoals er maar weinig in de wereld zijn. Hij beseft dat niet elke dag, maar wel vaak. Op kantoor zijn een paar kerels die wel eens een slippertje maken, vinden dat ze dan des te meer van hun eigen vrouw houden als ze weer thuiskomen. Hij begrijpt dat niet, voor hem is trouw iets vanzelfsprekends. Hij zou bovendien geen behoefte hebben aan een andere vrouw. Hij kijkt er wel naar. Welke normale vent kijkt niet naar een paar mooie lange benen, een aardig gezicht? Daar had je tenslotte een paar behoorlijke ogen voor gekregen, die moest je gebruiken. Zelfs op de jaarlijkse personeelsavonden waar wel eens gedanst wordt, had hij er nooit veel behoefte aan een andere vrouw in zijn armen te houden. Bovendien, Hilde danst zelf goed, licht en ritmisch.

Hij wil haar niet vragen wat er is. Vrouwen hebben het in deze jaren wel eens moeilijk, las hij laatst. Hoewel ze nog niet volop in de overgangsjaren is. Ze is nu zevenenveertig, een frisse, heldere vrouw met glanzende ogen en verzorgd haar, een vrouw waar je met plezier naar kijkt.

„Wat moet ik voor je meenemen?" vraagt hij.

„Ik ben zeer gecharmeerd van Prins Philip. Vraag hem of hij een foto voor me heeft."

Hij bekijkt haar gezicht nadenkend. „Ik mag een boon worden als ik ooit iets van vrouwen begrijp."

„Het is veel interessanter weinig van vrouwen te weten," zegt ze schalks, „des te verrassender is de ontknoping. Maar nou wat anders. Het is misschien wel handig als je je weekendkoffer meeneemt, er gaat veel in en hij is niet zwaar."

Hij knikt.

Voor het raam ziet hij Jes aankomen, Annekeje fietst er hard achteraan, bij de ingang van het huis heeft ze Jes ingehaald. Ach, ja, hij zal de kinderen ook minder zien. Hij is altijd een afschuwelijke huismus geweest, tevreden met het ritme van alledag, blij met veel kleine momenten, zondagmorgen met het hele stel koffiedrinken en een stuk gaan lopen, samen een beetje tv kijken en er na afloop over praten, Wouter meestal languit liggend op de grond. Hij is zo'n man die het genoeglijk vindt op vrije uren in zijn kamerjas rond te lopen, te doen waar hij zin in heeft, soms met Hilde 's avonds een glas wijn te drinken en te praten.

Hij heeft heel even het gevoel bespottelijk ver weg te moeten, eindeloos ver weg. Er is een moment iets van heimwee. Zo vreemd zit een mens in elkaar. Hij hunkert naar promotie maken, veel geld verdienen – geld is nu eenmaal macht, maakt veel dingen mogelijk en als hij dat alles heeft bereikt is er een aarzeling de sprong van huiselijk man naar die van reizend man te maken.

„Misschien kun je wel eens een keer mee. Jes is al volwassen, ze kan best een weekend op Anneke en Wouter passen."

Hij ziet een lichte kleur in haar gezicht. Hij begrijpt niet waarom ze bloost. Wat heeft hij nou helemaal gezegd?

„Is er wat?" vraagt hij. Het irriteert hem dat ze zo wonderlijk reageert.

„Het ís toch zo," zegt hij. „Jes wordt twintig, ze is behoorlijk zelfstandig."

„Daar gaat het niet om," zegt Hilde. Wanneer weet een mens of het het juiste ogenblik is, iets te zeggen dat onaangenaam is? Wanneer maakte je fouten? 'Ik moet je wat zeggen.' Ze zou erachteraan willen zeggen: 'Maar je moet niet direct razend zijn.'

Dat laatste zegt ze niet.

„Doe niet zo geheimzinnig, Hil. Daar kan ik niet tegen."

„Kom," zegt ze, „niet hier. Op de slaapkamer is het beter. Ik wil niet dat de anderen het horen."

Anneke is op haar kamer. Ze heeft haar deur op een kier gezet toen ze pap en mam naar boven zag komen. Ze hoort ze naar hun slaapkamer gaan. Op dit uur van de dag doen ze dat nooit.

Ze sluipt voorzichtig tot voor hun deur. Het is min, aan deuren te luisteren, het is eigenlijk hartstikke gemeen, maar ze is nieuwsgierig, ze wil weten. Er is iets met Jes, of met Wouter, of misschien is de gymleraar wel thuis geweest om over haar, Anneke Poortman, te klagen.

„Ik hoop dat je meer aan haar denkt dan aan jezelf," hoort ze mam zeggen. „Ze gaat een zware tijd tegemoet, haar hele toekomst ziet er erg moeilijk uit. Ze heeft ons zo nodig. Vooral nu."

„Wanneer komt de baby?" hoort ze paps vragen. De baby? Jes, een baby...? Je hoorde wel eens meer dat meisjes een kind kregen, dan gingen ze trouwen, en na een poosje praatte niemand er meer over. Maar Jès... Nee, Jes niet. Jes, die haar alles verteld heeft wat ze maar wilde weten, die haar vooral op het hart drukte vriendschap met jongens te hebben, veel samen te sporten, te zwemmen, te wandelen langs het strand. Haar grote zuster, waar ze tegenop ziet en van wie ze hartstochtelijk veel houdt. Hoe kan Jes dat nou doen? Hoe kan ze zo'n jongen toelaten?

Ze wil niet verder denken. Ze weet drommels goed hoe baby's ontstaan. Iedereen kan het, er is helemaal niks aan. Het is veel moeilijker te zorgen dat er geen baby komt. Ze heeft een heel klein beetje ervaring, als je dat grote woord mag gebruiken. Ze heeft een speciaal vriendje. Hij is aardig, ze gaat met hem om als met een broer; er komen nog geen andere gevoelens bij. Soms een beetje, als hij haar zoent. Maar laatst in de duinen… ze vond het niet leuk. Hij knoopte haar jack los en wilde met zijn hand haar trui omhoogduwen. „Donder op," zei ze. Het gekke was dat ze vaag iets voelde, iets dat prettig was. Iets dat terug zou komen, heel anders, veel beter. Hij leek een geslagen hond. Hij liep naast 'r, stil en uit zijn humeur. Wat wist ze ook van jongens? Ze ging met ze om zoals ze met haar vriendinnen omging, gezellig, gewoon vlot. Hij had alles verknoeid, er was iets weg en daar was ze nog het meest kwaad om.

Jes was dus verder gegaan, eigenlijk te ver. Of niet? Was het gewoon als je deed waar je behoefte aan had? Waarom is leven zo moeilijk? Waarom weet je niet meteen waar je aan toe bent, hoe de weg is?

Ze loopt op haar tenen naar haar kamer terug. Ze weet dat ze dit niet voor zich kan houden, dat ze er met mam over moet praten. Mam heeft verdriet, natuurlijk, vader ook. Hoe zullen de anderen het opvatten? Wouter? Taco en Michiel zijn erg vrij in hun opvattingen, daar zal Jes weinig van merken. En hoe is ze zelf? Hoe staat ze tegenover Jes? Jes die altijd klaar staat haar te helpen, die er altijd is als ze haar nodig heeft. Ze weet het niet.

Ze zit eindeloos lang zichzelf voor de spiegel te bekijken, haar haren, haar lichaam. Is ze knap? Nee, beslist niet, ze heeft een beetje een dopneus en ze is ook te mager. Ze hoort pap en mam naar beneden gaan. Ze wíl niet naar beneden. Ze doet alsof ze veel huiswerk heeft. Ze heeft juist haar boeken open, als de deur opengaat.

Het is Wouter. Hij ziet er verhit uit. „We hebben gewonnen met voetballen, drie-één, goed, hè? Kom je nou beneden? Iedereen is met iedereen bezig."

Hoe lang is het geleden dat ze met Wouter voetbalde? Een paar jaar nog maar. Ze verloor vaak van hem. Als hij won was hij zo trots als een aap.

Er is een gevoel van verantwoordelijkheid in haar. Het is eigenlijk wel fijn als je nog een kind was, fouten mocht maken. Als volwassene mocht je dat niet. Jes mag geen fouten maken. En waarom eigenlijk niet? Het is onrechtvaardig. Jes is hartstikke sympathiek.

„Ik heb huiswerk.”

„Strafwerk zeker. Je zit hier nooit als ik uit school kom.”

„Nu zit ik hier wel.”

Ze hoort moeder onderaan de trap roepen. „Theeeee.” Ze heeft geen trek in thee. Ze wil niet naar beneden, er is zoveel dat ze nog niet aankan.

„Ja,” roept Wouter. „Toe, kom nou. Je moet het zelf weten, ik stik van de dorst.”

Ze hoort hem de trap afrennen.

Ze zit over haar schrift en boek gebogen. Ze hoopt dat moeder boven zal komen om te kijken waar ze blijft. Ze mist nooit het thee-uurtje, het is altijd gezellig zo met z'n allen beneden. Maar moeder komt niet. Het is nu al kwart over vijf en nog is ze er niet. Niemand denkt aan haar. Ze zit maar hier boven zich te vervelen en niemand mist 'r.

Ze beseft opeens hoe 'n grote egoïste ze is. Pap en mam hebben wel wat anders aan hun hoofd dan Annekeje Poortman. Gekke achternaam eigenlijk, Poortman. Ze klapt haar schrift dicht. Vanavond zal ze het in haar dagboek schrijven, van Jes. Ze zal haar helpen, al die maanden die nog komen zal ze haar helpen. Er is een gevoel van vreugde omdat ze soms een beetje boven zichzelf uitgroeit.

„De thee is koud,” zegt ze, als ze beneden is en zich een kopje inschenkt.

„Dan moet je maar komen als ik je roep. Wat deed je boven?”

„Brieven schrijven aan haar vriendje,” sart Wouter.

„Je weet nog niet waar je over praat, broekie,” zegt ze vinnig.

„Is het weer zo ver?”

Anneke ziet moeders gezicht. Stil en rustig is het, veel rustiger dan ze het kent. De lichtjes lijken niet meer zo in haar ogen te dansen.

„Sorry,” zegt ze.

Vader staat voor het raam. Aan de houding van zijn rug kan ze zien dat hij met veel dingen tegelijk bezig is. Jes is er niet. Ze zou opeens Jes willen zien, haar ogen, haar vlecht, ze zou aan die vlecht willen trekken, zomaar.

„Ik ga nog even weg,” zegt vader.

Anneke ziet nu zijn gezicht, het is ouder en zorgelijker. Ze zou in zijn armen willen vliegen, zich bij hem beschermen tegen het leven waar ze vaak niets van begrijpt.

„We eten over een kwartier," zegt Hilde.

Ze kent dit van Toon. Als er iets is waar hij geen raad mee weet moet hij eruit, al is het maar even. Dan gaat hij een blokje om, alleen met zichzelf en zijn gedachten.

Ze kan hem niet helpen, niemand kan dat. Nooit vergeet ze zijn gezicht toen ze het hem vertelde. Nooit ook zijn antwoord, „daar is tegenwoordig toch wel iets aan te doen?"

„Nee," zei ze. „Dat wil Jes niet."

„Wat moet ze dan? Het rustig laten komen en haar jonge leven verknoeien?"

„Je bedoelt dat jíj niet wilt dat het komt. Voor de mensen, de buren, de vrienden."

Scherp was haar stem geweest, scherp en hard. Ze vocht voor haar kind, voor Jes, die ze eens negen maanden lang onder haar hart had gedragen. Jes, de meest kwetsbare van al haar kinderen. „Het is haar kind, alleen zij mag erover beslissen. En ik vind dat ze de meest gezonde oplossing heeft gekozen."

„Vind je dat? Nou, ik niet. Ik vind het stom. Ik vind het ten eerste stom dat ze het zover heeft laten komen. Nog stommer vind ik het gebrek aan verantwoordelijkheid tegenover het ongeboren kind. Wat heeft ze het te bieden? Geen vader."

„Hou alsjeblieft op. Hou óp, zeg ik je. Als er iemand volwassen is, is Jes het wel. Ze wil vechten, ze durft risico's te nemen, ze heeft een kracht in zich die een man nooit kan begrijpen. Een vrouw die een kind draagt is iets dat mannen nooit kunnen meevoelen."

Het was hun eerste afschuwelijke ruzie. In al hun huwelijksjaren kwam het zelden voor dat ze elkander hard aanpakten. Het was niet nodig, ze begrepen elkaar; in het begin weinig, later veel beter.

Zo'n afstand als er nu tussen hen is, is er nooit geweest. Ze zijn nieuw voor elkaar. Voor het eerst voelt ze naaldscherp het verschil tussen man en vrouw; een moeder vecht met haar gevoel, een vader is bezeerd in zijn ijdelheid. Zíjn kind... zíjn dochter.

„Ik ben over een kwartier wel weer terug," zegt Toon.

Zelfs Wouter voelt de stroeve toon, de spanning. „Hebben jullie ruzie?"

„Jij hebt toch ook wel eens ruzie?" zegt Anneke. Ze wil opeens net zo oud zijn als Wouter, weer buiten spelen en met een warm gezicht binnenkomen. „Ga je mee een partijtje voetballen?" vraagt ze.

„Je bent mal, daar ben je nou veel te groot voor."

„Jíj mag in het doel." Ze lacht.

„Meiden... Ik snap niks van meiden."

Hij kijkt haar nijdig aan. Ja, hij zal me daar met zo'n lange griet buiten gaan voetballen. Hij pakt een boek en gaat lezen.

14

Toon Poortman loopt langs de dijk. Als kleine jongen liep hij hier al, aan de hand van zijn vader. Dat is een mooi aantal jaren geleden. Ze gingen altijd naar de boten, er lagen er veel, botters en jachten. Vooral de botters trokken hem aan, hij wilde mee op de visvangst; het moest een kolossale belevenis zijn enorme netten vol vis binnen te halen.

Het is rustig aan de kade, de meeste mensen eten op dit uur van de dag.

De schemering is al zichtbaar over zee, lijkt uit de horizon te vloeien en zich over water, hemel en huizen te verspreiden.

Jes... Zijn eerste dochter. Hij was bij de bevalling. De dokter vond het goed. Bij de geboorte van de jongens was hij er ook bij geweest, hij kende het klappen van de zweep. Het ging met Jes niet zo vlot. Ze was een dikzak, ruim acht pond, ze had knuistjes met kleine vetputjes erin en een vracht haar om een rond gezicht.

Later, toen ze groter werd, waren ze de beste vrienden. Hij schommelde met 'r, maakte kuilen aan het strand. Hij nam het voor haar op als haar grotere broers haar plaagden. Lieve help, Jes...

Hij loopt met zijn handen op zijn rug. Een rare gewoonte eigenlijk. Het geeft rust en ontspanning.

De wind uit zee waait kil in zijn gezicht. Hij zou uren willen lopen, aan niets denkend, aan niets speciaals, alleen maar doorlopen in die wind, door de stilte van de naderende avond.

Wat is een vader zonder de trots op zijn dochter? Zonder zijn eigen trots?

Heeft Hilde gelijk? Ziet hij het niet goed? Hij wil toch óók het beste voor het kind?

Ergens raken ze elkaar niet, Hilde en hij, gaan ze elk een eigen weg.

Dat doet hem minstens zo zeer als dat van Jes. Zoals ze naar hem keek, Hilde. Alsof hij een vreemde was, een man die ze nooit eerder had gezien. Zoals ze tegen hem praatte. Hij begrijpt het niet, hij kan niet met de problemen in het reine komen. Er is nooit spanning in huis. Als er iets te bespreken is, werden de kinderen er buiten gehouden. Hun jeugd moest zorgeloos zijn, vol liefde.

De kerkklok slaat half zeven. Er drenst een carillon, de geluiden drijven weg over het water, lijken op speelse belletjes waar een kind mee gooit.

Hij weet dat hij nu naar huis moet, Hilde wacht met het eten. Als hij diep in zichzelf maar een oplossing kon vinden, een ontspanning, zodat de vroegere Toon weer thuiskwam, de man die met zijn jongste zoon dolde, Anneke plagend over het haar streek, Jes toelachte. De man die van zijn gezin houdt en zo kwetsbaar is als er in dat gezin iets gebeurt dat verdriet oproept en zorgen.

Hij ziet Hilde in de keuken. Hij zou nu willen dat ze alleen was. Dan zou hij haar in zijn armen nemen en haar laten voelen dat hij naast haar staat, dat hij kiest voor de mogelijkheden die het leven biedt.

Hij hangt zijn jas aan de kapstok.

„Je bent fijn op tijd," zegt Hilde. Haar toon is weer als vroeger. Hij weet dat ze dit voor de kinderen doet. Niet voor hem.

„Ik heb wat brieven gepost," zegt hij. Hij ziet Jes, ze is bezig vorken en messen bij de borden te leggen. Hij vecht tegen een gevoel van woede.

Zo rustig als ze daar staat, zo gewoon, alsof er niets aan de hand is.

Niets… Ze voelt zijn blik. Ze kijkt even op. „Je bent laat, pap," zegt ze.

Opeens is het er, de warmte, de ontroering, dat diep verborgen gevoel dat het allerbeste uit hem haalt. Is het liefde? Wat is liefde? Ze heeft zoveel gezichten. Zijn stem lijkt vreemd ver als hij zegt: „Jullie zijn gelukkig nog niet begonnen."

Hilde hoort de kleur in zijn stem, de warmte. Hij heeft zichzelf weer een beetje terug, denkt ze. Dat is het allerbelangrijkste, voor hem en voor ons. In bepaalde situaties leer je elkaar steeds weer opnieuw kennen, wordt er weer een stap gezet naar een sterkere volwassenheid.

Ze legt in het voorbijlopen even een hand op zijn schouder. Het is een kort gebaar en het zegt veel.

Anneke eet snel en met gebogen hoofd. Ze kan niet goed naar Jes kijken. Idioot, maar ze kan het niet. 't Is zo'n afschuwelijke gedachte.

„Wil jij graag kromgroeien, Anneke?"

„Ik zit altijd zo."

Waarom geeft ze nou zo'n grote mond?

„Ik heb je wel eens anders zien zitten," zegt Toon.

Het is aan één kant jammer dat hij wel eens een paar dagen weg zal zijn. De kinderen worden moeilijker, Hilde zal er haar handen aan vol krijgen.

Anneke eet door, propt grote happen tegelijk in haar mond. Ze wil haar bord leeg hebben en naar buiten kunnen, ze heeft het gevoel hier te stikken in die gespannen atmosfeer.

„We krijgen nog yoghurt," zegt Hilde. „Je lijkt wel uitgehongerd."

„Ze wil gauw groot zijn," plaagt Wouter. „Ze heeft een lang vriendje."

Annekes blik is zo vernietigend dat ze op dit ogenblik een onsympathiek gezicht heeft. In elk mens zitten verborgen eigenschappen, minder mooie karaktertrekken. Ze komen boven als zich een speciale gelegenheid voordoet.

Ze wil niet zeggen wat ze er nu uitflapt, hard en schril: „Zo stom van Jes, een kind te moeten krijgen."

Ze schuift haar stoel weg en rent de kamer uit. Het is doodstil in de kamer. Wouter wordt rood.

„Krijgt Jes een kind?"

Toon ziet het gezicht van zijn oudste dochter, er is pijn op en eenzaamheid. Hij zoekt met zijn ogen de hare. Hij vindt ze en schenkt haar een bemoedigende knipoog. Gelukkig gebeurt dit alles nu hij nog thuis is.

„Kom eens mee naar boven, Wouter, naar mijn kamer."

De jongen gaat achter hem aan.

Hilde blijft met Jes alleen. Ze zegt zacht: „Anneke heeft natuurlijk achter de slaapkamerdeur staan luisteren, we hebben daar gepraat, je vader en ik. Zo heeft ze het gehoord."

Het gezicht tegenover haar is zo gesloten en stil, lijkt onbereikbaar. „Trek het je niet meer aan dan het waard is," zegt ze. „Een uiting van liefde kan op dezelfde manier worden gezegd. Anneke houdt van je, het doet haar pijn dat je het moeilijk hebt. Ze weet niet hoe ze die pijn moet uiten, ze doet het op de manier die nog bij haar leeftijd past. Wees niet boos op ’r. Soms moeten deze nare dingen gebeuren om dichter bij elkaar te staan.”

„’t Is zo naar dat Wouter het weet,” zegt Jes.

„Daar is nu eenmaal niets meer aan te veranderen, we moeten de feiten onder ogen zien. Om te beginnen moet je voor jezelf weten wat je wilt, hoe je je toekomst wilt opbouwen. Het kind kan bij ons zijn, we hebben een groot huis, jij kunt verder met je studie. Je móet je opleiding tot kleuterleidster afmaken. Je weet nooit of je trouwt, Jes, en dan heb je altijd een goede financiële basis.”

Jes heeft het verlangen te gaan huilen.

„Met huilen schiet je niets op. Je zult zien, we vinden er samen wel iets op.”

„Wat zei vader?”

„We helpen je hier zo goed doorheen als we kunnen, later zien we verder. Ik hoop zo dat ons gezin ons gezin blijft, dat er geen verwijdering groeit met één van jullie. Dat hoop ik echt, Jes.”

„Moeder,” zegt Jes, „ik ben bang voor alles. Voor de bevalling, voor de hele toekomst.”

„Je staat niet alleen, Jes. Wij zijn er ook nog. Je groeit er geleidelijk naar toe. En op een dag merk je dat je het aankunt. Een mens kan heel veel aan als hij wil. Het klinkt ouderwets, maar het is de waarheid. Kom, laten we gaan eten, je hebt je yoghurt nog niet op. Vanavond spreken we de zaak nog eens helemaal door.”

Wouter komt binnen. Hij is een jongen, hij begrijpt nog zo weinig van het grote volwassen leven, waarin dingen gebeuren die hij niet kan plaatsen. Hij gaat verlegen aan tafel zitten, buigt zich diep over zijn bord en lepelt zijn yoghurt met kleine happen.

Wat zei vader nou ook weer allemaal? ‘Als je denkt dat je veel van de andere partner houdt, ga je daar mee naar bed. Zo hebben wíj jou gekregen en de andere kinderen, zo krijgt Jes haar baby.’

„Maar Jes is niet getrouwd.”

„Daarom hou je wel evenveel van elkaar. Het is alleen jammer dat er een kindje komt, omdat ze nog wat te jong is, maar ze zal het wel redden, ze is erg flink. En we moeten een beetje aardig tegen haar zijn.

Heb je er wel eens over nagedacht dat een vrouw het erg moeilijk heeft in die lange negen maanden, waarin het kind steeds maar zwaarder wordt.”

„Wilden jullie míj graag hebben?" vraagt hij.

„Ja," zegt Toon, „niet jou alleen, alle vijf. We vinden het heerlijk dat jullie er zijn. Ons leven zou anders veel armer zijn geweest."

Wouter gluurt voorzichtig naar Jes. Er komt iets ridderlijks in hem boven. Als ze haar ook maar één keer pesten, als Anneke ooit nog eens zo stom is alles eruit te flappen, dan krijgen ze met hem te doen.

Hij zegt: „Ik sla ze op d'r smoel, Jes, als ze iets over jou zeggen."

„O ja, Wouter?"

„Ja," zegt hij, „Anneke het eerst."

„Anneke heeft er zelf veel verdriet van," zegt Toon. „Ze zit boven op haar kamertje te huilen."

Jes schuift haar stoel weg. „Ik ga wel naar haar toe," zegt ze.

Haar ogen ontwijken die van Toon niet, er is een blik in van berusting.

Het is of ze zichzelf een beetje terug heeft nu iedereen in huis het weet.

Iedereen, behalve de twee oudste broers. Ze hoeft niet langer zo stil te zijn, in haar eentje te vechten, rond te lopen met een geestelijke last, die te zwaar is om alleen te dragen.

Ze heeft al deze verschillende reacties verwacht, ze is er nu doorheen.

Ze kan beginnen te vechten om haar gevoel van eigenwaarde terug te vinden, van vreugde misschien om dat wat ze krijgt, een baby, nee, een mens, een mens.

Anneke kijkt niet op als ze de deur hoort opengaan.

Jes voelt zich opeens zoveel jaren ouder. Ze begrijpt haar reactie, haar zorg. Ze raakt Annekes haar aan. Ze voelt dat het kind zich wil terugtrekken, er is afweer in haar houding, maar dan drukt ze haar gezicht diep tegen Jes' schouder. „Ik wou het niet zeggen, niet zó. Ik hoorde het, je viel me zo tegen. Ik begreep het niet, ik begrijp het nog niet."

„Weet je nog dat we vroeger elkaar altijd dekten als er iets was? We schelen drie jaar, maar soms was dat verschil niet zo merkbaar. We hielpen elkaar altijd, ik jou met je opstellen, jij mij als ik wat later thuis was gekomen dan mocht."

Anneke grijnst. „Ja, dat weet ik nog," zegt ze.

„Ik weet wie je bent," zegt Jes. „Ik ben erg op je gesteld. Ik weet dat je me daarstraks niet wilde bezeren."

„Ik móest erover praten," zegt Anneke, „ik kon het niet langer voor me houden. Ik vind het zo, ja, zo onnadenkend van je."

„Sommige dingen gebeuren nu eenmaal. Jij kunt soms een onlesbare dorst hebben, of behoefte aan snoepen. Dat is een beetje hetzelfde. Toegeven aan dat wat je wilt."

„Wou je met hem naar bed? Met... met Koos, hè?"

Jes bloost. „Het is geen kwestie van willen, je doet het omdat je er in de juiste stemming voor bent. Later pas komt de ontgoocheling. En nog veel later, de angst."

Nooit vergeet ze die avond. Maandenlang had ze zich tegen deze intimiteit verzet. Ze dacht dat ze er nog niet aan toe was, geestelijk niet en lichamelijk niet. Maar Koos heeft een manier van je veroveren waartegen je niet lang bestand bent. En die avond bij hem op zijn kamer gebeurde het. Het viel haar tegen, ze had gedacht dat het veel prettiger zou zijn. Ze had naderhand een hekel aan hem en vooral aan zichzelf.

Zuiver voelde ze dat dit niet de grote liefde was, dat het alleen maar een voorproefje was van iets dat heel anders moest zijn, tederder, liever.

„Ik wil er liever niet meer over praten, Anneke. Ik wil je alleen zeggen dat ik in april de baby heb, dat het kind hier thuis blijft en dat ik niet met Koos ga trouwen."

„Waarom niet? Dan heeft je kind een naam, je kunt heerlijk moedertje spelen."

„Ik ga verder met mijn studie. Ik kan dan later altijd zelf voor het kind zorgen."

Met heel haar leeftijd zegt Anneke: „Wat zullen de mensen zeggen?"

„Daar moet ik doorheen. En ik kom er ook wel doorheen, maar je moet me helpen. Jij, Wouter, iedereen. Dan zal het wel gaan."

„Ben je niet echt boos op me?" vraagt Anneke.

„Niet meer. Ga nou je gezicht wassen en kom beneden. Het is zo saai als je er niet bij bent."

„Ik hou veel van je," zegt Anneke ernstig.

„Ik van jou. Kom, schiet nou op."

Als Jes langzaam de trap afloopt heeft ze het gevoel het allerergste een beetje te hebben verwerkt.

15

Anneke heeft geen zin een lang weekend mee naar Terschelling te gaan. Ze is geen kind voor stilte en ruimte, maar voor het bruisende, tintelende leven.

„Je kunt toch met Kerst en Oudjaar niet bij je vriendin logeren? Natuurlijk ga je mee," zegt Hilde. Ze is moe. De maand december is voor de meeste huisvrouwen een afschuwelijke maand, eerst komt Sinterklaas, daarna vragen de kerstdagen alle tijd en aandacht. De mannen zitten genoeglijk in hun stoelen, laten zich alles lekker aanleunen, de vrouwen staan de helft van de dagen in de keuken.

„We gaan met veel," zegt Hilde. Ze heeft ook Jan en Marleen Renckens gevraagd. Toon is erg op Jan gesteld, die een man is met een droge, trefzekere humor, een man die met een volmaakt onschuldig gezicht aan zijn gasten vraagt of ze nog een 'rundercocktail' willen hebben. Als de mensen ja zeggen, komt hij met glazen melk binnen.

Weinig mensen zijn in het leven helemaal zichzelf, Jan Renckens is er daar één van. Hij gaat met Marleen om alsof hij haar voortdurend aan het lachen wil hebben. Het lukt hem vaak. Met zijn buren heeft hij het niet zo getroffen, aan de ene kant woont de een of andere halfgare schrijfster, die midden in de nacht het hoogste lied zingt en nooit ophoudt vogels en eenden te voeren, aan de andere kant woont een oude weduwnaar met twee honden. „Maar ja," zei Jan, „volmaakt krijgt een mens het nooit."

„Wie gaan er dan allemaal mee?" vraagt Anneke.

„Jan, Marleen en Lidy. Je moet in zulke dagen ook wel eens aan mensen denken die geen gezin hebben, zelfs geen man, zoals Lidy."

„Bah, al die volwassen mensen, niks an."

„We maken het leuk. Jan sjouwt zijn sjoelbak mee, het wordt vast erg gezellig. En zet nou die bokkepruik van je hoofd want je krijgt daar erg vroeg rimpels door. Het zou zo aardig van je zijn als je probeerde mij een beetje te helpen," zegt Hilde, „je hebt veel goeie kanten, laat er nou eens eentje van zien."

Anneke lacht. Ze gaat op de grond zitten, slaat haar armen om haar knieën en zegt langzaam: „Je kunt het al best zien, hè, van Jes?"

„Ja," zegt Hilde, „met vijf maanden kun je dat goed zien. Jes zal elke dag wel een beetje zwaarder worden."

„Gaat Jes ook mee?"

„Ja," zegt Hilde. „Wouter ook. Ik zou het fijn vinden als jij er dus ook was. De oudsten zijn er ook al niet bij. Dat gaat zo, Anneke. De jaren waarin we met zijn allen een hecht gezin vormden, raken een beetje voorbij."

„'t Is altijd hartstikke leuk bij jou," zegt Anneke.

„Een reden om mee te gaan."

„Goed, zeg maar wat ik kan doen."

„We nemen de wagen mee, anders kunnen we zoveel niet meesjouwen. Help me maar met de dekens en het beddegoed."

Jes Poortman ziet Anneke sjouwen. Ze kan het tegen niemand zeggen omdat ze misschien een beetje zouden gaan lachen, maar sinds die nacht dat ze het kind voor het eerst voelde die korte, bijna stugge trilling die door haar schoot ging, het besef dat ze iets bij zich had dat leefde, ademde, dronk, dat van haar afhankelijk is was er een diepe vreugde in haar bovengekomen, een nieuw, ongekend gevoel van dankbaarheid dat ze in staat is kinderen te krijgen. Ze had zich haar leven anders voorgesteld, dat wel, er is een groot stuk onbezorgdheid te snel van haar afgenomen, maar er komt iets voor terug dat haar leven in de goede zin van het woord zal veranderen.

Twintig zal ze nog zijn als het kind er is. Het kind van Koos en haar, ontstaan in een simpel moment van overgave.

Van de week kwam ze Koos tegen. Ze had het hem direct gezegd. Zodra ze zekerheid had, had ze met hem gepraat. Maanden geleden, op een regenachtige avond, hadden ze samen een stuk door de stad gelopen. Om hen heen was het druk en roezemoezig, in hun eigen hart was het stil en bedrukt.

„Wat moeten we nou doen?" vroeg Koos. Er was niets over van zijn bravoure, hij was een jongen in diepe geestelijke nood.

„Niets," zei ze, „het kind komt, mijn ouders zullen er voorlopig voor zorgen. Later zien we wel verder. Ik wil niet trouwen. Ik heb genoeg narigheid gezien van jonge mensen die te snel naar het stadhuis gingen. Gedwongen huwelijken zijn niet de beste."

„Maar het is toch ook míjn kind," zei Koos. Hij zei het niet hartelijk, maar verongelijkt en koppig.

„Denk jij dat wij echt bij elkaar passen?" vroeg ze. „Dat het de moeite waard is samen verder te gaan?"

„We kunnen het toch proberen? We huren een paar kamers en gaan samenwonen. Lukt het niet dan kunnen we altijd nog zien. Ik wil dat je me een kans geeft."

Nee, dacht ze met een stil gevoel van verdriet, nee, er is geen kans. Ik heb je gezicht gezien toen ik het je vertelde. Ik vergeet nooit de woorden die je zei: „Had dan verdikkeme wat gebruikt, dan was ik er nooit ingestonken."

Ja, die woorden gebruikte Koos, deels uit schrik, deels uit waarheid. Ze had zich mijlen bij hem vandaan gevoeld.

„Ik denk niet dat er een kans is," had ze gezegd.

„Mijn ouders willen dat ik met je trouw."

„Je ouders hebben niets over mij te zeggen."

Hij had haar hand gegrepen en ze was verwonderd dat dat haar niets deed. „Ik geef toch om je," zei hij, „je weet dat ik om je geef."

„Maar je houdt niet van me, en dat is wat ik wil."

Ze had hem de afgelopen maanden af en toe gezien. Op een keer kon ze hem niet ontlopen. Ze stonden tegenover elkaar zonder het te willen.

„Dag," zei Koos, „hoe gaat het met je?"

„Goed," zei ze, „erg goed en met jou?"

„Je maakt me razend, weet je dat. Door je hele afwerende houding maak je me woest. Ik wil met je trouwen, ik wil dat we in een huis gaan wonen met het kind en er iets van maken."

„Je bent razend, omdat je je zin niet krijgt," zei ze kalm. „Je bent verwend, je kreeg altijd alles wat je wilde. Bij mij krijg je dat niet."

Ze was doorgelopen.

Waarom denkt ze hier nu aan? Ze ziet moeder van alles in de auto dragen, ook Anneke rent heen en weer en Wouter. Haar kind moet ook in zo'n veilig, beschermd gezin opgroeien, met een moeder die altijd thuis is, met een vader die tijd heeft en aandacht, met zoveel duizenden kleine gevoelens van geluk en geborgenheid.

Misschien komt er later een man die van haar houdt, van haar en de baby. Als je iets heel erg graag wilde, gebeurde het ook wel eens.

Hilde ziet Jes voor het raam. Ze zwaait even. Ze roept: „Nog even, we zijn bijna klaar."

Jes knikt.

Gezellig, met zijn allen bij elkaar. Ze kan misschien met Lidy eens een wandeling langs het strand maken, Lidy is erg sympathiek, een van de weinige mensen die de juiste woorden zei toen ze het hoorde: „Ik heb

nooit kinderen gehad, ik ben een beetje jaloers op je."
„Het zal niet gemakkelijk zijn."
„Nee, Jes, dat zal het niet. Geen enkel mens leeft gemakkelijk, maar als je je kunt inzetten voor iets dat de moeite waard is, weet je waar je voor vecht."
Lidy moest erg eenzaam zijn, hoewel ze nooit klaagde.
Hilde komt naar boven. „Met een uurtje zijn we onderweg. Ik hoop dat er sneeuw komt."
„Een eiland in de sneeuw is een sprookje," zegt Jes. Ze legt haar handen op haar buik. Ze maakt vaak dit gebaar, ze is vooral de laatste weken erg met het komende kind vergroeid. Ze verlangt ernaar het te zien, het te kunnen aanraken.
Het vriest nog niet. De hemel is dicht en grijs, er waait een harde noordenwind.
Wouter komt aanrennen. „Ik heb je goed geholpen, hè?"
Hilde glimlacht. „Ik zou niet weten wat ik zonder jou zou moeten beginnen."
„Ik ook niet," zegt Jes langzaam. Wouter vraagt bijna elke dag of hij iets voor haar kan doen. Soms laat ze hem kleine karweitjes doen, het wegbrengen en weer ophalen van haar schoenen, een bibliotheekboek ruilen, kleine toiletartikelen halen in de drogisterij op de hoek. Hij verwerkt de dingen op zijn eigen manier: geen gezeur meer, maar doen wat te doen staat. Hij lijkt een beetje op Toon; kort en bondig. Hij zal later een man zijn die weet wat hij wil.
Tussen vader en haar is een band van zachtheid en eenzaamheid. Geen kritiek, maar een gevoel van zorg om haar jonge jaren en dat wat haar te wachten staat.
Ze gaat naar beneden, Jes. Ze inspecteert met de anderen of alle ramen en deuren zijn gesloten, of de planten voldoende water krijgen door draadjes die in een volle emmer uitkomen, of het kleine schemerlicht in de achterkamer brandt. Je kunt geen huis alleen achterlaten zonder het idee elk ogenblik weer te kunnen binnenkomen.
„Zo," zegt Hilde, „het meeste werk zit erop."
Ze ziet moe, denkt Jes, moe en soms een beetje oud. Zou dat ook komen door haar eigen toestand? Een klaagster is moeder niet, maar daarom verwerkt ze het dubbelzwaar. Ze voelt een gevoel van schuld als ze naar moeder kijkt.

„Iedereen startklaar?" vraagt Toon.

Hij is in zijn nopjes. Zijn werk heeft de belangstelling van de hogere bazen, zijn reizen naar het buitenland zijn succesvol, hij voelt dat hij in het bedrijf iets betekent, iemand is. Misschien dat hij daarom ook de situatie met zijn oudste dochter een beetje beter aankan. Een mens is tot veel in staat als het hem goed gaat. Hij moet er niet aan denken dat dit gebeurd zou zijn in de maanden van zijn werkloos zijn. Dan had hij het niet aangekund, in elk geval veel moeilijker.

Hij rijdt de wagen de garage uit. Als hij de deur wil sluiten zit er een kleine, magere hond voor. Het dier rilt en blaft. Ook dat nog, een hond. En waarom juist nu?

Hij tilt het dier op. In zijn hart is hij stapelgek op dieren, maar hij ziet ook drommelsgoed de consequenties die het 'houden van' met zich meebrengt.

„Wauw, pap, mogen we hem houden?" vraagt Wouter smekend.

Hildes gezicht betrekt. Ze hoopt dat de hond niet blijft. Hij brengt veel onrust mee en ze weet nu al dat het 'uitlaten' van het dier op haar terug zal vallen.

„Koop onderweg wat eten en zet dat mormel in de auto," zegt Toon.

De hond zit in elkaar gedoken op Wouter's schoot. De jongen duwt het dier onder zijn warme coat. Zijn kopje komt erbovenuit, een pienter snoetje met bruine ogen. Ogen die geen mens kan weerstaan.

„Hoe moet hij heten?" vraagt Anneke. Ze is jaloers dat Wouter zich onmiddellijk over het dier heeft ontfermd. Als ze eerlijk is, is ze vaak jaloers. Het is een nare eigenschap, waar je zelf de meeste last van ondervindt.

„Noem hem Vodje," zegt ze. „Hij ziet er tenminste wel zo uit. Het lijkt wel of hij door de mangel is gegaan."

„Vodje is geen naam," zegt Wouter. Hij streelt het dier. Tot zijn geluk gaan de bruine ogen dicht. Hij voelt de warmte van het kleine hondenlijf dicht tegen zijn trui. Zijn hond, het moet zíjn hond worden. En later kan hij op de baby van Jes passen.

„Ik noem hem Bas. Hij heeft zo'n gek bruin lijfje en smalle poten. Bas klinkt goed, het maakt hem wat flinker."

Hij spreekt de naam een paar keer uit. De hond kijkt hem aan. Hij zal nooit kunnen zeggen wat dit voor hem betekent, zo veilig warm te zitten bij mensen die hem niet bestraffen en soms een schop geven. Hoe hij hier komt weet hij zelf niet. Hij liep weg omdat hij zich in dat andere huis niet prettig voelde. Na die ene harde schop heeft hij de benen genomen.

„Mag hij alsjeblieft blijven, mam?"

Hilde hoort iets smekends in Wouter's stem. Het is waar, de jongen is dikwijls alleen, Anneke is te oud om zich vaak met hem te bemoeien, de anderen gaan hun eigen weg. Het zou misschien nog zo gek niet zijn dit kind iets te geven dat van hemzelf is. Waar hij verantwoordelijk voor is.

„Ik heb één maar," zegt ze. „Je moet hem zelf uitlaten. Als ik het ook maar één keer moet doen, gaat hij weg."

Wouters ogen staan dromerig. „Dat vergeet ik niet," zegt hij, „hè Bas?"

De hond ligt diep in slaap.

Onderweg stoppen ze om bij een slager vleesafval te halen. Bas eet gulzig en snel.

Toon bekijkt het hele spul achterin: Annekeje met haar rode coat en warme wangen; Jes, weggedoken in haar donkerblauwe duffel; Hilde, ontspannen en tevreden. Ik heb veel, denkt hij, erg veel. Soms word ik er bang van, God, zoveel als U me hebt gegeven. Soms denk ik dat het opeens afgelopen kan zijn, dat er iets gebeurt waardoor ons geluk wordt afgebroken.

Hij zou opeens willen zingen, maar hij bedenkt dat hij niet zo goed kan wijshouden.

Heerlijk, naar het strandhuis te gaan, de kaarsen te ontsteken, de geur van de zee te ruiken en van het strand. Heerlijk, te mogen leven.

16

Het huis ligt bovenop een duintop. Ze hebben het voor een niet al te hoge prijs kunnen kopen, jaren geleden, toen de prijzen van de huizen niet zo krankzinnig hoog waren. Ze gaan er heel vaak heen, verhuren het in de maanden dat ze er niet in kunnen aan vrienden en bekenden.

Hilde draait de gaskachels op vol, het huis ruikt een beetje vochtig. Als een aangename warmte zich door de vertrekken verspreidt, gaat ze naar de kleine keuken om uit te pakken wat ze allemaal hebben ingeladen. Er zijn wel winkels in dit dorp, maar die zijn op dit uur van de dag gesloten. Wouter geeft de hond vers water, Anneke staart voor het raam naar buiten waar hemel en water in elkaar lijken over te vloeien, waar eindeloos ver golven komen en gaan, waar de wereld wild is en ontembaar en de helm driftig meedanst op de felle maat van de wind.

„Mag ik het strand op?" vraagt ze. „Even doorwaaien?"

„Niet te ver, het begint straks te schemeren."

Wouter holt met de hond naar buiten. Het dier blijft bij zijn nieuwe baas, hapt fel naar alles wat hij tegenkomt.

„Ik begrijp niet waar Jan en Marleen blijven," zegt Toon.

„Ze kunnen nu alleen nog met de laatste boot komen. We hadden het toch goed afgesproken?" vraagt Hilde.

„Ja, ze zouden eerst Lidy ophalen en dan met zijn drieën hier naar toe komen."

„Vervelend eigenlijk dat we hier geen telefoon hebben. Ze kunnen ons nooit bereiken als er iets is."

„Er is niets. Je maakt je altijd zo gauw ongerust. Wat zou er nu kunnen zijn?"

„Van alles," zegt Hilde rustig.

Ze keert zich om naar Jes. „Wil jij ook niet even een frisse neus halen?"

„Nee," zegt Jes. „Ik ben moe. Ik blijf liever hier, lekker een beetje uitzakken. Wat is het toch een heerlijk huis. Ik kan me indenken dat je er direct verliefd op was."

„Ja, dat was ik," zegt Hilde. Ze kijkt naar Jes. Haar gezicht is de laatste maanden wat smaller geworden, en er is soms iets heel wijs in haar ogen, een wijsheid die niet past bij haar jaren.

Ze stopt een kussen achter haar rug. Ze kust haar opeens. Jes glimlacht. Zo fijn als moeder naast haar staat, haar een duwtje geeft als ze het soms niet meer zo ziet zitten, haar studie niet, haar toekomst niet. „We moesten vanavond maar capucijners eten," zegt Hilde. „Als ze met de laatste boot komen, zullen ze wel trek hebben. Ik zal er wat uitjes bij bakken en wat sliertjes spek."

„Voor mij niet te vet," zegt Jes.

„Je zou anders best een paar pondjes dikker mogen worden, nee, ik bedoel niet je figuur, maar je gezicht. Voel je je goed?"

„Het is een druk kind," zegt Jes, „ik kan 's nachts dikwijls niet zo goed slapen."

„Dan wordt het een jongen," zegt Toon. Hij is blij dat hij dit soort gesprekken niet meer ontwijkt, er deel aan heeft en hij is gelukkig met het feit dat hij zichzelf een beetje heeft overwonnen. Het duurde maanden eer hij zich erbij kon neerleggen dat zíjn dochter... Tot hij inzag dat hij een kind zou verliezen als hij het roer niet zou omgooien. Vanaf dat moment verlangde hij er bijna naar de baby te zien. Het kind van Jes en Koos. Ach, Koos... Er zat niets in die jongen, hij boemelde meer dan dat hij studeerde. Toch jammer dat er van een huwelijk tussen die twee geen sprake zou zijn. Een kind kan niet zonder een vader opgroeien.

Maar misschien had de toekomst andere plannen met Jes, Hij kijkt de kamer rond. „Knus zo," zegt hij.

Jes heeft overal kaarsen aangestoken. Het lage, intieme vertrek krijgt er meer gloed door.

De deur gaat open en er vlaagt een golf kille lucht binnen, het kaarslicht danst in vreemde grillige dansen.

„Heerlijk buiten, mam. Bas was helemaal gek."

Wouter's gezicht straalt.

Hij zal een knappe jongen worden, denkt Hilde, een jongen waar meisjes op vallen. Het is te hopen dat hij nog wat jaartjes kind blijft.

„Waarom konden Els en Taco eigenlijk niet mee?" vraagt Jes.

„Ze konden wel, maar ze wilden niet. Misschien kun je het je begrijpen. Als Els jou zo ziet, komt er pijn om dat wat ze heeft verloren."

„Daar heb ik niet aan gedacht."

Het is waar, Els ontloopt haar. Als ze maar even de gelegenheid heeft haar niet te moeten treffen, doet ze dat.

In het begin deed dat pijn, later begreep ze het. Het moest heel erg zijn een kind te verliezen.

„En Michiel en Jeanine?"

„Ze hebben een heel eigen leven. Ze gaan geloof ik met vrienden wat in de stad eten en 's avonds ergens heen. Het is allemaal zo anders dan vroeger," zegt Hilde, „en het is goed dat dat zo is. Ik moest als kind en later als volwassene met de kerstdagen en oudejaar beslist thuis zijn. Ik kende je vader toen al. En daar zaten we dan: mooi opgeprikt bij de kerstboom. We vonden er weinig aan, we wilden samen zijn of met vrienden."

„Had je dan geen gezellig thuis?" vraagt Jes.

„Dat had er niets mee te maken."

„Ik kan me niet voorstellen dat je het bij anderen leuker vindt dan met elkaar. Uitgaan met vrienden… bah, wat is dat nou helemaal? Ergens gaan eten, wat drinken, wat is dat nou?"

Je bent nog maar zestien, of eigenlijk loop je tegen de zeventien, denkt Hilde. Ze kijkt naar Anneke. Haar ogen staan fel in haar warme gezicht. „Ik heb de zee gezien, mam, het is vloed, denk ik. 't Is zo'n prachtig gezicht. Ga je even mee? Alleen maar kijken."

„Ik ben alles aan het uitpakken."

„O, dat kan later ook wel. En de anderen zijn er toch nog niet. Toe mam, even maar."

Waarom is ze tegen deze jongste dochter soms niet opgewassen, heeft ze het gevoel dat het kind wel ouder lijkt dan zijzelf is?

„Even dan," zegt ze. „We zijn zo terug."

Er staat een harde koude wind, de hemel is ver en leeg, het strand ligt eenzaam, meeuwen schreeuwen vanaf de pier.

„Dit is het heerlijkste dat ik ken," zegt Anneke, „tegen wind in lopen en bijna niet vooruitkomen. Vind je 't niet fijn?"

Nee, zou Hilde willen zeggen, nee, ik ben moe, er ligt nog zoveel werk en vanavond zijn er drie mensen bij, Jan, Marleen en Lidy. Maar ze wil het enthousiasme niet de kop indrukken. Ze hijgt licht als ze zegt: „Ja, heerlijk."

„Laten we tot aan de kerktoren gaan en dan langs het strand terug."

Hilde voelt de stevige greep van het kind door haar arm, Ze luistert naar haar gepraat waarvan ze de meeste woorden niet kan verstaan.

Zand stuift in haar ogen, prikt op haar wangen, de wind speelt met haar wollen muts.

„Kom, Anneke, we gaan terug. Ik ben moe."

„Van dit kleine stukje? Ben je echt moe?"

„Ja. Er is nog veel te doen thuis."

„O, ik help je wel. Je weet hoe handig ik ben als ik wil en nu wil ik."

Ze is even stil, dan zegt ze: „Ik weet best dat je zorgen hebt, mam, om Jes en alles. Maar misschien komt het allemaal wel heel anders dan jij je nu voorstelt,"

„Waarom ga jij geen psychologie studeren?" vraagt ze. „Je zou er misschien wel geschikt voor zijn."

„Ik weet nog niet exact wat ik wil. Ik wil te veel."

„Maak je maar geen al te grote problemen over Jes, Anneke. Ze zal er wel komen, Natuurlijk heb ik zorgen, het is mijn dochter, zoals jij mijn dochter bent. En als die verdriet heeft, heb ik het ook. Het enige belangrijke is dat het kindje gezond is."

De zee is wild en schuimig, dreigend van kracht. Wolken komen opzetten, grimmige koppen met grijnzende monden.

Hoe lang is het geleden dat ze samen zo liepen? Elkaar op de een of andere manier nodig hadden, opzochten? Er waren jaren van verwijdering, onbegrip en pijn. Na die periode komt er iets anders, iets dat zachter is, vrouwelijker, dat een beetje meer gelijk aan jezelf is.

„'t Is eigenlijk niet leuk dat er nog anderen komen vanavond," zegt Anneke.

„We moeten wel eens aan anderen denken. Lidy is erg alleen, Jan en Marleen hebben geen kinderen."

„Ik vind Lidy reuze geschikt," zegt het kind, „zo lekker modern. Ik begrijp niet waarom ze niet getrouwd is."

„Misschien wilde ze niet."

Ze kunnen het huis boven op het duin nu zien, het kaarslicht strooit zwak licht in de vallende duisternis.

„Blijf es even staan, mam."

Hilde glimlacht. Hoewel de wind door haar coat lijkt te waaien, glimlacht ze om zoveel onstuimige openheid. Om zoveel warms dat nog niet bezeerd is, maar later stellig zal omslaan in bedachtzaamheid.

„Wat is er nou?" vraagt Hilde. Ze huivert.

„Niks...'k Moest zomaar naar je kijken. Weet je dat je eigenlijk best knap bent?"

Hilde lacht. Ze lacht nog als ze binnenkomt en een geur van verse koffie ruikt.

„Wie is hier verantwoordelijk voor?"

„Ik," zegt Jes, „louter egoïsme hoor, ik had er zelf zo'n trek in. Wat zien jullie verwaaid?"

„'t Is heerlijk buiten. Waarom ga je ook niet even? Je wordt een echte huismus." Anneke heeft direct spijt van haar enthousiasme.

Er glijdt een licht waas van warmte over Jes' wangen. Anneke weet niet wat ze aanraakt. Hoe graag ze mee zou willen, tegen de wind in, met niets dan die stilte en verte, de zee en het strand.

Heeft moeder dan toch een beetje gelijk? Een paar weken geleden praatten ze samen. Opeens liet mam het woord 'adoptie' vallen. Zomaar.

„Misschien is dat een oplossing. Je vader en ik worden elk jaar ouder, we zouden niet meer zo gemakkelijk in staat zijn het kind goed op te voeden. Zelf sta je nog aan het begin van je leven, je mag er nog alles van verwachten. Als je weet dat je kind in goede handen is, bij mensen die ernaar snakken een baby te hebben… Ik bedoel maar…

„Ik wil er niets meer over horen."

Ze had het gevoel of haar lichaam overal koud was, of ze alleen was in een wereld voor mensen. Haar baby aan anderen geven, weggeven, zo maar wegdoen wat je zelf maandenlang had gedragen en gekoesterd, waar je ongezien en ongehoord al wel eens tegen sprak.

„Ik zeg het zomaar," zei Hilde, „ik wil je nergens toe dwingen."

„Hou erover op, moeder, hou op! Ik wil de baby. Als jullie me niet kunnen helpen zie ik wel verder. Dan word ik ergens huishoudster en neem ik de baby mee. Hoe kún je zoiets zeggen?"

Jes kijkt naar moeder. Haar gezicht is zacht en vriendelijk, ze lijkt een volwassen kind met die warme blossen. Ze lijkt een oudere zuster van Anneke. Waarom ben ik niet meer zo jong, denkt ze, niet meer zo, zo zorgeloos en dwaas?

17

Lidy kan de anderen nauwelijks bijhouden. Ze voelt zich de laatste tijd niet zo goed, gauw moe, veel hoofdpijn. De arts schoof het op de 'overgang'. Ze is geen type dat veel met zichzelf bezig is, maar toch ontkomt ze niet aan plotselinge depressies en huilbuien.

Ze wilde de uitnodiging eerst niet aannemen. Wat moest ze tussen getrouwde mensen, in haar eentje? Er was een stem in haar binnenste die zei: „Ga. Zanik niet zo, kijk niet naar wat je niet hebt. Je hebt zoveel om dankbaar voor te zijn, je gezondheid, je vrijheid, je werk."

Soms kon een mens die gedachten omzetten in daden. Als hij wilde. Ze herinnert zich een zin van Hilde: „Als je iets werkelijk wilt, lukt het je."

Ze ziet Hilde en Toon, Jan en Marleen. Anneke en Jes zijn thuisgebleven.

Wouter loopt braaf naast haar. „De hond had best meegekund," zegt hij.

„Waarom mag er vaak zo weinig?"

„Het is donker, je zou hem kwijt kunnen raken," zegt Lidy. Ze ziet dat Toon Hilde een arm geeft. Waarom kijkt ze steeds? Ze moest er toch langzamerhand wel een beetje aan gewend zijn. Nee, denkt ze, nee, het went nooit. Hoe je ook je best doet, wennen lukt niet. De eenzaamheid neemt je op de meest onverwachte ogenblikken beet en je kunt daar niet tegenop.

„Zeg," begint Wouter hij is de laatste tijd een stuk in de hoogte gegroeid, je moet niet boos worden, maar waarom wou jij nooit trouwen en kinderen hebben?"

„Dat wilde ik best," zegt Lidy. Ze legt een hand op de schouder van de jongen, „maar je trouwt alleen als je iemand ontmoet van wie je werkelijk houdt. Ik heb zo'n man nooit ontmoet."

„Mijn vader," zegt de jongen dromerig, „mijn vader is wel een man om veel van te houden, tenminste dat vind ik."

„Misschien wel," zegt ze.

Naaldscherp voelt ze haar leeftijd, achtenveertig. Niet oud, bij lange na niet meer jong. Ze ontmoet veel mensen, mannen ook. Soms slaat er een vonk over, soms gaat ze met een man uit, maar de ware liefde bleef weg.

„Waar blijven jullie?" roept Toon. Hij blijft staan.

„We hebben geen haast," zegt Wouter. „Gaan we tot aan het andere duin?"

„Mij best."

„Is dat ver?" vraagt Lidy.

„Een klein half uur. Waarom? Moet ik je dragen?" vraagt Jan Renckens.

Hij glimlacht. Gezellig, zo met z'n allen. Hij houdt van mensen. Toen hij nog niet getrouwd was hield hij er al van altijd vrienden thuis te vragen, avonden met elkaar te kletsen bij de gezelligheid van een goeie borrel. Hij is gek op kaarten, op bridgen, hij kan het goed. Jammer dat Marleen er niet zo bedreven in is. Hij heeft nu regelmatig avonden waarin het om het spel gaat en de uitdaging het te winnen. Avondjes met mannen onder elkaar zijn leuk. Hij kijkt er vaak naar uit.

„Dat doet hij graag," zegt Marleen. „Je zult de vrouwen die hij heeft gedragen, moeten onderhouden. Dan zou je raar staan te kijken."

Er klinkt liefde in haar stem.

Ik had niet moeten gaan, denkt Lidy. Ze wil niet bekennen dat ze moe is. Moe waarvan?

„We gaan bij de klimtrap terug," zegt Toon.

Het valt hem op hoe vermoeid Lidy eruitziet. Wat wist je van je vrienden? Van hun leven, hun dagen, hun nachten?

Hilde komt naast Lidy lopen. „Je had het zeker druk de laatste dagen," vraagt ze.

„Het is in mijn vak altijd erg bedrijvig. We zijn nu met de voorjaarscollectie bezig. Je zult verbaasd zijn te horen hoe die eruit zal zien. Rokken met opzij lange splitten. Chique en een beetje uitdagend."

„Denk maar niet dat ik daar aan meedoe."

„Je zult wel moeten. Je kunt gewoon geen andere rokken kopen. Jassen ook niet."

„Bespottelijk, die mode."

Hilde ziet kleine druppeltjes transpiratie op Lidy's voorhoofd.

„Zullen we omkeren?" vraagt ze.

„Zo sneu voor de anderen."

„Je moet je lekker ontspannen bij ons, daar gaat het om."

Ze geeft Lidy een arm. Ze houdt van 'r, van dat wat ze nooit prijsgeeft en in zichzelf verbergt. Van haar zachtheid, haar spontaneïteit.

„Wij gaan terug," zegt ze.

„Wij niet," zeggen de anderen.

„Ik ga ook mee," zegt Wouter, „ik wil nog met de hond spelen."

De smalle wegen tussen de helm door zijn spaarzaam verlicht. De zee lijkt een grauwe uitbundige massa, de wind striemt kwaadaardig, spottend, in een sterk suizen.

„Jij zou ook best zo'n huisje kunnen kopen," zegt Hilde, „je verdient goed."

„Ik hecht niet zo aan bezit. Ik maak op wat ik heb. Voor wie zal ik het laten?"

„Kijk naar Jan," zegt Hilde rustig. „Je weet dat hij trouwde toen hij tweeënveertig was. Je weet ook waarom. Hij is lang kind gebleven, niet opgewassen tegen de enorme verantwoordelijkheid die het huwelijk van een mens vraagt. Maar ik heb hem nooit horen zeggen: voor wie zal ik het laten? Hij maakte iets van zijn leven, had altijd mensen, was gastheer en stond open voor iedereen die op zijn pad kwam. Hij maakte van zijn huis een thuis, dat zou jij bijvoorbeeld ook eens kunnen doen. Je zoekt het dikwijls bij anderen, maar daar is het niet. Weet je dat ik je soms benijd?"

„Waarom?"

„Om je vrijheid. Om je niet altijd moeten. Ik kan er soms naar snakken eens niet zo'n miserabel grote was te hebben, of zo'n druk weekend. De weekends zijn altijd vermoeiend. Iedereen komt aanslierten, de kinderen nemen vriendjes mee. Ik kom lang niet altijd aan mezelf toe. Dan denk ik wel eens aan jou, aan het feit dat je kunt doen wat je wilt. Er met de auto een stuk opuitgaan. Zo maar lekker niksen."

We hebben een totaal andere wereld, denkt Lidy. Ik kan me niet verplaatsen in de hare, zij niet in de mijne. We voelen niet wat de ander voelt. We denken altijd dat de ander het veel beter heeft getroffen.

„Dat wat je niet hebt is altijd zo begeerlijk," zegt ze zacht.

„Weet je wat jij eens moest doen?" zegt Hilde.

„Nee."

„Naar je huisarts gaan. Ik heb je al een poosje in de gaten, je voelt je niet gelukkig, hè?"

„'t Is misschien de leeftijd," spot Lidy. „Wacht maar, je komt ook nog wel."

„Ik heb geen tijd om eraan te denken. Daar ben ik blij om. Maar ik vind dat je eens moet gaan, je ziet er vaak erg betrokken uit."

„Dat is het niet."

„Wat is het dan wel?"

Als ze begint te praten is ze niet te stuiten. Mensen die veel alleen zijn hebben dat, ze willen alles kwijt wat ze nooit kunnen zeggen. „Ik ben vaak zo alleen," zegt ze. Ze kampt even met haar tranen. „Ik voel me vaak zo verdraaid alleen. net of mijn leven zinloos is. Voor wie leef ik, werk ik? Voor mezelf? Voor wie koop ik kleren en verzorg ik me? Niemand die er iets van zegt. Alleen de spiegel. Ik heb het gevoel dat het leven als zand tussen mijn vingers door glijdt, of ik aan de kant sta en altijd maar toeschouwster ben. En soms... soms is me dat te veel. Dan wil ik niet kijken, maar zelf hebben."

„Ik kan je niet helpen," zegt Hilde, „niemand kan dat. Je moet het zelf doen, jouw leven heeft pas zin als je dat zelf voelt. Je gedachten maken wat en wie je bent. Weet je, Lied, ik weet dat ik makkelijk praten heb. Ik heb in jouw ogen alles. Maar ik zou je willen raden eens aan mensen te denken die er zoveel moeilijker voorstaan dan jij. Mensen met pijn en het vooruitzicht niet lang meer te kunnen leven. Je hebt nog zoveel waar je dankbaar voor kunt zijn. Of niet?"

„Ja, dat heb ik. Maar desondanks, ik wil zo graag leven, weet je, iets voor een ander betekenen."

„Dat doe je. Ik zou je niet graag missen. Buiten mijn gezin beteken je heel veel voor me."

Wat praat ik, denkt ze, wat zijn woorden? Vaag voelt ze dat elk mens een eigen leegte moet zien te vullen, de taak heeft iets met zichzelf te doen, in het onmetelijke gebied van de geest werkzaam te blijven.

„Wat zijn we somber," zegt Lidy. „Hoe komen we zo?"

„Ga, als je thuiskomt, eens naar je arts. Dat is het enige wat ik je vraag. Misschien ben je een beetje overwerkt. Dan zie je alles veel somberder."

„Misschien doe ik dat wel. Laten we deze fijne dagen nou niet bederven."

„Dat was ik ook niet van plan."

Ze lopen stil door de duistere avond. Uit kleine huizen komt warm lamplicht, sfeer en geborgenheid stralen op de kille open vlakten.

Hilde ziet het huis boven op het duin, haar huis, het huis van Toon en de kinderen. Het is niet eerlijk, God, denkt ze, U geeft mij zoveel, U verdeelt het niet gelijkmatig. Soms begrijp ik U niet. Weet ik niet wat ik met Uw krachten moet beginnen.

Ze hoort de hond blaffen. Zelfs die heeft meer dan Lidy, een warm nest waarin hij liefde ontvangt en aandacht.

„Is Jes al naar bed?" vraagt ze aan Anneke.

Anneke zit met een kleur als vuur te lezen, ze heeft de vraag niet gehoord. „'t Is zo'n spannend boek," zegt ze, 't gaat over kidnapping, ze zijn de dader op het spoor."

„Ik vroeg of Jes al naar bed was."

„Jes? Ja, net, ze zal nog wel wakker zijn."

„Had ze iets bijzonders?"

„Nee hoor, wat zou er nou zijn? Ze was gewoon moe. Hè, laat me nou nog effe lezen."

„Je moet wat meer licht maken. Je verknoeit je ogen."

Anneke hoort alweer niets meer. Lidy streelt de hond, die blij haar hand likt.

Hilde gaat naar boven. Jes heeft het licht nog aan.

„Dag, was het fijn?"

„Koud," zegt Hilde. „Waarom lig je er al in?" Het kind heeft een intens genoeglijke glans op haar gezicht.

„Ik wilde alleen zijn."

Ze gaat rechtop zitten. „Ik voel me gelukkig," zegt ze. „Je mag het gek vinden, mams, maar opeens is het of alles goed is. Het kind komt, ik houd het, jij past er een tijdje op en dan komt het bij mij. Ik heb een goeie baan en ben thuis als het kind me nodig heeft. Ik lag daar straks over te denken. Ik weet wat ik wil: de baby houden. Hoe jullie er ook over denken, ik houd de baby. Ik heb dit besluit niet zo maar genomen, het kwam omdat ik er al lange tijd mee bezig ben."

„Dus alles draait toch op ons neer."

„Een klein tijdje maar."

„Je studie duurt nog zeker drie jaar. Hoe wil je dat doen?"

Ze wil geen illusie breken, ze wil weten of Jes aan alles heeft gedacht.

„Ik hoop dat jullie me een kans willen geven."

„Het is geen sportief spel."

„Moeder, ik heb nooit gevraagd geboren te mogen worden, jullie hebt dat samen gedaan. Ik móet leven, of ik dat nou wil, of niet. Mijn kind moet ook leven, ik wil het een kans geven, ik wil het zien opgroeien en ervan houden."

„Ik ben niet hard," zegt Hilde zacht. „Misschien wil ik wel het beste voor je en begrijp je dat pas veel later."

De glans ligt nog steeds op het gezicht van Jes. Een glans van kracht en overmoed.

„Je neemt het me niet af," zegt Jes. „Niemand kan dat. Zelfs jij niet. Hoe de toekomst wordt weet ik niet, hoe het met mijn studie moet gaan is ook nog een groot vraagteken. Hoe het met het kind gaat, weet ik. Wees niet verdrietig."

Hilde voelt zich opeens ver van deze dochter af staan. Een afstand die eindeloos lijkt.

„Vanaf nu," zegt Jes langzaam en zeker, „ben ik niet bang voor de toekomst. Ik zal wel zien, ik weet dat ik het juiste kies."

„Probeer nou maar te slapen," zegt Hilde.

„Ik ben nog nooit zo klaarwakker geweest, ik zou uren kunnen liggen denken aan van alles. Ik ben niet boos op je, moeder, dat je me niet begrijpt. Ik ben gelukkig."

Jes hoort Hilde naar beneden gaan. Ik ben helemaal in het reine met mezelf, denkt ze. Ik weet de weg, ook al is die niet gemakkelijk. Ik wil met het kind vechten om te winnen. Ik zal winnen…

Veel later beseft ze dat deze sluimerende gedachten tot de beste uit haar leven behoren.

18

Lidy heeft de raad van Hilde opgevolgd. Ze wordt niet veel wijzer van de arts. Ze hebben haar bloed onderzocht, ze is bij een gynaecoloog geweest, ze heeft nieuwe tabletten.

Ze draait het nummer van Hilde. Toon neemt de telefoon aan. „Ze is bij de buren," zegt hij, „is er iets bijzonders?" Hij kan haar blos aan de andere kant van de lijn niet zien.

„Nee, laat maar," zegt ze.

„Ik heb vanavond een vergadering bij jou in de buurt. Ik kom even langs. Goed?"

Waarom zegt ze niet nee? Ze kan gemakkelijk zeggen dat ze zelf ook weg moet.

„Misschien ben ik er wel," zegt ze.

„Wat is misschien?" Ze lacht. „Ik ben er wel. Hoe laat kom je? Neem Hilde dan mee."

„Die kan niet. Je weet dat ze in het bestuur van de Unicef zit, er is meen ik een bijeenkomst."

„Ze doet te veel," zegt Lidy. „Met zo'n druk gezin als het hare moet ze ook eens aan zichzelf denken. En Wouter heeft haar nog hard nodig. Het is niet goed als een kind alleen is."

„Maak je daar maar geen zorgen over."

Verbeeldt ze het zich of is zijn stem opeens scherp?

„Dat doe ik niet. Tot vanavond dan. Gezellig dat je even langs komt."

Ze zou de benedenburen vanavond moeten vragen, ze zou mensen om zich heen moeten hebben. Ze wil niet alleen met hem zijn, ze weet niet of ze zichzelf in de hand zal kunnen houden.

Och, ja, ze houdt van Hilde. Maar dat heeft er allemaal niets mee te maken. Dit is een gevoel apart. Iets dat boven haar uitstijgt en haar omversmijt. Nog steeds. Is elk mens dan voortdurend een beetje in strijd met zichzelf? Weet hij dan nooit wie en wat hij is?

Ze streeft zelf naar het goede, naar de waarheid. Het is haar aard in harmonie met anderen te zijn, maar soms voelt ze de verleiding van hoe het anders kan. Dan denkt ze dat ze onderhand oud genoeg is om te weten wat ze wel kan doen en wat niet.

Ze is opgewonden. Waarom voedt ze iets dat geen voedsel mag hebben? Waarom belt ze niet terug en zegt ze dat ze een verjaardag heeft?

Ze staat voor het raam van haar huis. Ze heeft het met veel liefde ingericht. In die jaren was er nog hoop en verwachting. Eigenlijk is dat alles er nog. Haar verstand zegt haar dat mensen op haar leeftijd niet zo gemakkelijk een kans hebben, haar gevoel gaat daar tegenin. Je moest geluk niet najagen, je moest wachten en erop vertrouwen dat het kwam.

Ze zou willen zijn als Jes, die zeker van zichzelf is en dat laat merken.

Die met een glans van blijdschap door de wereld gaat en door niets klein te krijgen lijkt.

Van de week op een nacht dacht ze aan Jes. Als Hilde het goed zou vinden zou ze misschien de baby tijdelijk kunnen verzorgen. Ze heeft een baan die niet aan speciale uren gebonden is. Haar ouders leven ook nog. Ze zouden misschien de helpende hand kunnen bieden. Ze zou ze iets geven waar ze al jaren stilletjes naar uitkijken, iets liefs en onschuldigs. Niet uit haar eigen schoot geboren, maar toch een kind, afhankelijk en erg kwetsbaar.

Hilde en Toon zouden van veel zorgen zijn verlost, haar eigen leven zou meer zin hebben.

Ze heeft het warm; de februarimaand begint met zachte stem en milde adem. De natuur ademt een voorzichtige groei, hemel en wolken flirten boven een zich behoedzaam openende aarde.

Ze kijkt naar de mensen in de straat, mensen met haast en gejaagdheid.

Tientallen soorten mensen, allemaal met elkaar verbonden door éénzelfde verlangen naar liefde en liefde kunnen geven.

Ze wil nog wat boodschappen gaan doen als de telefoon gaat.

„Met de assistente van dokter Meulendijk. Kunt u morgenochtend even langskomen?”

„Waarom?”

„Dat heeft dokter me niet gezegd. Hij verwacht u om half elf, als u dat schikt.”

„Ja, natuurlijk.”

Vreemd is een mens. Als er een reden is om te schrikken is er geen schrik, is er een stille, beschermende rust. Waarom bang zijn? Hij heeft haar geheel onderzocht, haar borsten, haar baarmoeder. Waarom dan angst? Er zijn zelfs foto's gemaakt.

Ze had moeten vragen of ze op de foto's misschien iets hebben gezien dat afwijkend is, maar ze heeft niets gevraagd. Ze zoekt haar boodschappentas. Haar portemonnee.

De buitenlucht neemt met zachte vingers de warmte van haar gezicht, ze voelt zich opgenomen tussen de vele wandelaars, de mensen met grote tassen, de kinderen. En in de supermarkt kiest en keurt ze met zorg het eten voor die avond.

Ze heeft de bel gehoord. Onbewust heeft ze op die kleine, snerpende bel zitten wachten. Ze is al bij de voordeur.

„Ik ben wat vroeger dan ik had gedacht, het was geen lange agenda. Heb je nog koffie?"

„Kom erin," zegt ze. Hoe vertrouwd is haar dit gezicht, die bruine ogen die haar rustig en lichtspeels aankijken.

„Je draagt je haar anders," zegt hij.

Vreemd, zoals zo'n simpele zin overkomt. Niemand zegt ooit iets over haar haar. Noch over haar kleding. Op de redactie zijn ze altijd te gehaast, dronken van een ziekelijke jaloezie.

Ze knikt. „'t Zit gemakkelijker zo, kom binnen."

Ze weet, zoals elke vrouw weet wanneer iets haar goed staat, dat dit kapsel haar gezicht jonger maakt. Ze heeft het uit haar gezicht geborsteld tot achter haar oren en het daar met een kleine speld in een wrong samengebonden. Ze draagt een lichtblauwe overgooier met een wat donkerder blauw getinte trui. Blauw maakt haar jeugdiger dan ze is.

„Gezellig huis heb je," zegt Toon. Hij gaat in een diepe stoel zitten. „En zo smaakvol."

„Dat is bij jou thuis toch ook zo?" Hij vouwt zijn armen achter zijn hoofd. „Ja. Het is er alleen wat rommelig. De kinderen laten vaak iets liggen. Je vroeg of ik koffie wilde?"

„Ik vroeg niets."

„Dan heb ik het me zeker verbeeld."

Hij lacht.

Ze ziet zijn witte tanden, het jongensachtige in zijn houding. „Je kunt ook iets anders krijgen."

„Een borrel? Goed. Heb je een jonkie in huis? Nee zeker."

„O, jawel. Ik neem er dan zelf ook een. Ik mix het altijd een beetje met tonic. Je krijgt dan niet zo veel naar binnen en je doet toch mee."

„Een keurige, degelijke vrouw. Zo mag ik het horen."

Zijn stem is spottend. Ergens mag hij die Lidy wel, ze is niet goedkoop, ze is erg vrouwelijk om te zien. En toch doet ze hem niks. Dat is het wonderlijke in het leven: je ontmoet tientallen vrouwen, op straat, in een restaurant, op een concert. Soms is er zomaar een type vrouw waar je als man naar moet kijken, die je met je ogen bijna een beetje uitkleedt, met wie je een grappig luchtig spel speelt. Lidy is niet zo'n type vrouw. Hij kijkt graag naar haar, maar het doet hem niks. Misschien is dat het wat ze mist, een bepaalde charme, een uitstraling die hem zwak maakt.

Hij kijkt naar haar handen die het glaasje voor hem neer zetten. Goedverzorgde handen, smalle polsen. Zacht glanzend haar dat in het licht van de schemerlamp opglanst. Hij kijkt naar haar gezicht, regelmatig, erg beheerst, zorgvuldig opgemaakt. Hij neemt het glas van tafel.

„Prosit," zegt hij, „op je gezondheid."

„Ja, hetzelfde."

Op je gezondheid? Welja, waarom ook niet? Het is een beetje wrang. Wie en wat is gezondheid?

Opeens zegt ze het. Ze lijkt een kind, bang in het donker. „Ik moet morgenochtend om half elf bij Meulendijk langskomen. Hij heeft laatst foto's gemaakt."

„En?"

„Ik heb verder niets gevraagd."

Hij drinkt langzaam. „Ik ken een vent," zegt hij rustig, „die bij een algeheel bevolkingsonderzoek betreffende tbc ook terug moest komen. Er was een vlekje op zijn long. Het bleek niets te zijn, hij had een keer longontsteking gehad. Dat was alles."

„Ik maak me ook niet direct ongerust."

„Waarom vertel je het dan? Weet Hilde het?"

„Nee."

„Zal ze morgen met je meegaan?"

„Dat zou ik prettig vinden."

Vreselijk, wat is de sfeer nou breekbaar. Ze moet zich met alle geweld beheersen niet naast hem te gaan zitten, haar armen om zijn hals te slaan en hem dicht tegen zich aan te drukken. Het is geen seksueel verlangen, het is veel meer een hunkering van liefde, naar een hand die je aanraakt en kalmeert.

Ze had geen jonge klare in de tonic moeten doen. Ze kent zichzelf. Een beetje drank maakt haar sentimenteel, opent gevoelens die gesloten moeten blijven.

Hij kijkt tersluiks naar haar gesloten gezicht. Welke gedachten gaan erachter schuil? Wat weet hij van haar? Niets. Ze komt al jaren bij hen over de vloer en hij kent haar niet. Hij kan haar daarom ook niet troosten. Zoiets gaat hem bij vreemden bovendien moeilijk af. Als het nou Jan was, die zou hij wel een paar kernachtige zinnen kunnen zeggen. Met mannen voelt hij zich altijd beter thuis dan met vrouwen.

Sommige vrouwen dan. Een vrouw als Lidy, die niets aanraakt, niets teweegbrengt.

Hij weet dat het een stomme zin is. „Je kunt altijd nog te vroeg piekeren. Dat heeft pas zin als je iets weet."

„Morgen zal ik wel iets weten," zegt ze.

„Of niet."

Waarom zit hij hier nu als een volslagen vreemde?

Opeens voelt hij haar ogen. Ze lijken zijn gezicht af te tasten met grote gretigheid, lijken iets te zoeken, zich iets te willen toeëigenen. Nee, zo is Lidy niet. Maar een mens in nood is een ander mens. Is zoveel eenzamer.

Hij glimlacht rustig naar haar. Het is prettig dat hij dat kan. Hij heeft Hilde. Er is maar één vrouw die in zijn leven een plaats heeft. Hij begrijpt kerels soms niet. Hun spel, hun onvolwassen zijn. Het zoeken naar dat andere, dat zogenaamde verrassende. Waar vond je dat? Bij welke vrouw?

Hij ziet een warmrood over haar wangen gaan.

Hij zegt: „Mag ik bij jou Hilde bellen?"

Ze knikt.

Zo snel en hartstochtelijk als dat verwarrende gevoel over haar kwam, zo snel is het weg. Het is als een zucht, die nauwelijks is gehoord.

Ze hoort zijn stem, teder. Een andere stem, een diepere stem.

„Ja, morgenochtend, om half elf." Ze hoort hem de telefoon neerleggen.

„Ze vraagt of je een slaaptablet in huis hebt."

„Die heb ik ja."

„Ik zou er dan maar eentje innemen vannacht."

Ze knikt. „Wat zei ze nog meer?"
„Niet veel. Ze is bij je zo kwart voor tien. De buren houden wel een oogje in het zeil als Wouter thuis is."
„Dat is fijn."
Hij staat op. Hij weet opeens niet wat hij hier langer moet doen.
„Ga je al?"
„Ik ben met de wagen, dan mag je maar één jonkie gebruiken."
„Ik zou nog koffie kunnen zetten." Er is iets verlangends in haar stem.
„Nee, laat maar."
„Nou, goed dan." Ze staat ook op. Ze weet niet wat ze moet doen of zeggen.
„En je gaat niet al te laat naar bed. Dat lijkt me beter."
„Ik weet niet of ik kan slapen."
„Probeer het gewoon." Ze geeft hem zijn aktentas.
„Bedankt voor je borrel."
„Graag gedaan."
„En sterkte, morgen."
„Merci."
Ze kijkt hoe hij zijn jas aantrekt; ze zou de voering willen zijn, de jaszakken, ze zou de warmte van zijn lichaam willen voelen. Met ongekende kracht weet ze zich te beheersen.
„Rij voorzichtig," zegt ze met een zwakke glimlach, „er is mist voorspeld."
„Dank je. Nou, tot ziens."
Ze blijft voor het raam staan tot ze zijn wagen niet meer kan zien. Ze legt haar wang tegen het koele glas. Langzaam komen de tranen…

19

Sommige vrouwen zijn flink als ze iets van de arts te horen krijgen dat tot paniek zou kunnen leiden, anderen zijn verpletterd en eenzaam.
Lidy hoort tot de laatste categorie.
De wereld is opeens de wereld niet meer, alles stort in elkaar, is leeg en verlaten. Ze heeft het gevoel ergens in een onbekend eenzaam land te lopen, in Noorwegen, Zweden, met zijn eindeloze bebossingen en wegen waar geen mensen zijn, alleen in de verte het roepen van dieren en het

loeien van de wind. Ze herinnert zich nu dat hij vorige keer erg lang naar dat kleine bultje in haar borst had gekeken. Ze had die herinnering uit haar gevoel verbannen, net gedaan of de gynaecoloog niets aan haar borst had gedaan, geen kleine ingreep om een stukje weefsel op te sturen.

„Meestal is het goedaardig," zei hij nog.

Nu weet ze waar ze aan toe is. Ze heeft medelijden met de gynaecoloog die het haar probeert te vertellen.

„Ja, weet u, ik heb de uitslag van het onderzoek binnen. Ik weet niet goed hoe ik het u moet zeggen."

„Ik begrijp het al," zegt ze vlak. „Wanneer moet ik worden opgenomen?" Ze zou het liefst hard willen gillen, „jullie hebben je vergist, mijn lichaam is niet zo, het was altijd gezond, ik kon erop vertrouwen. Het is niet waar, het is helemaal niet waar."

„Er is geen reden onmiddellijk in de put te zitten," zegt de arts. „Ik heb honderden vrouwen behandeld en ik heb ze in jaren niet meer op mijn spreekuur gehad. Ik ken mensen die dik in de zeventig zijn geworden met deze ziekte, mensen die het net zo zagen als u nu. Geloof me, u werkt het beste mee als u vertrouwen heeft."

„Waarin?"

„In een volledig herstel. U bent vroeg bij me gekomen, er zal geen uitzaaiing zijn."

Geen uitzaaiing... Van wat? Waarom gebruikt hij het woord niet dat bij die uitzaaiing hoort? Waarom staat zijn gezicht zo gewoon alsof het helemaal niets bijzonders is. Ze zal dus een borst moeten missen. Zo ligt dat, simpel en heel eenvoudig. Als ze nog eens met een man gaat slapen zal hij merken dat ze maar één borst heeft. Het is niet te begrijpen dat dat kan. Wie geeft deze arts het recht haar een borst af te nemen. Zo maar... Een tablet om doezelig te worden, naderhand narcose, wakker worden met een verband om je lichaam. En beseffen dat je iets mist aan je lichaam, dat dat zomaar weg is. Een borst waaraan nooit een kind heeft liggen drinken. Ze heeft goede borsten, stevig en niet al te groot.

„Het kan niet," zegt ze hees, „zegt u me dat dat niet kan. Het voorjaar komt, ik wil leven. Ik heb nooit beseft dat ik leefde. Ik houd van het leven met alles wat ik voel, u mag het me niet afnemen."

„Ik neem u niets af. Ik kan me volkomen begrijpen dat u in de war bent omdat we deze ingreep moeten doen. Maar u moet meewerken, dat is het enige dat ik van u vraag. We zijn in deze tijd veel verder met deze ziekte dan jaren geleden, we genezen heel veel vrouwen. Kon ik u dat maar duidelijk maken."

„Hoe kunt u een vrouw begrijpen? U bent een man. Wat weet u van de gevoelens van een vrouw? Van alles wat ze moet ondergaan en proberen te leren... Haar gevoel van ijdelheid verliezen, haar gevoel van schaamte als ze voor de spiegel staat, als ze..." Ze huilt, radeloos, als een kind dat de weg kwijt is.

Ze is dankbaar dat hij haar niet onderbreekt. Als ze wat gekalmeerd is, zegt hij hartelijk: „Goed, ik ben een man, maar dan toevallig een man die zich hevig voor deze ziekte interesseert, die volledig kan meevoelen wat het betekent voor zo'n feit te komen staan en het te aanvaarden. U móet proberen het te aanvaarden, zoals elk mens moet leren dat het leven nooit gul is met het uitdelen van geluk. Ook dat moet een mens zelf zien te winnen. Wij wilden graag kinderen, we kregen ze niet. We hebben er nu twee geadopteerd. Elk mens heeft een eigen strijd."

Ze heeft een kloppende hoofdpijn en het is of het leven zelf opeens hoorbaar in haar lichaam te keer gaat. „Wanneer moet ik komen?" Het is of een ander dit voor haar vraagt, of ze er zelf geen deel aan heeft.

„We zullen niet lang wachten. Hoe sneller u erbij bent hoe beter. Vrijdag zou ik u kunnen helpen."

„Doet u het zelf?" vraagt ze.

Er zit opeens een mens voor haar, geen arts in een witte jas. Een gewoon mens met vriendelijke ogen en een aardig gezicht. Een mens met lange, gevoelige handen. Handen die met grote zorgvuldigheid haar lichaam zullen aanraken.

„Ja."

„Ik ken u tenminste een beetje," zegt ze.

Hij kijkt haar zo hartelijk aan dat de tranen weer komen.

„Huilt u maar," zegt hij, „dat ontspant. Ik zou het ook doen. Maar ik wil u toch nog wel zeggen dat u er later weinig meer van zult merken, we brengen een prothese in. U zult kunnen dragen wat u wilt, u kunt blijven zwemmen, alles... U mag blijven leven."

„Heb ik die ziekte dan niet meer? Is het dan over?"

„Dat kan niemand tegen u zeggen, ook ik niet, dat antwoord geeft de tijd. Maar ik zie niet in waarom u zich daar zorgen over moet maken. Veel mensen tobben over iets dat nooit komt. Dat is jammer van de goede dagen." Hij staat op. Ze voelt zijn hand stevig om de hare. „Ik hoop dat u het probeert," zegt hij, „dat u zich overgeeft en wilt denken dat dit niet meer terugkomt. Zelfs een poosje onder controle blijven wil niets speciaals zeggen. Kan ik u een kop koffie laten brengen?"

Koffie! Gewoon koffie. Een drank die je dronk met collega's, waar je bij kletste en lachte met vrienden. Hoort dat nog bij haar? Gewoon deelnemen aan alles wat ze kent?

„Er wacht iemand op me in de wachtkamer," zegt ze.

„Familie?"

„Een vriendin."

„Laat haar maar binnen. Ik wil graag weten hoe uw begeleiding is."

Hilde proeft de sfeer vóór de arts iets zegt. Ze ziet aan Lidy's gezicht dat er iets hapert.

„Ik wil niet," zegt Lidy, „ik ga niet. Ik laat het niet doen."

De arts drukt op een bel. Hij bestelt koffie.

„Ik laat u nu alleen," zegt hij vriendelijk. „Ik verwacht u vrijdag om... es kijken... tien uur. Ach nee, ik vergis me, donderdag bedoel ik."

Zo klein is een mens als hij voor een aangezicht staat dat hem vreemd is, als hij opeens beseft een sterfelijk iets te zijn. Sterven... Nee, ze wil niet. Ze heeft geen thuis met veel mensen die op haar rekenen, maar ze wil toch leven... Ze wil... alles wat eerst niet zo waardevol leek, is opeens hevig belangrijk. Haar huis, het stukje tuin, de vogels in de zomer in de pereboom, haar werk. Heeft ze dit alles nodig, deze miserabele onverwachte klap, om te beseffen hoe rijk ze eigenlijk is?

„Niets gebeurt zonder diepere achtergrond," zegt de arts. „Misschien wordt u er een ander mens door, iemand die de betrekkelijkheid van alles wat we najagen, inziet. Ik moet nu gaan. Tot donderdag. En niet piekeren."

Ze voelt zich moe, ze heeft het vreemde gevoel leeg te zijn, alsof ze dagen achter elkaar hard heeft gewerkt. Ze heeft geen kracht om te gaan huilen. Ze is een kind dat niet schreit als het een klap krijgt omdat het weet dat dat niet helpt.

„En?" vraagt Hilde zacht.

Lidy geeft niet direct antwoord. Dan, langzaam, zegt ze: „'t Is niet goed. Er wordt een borst geamputeerd."

Haar lippen trillen, er glijden zenuwtrekken over haar gezicht, haar ogen zoeken die van Hilde.

„Kind toch," zegt Hilde. Ze slaat haar armen om Lidy heen. Ze kan geen troost brengen, ze houdt alleen deze zoekende, eenzame mens in haar armen, probeert haar met de warmte van haar hart te begeleiden. Elke vrouw is hier bang voor, denkt ze, ook ik. Het woord kanker smijt werelden omver, brengt angst en onzekerheid.

„Wat heeft hij allemaal gezegd?" vraagt ze.

Een jonge verpleegster brengt koffie.

„Ik ben er erg vroeg bij, er is geen twijfel. Maar… maar hoe geloof je dat?"

Het zit haar niet mee, denkt ze. Je probeert jezelf ervan te overtuigen dat pijn en uitzichtloosheid ergens een bepaalde zin hebben. Maar een mens is zo oneindig machteloos en vol twijfels.

Lidy drinkt de hete koffie. Alles wat ze vanaf nu doet en ondergaat krijgt een andere waarde. Het leven begint opnieuw, veel moeilijker, veel onbegrijpelijker. Je voelt je onzeker, als een kind dat leert lopen.

„Kom bij ons tot donderdag," zegt Hilde. „Naderhand zien we wel verder."

„Je hebt je gezin, het is bij jullie al druk genoeg."

„Er kan er altijd nog wel eentje bij. Je zit ons nooit in de weg. Je hebt meer afleiding en misschien minder tijd aan jezelf te denken. Heb je nachtgoed genoeg?"

„O ja, ik heb laatst alles een beetje aangevuld, lakens en zo."

Lief van Hilde. Misschien is het wel veel beter als ze daar is. Ze heeft dan mensen om zich heen. Wouter is er met zijn voortdurende gevraag; Jes, met haar lieve gezicht; bijdehande Annekeje. En Toon is er… Er glijdt een plotselinge hete gloed naar haar wangen.

Ze mag zich niet hechten aan het gezin van een ander, aan die warme sfeer. Ze moet eigen wortels hebben. Ze weet dat ze die nog lang niet bezit. Ze hecht zich ontzettend aan mensen die lief tegen haar zijn, laten merken dat ze haar wel een beetje mogen. Ze vraagt zich wel eens af hoe ze zo komt? Ze weet het niet. Het maakt ook weinig uit of je iets meer of minder van jezelf weet. Je moet ermee zien te leven, met je onzekerheid, je eenzaam zijn, en nu met dit.

„Ga mee naar huis," zegt Hilde. „Nu."

„Nee," zegt Lidy. „Misschien kom ik morgen. Ik wil straks naar huis, alleen zijn. Kun je dat begrijpen?"

„Ja. Maar doe geen gekke dingen."

Er is een zwakke glimlach om Lidy's mond. Ze weet wat Hilde bedoelt.

Ze heeft eens in een vlaag van absolute eenzaamheid een aantal slaaptabletten tegelijk ingenomen en daar twee volle dagen op geslapen. Toen ze wakker werd besefte ze dat dat, wat ze had gedaan, geen oplossing was.

„Nee," zegt ze zacht. „Ik heb ze niet eens in huis, ik gebruik ze niet meer. Die tijd is voorbij."

„Deze zal ook voorbij gaan."

„Ik ben bang, je weet niet hoe bang ik ben. En toch wil ik leven, ik voel nu hoe ik aan het leven gehecht ben. Misschien is dit het wat ik nodig heb om tot dat gevoel te komen."

„Kom," zegt Hilde rustig, „laten we gaan. Heb je je boodschappen in huis? Ik ben toch met de wagen, dan halen we ze onderweg."

„Ik heb alles," zegt Lidy. Ze zou willen blijven. Ze moet deze sfeer, dit alles hier ondergaan. Ze staat er al met een been in. Waarom nu naar huis?

„Ik blijf vannacht bij je," zegt Hilde.

„Nee, ik kan wel alleen. Ik heb iets gevoeld dat ik tot nu toe niet kende: ik weet dat het zin heeft als ik blijf leven. Voor mezelf."

Later kijkt ze Hilde na. Ze voelt zich opgelucht dat ze weg is. Soms moet een mens met zichzelf alleen zijn.

20

Anneke heeft een vriendje, een vrolijke, dunne jongen die prachtig piano speelt en zich helemaal uitleeft in muziek. Hij heeft een veel te grote adamsappel en lang, sluik haar. Zijn ogen zijn zacht en tegemoetkomend. Hij is in alles een volkomen tegenstelling met Anneke. Met haar eerste vriendje, Bas, is het al lang voorbij, dat was zoals Anneke het kernachtig uitdrukt– 'alleen maar om te leren wie de ware is, een soort proefvriendschap, zoals je ook proefhuwelijken hebt.'

Op een dag stuift ze binnen, bruin van de zon en de voorjaarswind. Ze is een echt buitenkind, dat niet langer dan een paar minuten kan stilzitten.

„Als wij elkaar een half jaar kennen, Joost en ik, gaan we trouwen. Ik ben nou al aan het sparen voor m'n uitzet. Weet je wat ik van de week gekocht heb? Drie ouwe stoelen. Ze kostten bij elkaar een tientje. Niet gek, hè? Maar ze zijn dan ook hartstikke oud en verwaarloosd. Joost wil ze opknappen. Goed, hè?"

Met kinderen sta je altijd weer voor raadsels.

Hilde stuurt de strijkbout zorgvuldig over het wasgoed. Ze geeft geen antwoord. Ze wacht op wat er nog meer zal komen.

„We hebben een enig huisje gezien, mam, niet groot, een leuk klein huis onder aan de dijk. En de mensen hangen hun wasgoed op aan lijnen die tussen bomen hangen. Eerst vond ik het wel gek, nou lijkt het me hartstikke leuk. Joost is er ook weg van. We willen beslist over een half jaar trouwen. Ik wil niet verder leren, ik wil een gewone huisvrouw zijn, kinderen krijgen en mijn man verwennen."

„Dan moet je eerst leren eten koken."

Anneke kijkt op. Haar ogen schieten kleine vlammen. „U bekijkt alles altijd zo nuchter. Als we het nú zouden kunnen kopen, zouden we een half jaar de tijd hebben om het in te richten."

„Hoe komen jullie zo gauw aan geld?"

Anneke kleurt. Dan zegt ze: „We zouden het van jullie kunnen lenen. Joost heeft een leuke baan, dat weet je, hij verdient goed."

„Ik weet niet meer zo precies wat hij doet," zegt Hilde.

Ze neemt de plannen van deze dochter nooit zo bijzonder ernstig. De ervaring heeft haar geleerd dat het kind zo bovenop de berg staat en er een tel later weer afvalt.

„Dat weet je best, hij is reclametekenaar. Je weet ook best waar hij werkt. Bij dat grote bedrijf van Van Someren. En hij kan steeds opklimmen."

Ze wacht even, dan zegt ze fel: „Je gelooft het niet, hè?"

„Wat niet?"

„Dat het serieus is met ons. We willen het, mam. Vraag aan pap of hij het huis voor ons wil kopen. Het kost maar vijftigduizend gulden. Waar koop je tegenwoordig voor zo'n klein bedrag een huis?"

„Nee," zegt Hilde, „duur is het niet. Is het een krot of een piepklein geval?"

„Bah. Het is een enig huis, met zelfs nog een plaatsje erachter en een schuur. Het is op de hoek van een steeg, ik bedoel de kamer kijkt uit en op zee én opzij, in een steeg, maar wat hindert dat?"

„Vijftigduizend gulden is niet helemaal niks."

Ze krijgt opeens visioenen van een bontgekleurt bohémienleven, van een samengaan dat gebaseerd is op lucht, wolken en fantasie.

„Je moet nog achttien worden," zegt ze. „Wil je je nu al binden?"

„Toen ik Joost zag, wist ik het. Als hij speelt is het net of ik vleugels heb."

„Op vleugels kun je geen huwelijk bouwen."

Anneke lacht. „Je bent een heerlijke gekke schat van een moeder, je begrijpt het best. Je weet dat ik echt van Joost hou. Ik zou niet weten wat ik zonder hem zou moeten beginnen. Hij begrijpt me en ik hem. En we willen alles in ons huis artistiek, je weet wel, veel kaarsen en hele oude meubelen. En ramen met kleine vierkante ruitjes."

„We praten er nog wel eens over," zegt ze.

„Nee," zegt Anneke. „We praten er nu over. Straks komt pap thuis en dan wil ik het met hem doorpraten. Zo'n kans krijgen we beslist nooit meer."

Hilde kijkt naar dit gezicht. Er zijn warme blossen op Annekes wangen. Hoe is het mogelijk dat er over dit jonge, het leven uitdagende gezicht een glans van volwassenheid ligt? Wanneer heeft het kind die grens overschreden? Een maand geleden? Gisteren? Er is iets van een vrouw in haar ogen en in de lijn van haar jonge mond, een vrouw die weet wat ze wil.

„Is het je echt ernst?" vraagt ze. Er klemt iets om haar hart, iets dat zorg heet en angst. Je hebt kinderen nooit voor altijd, je krijgt ze om ze los te laten. Maar zo jong? Zo bloedjong? Achttien?

„Waarom trouwen jullie zo vroeg?" vraagt ze.

„Dat willen we, moeder. Joost woont op kamers, daar is niks aan. Als het twaalf uur is moet ik weg. Ze loopt soms heel zacht op de gang en luistert dan aan de deur. Joost deed van de week opeens de deur open en betrapte haar. Hij vroeg of ze iets zocht en ze zei: 'm'n portemonnee'."

„Die ligt nooit voor mijn deur," zei Joost.

Ze zou dit kind willen vragen hoe ze denkt dat het echte leven is. Maar je moest bij Anneke met dergelijke vragen niet aankomen. Ze zou je aankijken met die heldere, onbevangen ogen waarin niets ligt dat het daglicht niet kan verdragen. En ze zou misschien zeggen: „Wil je thee, mam, of koffie?"

Maar 's avonds, als je naar bed ging, zou ze op de bovenste tree van de trap zitten om te wachten tot ze je kon spreken en dan zou ze alles vertellen wat ze kwijt wilde.

„Trouw je niet omdat je een huis kunt kopen?" vraagt ze.

„Nee. Je ziet nog altijd een kind in me, maar ik ben al lang geen kind meer. Wouter is nog een jongen, hij wordt dertien, hij is nog zo speels als het maar kan. Ik ben niet zo speels meer, moeder." Waarom doet het pijn een kind zo te horen praten?

Dit kind. Met haar open gezicht en haar hartelijke lach. In veel opzichten geneigd het leven als een feest te zien, vaag beseffend dat er ook schaduwkanten zijn.

„Misschien overval ik je een beetje, dat was eigenlijk niet de bedoeling. Vanavond komt Joost ook. Misschien kunnen we alles eens doorpraten. Het zou zo fijn zijn, mam, een eigen huis. En we wonen niet eens zo ver bij je vandaan."

„Je bent helemaal niet huishoudelijk," zegt Hilde. „Je hebt overal een hekel aan, aan afwassen, aan alles wat de gewone huishouding betreft."

„Dat heb ik in m'n eigen huis niet, je zult het zien."

Ze legt een stapeltje gestreken goed weg. Haar gedachten gaan als de storm door de takken van de bomen. Wat begin je, denkt ze, als je elkaar een half jaar kent? Wat is jullie basis? Is er sprake van liefde of is het nog een onstuimige verliefdheid? En boven alles, hoe denken jullie ons als we het doen een bedrag van vijftigduizend gulden af te betalen?

Ze denkt aan Toon. Hij verdient goed, maar van echt veel overhouden is in deze dure tijd geen sprake. En bovendien is het niet verantwoord tegenover de andere kinderen.

„Je zou beter geld van de bank kunnen lenen," zegt ze.

„Dan moeten we een hoge rente betalen."

„Wij zijn niet wat je noemt rijk, Anneke. We kunnen het goed doen, maar daar houdt dan ook alles mee op. Wouter gaat bovendien als hij er de hersens voor heeft misschien later studeren. De andere kinderen redden zich ook allemaal. Taco en Els hebben ons nooit iets gevraagd, Michiel en Jeanine ook niet. Ik denk niet dat je vader erg blij zal zijn met je plannen."

Het meisje Anneke is opeens een vrouw. „Weet je, mam," zegt ze lief, „ik heb aan zoveel gedacht. Ik heb nou m'n school af, met veel moeite, want een studiehoofd heb ik niet. Ik weet dat ik gelukkig kan worden in een gezin, met een man en met kinderen. Later hoor, die kinderen, veel later. Maar ik heb ook aan Jes gedacht. Als we het huis nu kopen, ik bedoel de volgende maand of zo, kan Joost alles rustig opknappen. Hij is erg handig. We zouden dan bijvoorbeeld tegen de herfst kunnen trouwen. We hebben echt niet zo'n haast hoor, mam. De eerste paar maanden zou het kindje bij jou kunnen zijn en als het je te druk wordt, nemen wij, Joost en ik, het zo lang in huis. Dan kan Jes haar studie afmaken. Voor haar is het wel belangrijk dat ze een goeie baan krijgt. Het kan best zijn dat ze nooit trouwt. Vind je dat geen fijn idee? Van die baby bij ons?"

Waar hebben Toon en ik het aan verdiend, denkt Hilde, dat we zo'n kind hebben? Zo'n warmvoelend stukje mens dat altijd met anderen bezig is en zo veel heeft te geven aan echte hartelijkheid? Het is alleen wel eens jammer voor haar zelf dat ze zo dikwijls haar hoofd stoot met haar enthousiasme, haar warmlopen voor dingen die een ander niet zo ondergaat.

Ze kan er niets aan doen dat er tranen naar haar ogen dringen. Zij, als moeder, heeft erop aangedrongen de baby ter adoptie te geven.

Ze heeft Jes een moeilijke toekomst willen besparen, haar een betere kans willen geven op een nieuwe mogelijkheid. Anneke voelt de dingen dieper. Bij haar geen sprake van adoptie. De baby komt. Er moet raad worden verschaft, ze wil met Joost trouwen en het kind is in haar huis meer dan welkom.

Is een simpele oplossing soms de beste? Kan een jong mens van nog geen achttien jaar zuiverder voelen dan een moeder, die overal bergen ziet en problemen?

Ze kijkt op.

„Waarom moet je daar nou om huilen?" zegt Anneke.

„Omdat het helemaal geen gekke gedachte is," zegt Hilde. „Vanavond als vader er is, praten we alles eens door. En help me nou even met dat strijkgoed, het is zo'n grote stapel."

Ze glimlacht naar Anneke. „Er was aan jou als baby veel werk," zegt ze.

„Je was druk, had altijd honger, je vroeg meer aandacht dan de anderen. Misschien heb je daardoor ook meer te geven."

Annekes gezicht boven de stapel strijkgoed is ondeugend. Haar stem is opgewekt als ze zegt: „Het is altijd fijn bij jullie, we merkten nooit iets van spanning of ruzie en die zullen jullie heus wel eens gehad hebben of nog wel hebben. Maar je wás er altijd, mam, altijd. Je kon het zo druk niet hebben of je was belangstellend voor alles. Misschien is dat wel het belangrijkste geweest wat je me hebt gegeven."

„Ik dacht altijd dat dat gewoon was," zegt Hilde. „Je neemt een kind óm dat kind, nooit omdat je vindt dat er in een huwelijk kinderen moeten zijn."

„Ik zou ze nog lang niet willen," zegt Anneke, „ik ben er nog niet aan toe. Aan zoveel nog niet trouwens."

Hilde vraagt niet verder. Misschien wil Anneke dat ze nu dieper op alles ingaat, maar ze doet het niet. Als ze wil trouwen lieve help, met achttien jaar trouwen moet ze leren veel dingen zelf uit te zoeken.

Ze verlangt opeens naar Toon. Hij is in dit soort zaken altijd rustig, zegt de juiste dingen.

„Ik zou eigenlijk vanavond nog even naar Lidy," zegt Hilde. „Ze rekent erop."

„Dat is maar een uurtje, mam."

Het is stil. Dan vraagt Anneke: „Gaat het goed met haar?"

„Lichamelijk wel, geestelijk is het erg zwaar om er een beetje bovenop te komen."

Hilde strijkt met een los gebaar over haar gezicht.

„Lidy heeft geleerd dat het leven, hoe dan ook, de moeite waard is," zegt ze, „dat je er veel meer mee kunt doen dan je denkt."

Lidy… een andere Lidy, zachter, veel kwetsbaarder ook. Een Lidy die van de week zei: „De baby van Jes komt over een week of twee. Hou van de baby, Hilde, van alles. Ik zal het nog niet kunnen zien. Maar later… Je weet niet hoe rijk je bent."

„Wat sta je daar nou, mam?" vraagt Anneke.

Hilde glimlacht. „Zomaar," zegt ze.

Ze gaat naar boven om het strijkgoed in de kast te leggen, Leven is een uitdaging, is God danken voor die uitdaging. Anders niet.

21

Hilde heeft Joost altijd als een jongen bezien. Nu ze hem hoort praten, valt het haar op dat hij dat niet meer is. Toch telt hij nog maar negentien jaren. Hij heeft in zijn optreden iets zelfbewust, iets van vertrouwen. Hij straalt dat uit. Als hij ouder is kan hij uitgroeien tot een sterke persoonlijkheid, denkt Hilde. Ze geeft hem koffie.

Toon valt meteen met de deur in huis, zijn gezicht is niet vrolijk. „We vinden jullie nog te jong om te trouwen," zegt hij, „bovendien moet je nog een aantal jaartjes van je jeugd genieten. Kom over een paar jaar nog maar eens terug."

„Nee, vader," zegt Anneke. Ze zegt het zo kernachtig dat hij het gevoel heeft een kleine jongen te zijn.

„We geven nog geen toestemming voor dit huwelijk," zegt Toon.

„Het zou zo jammer zijn, pap, als we dan zonder die toestemming zouden gaan trouwen, want dat doen we. Ik heb het altijd fijn gehad, thuis. Ik zou het afschuwelijk vinden als daar verandering in zou komen. Het is niet leuk om via gerechtelijke instanties door te zetten."

„Je móet toch niet trouwen," zegt Toon driftig.

Er vlaagt een zachtrood over Annekes gezicht. „Nee," zegt ze zacht. „De enige reden is dat huis."

Hij krijgt het warm, Toon Poortman, hij voelt aan alles dat hij bezig is de goede verstandhouding die er altijd tussen hen was, kapot te maken.

Maar goeie genade, wat voel je als vader als je daar dat kind ziet zitten, zo'n jong ding, dat plannen heeft waar hij geen snars van begrijpt! Is hij jaloers? Kan hij het ergens niet verdragen dat zo'n vreemde knul zijn dochter van hem afneemt? Dat hij hem wel van alles naar zijn hoofd zou willen slingeren. En hem vooral zeggen dat hij Anneke zal missen... haar lach, haar onstuimigheid, haar slordigheid en haar slaan met deuren.

Je bent haar niet waard, denkt hij, geen enkele jongen is dat. Ze kennen Anneke niet, hij wel. Hij heeft haar al zo'n achttien jaren meegemaakt, haar gedragen, gekoesterd, geholpen bij haar huiswerk, haar 's avonds voorgelezen als ze niet kon slapen. Wat weet zo'n lange slungel van dat wat een meisje als Anneke nodig heeft? Niets.

Toch bevalt hem de blik wel waarmee die knaap zijn kind aankijkt. Daar zit iets in dat zijn hart zou moeten verwarmen, iets heel liefs, dat meer uitdrukt dan verliefdheid.

Op welke basis trouwen deze kinderen? Is het uiterlijk? In de meeste gevallen wel. Hij viel ook direct op Hilde's figuurtje, op dat wat er van haar uitging. Veel later begreep hij dat het lichamelijke contact bij vrouwen lang niet zo'n grote plaats inneemt. Misschien was het ook angst, angst voor een ongewenste zwangerschap. Als hij aan hun huwelijk denkt, vindt hij de eerste jaren de moeilijkste. Dat naar elkaar toegroeien in fouten en gebreken, het leren aanvaarden van elkanders ik, langzamerhand beseffen dat geluk niets te maken heeft met elkaar bezitten, maar oneindig veel dieper een eigen weg graaft van begrip en vergeven. Van steeds weer opnieuw beginnen, met een grotere portie geestkracht.

„Neem me mijn opmerking van straks niet kwalijk," zegt hij eerlijk tegen Anneke. „Ik denk dat ik je gewoon nog niet kwijt wil. Dat is alles. Het zal zo stil zijn zonder jou in huis."

Anneke vecht even met haar tranen.

Joost zegt: „Daar heb ik alle begrip voor. Maar weet u, dat huis is een enorme kans."

„We hebben daar de centen niet voor," zegt Toon. „Wouter gaat als hij groter wordt waarschijnlijk studeren. Ik verdien goed mijn brood, maar rijk zijn we niet, ik kan jullie nooit zo'n bedrag lenen."

„Dan gaan we naar de bank," zegt Joost. „Ik heb een spaarpotje, het is nog niet veel want ik verdien eigenlijk de laatste jaren pas goed. Maar een kleine zeven en een half duizend heb ik wel. De rest lenen we gewoon. We zijn nog jong. En als we ooit willen trouwen is een huis een heel belangrijk iets. Voor een huurwoning voel ik niks, de huren zijn hoog. Wat we nu aan aflossing en rente betalen zal de huur van een huurhuis niet zo veel ontlopen. Geeft u ons een kans."

Hij is niet opgewassen tegen die rustige ogen die hem aankijken met een intense blik van vertrouwen.

„Nou," zegt hij tenslotte, „probeer er dan maar wat van te maken."

Hilde heeft Jes niet horen binnenkomen. Haar lichaam is erg zwaar, over een korte tijd komt de baby. Over Jes heeft ze van al haar kinderen de meeste zorg. Hoe moet alles met haar gaan?

Anneke keert zich om. Er zijn warme vlekken op haar wangen. „We hebben een idee," zegt ze. „Jouw kind komt bij mij en Joost, we gaan een huis kopen. Je weet wel, dat kleine huisje aan die dijk. Dan kan moeder gewoon haar gang gaan en jij kunt studeren."

Er is een scherp gevoel van jaloezie in Jes. Als ze heel eerlijk is moet ze zichzelf bekennen dat, naarmate de datum van de geboorte nadert, er wel eens in haar bovenkomt wat ze met een kind moet beginnen. Weggeven doet ze het nooit; ze wil het liefhebben en verzorgen. Moeder zou het, als ze er erg op aandrong, zeker willen doen. Maar dan zou ze toch niet helemaal ontkomen aan een gevoel van schuld. Zij, Jes, wil de baby, maar wie draait er voor op? Moeder. Ook financieel. Als ze haar studie af zou breken en een baan zou gaan zoeken zou ze niemand iets verschuldigd zijn.

Er trilt iets in haar stem. „Dat is enorm, daar zou ik tijdelijk erg mee geholpen zijn. Ik wil namelijk een baan zoeken, helemaal onafhankelijk zijn. Ik heb een behoorlijke achtergrond. Ik zou misschien typen en steno moeten leren, maar dat zal zo'n tijd niet in beslag nemen."

Waarom is ze nu zo jaloers op Anneke? Anneke die een geborgen toekomst zal krijgen, een huis, een man. Naaldscherp prikt een gevoel van eenzaamheid. Het is geen verlangen naar Koos, maar naar een man, iemand die zegt: „Maak je geen zorgen, het komt wel goed. Je zult eens zien hoe goed alles komt."

Iemand die haar tegen zich aanhoudt en met haar meevoelt wat het betekent 's nachts niet goed te kunnen slapen omdat haar lichaam zo zwaar is, iemand die begrijpt dat ze in de duisternis uren ligt te denken aan de bevalling die gaat komen, aan pijn en alleen-zijn. Misschien is moeder erbij, moeder, met haar zachte stem en haar sterke wil. Soms zou ze tegen haar aan willen kruipen zoals ze dat als kind deed, zo lekker veilig tegen haar benen aanzitten en weten dat er iemand is die van je houdt. Die je alles wat je verkeerd doet vergeeft.

Ook nu. Ze weet hoeveel verdriet haar ouders om dit nog ongeboren kind hebben. Maar ze laten dat niet merken, ze zijn er, zoals altijd wanneer ze ze nodig heeft.

„Zou je echt op de baby willen passen?" vraagt ze Anneke, „is het geen gril? Ik bedoel, op een dag moet je het teruggeven aan mij. Zou je dat kunnen?"

„Dat zal natuurlijk erg moeilijk zijn," zegt Anneke dapper, „maar het is het proberen waard en misschien... Ze lacht naar Joost – „misschien hebben we er dan zelf wel een."

„Jij gaat geen baan zoeken, Jes," zegt Toon. „Je maakt je studie af. Je hebt een unieke kans dat te doen. Het zou jammer zijn. Dat beetje geld dat we je cadeau doen moet je maar vergeten."

„Ik wil niet op jullie zak teren, begrijp je dat dan niet?" zegt Jes. „Ik wil later nooit het verwijt krijgen dat ik jullie maar mooi met de consequenties opscheepte."

Waarom praten we zo tegen elkaar, denkt Hilde. We waren altijd tamelijk redelijk in een geschil, we begrepen elkaar. Waarom groeien we nu uit elkaar? Of vergist ze zich? Moet ze juist trots zijn op Jes omdat ze alles zelf wil proberen? Ze voelt zich moe, het is een vermoeidheid die door haar hele lichaam lijkt te trekken, haar loom maakt en slaperig.

Grote kinderen hebben, volwassen kinderen… is er iets moeilijkers?

Tussen Toon en haar groeit als het ware elke nieuwe dag een andere band, een gevoel van samen geestelijk blijven groeien, samen verder kunnen bouwen aan een wereld die ze willen hebben, een wereld van harmonie. Laat me met rust, zou ze willen roepen, ga alsjeblieft weg, zeg niet van die harde dingen tegen elkaar.

Ze voelt Toons ogen op haar gezicht. Ze glimlacht. Zo is dat als je elkaar jaren kent; je leest van elkaars gezichten de vreugde en het verdriet en soms het stille, niet onder woorden te brengen eenzame gevoel elkaar niet te hebben bereikt.

Zacht zegt ze: „ Als Jes vindt dat ze zelf financieel voor de kleine wil zorgen, mag ze dat van mij. Misschien is het ook wel beter voor haar gevoel van eigenwaarde. Ze kan later altijd nog in de avonduren gaan studeren als ze dat wil."

Opeens praten ze allemaal door elkaar. Niemand luistert, iedereen heeft wel iets te zeggen.

„Hoor je niet dat de telefoon gaat," roept Hilde boven het geharrewar uit.

Iedereen is stil. Toon neemt de telefoon op. Hilde ziet dat zijn gezicht wit wegtrekt. „Dat is niet waar," hoort ze hem zeggen, „dat kan niet."

De spanning in de kamer is voelbaar. Hij legt de telefoon neer. Zijn stem is vreemd ver weg als hij zegt: „Afschuwelijk, Frits en Lies zijn verongelukt met de wagen."

„En de kinderen?" vraagt Hilde toonloos.

„Die zijn thuis. Ze weten het van hun grootvader. Je weet dat die daar nog al eens logeerde."

„Mijn God," zegt Hilde. „Het is niet te geloven."

Frits en Lies, twee mensen met een rustig, gelijkmatig leven, nergens ooit in uitblinkend, altijd aanwezig als er een beroep op ze werd gedaan.

Vrienden in de juiste zin van het woord. Frits met zijn humor en zijn geslotenheid, steeds zichzelf in elke situatie, nooit oordelend, altijd vol begrip. Lies, speels en goedlachs, in veel opzichten nooit helemaal volwassen geworden, origineel in het bedenken van kleine cadeaus. Nee… nee, het is niet waar dat dit gebeurd is. Het kan niet.

„Wie belde je op?” vraagt Hilde.

„Frits' vader, hij is bij de kinderen.”

De kinderen... Sander van veertien, een grote jongen met veel bravoure, een beetje verwend omdat hij in veel dingen uitblinkt, in sport, met zijn studie. Ingeborg van zestien, zo smalletjes en verlegen, een onopvallend meisje dat veel aandacht vraagt.

„Wat moeten we doen?” vraagt Hilde. Ze is haar vermoeidheid op slag vergeten.

„We gaan morgen naar de kinderen,” zegt Toon. „Daar is het nu te laat voor. Er zijn mensen genoeg in huis, ik hoorde tenminste veel stemmen. Hilde, aan zoiets denkt een mens toch nooit.”

„Leven is onbegrijpelijk,” zegt ze, „zal ik het straks tegen Lidy zeggen?”

„Als ze het aankan.”

Opeens vormen we weer een gezin, denkt ze, we zijn weer bij elkaar, onze gevoelens raken elkander.

Frits en Lies. Hoe moet dat nou met jullie kinderen? Er zijn alleen oudere mensen in de familie, ooms en tantes van dik in de zestig, sommigen diep in de zeventig.

Geluk en leed, woorden waar je soms om glimlachte omdat ze zo'n zwaarwegende klank hebben. Leed... echt leed hebben zij en Toon eigenlijk nooit gehad.

Er is een stille bede in haar hart: „Laat ons voor dit afschuwelijke gespaard blijven.”

Ze weet opeens dat ze Jes zal bijstaan, heviger dan ooit, hunkerend naar een mogelijkheid handen met warmte te verspreiden.

Het is opeens of haar eigen leven veel meer waarde heeft gekregen, of niets wat zich in haar gezin voordoet de moeite waard is om er woorden over te hebben. Of er opeens een levensgroot bord voor haar staat: „Leef en wees gelukkig.”

„Ik was wel af,” zegt Jes. Haar gezicht is zo stil en ver weg.

„Ja,” zegt Hilde, „doe dat maar. Ik ga naar Lidy.”

„Kun je niet een keer overslaan,” vraagt Toon. Hij wil met deze zin zeggen: Laat ons nou niet zo zitten, we weten met onze gevoelens geen raad.

„Nee,” zegt ze, „ze heeft me nodig. Ik ben weer gauw terug.”

Toon Poortman weet met zichzelf geen raad. Hij heeft behoefte eruit te gaan. Hij zou nu langs het strand willen lopen, alleen, met niets dan de wilde golfslag van de zee en de eindeloze rust van het verlaten strand.

Frits en Lies, allebei. Het is niet eerlijk. Soms lijkt het of God grote fouten maakt, of Hij mensen alleen maar in de schaduw laat lopen.

Hij hoort de kinderen in de keuken. Met de kinderen bedoelt hij dan zijn Jes en Anneke. De jongen, Joost, zit verslagen in zijn stoel, Wouter buigt zich diep over Bas en streelt de hond.

Waar maakt hij zich nou zo druk over? Over het wel of niet kopen van een huis, over het wel of niet doorgaan van een studie. Is dat de moeite waard om geschillen over te maken? Terwijl er zoveel onherroepelijke ellende is?

Jongen, zou hij tegen Joost willen zeggen, het kan ons allemaal overkomen, morgen, over een jaar, over vijf jaar. De dood zwerft op stille voeten om ons heen, struikelt soms en valt in je armen. En dan is het te laat om ruzie te maken, elkaar geen vingerbreed toe te geven.

„Zouden jullie met twintigduizend gulden een eindje op weg zijn?" vraagt hij aan de jongen.

Joost knikt. Er is iets sterks tussen hen, een aanvaarden van een nieuwe toekomst.

Toon Poortman krijgt tranen in zijn ogen en hij schaamt er zich niet voor.

22

„Dag," zegt Lidy.

Hilde moet zich opnieuw bedwingen om niet naar die leegte van haar lichaam te kijken, naar die plek waar geen borst meer is en het pyjamajasje vreemd wijd valt.

„Dag."

„De wond geneest goed, misschien mag ik over een week naar huis. Het is alleen... Ik had gehoopt dat ik er niet zo verminkt zou uitzien. De onderhuidse prothese kon niet. Ze doen dit alleen nog maar in Amerika. Ik zal het in de toekomst met bh-vulling moeten doen."

„Ja," zegt Hilde. Ze raakt even Lidy's hand aan. „Zijn ze tevreden over de operatie?"

„Ze zeggen van wel. Je weet het eigenlijk nooit. Ik zal nog wel even bestraald moeten worden. Het schijnt dat ik er vroeg genoeg bij was. Maar die angst… die afschuwelijke angst dat dat niet zo is."

„Je moet niet steeds zo huilen," zegt Hilde zacht, „er zijn zoveel erger dingen. Nee, zo bedoel ik het niet. Het is ontzettend wat je te verwerken hebt, maar het kan erger."

„Is er iets?"

Hilde heeft moeite het trillen van haar lippen tegen te houden. „Ik weet niet of je ertegen opgewassen bent als ik het je zeg," zegt ze.

„Wat is er dan?"

Hilde vertelt het. Ze houdt Lidy's hand vast, legt haar warme gezicht erop en barst in tranen uit.

Vreemd, dat het Lidy is die over haar haren strijkt, woorden zegt die ze zelf niet kan bedenken. „Je hebt gelijk met wat je zei: „Er is veel erger…"

Er stroomt een vreemd gevoel van herkenning door haar heen, herkenning van iets waaraan ze voorbij is gegaan deze weken. Het is net of het leven stil over haar gezicht glijdt en haar optilt, haar diepwarm maakt. Leven… Zij mag leven. Ze heeft nog jaren te goed, ze wil dat nu geloven. „Het enige dat u mankeert is het feit dat u niet echt meewerkt, dat u zich begraaft in zelfmedelijden. Een vrouw zonder man en kinderen is evenveel waard. U voelt u miskend: Voor wie leeft u, wat voor zin heeft alles? U moet leren uzelf te nemen zoals u bent, van uzelf gaan houden. U moet willen leven, bewust. De zon zien, de vogels horen, de liefde zien, ook al denkt u dat u dat allemaal niet kan. U kunt het, u hebt uzelf nooit een goede kans gegeven. Maar die kans is er wel. Er is behoefte om u heen aan warmte, aan U. Geef u een beetje weg, stukje voor stukje, U bent nodig voor anderen…"

„Voor wie?" had ze gevraagd.

„Voor uzelf."

„Geen mens kan alleen leven, een mens is een kuddedier."

„Er zullen altijd mensen zijn die u nodig hebben, zieken, bejaarden die nooit iemand op bezoek krijgen, kinderen die het thuis allesbehalve gemakkelijk hebben. U moet uzelf leren vinden, en niet wegkruipen als u niet vindt wat u zoekt. U bent nu geopereerd. Ik zeg u dat u honderd procent kans heeft volop te genezen. Heeft u dat dan niets geleerd?"

Ja, dat alles zei de arts.

Nu opeens is het antwoord er. Nu, door dit afschuwelijke.

Ze beseft dat er altijd erger dingen zijn. Twee opgroeiende kinderen staan zonder ouders.

En zij mag blijven leven.

„Het is zo vreemd," zegt ze zacht. „Ik ben opeens dankbaar. Ik schaam me dat ik aan mezelf denk, maar ik ben dankbaar, Hil, dat ik mag blijven."

Hilde heeft haar tranen gedroogd. „Soms," zegt ze teder, „wordt een mens met de neus op de feiten gedrukt. Ik ben blij dat je jouw ziek zijn zo aanvaardt. Alles is zo betrekkelijk."

Ze zitten zwijgend bij elkaar.

„Wat moet dat nou met die kinderen?" vraagt Lidy. „Ik weet het niet."

„Voor veel dingen komt soms een oplossing."

„Laten we dat hopen."

Hilde heeft vergeten een zak fruit op Lidy's nachtkastje te leggen. Ze glimlacht verlegen. „'t Zijn druiven," zegt ze.

„Fijn, daar hou ik van."

Er is een sfeer van alles willen zeggen en niet weten wat. Heeft het verlies van dierbare vrienden dan toch ergens een diepere bedoeling? Voor de ander de mens die verder leeft?

Er komt een zuster met een glas melk. In de deuropening staat de arts.

„Ik kom een volgende keer wat langer," zegt Hilde. Ze wil opeens weg.

Haar zoen aan Lidy is anders, is een gebaar van tederheid.

„Je houdt je goed, hè?" vraagt ze.

„Ja," zegt Lidy, „ik zal me goed houden."

Bij de deur zwaait Hilde nog even. Het raakt haar niet dat de arts naar haar behuilde gezicht kijkt.

De volgende morgen gaan Hilde en Toon naar de kinderen van Frits en Lies. Soms moet een mens een gang gaan die hij niet wil, is het of hij door een meters diepe duisternis loopt zonder ooit enig licht te zien.

Maar het is zo gemakkelijk te zeggen: „Ik kan dat niet."

Er is een lange vriendschap, mag je dan egoïstisch zijn?

Kinderen, jonge opgroeiende mensen, zijn in hun puberteit dikwijls gesloten, weten geen raad met hun gevoelens en gedachten.

Sander, de zoon van Frits en Lies, is zo'n jongen, net veertien, begaafd in sport, verwend tot in de toppen van zijn vingers. Alles mocht altijd van

Lies, Frits was anders, zijn ja bleef ja. Hoe de kinderen ook zeurden, zelfs wel eens scènes maakten, hij bleef kalm en deed net of hij het niet hoorde. Ingeborg van zestien is een totaal ander kind, een smal, verlegen meiske, dat Hilde in veel opzichten aan haar eigen Jes doet denken.

Beide kinderen laten zich niet gaan, er is onpeilbaar verdriet in hun ogen, maar ze proberen flink te zijn.

Hildes ogen dwalen naar het gezicht van de jongen. Het is net of alles wat ze zeggen aan hem voorbijgaat. Hij lijkt op een robot, wil alles, doet ook alles, maar is er met zijn gevoelens niet echt bij betrokken.

Ze zou één ding willen, Hilde, met haar nog steeds dikke blonde haar, dat het onderliggende grijs nog steeds bedekt, ze zou ze mee naar haar huis willen nemen. Ze heeft het met Toon nog nergens over gehad, maar vannacht, toen ze niet kon slapen, kwam die gedachte bij haar op. Een baby kan ze niet meer zo gemakkelijk aan, maar jonge kinderen mogen begeleiden die in de meest moeilijke periode van hun leven zijn, ja, dat wil ze proberen. Waar moeten ze naar toe? De familie bestaat in hoofdzaak uit oude mensen. Een kind moet in een gezinssfeer zijn, bij mensen die hij kent en die hij de nodige sympathie durft te geven. Ze staat naast Ingeborg. Wat lang is zo'n kind, wat hevig bezig uit te groeien. Ze raakt met haar hand het kind aan, slaat een arm om haar heen. „Lieverd," zegt ze, „huil maar, dat is goed."

Ze voelt de warmte van dat jonge lichaam tegen het hare, het stille schokken van haar bovenlichaam, het radeloze onpeilbare leed dat over dit stukje jeugd is gekomen. Sander staat er wat verloren bij; jongens huilen niet, hij wil niet huilen. Wat had je eraan? Daarmee kreeg je ze niet terug, zijn grote, sterke vader, die altijd een luisterend oor had voor alles wat met zijn school te maken had, zijn moeder niet, die lief was en goed kon luisteren. Hij was vaak miserabel tegen haar geweest, brutaal, dwars, afschuwelijk brutaal. Hij heeft behalve verdriet ook gevoelens van schuld. Hij had woorden met moeder, vlak voordat ze met de auto een bezoek gingen afleggen bij vrienden. Die woorden blijven in zijn hart hangen: „Als je maar weet dat ik veel te weinig zakgeld krijg, de anderen hebben veel meer."

„We laten het zoals het is, als je ouder bent zien we wel verder."

Hij had haar toegeschreeuwd dat hij haar ouderwets vond, vervelend ouderwets, dat ze niets van deze tijd en jeugd begreep.

En ze had daar in de deuropening gestaan, gekwetst, dat zag hij aan haar ogen. Ze zei alleen maar: „Volwassen worden is erg moeilijk, jongen."

Nooit vergeet hij dat stille gezicht waarop verdriet was te lezen. Zou ze onderweg met vader over hem hebben gepraat? Zou ze hem hebben afgeleid, waardoor het was gebeurd, dat afschuwelijke, dat niet zien van die geparkeerd staande vrachtwagen onder een lantarenpaal. Dat...

Hij kan er niet aan denken... Dat zo maar in hoog tempo onder die wagen schuiven en... Hij keert zich om. Tranen branden en willen naar buiten, maar hij geeft ze geen kans. Overdag niet, 's nachts wel. In de veilige duisternis van de nacht lag hij als een kleine jongen te snikken.

Hilde ziet Toon met de grootvader in gesprek. Dat zo'n oude man nog het verlies van zijn kind moet meemaken.

„Het is het beste," zegt de oude baas, „dat tante Mies hier de eerste tijd komt. Later zien we wel verder. Hoe normaler alles doorgaat, hoe beter."

„Als je maar weet dat ik niet naar school ga," zegt Sander.

Hulpeloos kijkt de grootvader om zich heen. Toon zegt: „Natuurlijk hoef je de eerste week niet naar school. Maar je moet wel gaan voetballen en zwemmen, je moet zo vermoeid zijn dat je als een blok in slaap valt."

„Ik wil wel naar school," zegt Ingeborg. „Alles is beter dan thuis blijven en er steeds aan denken. Oom Toon, ik weet het nu heel zeker, er ís geen God, er is helemaal niks, dit was een toevallige omstandigheid. Anders niet."

Ja, zo zeker ben je als je zestien bent, als je God alleen maar ziet als een vriend die alleen goed doet. Als je lijden te verduren krijgt, is het vertrouwen weg. Het is niet eerlijk, maar het past wel bij je jonge jaren. Leven wil niet zeggen altijd alles even prettig hebben. Soms groeit een mens veel meer door verwerkt verdriet. Maar zeg zoiets nu eens tegen een kind dat gisteren haar vader en moeder verloor.

„Ik weet niet, lieve meid, wat ik je daar nú over moet zeggen. Later vind je misschien zelf het antwoord."

Hij kijkt naar de jongen. Dan naar de oude man. Moet die zo'n kruidje-roer-me-niet mannen? Het zal hem niet lukken. De jongen is nooit makkelijk geweest. Misschien komt dat, omdat ze altijd in een flat woonden. Van kind af aan hebben ze remmingen gekend, konden ze zich niet zo ontplooien als bijvoorbeeld Taco, Michiel, Jes, Anneke en Wouter, die ruimte hadden, met de boeren in de wei meegingen, de lucht van het buitenleven inademden en vooral hun fantasiewereld overal kwijt konden.

Opgroeien, buiten... Is er iets dat belangrijker is voor een kind? In een kleine gemeenschap kent iedereen iedereen, wordt met alles meegeleefd, is er overal begrip en warmte.

Opeens hoort hij Hildes stem. „Hoe denken jullie erover als wij de kinderen eens een poosje bij óns zouden nemen? Dan kan er in die tijd overlegd worden wat er gedaan moet worden."

Toon ziet heel even een lichtglans in de ogen van Sander. Sander is dol op dieren, het zou fijn zijn als de jongen bij hen zou kunnen genezen van een te diepe wond.

„Wil jij?" Sander vraagt het nonchalant aan Ingeborg, maar in de ondertoon zit een hunkering.

„'t Is misschien wel het beste," zegt Ingeborg. „Ik kan gemakkelijk met de trein heen en weer en jij zou met de bus naar school kunnen."

„Naar school ga ik nog lang niet," zegt de jongen fel.

„Waarom niet?" vraagt Toon. „Je komt na een week thuisblijven niet zo achter, maar als je langer wegblijft wel."

Fel zijn de ogen van Sander. „Ik wil niet dat ze me pesten. Ze moeten me vaak hebben en nu hebben ze iets waarmee ze me klein kunnen krijgen. Maar ik sla erop, als ze dat maar weten. Ik kan goed vechten."

Hoe graag zou hij om dit opstandige stukje mens zijn arm willen slaan, hem zeggen dat hij hem begrijpt en hem zijn opstandigheid niet kwalijk neemt."

„Jongen," zegt hij zacht, „we hebben nu wel iets anders aan ons hoofd dan ruzie maken met je vrienden, vind je ook niet? Er moet nog zoveel besproken worden, tussen je grootvader, de tantes en ons. Zou het niet beter zijn als je de fiets greep en een eind ging karren?"

Sander wil een bot antwoord geven, maar hij beheerst zich.

„Oké," zegt hij, „maar niet met Ingeborg, ik ga alleen."

Hij rent de kamer uit.

Toon kijkt hem na. Hem helpen kan hij niet, dit is zíjn weg, zíjn leed. Maar het is zo hard, zo bitter hard.

Ingeborg staat stil bij het raam. „Hij meent het niet zo," zegt ze zacht.

„Nee," zegt Hilde, „dat begrijpen we best. Wil jij ook niet een poosje naar buiten? We moeten dingen bespreken die afschuwelijk zijn, de begrafenis en alles wat daarbij komt."

„Misschien kan ik helpen," zegt Ingeborg, „ik weet bijvoorbeeld waar vader… waar hij zijn agenda met alle adressen heeft. Die ligt naast de telefoonklapper op het bijzettafeltje."

„Als je denkt dat je het niet meer aankunt moet je het zeggen," zegt Hilde. Ze kust het smalle gezicht.

„Tante Hil, ik zou het best fijn vinden bij u,"

„Dat bekijken we wel."

Het is opvallend met hoeveel rust en beheersing Ingeborg de helpende hand biedt, hoe ze met steeds weer nieuwe namen van firma's komt, met instanties, bestuursleden van verenigingen. „Vader zat in veel verenigingen," zegt ze stil.

Toon belt met de begrafenisonderneming, Hilde en tante Mies maken een advertentie.

„Moet die in de twee plaatselijke dagbladen?" vraagt Hilde.

Dan ziet ze als in een waas het gezichtje van Ingeborg.

Nooit zag ze een jong gezicht zo troosteloos, zo zonder een enkel gevoel van hoop.

„Ga een stuk fietsen," zegt ze zacht. „De schemering komt, je bent een beetje beschermd in de duisternis."

Ze krijgt geen antwoord. Ze hoort het kind de deur uit gaan, ze hoort niet de buitendeur. Ze weet dat ze boven op haar kamer is, en dat ze niet moet gaan kijken.

23

Het voorjaar is goed, deelt met gulle handen jong zonlicht uit, strooit trillers van vogels kwistig de lucht in en glimlacht in zijn eigen spiegelbeeld dat in de strakgespannen, blauwe lucht weerkaatst.

Die zaterdagnacht wordt Jes wakker. Moeder heeft haar de laatste weken verteld hoe de bevalling zou gaan. „Maar je moet me onmiddellijk wakker maken als je iets voelt."

Nu voelt ze iets, een lichte pijn, die steeds heviger wordt. Ze voelt ook warm, zacht vocht tussen haar benen vloeien. Moeder zei: „Als het water…" Ze weet het niet meer. Ze wil haar eerst niet roepen. Ze kan toch best zelf de dokter bellen?

Maar een hevige, snerpende pijnvlaag werpt haar terug in bed. „Moeder…" Is dat haar eigen stem?

Moeder staat al bij het bed van haar oudste dochter. „Is het zover, meid?"

Jes knikt. „Blijf je bij me? Blijf je helemaal tot het eind bij me? Ik ben bang, ik ben zo bang, mam..."

„Er is niets om echt bang voor te zijn. Een beetje pijn schenkt je straks een kind. Besef je wat je ervoor terug krijgt? Het is zo de moeite waard, je weet waar je voor vecht."

„Jij hebt het vijf keer moeten ondergaan. Waarom wilden jullie vijf kinderen?"

„We verlangden ernaar, anders niet. Blijf in bed, ik zal de dokter bellen. En dan help ik je met verschonen. Natuurlijk ga ik met je mee. Stel je voor dat ik je nu alleen liet."

Ze kust snel het warme voorhoofd van Jes. Ze zou liever zelf daar zo liggen, zij is die pijnen gewend, ze is veel ouder, weet meer van het leven. Ze heeft geleerd te vechten. Voor je geluk en voor je eenzaamheid.

„Moeder, ik wil niet naar het ziekenhuis, ik wil bij jou blijven, moeder..."

Hilde telefoneert, reddert met beddegoed en Jes. Ze is vreemd rustig. Als je kind het moeilijk heeft, rekent het op jouw steun. Dan moet je jezelf uitschakelen.

„Hij is al onderweg," zegt ze. „We rijden met z'n drietjes naar het ziekenhuis. Heb je alles in je koffer?"

De koffer staat al weken klaar.

Jes knikt. Haar gezicht vertrekt, in haar lichaam zijn scheurende pijnen.

Tussen de weeën door, zegt Jes: „Jongens... Waarom hebben jongens het zo gemakkelijk? Ze hebben er plezier van en voor de rest hoeven ze niets meer te doen."

„Mannen hebben het net zo moeilijk," zegt Hilde. „Toen Taco moest komen, was je vader erbij. Ik heb hem nooit zo hulpeloos gezien, zo vol schuldgevoel."

Jes gaat rechtop zitten, probeert te gaan staan. Hilde steunt haar, ze veegt de vochtige haren uit het gezicht van haar kind. Dat je dit mocht begeleiden, mocht steunen.

In zoveel dingen moest je je kind alleen laten, pijn laten lijden zonder dat je daar iets aan kon doen. Nu zijn ze zo dicht bij elkaar, Jessica en zij, als ze nog nooit zijn geweest.

Is het dan toch waar dat de band met je kind nog inniger wordt als dat kind zelf moeder gaat worden?

Hilde steunt haar, draagt de kleine koffer. „Je bent jong en sterk," zegt ze, „je zult eens zien welk een pracht van een baby je zult krijgen."

Buiten hoort ze het korte gesnerp van een claxon.

„Kom," zegt ze. Ze groet snel Toon, die slaperig in de deuropening staat.

Ze ziet ook Wouter, een erg kinderlijke jongen die weinig vraagt en daar maar staat met z'n bange ogen.

„Mam, komt het kindje van Jes nu?"

„Ja," zegt Hilde, „we werken er hard aan. Ga weer naar je bed. Als je morgen wakker wordt zal ik je zeggen wat het is."

„Doet het erge pijn?"

„Bij Jes niet, omdat ze jong is. Ga in je bed, schiet op."

Jes glimlacht verlegen naar Wouter. „'t Gaat best hoor," zegt ze.

Ze zijn in een klein kwartier in het ziekenhuis.

„U wilt erbij blijven?" vraagt de arts.

„Als u er niets op tegen heeft."

„Dat niet. Maar het kan nog een mooi tijdje duren, ze is tamelijk smal gebouwd. We overwegen een keizersnede."

Hilde huivert. Jes ligt met een witvertrokken gezicht op een brancard.

De arts buigt zich over haar heen. „Laat het maar aan mij over. Een keizersnede is niet erg en bovendien heeft je baby dan een mooi rond achterhoofdje."

Jes wordt naar de verloskamer gereden. Hilde loopt erbij alsof ze voor het eerst over het geboren worden van een kind hoort. Keizersnede... Waarom? Zelf was ze ook smal en Taco was nog wel een stuitgeboorte.

Ze houdt Jes' hand vast. Laat het goed gaan, denkt ze, laat het met dit kindje goed gaan. We hebben het niet gewild, ik heb het niet gewild... Ik heb nog gepraat over adoptie.

Hoe kan ik van een kind verlangen dat ze tot zoiets in staat is? Na zoveel pijn, angst en alleen-zijn?

„Meewerken, je moet een beetje meewerken, je bent veel te gespannen," zegt de arts. Jes doet haar best, maar het kind komt niet.

Resoluut grijpt de arts in. Hij stuurt Hilde naar de wachtkamer. „Straks vertel ik u wel wat het is."

„Zo, jongedame, en nou wij. Er is niets om je zorgen over te maken.

Je krijgt een prik, je valt in een diepe slaap en als je weer bij bent heb je je kind."

Hij knikte haar vriendelijk toe.

Zo jong, denkt hij, zo zorgeloos jong. Zo zou het nog moeten zijn, ja, maar in dit leven zijn de eerste problemen al gekomen. Hij kijkt op haar neer. Ze is zo oud als zijn eigen dochter, zijn meiske. Er is een moment een grote ontroering in hem. Hij heeft honderden baby's 'gehaald', en het wordt nooit routinewerk. Omdat bij elk mens een andere emotie is en het simpele feit dat daar steeds weer zo'n klein levend mensenkind op je handen ligt, maakt, dat hij soms niet begrijpt waarom het hem gegeven is zo dicht bij mensen te staan, dat hij ze mag begeleiden, een beetje liefhebben.

Hij gaat naar de operatiekamer. Het is er warm. Buiten geurt en bloeit het leven, hier binnen zal als alles goed gaat ook jong leven zijn, een krijsend, kwaad, klein ding dat er niets aan vindt uit de veilige warme beslotenheid van zijn kleine wereld te worden gerukt.

Hij werkt handig en kundig. Hij staat erom bekend dat hij zijn werk met liefde doet. Nog steeds, na al die jaren.

Er wordt bijna niet gesproken in de operatiekamer. Mensenhanden doen stil en trefzeker hun werk.

Eindelijk... De arts houdt het kronkelende lijfje van een flinke jongen in zijn handen. Een gaaf, zes pond wegend jongetje met een flinke bos blond haar.

Hij maakt de wond dicht. Hij strijkt in een plotseling opkomend gevoel van vreugde, even met zijn hand over Jes' gezicht. „Nou kind," zegt hij, „de rest moet je zelf doen. Van deze jongen een goed mens maken."

Jes ligt nog in diepe slaap.

Hij gaat voor het raam staan. Het ziekenhuis kijkt uit op een net van wegen en overdag is het druk. Zelfs nu razen auto's door de straten, zijn er mensen, alles beweegt. De wereld is één voortdurende verandering.

Niets staat vast, alleen geboren worden en sterven en tussen die jaren in proberen te leven. In een wereld die steeds voller wordt. Als hij nú jong was, aan het begin van zijn carrière zou staan, zou hij dan kinderen willen? Zou het verantwoord zijn? Een mens wil meestal alleen maar een kind voor zichzelf, voor zijn eigen verlangens.

Hij keert zich om. Hij kijkt naar de operatiezuster die het kind verder afhelpt.

„Ik zal het de moeder gaan zeggen,” zegt hij.

Hilde heeft het gevoel uren te hebben zitten wachten.

Haar gezicht is rood en nerveus. „En?” vraagt ze als ze de arts ziet aankomen.

„Een wolk van een kleinzoon. Zes pond. Mooi uitgekiend. Mag ik u feliciteren?”

„Ik kan er zeker niet even heen?” vraagt ze.

„Nee, liever morgenochtend.” Hij geeft Hilde een hand. „Ik hoop dat u veel vreugde aan dit kind mag beleven.”

„U weet best hoe ze ervoor staat.”

„Daarom kun je toch wel vreugde hebben.”

„Ik weet het niet.”

„U en uw man hebben het in zekere zin in de hand blij te zijn, samen met uw dochter. Ze zal psychisch een moeilijke tijd tegemoetgaan, ook al denkt men tegenwoordig dat een moeder met een kind en geen man gemakkelijk wordt geaccepteerd. In dat opzicht zijn we nog steeds erg ouderwets. Terwijl...” hij glimlacht – „terwijl de meeste jongelui alleen maar geluk hebben óf de weg goed weten.”

„Ze had het de laatste maanden al erg moeilijk,” zegt Hilde. „Mensen op straat tegenkomen die nog eens extra omkijken, gesprekken in winkels die ophouden als Jes binnenkwam. Stille blikken op haar zwaarder wordende lichaam. Ze heeft het ergste al achter de rug.”

„A propos, wilt u een kop koffie? U zit hier al een hele tijd.”

„Ik wil naar huis. Ze zitten daar ook in spanning. Bedankt voor alles.”

Ze steekt haar hand uit. De arts kijkt haar aan. Dan zegt hij: „Waar liefde is, is vreugde.”

Hilde loopt de lange gangen door. Het is overal stil. Ergens hier boven slaapt ook Lidy. Ze zou het haar zo graag willen zeggen. Misschien heeft ze morgen gelegenheid.

Waar liefde is, is vreugde, zei de arts. Ze voelt dat hij het anders bedoelt. „Waar liefde is, is een toekomst.”

Wouter kan niet in slaap komen. Het kindje van Jes wordt geboren. Hij weet best hoe dat allemaal gaat, ook hoe ze verwekt worden. Gewoon. Net als bij de dieren. Hij begrijpt niet waarom ze op school altijd zo stiekem doen, er zo stom over praten en lachen.

Vader had het hem verteld. Rustig en zonder veel tierelantijnen. „Als je van elkaar houdt, kom je bij elkaar. Het is plezierig dicht bij elkaar te zijn, ín elkaar. Er komt zaad vrij bij de man en dat zaad gaat bij de moeder naar binnen. Over negen maanden is er dan een kind."

„Heet Jes haar baby nou Poortman?"

„Ja. Voorlopig wel. Als ze nog eens trouwt, kan de baby de naam van die man krijgen."

„Is het verkeerd wat Jes heeft gedaan?" Hij móest het vragen. Op school werd hij ermee gepest, hij had een keer een jongen een harde trap gegeven. „Je bent een grote stiekeme viezerik," had hij geroepen.

„Verkeerd? Het is alleen jammer. Omdat Jes nog erg jong is, nog een poos had kunnen genieten en uitgaan. Wie zegt dat het verkeerd is?"

„O, niemand," had hij gezegd. Hij kon dat van die rotjongens niet tegen vader zeggen.

Hij woelt in zijn bed heen en weer. Half vijf al en moeder is nog steeds niet terug. Duurt het zo lang, een kind krijgen? Hij wilde ze later niet, hij houdt niet van kinderen. En als je vrouw voor het krijgen van een kind zoveel moest overhebben, nou dan hoefde het voor hem mooi niet.

Zou vader al slapen? Hij verlangt opeens naar hem. Het is net of je elkaar allemaal nodig hebt, als één van allen uit het gezin iets moet bevechten. Hij verlangt ook zo vaak naar zijn grote broers. Ze vinden hem natuurlijk nog maar een jochie en het is niet eerlijk dat ze dat vinden. Hij staat overal buiten. Zelfs Anneke laat hem in de steek omdat ze met die Joost trouwt. Ze mogen nu. Opeens vonden vader en moeder het goed. Hij begrijpt een heel klein beetje waarom ze zo omgedraaid zijn. Het verlies van oom Frits en tante Lies heeft daar wel een rol in gespeeld.

Vreemd en moeilijk is het leven, je gaat zo maar, zonder waarschuwing, dood. Er komt zomaar een kind, dat leeft. Wat zou het zijn? Hij hoopt op een jongen.

Hij hoort vader naar de keuken gaan. Als hij niet kan slapen neemt hij vaak een beker warme melk.

Hij gaat zijn bed uit. In de open deur zegt hij zacht: „Ik kan ook niet slapen."

Was hij nog maar heel klein, denkt Toon. Dan nam ik hem in m'n armen. Een jongen van zijn leeftijd wil die liefkozingen niet meer.

„Jij ook melk?" vraagt hij.

Wouter knikt. Vermoeid zegt hij: „Weet je, pap, er gebeurt de laatste tijd zoveel. Tante Lidy ziek, Jes een baby, Anneke die gaat trouwen. Er is elke dag wat."

Ja, denkt Toon, de jongen heeft gelijk. Alleen met zijn oudste zonen gaat alles rustig en gewoon.

Ze doen hun best, proberen op eigen wieken te drijven en komen op de juiste ogenblikken binnenvallen.

Toch viel het hem tegen dat Taco, zijn oudste, nogal kritisch tegenover Jes' toestand stond. „Hoe kan ze zo stom zijn," zei hij.

Hij had deze grote zoon eens aangekeken en gezegd: „Ik denk dat het met stom-zijn niet zoveel te maken had. Jes was laat volwassen."

Hij wilde er niet verder over praten. Misschien had Hilde gelijk toen ze zei: „Taco kan het niet hebben dat het Jes is, die dat overkomt. Hij geeft juist veel om haar."

„Kom, jongen," zegt hij tegen Wouter, „laten we een boek nemen en wat gaan lezen. Van slapen komt toch niets."

En dan gaat de telefoon.

Wouter is er het eerste bij. Hij grijpt gretig de hoorn. „Ja, mam..."

„Een jongetje," zegt Hilde, „zes pond. Geef me papa even."

Een jongetje, dus toch...

„Alles oké met haar?" vraagt Toon. Hij heeft een vreemd gevoel in zijn maag, er knelt iets en hij heeft het gevoel buiten in een ijskoude wind te staan.

„Een zoon..." Hildes stem is warm en gelukkig, „alles is goed. Ik ben zo bij je."

Die nacht met z'n drietjes, met een glas wijn om half zes in de morgen, en limonade voor Wouter, is er in huize Poortman een stukje geluk. Een groot brok zorg ook.

„Heeft Jes ooit over een naam gepraat?" vraagt Toon.

Hilde glimlacht. „Nee, we wachten maar af. De hoofdzaak is, dat de kleine goed gezond is."

Ze denkt aan het vroegere kindje van Els en Taco, aan het simpele feit dat het een wonder is als een kind helemaal gezond is. Vroeger vond je dat gewoon. Elke vrouw baart een gezond kind. Ze weet wel anders.

Op hun slaapkamer neemt Toon Hilde in zijn armen.

„Of ik wil of niet," zegt hij bewogen, „maar het is of ik blij ben met dat kind."

„Ja," zegt Hilde, „ja."

Ze denkt: Nu zijn we blij omdat alles goed is, maar zullen we blij blijven? Ze weet wel zeker van niet.

24

Het is rumoerig in het ziekenhuis. Op de lange gangen lopen doktoren, verpleegsters en aan de genezende hand zijnde patiënten. Hilde houdt de bloemen voor Jes in haar warme hand. Een veldboeket is het, ze heeft dit bewust gekozen. Het hele leven is een veldboeket met steeds weer wisselende kleuren.

Ze opent de deur van de kamer, waar Jes met vijf andere vrouwen op de kraamafdeling ligt. Ze ziet haar voordat het kind haar opmerkt. Haar gezichtje heeft lijnen die er niet thuishoren, er zijn lichtbruine vlekken op haar wangen. Hilde moet zich bedwingen die andere vreemde vrouwen niet weg te sturen. Ze wil op dit tere moment alleen zijn met haar kind, maar ze beseft dat ze zo niet mag denken.

„Dag mam." Ze slaat haar armen om deze dochter heen, houdt haar tegen zich aan alsof ze met dit gebaar bescherming wil bieden voor alles wat nog moet komen. De zorgen, de eenzaamheid, dagen boordevol groeiprocessen in jezelf. „Alles goed?" vraagt Hilde.

„Ja, prima." Ze huilt opeens, Jes. Ze heeft lang en ontspannen gehuild, vannacht, toen ze naar de kleine lichtjes op de lange gangen keek, naar de gedempte voetstappen lag te luisteren, naar de geluiden van deuren en stemmen.

Opeens was de verschrikkelijke angst er, „ik heb een zoon." Het was net of er een wereld van beklemming op haar afkwam, haar overmeesterde.

Ik heb een kind en ik moet nou blij zijn, maar ik ben dat niet. Ik voel niets, alleen maar eenzaamheid en angst. Zou moeder dan toch gelijk hebben? Moet ze het kindje laten adopteren door mensen die het alles kunnen geven wat het behoeft? Liefde, een gevoel van veiligheid. Kan zij hem dit geven? Ze weet het niet, ze is moe, moe van het vechten tegen een onzichtbare vijand.

Hilde voelt het warme lichaam van haar dochter, het zo verschrikkelijk alleen zijn met het grootste, machtigste dat een vrouw in haar leven kan doormaken, de komst van een baby. Ze laat Jessica los. Het is net of op dit ogenblik haar dochter weer heel klein is en om haar bescherming vraagt, en tegelijkertijd is het net of ze samen op een weg staan die bekend is en vertrouwd.

„Sorry," zegt Jes. Ze veegt ruw langs haar gezicht.

„Mag ik hem zien?" vraagt Hilde. Ze laat Jessica's hand los.

„Ja, maar alleen achter glas. Je kunt hem niet vasthouden. Weet je, mam, hij lijkt een beetje op vader."

Hilde gaat naar de kamer waar de baby's liggen.

„Welke is het?" vraagt ze de verpleegster. Er klinkt honger in haar stem.

„De tweede van rechts."

Op haar tenen gaat Hilde naar het lange brede glas waarachter de baby's liggen. Ze bestudeert het kleine, weerloze wezentje dat in diepe slaap is en de wereld voldaan de kleine rug toekeert. Zijn hoofdje is bedekt met donzig, blond haar.

Nooit zal ze iemand kunnen zeggen wat ze voelt nu ze dit kereltje bekijkt. Het is niet alleen diepe ontroering, het is alles, de hele wereld die ze kent en die ze liefheeft, alle strijd en vreugde in een allesomvattende kracht. Ze vecht met haar tranen. Nu je niet laten gaan, dat kan altijd later nog, thuis.

Ze gaat terug naar Jes.

„Het is een schatje," zegt ze.

„De zuster vindt hem een mooi kind," zegt Jes. Ze leunt achterover in het kussen, glimlacht met een tederheid die haar gezicht jaren ouder maakt.

Nooit vergeet ze het moment waarop ze uit de narcose ontwaakte. Nooit de uren daarna, waarin het langzaam tot haar doordrong dat er iets met haar was gebeurd, dat ze niet langer alleen was, maar dat er iets bijgekomen was. Iets heel belangrijks.

Onduidelijk hoorde ze de stem van de arts. „Een prachtjongen. Hoe moet hij heten?"

Een jongen! Ze heeft een jongen, zij, Jessica, die van het leven houdt, ondanks alle moeilijkheden.

Tegen de vroege morgen kreeg ze hem in haar armen. Ze voelde de warmte van zijn kleine, volmaakte lijfje, keek in dat parmantige ronde snoetje, waarin alles even gaaf en gezond was. Jochie, dacht ze, jochie...

Ze voelde de aanwezigheid van de arts, zijn begrip en hartelijkheid. Ze voelde zijn blik, hoorde zijn stem die nog eens vroeg: „Hoe moet hij heten?"

Haar stem leek van heel ver te komen. „Hein," zei ze, „ja, Hein. Heintje Poortman."

Opeens had de arts een hand op haar arm gelegd. „Jij bent gezond, het kind is het. Is dat niet waardevol?"

„Ja," zei ze. Haar lichaam voelde pijnlijk en leeg, haar buik was gevoelig en het was net of ze overal opnieuw moest beginnen.

„Een goeie naam," zei de arts nog. „Probeer wat te slapen, je hebt een krachtprestatie geleverd." Ze kon niet slapen.

„De zuster heeft gelijk," zegt Hilde dapper, „het is een mooi kind."

„Wat zei vader?" vraagt Jes.

„Hij is blij. Dat zijn we allemaal. Wouter misschien nog het meest. Eindelijk eens een man die ik aankan, zei hij."

Jes lacht. „Hoe is het met allemaal?" vraagt ze.

„Thuis is alles goed, Anneke en Joost zijn elk vrij uur in hun huis bezig. Joost is erg handig, veel meer dan ik dacht."

„Nee, ik bedoel dat anders, hoe is het met Sander en Ingeborg."

„Ze komen de volgende week. Eerst moet alles uit het huis. Jammer dat het een huurhuis is, de kinderen zullen er financieel niet zo geweldig voorstaan. Maar dat is van later zorg."

„Mam."

„Ja."

„Blijven ze bij ons?"

„Dat zijn we aan het proberen. De kinderen zelf willen wel, we hebben elkaar zo lang gekend. Ze vinden bij ons altijd iets terug, dat aan vroeger doet denken."

„Waarom halen jullie je al die drukte op de hals? Sander is lang niet makkelijk en jij wordt elk jaar ouder. Ik begrijp niet dat vader dat zomaar goedkeurt."

„Jaloers?" vraagt Hilde.

Jessica lacht, ze kleurt ook. Ze is een beetje jaloers. Op de andere broers en het zusje is ze dat nooit geweest. Dat was eigen, je hoorde bij elkaar.

Maar deze vreemden... Wat moeten ze daar nou mee? Het zal nooit meer zo gezellig zijn als vroeger.

„Vader is voogd over de kinderen," zegt Hilde eenvoudig. „Wie moet er anders voor de kinderen zorgen? De familieleden zijn stuk voor stuk veel te oud. Ze in een tehuis onderbrengen is ondenkbaar. Dat kunnen we tegenover Frits en Lies niet doen, vooral ook niet tegenover de kinderen."

Ze kijkt in Jes' kleine gezicht. „Wij hebben zoveel," zegt ze, „zou het zo moeilijk zijn een ander een klein stukje van dat geluk te geven?"

„Nee," zegt Jes, „maar dat is het niet alleen. Jullie worden ouder, jij gaat al naar de vijftig, mam. Alleen Wouter thuis hebben is prettig. Wouter is geschikt in alle opzichten. Hij heeft een prettig, open karakter. Maar die Sander... Sorry mam, ik zou het nooit doen."

„Als het niet gaat kunnen we altijd nog met elkaar om de tafel gaan zitten. Verplaats je in die kinderen. In één klap alles weg, hun thuis, hun ouders. Dat is toch het ergste dat een kind kan meemaken? Misschien verandert Sander door dit verlies. Je weet nooit waar situaties goed voor zijn. Ik bedoel, jaren later zie je het verband soms tussen eenzaamheid en mogelijkheden."

„Dus als ik uit het ziekenhuis kom, zijn ze er?"

„Ja, Jes. Je kind zal niet veel last van ze hebben. Vergeet niet wat ze te verwerken krijgen. Er komen uiterst zware dagen voor hen. Je vader heeft een kamertje voor je zoon gemaakt, Nou ja, ik bedoel, hij heeft dat zolderhokje boven op de vliering behangen. Het is een leuk hokje geworden. Het kind ligt daar erg rustig, er komen weinig geluiden van beneden naar boven. Zolang jij de baby voedt blijf je bij ons. Daarna is het huis van Anneke en Joost wel zover gevorderd dat je de baby rustig bij Anneke kan laten. Anneke verheugt zich er al op."

Stil zegt Jes: „Het leven zal zo onrustig worden, zo'n heen en weer gereis en getrek. Ik zal in mezelf zo vaak heen en weer geslingerd worden, omdat ik nog steeds niet vastomlijnd zie hoe alles moet gaan."

„Tob daar nou maar niet over. Niemand weet van tevoren hoe alle dingen gaan."

„Ik ben zo moe," zegt Jes, „was jij dat ook?"

„Dat weet ik niet zo goed meer. Bij Wouter, ja. Na Wouter's geboorte had ik wat bloedarmoede, ik kwam maar langzaam op krachten. Maar ik was toen ouder dan jij. Je zult zien dat je er gauw weer bovenop bent."

„Weet je, mam... eigenlijk is het toch niet zoals het hoort, dat Koos er niets van weet. Ik bedoel, wil jij het hem niet zeggen? Ook al gaan we dan niet met elkaar verder, het is toch ook zíjn kind. Hij moet weten dat hij een zoon heeft."

„Dat regelt je vader wel," zegt Hilde. Voor niets ter wereld zou ze Jes willen zeggen dat ze het uitspreken van zijn naam al niet kan hebben.

Het is zijn schuld dat haar dochter... Nee, dat is niet eerlijk, je verwekte een kind met je tweeën. Maar wat gek dat ze de meeste schuld aan die onvolwassen jongen geeft, die notabene voor arts studeert en toch meer moest weten van seksualiteit en gemeenschap dan andere jongens.

Er komt een zuster binnen die bloemen in vazen zet. Ze zegt tegen Jes: „Zullen we straks eens proberen of de baby wil drinken?"

„Dan moet ik zeker weg," zegt Hilde. Er klinkt zoveel verlangen in haar stem dat de zuster zegt: „U mag wel even blijven, maar beslist niet lang. Het is geen gewoonte dat er familie bij blijft. Een moeder moet alleen zijn met haar kind, vooral als ze het te drinken geeft. Rust is erg bevorderlijk voor de toevloeiing van de melk."

„Ik heb vijf kinderen in de wereld gezet," zegt Hilde rustig, „en u?"

„Nog niks," zegt de zuster.

Hilde glimlacht naar dat jonge gezicht. „Oké," zegt ze zacht, „ik zal niet te lang blijven."

Tegen het eind van het bezoekuur worden de baby's bij de moeders gebracht. Jessica knoopt haar nachthemd los, haar borst is bijna net zo groot als het hoofdje van Hein. Hilde kan de baby nu goed zien. Zijn kleine neus en lippen, de ontroerende aanblik van iets dat zo volkomen afhankelijk is van liefde en koestering.

Heintje doet inderdaad enorm zijn best en zowaar, er komt melk in zijn mondje.

Jes houdt haar hand liefkozend achter zijn kleine kopje, kijkt naar zijn blonde wimpers die op en neer gaan, naar de plooien in zijn nekje en de gebalde vuistjes die tegen haar borst liggen. Wie voor het eerst kleine kinderlippen om de tepel voelt, dat zoete, vreemde zuigen dat een beet en een streling is, weet dat dat het leven is, de voortzetting van een stukje van je eigen ik in een nieuw klein mens. Dat dat een wereld omvat.

„Nu moet u echt gaan," zegt de zuster.

Hilde knikt. Ze kust Jes, strijkt met een vinger over de wang van de baby, haar kleinzoon.

„Dag meid, tot gauw," zegt ze.

Buiten lacht de voorjaarszon. Het kindje zal over enkele weken buiten kunnen liggen, in de schaduw van de perenboom, in de heldere lucht van het platteland.

Ze heeft een kleinzoon, ze heeft hem gezien en gevoeld.

Ze zou het tegen iedereen die haar passeert willen zeggen: „Ik heb een kleinkind."

Vreemd woord eigenlijk, een kleinkind. Het is een mooi kind en hij zal uitgroeien tot een sterke persoonlijkheid omdat er zoveel mensen om hem heen zijn die van hem houden.

Ze glimlacht jong. Een heer die haar passeert neemt zijn hoed voor haar af Ze kleurt ervan. Ze moet op haar leeftijd niet zo gek doen, niet zo lopen te stralen. Van vreugde en dankbaarheid.

Ze zal het Toon vanavond vertellen. Ze weet al wat hij zal zeggen: „Hoe zag die vent eruit? Dan zal ik hem es effe wat vertellen."

25

De kinderen zijn er: Sander overmoedig, Ingeborg stil.

Hilde weet precies hoe laat ze zullen komen. Ze is er op voorbereid.

Toch klemt er iets om haar hart als ze ze uit de auto zien komen, met een koffer, twee, drie koffers.

Met van die vreemde onkinderlijke gezichten en al een beetje volwassen ogen die veel meer verraden dan ze kwijt willen.

Ze staat aan de deur, Hilde. Ze heeft een mouwschort aan omdat ze in de keuken met het eten bezig was. Ze weet dat ze niet erg lief tegen ze moet doen, omdat ze dat niet verdragen.

„Komt erin," zegt ze. „Ik heb nog thee."

Het is net of ze op visite zijn, denkt ze, zo koel en ongevoelig lijkt alles.

De hond, Bas, springt blijmoedig en vol vertrouwen tegen Sander op.

„Van wie is die hond?" vraagt de jongen.

„Van Wouter. Hou je niet van honden?"

„O, jawel, maar deze is een… een straathond."

„Heb je wel eens in de ogen van een straathond gekeken?"

„Hoezo?"

„Omdat die gelijk zijn aan alle hondenogen, trouw en lief."

„We hadden thuis… Bij ons waren geen dieren, het kon niet op een

flat. Alleen stomme mensen houden op een flat een dier."
Hij aait de hond.
„Misschien kun jij hier ook best een dier hebben," zegt Hilde.
„Ja? Echt?" Hij is opeens weer een jongen.
„Ja, natuurlijk, we moeten maar eens wat bedenken. Kom, geef mij maar een paar koffers. Dan zal ik jullie je kamer wijzen."
„Hebben we elk een kamer?" vraagt Ingeborg.
„Ja," zegt Hilde, „wat dacht je dan? Je kunt op deze leeftijd toch niet meer bij elkaar op de kamer."
„We spraken heus niks uit," zegt Sander spottend. Maar er is opeens iets zachts in zijn gezicht als hij zijn kamer ziet. Een echte jongenskamer, veel groter dan hij thuis had, met openslaande deuren en een uitzicht over weilanden en luchten.
„Vroeger sliep Taco hier," zegt Hilde. Ze legt de koffers op het bed. „Ik zal je helpen je kleren op te hangen."
„Dat doe ik wel," zegt Ingeborg. „Ik hielp thuis ook vaak."
Hilde knikt. „Jouw kamer ligt hiernaast." Ze opent een deur.
„Slaapt ze vlak naast mijn kamer?" zegt de jongen fel.
„Ja," zegt Hilde.
„Nou, dat kan mooi worden. Ik hou van lekkere popmuziek, goed hard en zo. Zij luistert alleen maar naar klassiek. Wat ze daar aan vindt is me een raadsel."
Ingeborg kleurt. Ze is erg lichtgeraakt en vecht ertegen, probeert die overgevoeligheid kwijt te raken, maar het lukt haar nooit.
Zacht zegt ze: „We zijn hier niet gekomen om meteen ruzie te maken."
Ze kijkt de kamer door. „Gezellig," zegt ze. Ze slaat opeens haar armen om Hilde heen. „Ik zal het hier best fijn gaan vinden."
„Doe niet zo sentimenteel," zegt Sander.
„Ik hoop dat jij je hier ook thuis zult voelen," zegt Hilde. Ze begrijpt opeens de woorden van Lies. „Je kunt beter tien meiden hebben dan één zo'n jongen."
De jongen kijkt haar aan. Dan zegt hij rustig: „Ik wil het wel proberen, maar ik weet niet of ik het kan. Weet je, tante Hilde, als het lijkt alsof ik me niet thuis voel, moet je maar denken dat ik 't wel probeer."
Dit kind, denkt ze, dit kind laat je alleen maar lieve dingen doen als het zichzelf leert overwinnen.
„Daar houden we het op."

Hoe graag zou ze dit joch liefde geven, maar ze beseft dat ze voorlopig haar neigingen maar een beetje moet beteugelen. De jongen moet zelf komen.

„Wat is alles hier lekker ruim," zegt Ingeborg haastig. Ze weet dat Sander direct kan omslaan, als een blad aan een boom, dat hij dan razend op zichzelf is omdat hij iets van zijn gevoelens heeft prijsgegeven.

„We zijn ook erg blij met dit huis," zegt Hilde. „Ik zal jullie nu maar even alleen laten. Misschien moet je wat uitpakken. Beneden is thee, je ziet maar."

Wouter staat in de deuropening van de keuken. „Ze zijn er al, zie ik!"

Hilde knikt. „Ja, ze zijn er al. Ik hoop dat je een beetje aardig tegen ze doet."

Wouter knikt. Hij vindt het niks leuk dat ze hier in huis komen. Moeder zei het hem op een avond. „Waarom juist bij ons?" vroeg hij.

„Omdat wij veel van Frits en Lies hebben gehouden en de kinderen bij mensen moeten zijn die hun ouders goed hebben gekend."

„Ik mag die Sander niet."

„Er zijn mensen die jou ook niet direct mogen."

„Ik vind het een onsportieve streek," zei Wouter. „Je had het ook met mij van te voren moeten bespreken. Ik ben geen kind meer."

„Dat is waar," zei Hilde, „daar had je recht op. Het spijt me dat ik daar niet aan dacht."

Ze kijkt naar de jongen, Wouter, die in de deuropening hangt. Zijn dan al haar kinderen grote egoïsten? Of is het een bewijs van liefde, omdat hun gezinnetje zo verandert? Taco vond het maar niks dat Sander en Ingeborg kwamen.

Michiel zei: „Moeder, wat doe je jezelf aan en vader erbij?"

Alleen Anneke merkte op: „Je zult zelf maar eens als kind in zo'n situatie zijn."

„Roep ze maar voor de thee," zegt Hilde tegen Wouter. „En breng dat verveelde gezicht van je naar je slaapkamer."

„O, ik zal echt niet rot doen of zo."

Als hij naar boven gaat, zegt hij: „'t Is voor hen niet leuk, maar voor ons ook niet."

„Voor je vader en mij ook niet," zegt Hilde.

„Dat weet ik wel." Opeens komt hij naar haar toe. „Toch vind ik het rot," zegt hij en geeft haar haastig een zoen.

Heeft ze verkeerd gedaan? Te impulsief? Nee. Ze hebben al het voor en tegen tegen elkaar afgewogen.

„Over een jaar of drie, vier misschien, zal ook Sander wel op kamers gaan wonen,” zei Toon praktisch. „Kunnen we dan niet drie jaar lang een thuis voor ze zijn?”

„Het is het proberen waard,” had ze gezegd. „Hoewel, jonge mensen liefhebben als je eigen kinderen is geen kwestie van proberen. Dat moet je gewoon willen, bewust. Ik wil het, ik weet dat Lies waarschijnlijk net zo zou hebben gehandeld.”

Er was niet meer over gepraat. Ze hadden het aanvaard; het zou gaan zoals het moest gaan. Ze waren jonge, opgroeiende mensen gewend, het moest al heel vreemd gaan als ze hun ervaringen op Sander en Ingeborg niet kwijt konden.

Ze hoort Wouter onder aan de trap roepen: „Théééé.” Ze hoort een jonge stem, hoog en zilverachtig van klank.

„We komen.”

Toon kijkt met een glimlach naar Hilde. Er is in die voorzichtige glimlach een bemoediging, een gevoel van intense liefde. Elke dag met elkaar samen zijn, elke nacht dezelfde kamer met elkaar delen bracht je zo dicht tot elkaar dat je soms de ander was en de ander jij. Toon weet al direct dat hij de jongen, Sander, een warm hart toedraagt. Zijn onverschillige houding, zijn overmoed en stoerheid, raken hem. Daar stond een jongen die het leven niet aankon, de klappen niet kon verwerken. Is er iets ergers dan een eenzaam kind?

„Oom Toon,” zegt Sander, „ik zou zo graag een konijn willen hebben.”

„Ik zou niet weten waarom dat niet zou kunnen.”

„Maar dan is-ie alleen van mij. De anderen mogen er niet aankomen.”

„De hond Bas is ook niet helemaal alleen van Wouter.”

„Maar het is en blijft zíjn hond. Ik wil graag iets dat alleen van mij is. Anders hoeft het niet.”

„Misschien vreet Bas dat konijn wel op,” zegt Wouter. Hij bedoelt er niets hatelijks mee, hij zegt het omdat hij het meent.

Sander kijkt donker. „Dat moet hij eens proberen,” zegt hij fel.

Ingeborg heeft een tijdschrift gevonden en bladert erin zonder te lezen. Ze verlangt opeens hevig naar huis, naar moeder. Het is een pijn die onverwacht bovenkomt. Een pijn die elke dag zal komen en heel misschien na veel jaren wat zal slijten. Toch voelt ze met haar zestien jaren dat zij en Sander geboft hebben dat ze hier mogen wonen. Hier is toch nog een stukje thuis, kun je over alles praten, omdat ze weten wat je bedoelt.

Er heerst spanning in de kamer. Elk zoekt naar een prettige sfeer die er niet is. Het is net of iedereen met zichzelf bezig is.

Jes brengt afleiding. Ze komt rustig binnen. Ze is de laatste twee maanden wat verouderd, het frisse is van haar gezicht vandaan, haar ogen hebben iets heel wijs gekregen, haar mond is teder en erg vrouwelijk. Ze zou het moeder willen zeggen, maar met al die mensen in de kamer, met die vreemde Sander en Ingeborg, komt het er nu niet van. Van de week kwam ze Koos tegen, ze kleurde hevig toen hij vroeg hoe het met haar ging.

„O, best," zei ze, „en mijn zoon maakt het ook prima. Hij lijkt op mijn vader."

„Je zou er bijna wat van denken," zei Koos.

Ze wist dat het onhandigheid van hem was, een niet weten wat precies te zeggen, maar het had haar toch diep geraakt.

„Ik krijg hem wel groot," zei ze. „Ik ben, zolang ik de baby voed, thuis. Later komen er heel andere plannen."

Ze voelde dat Koos haar aandachtig opnam. Ze was daarom ook niet verbaasd over zijn vraag: „Mag ik hem eens zien?"

„Ik weet niet of je daar tegen kunt."

„O, jawel. Zou ik morgen tussen de middag kunnen komen of slaapt hij dan?"

„Je kunt beter 's morgens komen als hij in bad gaat," zei ze.

„Nee, liever nog 's avonds. Eh, dat wat ik straks zei, vergeet dat."

„Goed," zei ze.

Ze was een beetje eenzaam naar huis gelopen. Alles had zo anders kunnen zijn; ze zouden bij elkaar kunnen zijn, getrouwd. Ergens in een klein huis kunnen wonen met de baby.

Ze kust haar moeder. „Alles goed gegaan met hem?" vraagt ze.

„Hij is niet erg lastig," zegt Hilde, „je hoort hem bijna niet. Wil je thee?"

„Graag."

„Mag ik hem eruithalen als het zijn tijd is?" vraagt Ingeborg.

„Ja hoor," lacht Jessica. Ze is erg op dit kind gesteld, ze voelt een gelijkheid in kwetsbaar zijn en dat nooit kunnen zeggen.

Toon zegt tegen Sander en Wouter: „Zullen wij een eindje gaan wandelen, laat de dames maar een beetje onder elkaar praten."

Hij weet wat hij van plan is. Hij kent een van de boeren goed, boer Keizer, een rechtschapen man met het hart op de juiste plaats. Hij weet dat hij veel dieren heeft, ook kleinvee.

„Waar gaan we naar toe?" vraagt Sander.

„Zomaar een stukje rond. Je kent hier de omgeving, dacht ik, niet zo goed. Jij en je zus waren erg klein toen we eens op verkenning uitgingen."

„Ik weet dat nog best," zegt de jongen stug. „We waren met heel veel en we hebben gepicknickt. Mijn vader en moeder waren er ook bij. Waarom begin je daarover?"

Hij slikt woedend tranen weg.

„Omdat ik erg graag veel over ze wil praten," zegt Toon. „Omdat ze gewoon bij ons zijn, elke dag en elke nacht."

Hilde heeft een paar vergrotingen van foto' s van Frits en Lies laten maken. Een dezer dagen zal ze die op de kamers van de kinderen zetten.

Ze zullen begrijpen dat, als je iets heel liefs hebt verloren, je over dat verlies heen kunt komen als je het te lijf gaat. Als je de moed hebt in die twee gezichten te kijken en te zeggen: „Dat waren nou mijn ouders."

Zo vaak wordt verdriet weggestopt, alsof je je ervoor moet schamen.

„Ik praat helemaal nergens over," zegt Sander, „ik wil dat niet." Ze slaan de weg in naar het huis van boer Keizer.

„Wat moeten we nou in die rimboe?" vraagt Wouter.

Hij voelt waar vader heen wil, wat hij wil. Zijn hart gloeit van trots dat hij zo'n vader heeft. Eigenlijk moet hij, Wouter, toch ook veel aardiger zijn tegen Sander en Ingeborg.

Hij heeft een thuis, hij heeft vader Toon en moeder Hilde. Wat klinkt dat zacht: vader Toon en moeder Hilde. Hij heeft zoveel. Jes, Taco en Els, Michiel en Jeanine en natuurlijk Anneke. Maar die gaat over enkele maanden ook het huis uit. Het is, als je er goed over nadenkt, best fijn dat Sander er is. Hij heeft weer een vriendje, ook al schelen ze dan een paar jaar. En voor moeder is het fijn dat Ingeborg er is. Over een poosje gaat Jes toch ook haar eigen gang. Wat zou het stil zijn als hij, Wouter, dan als enige overbleef.

Toon legt heel even een hand op het hoofd van Sander. Het is of hij met dit kleine gebaar de jongen wil laten voelen dat hij van hem houdt, dat ze hem en zijn zusje niet uit medelijden in huis hebben genomen.

Even wil de jongen die hand afschudden. Dan vraagt hij: „Veel over iemand praten, is dat goed?"

„Ja," zegt Toon. „Als je met iemand die erg op je gesteld is over dingen praat die heel diep zitten, wordt alles een beetje gemakkelijker."

Het wordt Wouter een beetje te benauwd. „Toe pap, zeg Sander nou waarom we naar boer Keizer gaan."

„Weet jij dat dan?"

„Ik wel."

Sander kijkt van de een naar de ander. Hij haalt zijn schouders op. Hij wil zich niet laten kennen, nog lang niet. Hij kent zichzelf een klein beetje. Als mensen erg aardig tegen hem zijn, kruipt hij terug in zichzelf, net alsof hij bang is voor vriendelijkheid.

De boerderij van Keizer is groot; hij ligt vrij en vriendelijk in het milde licht van de dag. Koeien gaan dromerig als wijze professoren langs de slootkant, schapen liggen ontspannen te kijken, paarden draven uitgelaten door de kleine, groene wereld van gras.

Er ontwaakt iets in Sander. Boer zijn. Eigen grond hebben, een eigen intimiteit. Alles van jou, gemaakt en ontwikkeld door je eigen handen.

Met alleen maar de natuur als vriend. Met de wolken, met de lucht die je inademt. Hij zou het opeens willen zeggen, 'ik wil boer worden,' maar zijn ontdekking is nog zo nieuw.

Boer Keizer komt hun tegemoet, een vriendelijke man in blauwe overall en met een ver dragende stem. „Zo, wat doen jullie hier op deze tijd?"

Toon glimlacht. „Kijken of je misschien nog een jong konijn te koop hebt."

Sander weet dat er een mens is die van hem houdt, die hem neemt zoals hij is. Oom Toon houdt van hem, deze grote, rustige man die op een dag, niet lang geleden, tegen hem zei: „Als jullie wilt, kom je bij ons wonen. Alleen als je echt wilt."

„Konijnen genoeg," zegt Keizer. Hij kijkt naar Sander.

Weinigen begrijpen waarom Toon Poortman en zijn vrouw de stap gezet hebben, net nu ze zelf een beetje uit de jonge kinderen raken. Hij begrijpt het wel. Kinderen houden je jong, geven je een gevoel mee te blijven doen.

Hij glimlacht naar Sander. „Ik heb er zoveel," zegt hij. „Witte, bruine, een beetje muisgrijs met lichte vlekken. Kom maar eens mee. Je treft het."

Er komt een licht gevoel van jaloezie in Wouter. Hij zou ook best een konijn willen.

Sander buigt zich over de tientallen hokken. Die ene spierwitte, die zou hij graag willen hebben; hij valt een beetje op omdat hij zulke prachtige ogen heeft.

„Heb je al een keus gemaakt?" vraagt boer Keizer.

„Ja hoor," zegt Sander, „die witte daar."

„Die dekselse jongen neemt nou krek de beste," zegt Keizer. „Heb je ook een hok?"

„Dat maak ik zelf."

„Leen dan dit zo lang. Als het jouwe klaar is breng je het maar terug."

„Misschien kun je die dan voor mij kopen," zegt Wouter.

Een ogenblik ziet hij een uitdrukking van woede in Sanders gezicht.

„Jij hebt je hond toch?" zegt Toon. Dan puurt hij iets in de kinderogen dat nooit te zeggen is, iets dat de jongen nog wel vaker zal ontmoeten in het leven. Je kunt niet alles hebben wat een ander heeft. Maar dit is anders, de hele situatie ligt anders.

Wouter voelt Toons aarzeling.

Keizer valt bij. „Gun hem er ook een," zegt hij. „'t Worden mooie dieren, al zou je dat nu nog niet zeggen."

Spontaan zegt Wouter: „Mijn hond is ook een beetje van jou. Dat is met konijnen net zo."

Het is de oplossing, denkt Toon. Hij kijkt hoe uiterst voorzichtig Sander het kleine konijn tegen zich aan houdt. Welk karakter gaat er schuil achter deze vaak zo onhandelbare knaap? Welke tactiek moest je toepassen om door te breken?

„'t Is een hele sjouw," zegt Keizer. „Ik moet straks toch nog de stad in, ik breng ze wel."

Wouter heeft een zacht bruin konijntje.

Even zegt Sander niets. Dan trilt er iets om zijn lippen. „Hartstikke fijn," zegt hij. Hij leunt vertrouwelijk tegen Toon aan. Hij zou zoveel meer willen zeggen, maar hij weet geen woorden voor zijn gevoelens.

Onderweg naar huis is hij stil. Soms kan een mens stil zijn van intense vreugde.

Jessica zit boven op haar slaapkamer en voedt de kleine jongen. Ze heeft hem de naam Hein gegeven. Grootvader heette zo. Hij was een zachtmoedig man met veel goede eigenschappen.

Ze knoopt haar bh los. Dan zegt ze tegen Ingeborg die toekijkt. „Geef hem maar. Hou zijn hoofdje goed vast. Van achter." Ze glimlacht naar Ingeborg.

„Ik heb nog helemaal geen borsten," zegt deze.

„Dat komt nog wel. Als je eerst een baby hebt."

„Eerder niet? Ik wil nog lang geen baby."

„Nee, allicht niet, met je zestien jaar."

„Zoveel scheel jij anders niet met mij, drie en een halfjaar."

„Dat kan soms erg veel zijn."

„Waarom trouw je niet?"

„Dat zijn dingen waar ik met jou niet over praat."

Ze kijkt naar de baby. Zijn wangen zijn zo rond als kleine appels, zijn ogen zijn in volkomen rust op haar gericht, soms moet hij even rusten omdat hij te gulzig is.

Zijn ene handje rust met intense overgave op haar borst. Meestal praat ze zacht met hem, zoete, gekke woordjes, die alleen voor baby's zijn bestemd. Ze is geremder nu Ingeborg erbij staat.

Vreemd is een mens, je denkt vaak dat je bepaalde situaties gemakkelijk aankunt, maar er zijn van die dagen dat het net is of je helemaal opnieuw moet beginnen. Met jezelf en met je kind.

Ze heeft borstvoeding genoeg. De baby drinkt met regelmatige trekken, sluit zijn kleine lippen met volle overgave om haar tepel.

Ze is het liefst helemaal alleen met hem, zonder andere ogen, die haar kind nooit zo kunnen zien als zij.

Morgen komt Koos... Moeder zal het niet erg plezierig vinden, vader ook niet. Ze mogen Koos niet. En hoe is het met haarzelf? Ze zijn beiden ouder geworden, hebben een beetje meer van het leven begrepen, waren beiden onder invloed van anderen. Toch zou het er wel nooit inzitten, een huwelijk met hem. Maar waarom was ze dan zo verward toen ze hem op straat ontmoette?

De baby heeft genoeg. Ze legt hem tegen zich aan, klopt voorzichtig op zijn rugje tot de verlossende boer komt.

Hij volgt haar met zijn donkerblauwe ogen, alsof hij bewust iets ziet.

Dat ze zelf ook eens zo geweest is, zo klein en afhankelijk.

„Hou hem maar vast," zegt ze tegen Ingeborg. Ze maakt haar borst schoon.

Ze hoort moeder bovenkomen. Moeder zorgt goed voor de baby. Ze zou het zelf niet beter kunnen. Ze heeft nog zo verschrikkelijk veel te leren, ze weet dat best. Wie weet nou zonder enige ervaring hoe je met pasgeboren kinderen moet omgaan? Vooral wat liefde betreft. Liefde geven kon je trouwens niet leren, dat moest je in je hebben. Vroeger hield ze helemaal niet zo van kleine kinderen, ze vond ze vaak vervelend en jankerig. Maar als je een kind van jezelf hebt, een baby die in jouw lichaam is gegroeid, dan komen er gevoelens wakker waar je nooit van gedroomd hebt. Toch, in het begin was de baby bijna een vreemde voor haar, leek het een vreemd, nietszeggend kind waar ze geen band mee had. Naarmate de weken verstreken groeide er iets tussen haar en de kleine jongen dat geen naam had, heel diep in jezelf lagen verborgen nieuwe kracht en mogelijkheden.

„Als het goed weer is, ga dan met hem wandelen," zei moeder. „Ik weet dat je daar tegenopziet, maar je moet het doen. Voor jou en voor Hein. Hoe eerder je hem aan iedereen laat zien, hoe beter."

„Ze kunnen me allemaal wat," had ze driftig gezegd. „Wie ook maar één blik op me afvuurt die me niet zint, geef ik van katoen."

„Ze gewoon aankijken is voldoende," zei moeder. „In feite is er in de maatschappij nog maar bitter weinig veranderd. Een ongehuwde vrouw met een kind wordt nog steeds nagekeken, ook al denken we dat zo'n beeld langzamerhand wel wordt geaccepteerd. Laat zien dat je trots op hem bent, laat uit je hele houding merken dat je gelukkig bent. Want dat ben je en daar ben ik nog het meest blij om."

Is ze gelukkig? Ze kijkt naar moeder die het kleine jochie van Ingeborg overneemt.

Ja. Gelukkig zijn is zo'n machtig groot woord. Het is er eigenlijk nooit helemaal, maar soms kun je het proeven en aanraken. Soms is het of je weet hoe het kan zijn. En dan moet een mens met die gevoelens al lang diepblij zijn.

„Hij is weer gegroeid," zegt Hilde. „Ja, manneke, je bent al weer een beetje meer een echte jongen."

Ze vlijt de baby dicht tegen zich aan, luistert naar de blije pruttelende geluidjes van de baby, de eerste pogingen mee te doen aan het enorm moeilijke spel dat leven heet.

Ik zou het moeder nu willen zeggen, denkt Jessica. „Morgenavond komt Koos. Hij wil graag het kind zien."

Maar zolang Ingeborg in de buurt is, zeg je deze woorden niet zo gemakkelijk. Vanavond, als ze met elkaar alleen zijn, is er misschien wel een gelegenheid.

Op zulke momenten voel je de kinderen, Sander en Ingeborg, als buitenstaanders. Niet erg lief gedacht, maar wel eerlijk.

„We zullen hem niet te veel verwennen," zegt moeder. „Hij krijgt toch al te veel aandacht. Meneer moet maar weer mooi gaan slapen."

'Meneer' probeert een behoedzame lach, die halverwege in verwondering overgaat tot een zacht kirren. Een kind hebben, is dat niet de hele wereld? Ook al lijken zorgen mee te groeien.

Niets gaat boven de liefde.

26

Lidy proeft de warme zonnestralen op haar gezicht. De zomer heeft nog geen haast over te gaan in de herfst. De tuinen pronken uitdagend met overmoedige groei. Haar echt ziek zijn, de operatie en de daarbij behorende diepe depressies heeft ze enigszins overwonnen. Het is alleen elke morgen, als ze onder de douche staat, niet goed om in de brede spiegel te kijken. Het is ook niet goed met de zachte spons behoedzaam over het litteken te gaan en dan je gedachten de vrije loop te geven.

„Luilak," zegt een stem.

Ze veert op. „Leuk dat je komt, Hilde."

„Ik was in de buurt."

Wonderlijk, hoe hecht een band kan zijn als je met elkaar iets hebt doorgemaakt, iets dat nooit helemaal in woorden is weer te geven.

„Ga zitten. Wil je koffie?"

„Graag." Hilde kijkt haar na. Ze begint weer een beetje de oude Lidy te worden. Van de week zijn ze samen gaan zwemmen, Lidy had een schuimrubber cup in haar badpak genaaid. Je zag er niets van.

Toch is ze in veel opzichten wat geremder geworden, stiller, alsof het leven haar niet zo veel meer te bieden heeft. Ze is vooral anders als Toon erbij is. Hilde heeft hem 's avonds, toen ze naar bed gingen eens gevraagd of hij ruzie met Lidy had gehad.

„Niet dat ik weet," zei hij. „Je moet niet vergeten dat ze veel achter de rug heeft. Ik denk dat ik ook stiller zou zijn na alles wat ik me voor de geest zou halen."

„Zoals?"

„Zoals een vage, altijd aanwezige angst dat er ergens in mijn lichaam misschien opnieuw een haard zou worden ontdekt. Ik zou voortdurend met mezelf overhoop liggen."

Lidy komt terug met twee koppen koffie. Ze is slank en aardig om te zien. Hilde heeft zich wel eens afgevraagd waarom ze nooit getrouwd is.

Meestal heeft het alleen blijven een achtergrond die niemand kent, hoeft te kennen.

„Gezellig dat je er bent," zegt Lidy.

„Je ziet er goed uit."

„Ik voel me ook goed. Beter dan voorheen. Ik denk dat het al een poosje sluimerde, die ziekte. Ik was vaak lusteloos. Maar jij, Hilde, jij ziet er zo vermoeid uit."

„We hebben ook een erg druk gezin op het ogenblik. Jes met de baby, Anneke die alle aandacht vraagt voor haar uitzet en haar huis. Ach, die Anneke, het is zo'n schat van een meid. Dan Sander en Ingeborg nog. En dan hebben we in de weekends vaak de ouderen, Taco, Els, Michiel en Jeanine. Als ze er allemaal zijnen dat gebeurt nog al eens zijn we met z'n... es kijken, met z'n twaalven. Ik geef het je te doen om daar een stevige pot voor te koken. Gelukkig is de baby een rustig jochie."

„Jij kunt veel dingen aan, hè?"

„Gut, dat weet ik niet. Ik ben de hele dag in de weer en de tijd vliegt. 's Avonds ben ik wel eens moe, maar wie is dat niet? Zeg, ik kom om je wat te vragen. Toon heeft zaterdag een avond van de personeelsvereniging. Ik ga niet mee, omdat er geen oppas voor Hein is, Jessica gaat naar een vriendin. Zou jij niet eens zin hebben om er een avond uit te gaan? Een leuk cabaret, na afloop wat dansen..."

Ze is blij dat ze in de zon zit, Lidy, dat haar wangen een beetje verbrand zijn en de verwarde blos op haar gezicht niet opvalt. „Daar vraag je me wat."

„Heb je geen zin? Het zal je goed doen. Je bent er weer eens uit. Hoe lang is het geleden dat je danste?"

Peinzend zegt Lidy. „Een jaar of twee, drie, denk ik. Ik kan het niet meer."

„Toon danst goed. Ik zou het maar doen. Je zult eens zien hoe je ervan opknapt. Je bent erg slank geworden, het staat je heel jong."

„Welja, wat nog meer?"

Ze spreidt haar vingers, Lidy, ze kijkt naar haar handen. Dansen met Toon, zijn armen voelen, zijn handen. Ze zou het wel uit willen schreeuwen: „Plaag me niet zo. Ik ben de eenzaamheid gewend, ik kan er best mee leven. Ik heb jaren de tijd gehad me daarin te oefenen, de leegte in m'n hart niet te willen voeden, de eenzaamheid van m'n huis geen kans te geven me ontredderd te voelen. Ik heb geleerd op eigen benen te staan, me te redden, veel gevoelens weg te stoppen die geen mogelijkheden hebben. En nou kom jij, Hilde, met je hartelijke uitnodiging. Je vertrouwt me, je kent sommige gevoelens niet van me, gevoelens die je nu met een enkel gebaar aanraakt. Laat me met rust, ik wil niet weten hoe champagne smaakt, omdat ik het altijd zonder heb gedaan. Ik wil niet meer voelen wat het in me teweegbrengt, de warmte en aandacht van een man. Laat me alleen. In een wereld die ik een beetje begin te aanvaarden. Deze strijd is erger dan die van mijn ziek zijn. Omdat deze strijd er altijd zal zijn."

„Je hebt wel lang werk voor je antwoord geeft," zegt Hilde. „Je zou me teleurstellen als je het niet deed."

„Er zijn toch wel anderen, die meewillen?"

Ze voelt dat Hilde haar onderzoekend opneemt. „Ik dacht dat je het leuk zou vinden," zegt Hilde, „je móet niet."

Als ze zich niet prijs wil geven wat haar diepste gevoelens betreft, dan moet ze het spel meespelen, niet aan zichzelf denken. Ze heeft immers geleerd zich te pantseren? Waarom dan nu niet?

Ze zet haar zonnebril op. Het is een bril met grote glazen, hij bedekt veel van haar gezicht. Het is net of ze zich veiliger voelt.

„Neem het me maar niet kwalijk, dat ik niet wat enthousiaster doe. Het is nog steeds een overwinning onder mensen te komen."

Het is waar, denkt ze, ik jok niet, ik verberg alleen iets en dat is mijn goed recht.

Er is iets zachts in Hildes ogen. „Daar heb ik helemaal niet aan gedacht," zegt ze. „Toch is het erg goed als je weer onder mensen komt. Je kunt je niet opsluiten."

„Ik wilde dat ik zo was als jij," zegt Lidy.

„Hoe ben ik dan?"

„Flink. Je pakt aan, je zeurt niet. Dat je de kinderen van Frits en Lies in huis hebt vind ik enorm van je."

„Dat is ook Toon zijn werk. Hij houdt van kinderen." Ze glimlacht naar Lidy. „Weet je," zegt ze zacht, „met een man als Toon naast je kan een vrouw niks overkomen. Ik heb gewoon geluk gehad dat ik hem heb. Misschien kan ik daarom meer dan ik vermoed."

Zaterdagavond, denkt Lidy, dat duurt nog twee dagen. Zaterdag ga ik met hem uit. Ze kijkt naar Hilde. Er ligt iets oneindigs liefs op haar gezicht, iets heel zachts en vrouwelijks. Zo kan een vrouw dus zijn, als ze werkelijk iets van liefde weet. Een blijvende liefde, die tegen een stootje kan en steeds weer voldoende overhoudt aan warmte om verder te kunnen gaan. Zij kent het niet, zij, Lidy, maar ze proeft het wel bij anderen. Het doet vaak pijn dit te voelen.

„Misschien heb je wel gelijk," zegt Lidy. Nu moet ze niet verder gaan, niet zeggen: Misschien heb ik daarom zo weinig zin in het leven, in alles, in m'n werk, in de huishouding. Want zo vaak is er de vraag: Voor wie doe ik het? Alleen maar voor mezelf? Is dat de moeite waard? Ze weet van wel. Elk leven heeft zin, hoe een mens er ook voorstaat. Ze geeft toe aan haar gemakzucht, haar niet echt willen.

Ze heeft de laatste jaren duidelijk gezien hoe ze in elkaar zit: Een vrij slappe persoonlijkheid, die niet door kan breken, geen gevoel van innerlijke vrijheid kan bezitten. Ergens houdt iets haar tegen en ze weet niet wat dat 'iets' is. Ze voelt zich niet gelukkig, ze kan niet meer zo lachen als ze vroeger deed. Misschien moest een mens veel meer tevreden zijn met wat hij had, moest hij niet zo najagen wat een ander had.

Ze voelt de zon warm op haar lichaam. Zon… licht, leven, ze horen bij elkaar.

„Ik wilde dat ik nog zo kon lachen als wij vroeger op school deden," zegt Lidy.

„Dat kan ik ook niet meer," zegt Hilde, „alles wordt anders als je ouder wordt. Nooit minder."

Lidy zwijgt.

„Jij hebt je jaren voorbij laten gaan in dagdromen, vluchten uit de werkelijkheid. Je leefde en leeft nog altijd op je fantasie. Maar dat is niet voldoende, Lidy."

Lidy kleurt. „Dat is zo," zegt ze. „Ik vul in gedachten aan wat ik niet bezit."

„Maar zo'n leven kan nooit voldoen. Je moet de werkelijkheid durven zien, bijvoorbeeld de moed hebben naar een verantwoord huwelijksbureau te gaan en je te laten inschrijven. Maar je zult dat nooit doen, zover ik je ken. Je koestert je eenzaamheid en je schept daar een bepaalde voldoening in. Wees niet boos dat ik het zo zie. Je zou zo veel meer van je leven kunnen maken als je dat wilde..."

„Dat is ook zo," zegt Lidy. „Ik geloof dat niemand me zo goed en lang kent als jij."

„Je zei me laatst, toen je hoorde van Frits en Lies, dat je blij was te mogen blijven leven. Dat dat een aanwijzing voor je betekende veel bewuster te willen leven. Doe je dat?"

„Nee," zegt Lidy eerlijk. „De eerste weken na de operatie is er dankbaarheid, een kracht veel van je leven te maken nu het nog kan. Maar die kracht neemt af naarmate de tijd verstrijkt. Nu is alles weer als voor de operatie."

„Zelfbeklag dus, jezelf eenzamer maken dan nodig is."

„Een mens heeft zichzelf niet altijd in de hand."

„Nee," zegt Hilde. „Elk mens heeft een strijd te voeren, Jes heeft die met Hein; Sander en Ingeborg hebben die; Toon heeft die op zijn werk; ik heb die strijd ook, en ik moet eerlijk toegeven dat leven, verantwoord leven, elke dag opnieuw alles van je vraagt. Maar ik probeer het. Ik word soms ook stapelgek van alle drukte om me heen, van de kinderen die zoveel willen en niet begrijpen dat lang niet alles kan wat je wilt. Maar het is zo volop de moeite waard om je voor in te zetten."

Peinzend zegt Lidy. „Hoe kom je aan die gedachte over een huwelijksbureau?"

„Je bent eraan toe, je loopt jezelf in de weg. Je móet iets doen, iets ondernemen. Nee heb je al."

„Wie wil er nou een vrouw met een geschonden lichaam?" Ze zegt het schamper.

„Het gaat om jou, niet om een borst. Als een man om die reden niet met je wil trouwen, weet hij niet wat liefde is."

„Waarom praten we eigenlijk zo?"

„Omdat ik je tegenzin merkte om eens een avondje uit te gaan. Dat is ongezond. Je moet je erin smijten en wat vertrouwen hebben in de afloop. Je wordt op deze manier zo contactarm en je verleert het spel mee te spelen."

„Welk spel?"

„Het spel van het leven, van omgaan met anderen, van alles. Ik zag je straks aankomen met de koffie. Je ziet er goed uit, weet je dat? Je hebt een uitstekend figuur. Maar je moet durven."

Verlegen vraagt ze: „Hoe lang is het eigenlijk geleden dat je met een man samen was?"

Lidy kleurt. Ze aarzelt. Dan zegt ze: „Heel lang, zeker een jaar of zeven."

„Daar ben je te jong voor. Een vrouw heeft dat nodig, een man ook."

God, ja, zo praat je als je elkaar vanaf de schoolbanken kent, als je weet dat je niet bezeert, alleen maar wil helpen.

Hilde staat op. „Je begint al goed bruin te worden," zegt ze. Ze kust Lidy. Ze weet dat ze haar achterlaat met een chaos aan gedachten. Maar soms is dat nodig om een weg te vinden uit een doolhof.

„Ga je nou al weg?"

„Ik moet. Er ligt nog zoveel werk te wachten. Hoewel ik weet dat Ingeborg heus wel het een en ander heeft gedaan, de afwas en zo. Weet je, het bezwaart me zo dat ze als het ware voor me rent, alleen maar om haar dankbaarheid te tonen. En die houdt een keer op."

„Het moet ontzettend zijn zo jong volwassen te worden."

Hilde lacht. „Sommigen worden dat nooit."

Ze lacht naar Lidy. Er zit veel warmte in die lach, veel hartelijkheid. „Ik zal Toon zeggen dat hij je zaterdag komt halen."

„Da's goed."

Ze kijkt Hilde na. Ze voelt verraderlijke tranen. Waarom heeft ze toch de laatste tijd van die sentimentele buien? De overgang? Onzin, aan die gevoelens moest je nooit te veel toegeven.

Wonderlijk woord eigenlijk, 'overgang'. Een overgaan naar wat? Naar nog meer begrip en een beetje wijsheid? Of naar meer evenwicht? Ze gaat bij het raam vandaan. De dag is zo zonnig en jong; het leven wil geleefd worden, elke minuut, elke nieuwe dag. Waarom stapt ze er niet in? In dat boeiende, grote leven, dat meer heeft te bieden dan ze vermoedt. Ze weet het, ze heeft wel eens liefgehad. Een korte, maar hevige passie was het, zonder de dagelijkse regelmaat waarop een huwelijk moet drijven.

Waarom schrijft ze niet naar een huwelijksbureau? Angst? Onzekerheid?

Op haar leeftijd vindt ze niet zomaar een man. Daar is tijd voor nodig, willen, bewust gelukkig willen zijn. Als je je werkelijk voor iets inzette, kreeg je het.

Misschien is het een idee. Een mens alleen is niets.

Even is er een gloed van verwachting, van hoop.

Waarom een ander wel en zij niet? Soms moest een mens de situatie een beetje in eigen hand durven nemen.

De zon talmt met ondergaan; haar gezicht is nog rood-oranje, haar warmte is mild en troostvol.

Ik wil leven, denkt ze, ik wil het proberen.

27

Jes is nerveus als Hilde thuiskomt. Ze verraadt zich altijd onmiddellijk, kan zich moeilijk beheersen als het om gevoelens gaat die ze niet aankan.

Ingeborg heeft de aardappelen al geschild. Sander hangt rond, verveelt zich.

„Kan ik je even spreken, moeder?" vraagt Jes.

„Kan het hier?"

„Nee, liever boven, op mijn kamer."

„O, als we soms storen," zegt Sander. „Gaan wíj wel naar onze kamer."

„Storen doen jullie nooit, dat weet je," zegt Hilde, „maar er zijn soms dingen die je met je moeder alleen bespreekt. Heel gewoon, dacht ik."

Ze is aan zijn onevenwichtige natuur gewend geraakt, weet dat ze nooit echt boos op hem moet zijn, omdat hij met zichzelf volkomen overhoop ligt. Geen mens maakt zijn eigen karakter. Sander is en zal altijd een weinig gemakkelijk mens zijn. Zijn stugheid komt vaak scherp naar boven, maar het is een stugheid die een hunkering naar warmte wil camoufleren. Ze houdt van deze jongen die het later in het leven lang niet gemakkelijk zal krijgen.

„Dus we kunnen hier blijven?" vraagt de jongen.

Ze glimlacht naar hem. „Ja," zegt ze.

„Hij heeft de pé in, omdat hij een vier voor zijn proefwerk had," zegt Ingeborg.

„Da's jammer," zegt Hilde. „Misschien kun je het nog een beetje ophalen."

Sander haalt zijn schouders op. „Misschien, ja."

Jes is al boven. Ze valt meteen met de deur in huis. „Vanavond komt Koos. Hij wil Heintje zien. Ik kan het hem toch moeilijk weigeren."

„Je kunt hem alles weigeren, al is het alleen maar voor je eigen gemoedsrust. Als je het zelf wilt, is het oké dat hij komt. Als hij je nerveus maakt, lijkt het me beter het niet te doen."

„Natuurlijk maakt hij me nerveus, maar, weet je mam, je hoeft toch niet altijd ruzie te maken. We kunnen net zo goed gewoon tegen elkaar doen. Heintje is er, daar is niets meer aan te veranderen."

„Je hebt geen hekel aan hem?"

„Nee, een hekel niet. 't Is alleen, als ik hem zie besef ik weer hoe anders het allemaal had kunnen zijn."

„Dat zul je nog wel vaker denken," zegt Hilde. „Hoe laat wil hij komen?"

„Ik stelde hem eerst voor 's morgens te komen als de baby in bad gaat, maar hij wil liever 's avonds. Hij zegt dat hij niet met een gevoel van schaamte hier wil komen. Wij hebben het zo beslist, jij vond het goed dat we niet gingen trouwen. Nu moeten we de consequenties ook nemen."

Hilde strijkt vermoeid haar haren uit haar gezicht. „Ja," zegt ze, „eigenlijk liggen alle dingen zo simpel."

„Zul je aardig tegen hem doen? Ik bedoel, wil je alsjeblieft niet met zo'n gezicht van ouwe lappen rondlopen en weinig tegen hem zeggen? Dat maakt me zo nerveus, mam, meer nog dan de komst van Koos."

„Ik ben niet blij met zijn komst," zegt Hilde, „ik vergeet nooit dat hij jou met een baby heeft laten zitten."

„Dat is níet waar. Dat beslisten wíj. Bovendien was ik er zelf bij toen het gebeurde."

„Hij had beter moeten weten."

„Waarom? Omdat hij voor arts studeert? Een arts is ook een mens. We verwekten samen dat kind, moeder. Ik vind het verdraaid onsportief van je, dat je alleen hem de schuld geeft. Koos vindt het allemaal net zo miserabel als ik. En zijn ouders ook. Misschien hadden we toch samen naar het stadhuis moeten gaan, misschien hadden we dan een kans gehad. Iedereen bemoeide zich met ons; je moet zus en je moet zo. Jij praatte over adoptie, terwijl Koos en ik daar nog niet eens aan dachten.

Eigenlijk vind ik dat jullie tussenkomst ons allebei de pas afsneed."

Er zijn rode vlekken op Hildes wangen. Dit is de eerste echte woordenwisseling tussen hen, en het doet pijn te constateren, dat er veel waars in Jessica's woorden schuilt. Ze wáren de overbezorgde ouders, ze dachten alleen maar aan het beste, maar ze vergaten tevens Jes en Koos zelf te laten beslissen. Zij, als volwassenen, wisten het allemaal beter.

Zacht zegt ze: „Je wilde immers niet met Koos trouwen? Je gaf niet voldoende om hem. Wat moesten wij dan?"

„Je had ons de gelegenheid moeten geven elkaar beter te leren kennen. Je had me naar Koos toe moeten laten gaan, hem hier vaak in huis vragen. Dan zou het leven wel een oplossing hebben gevonden. Nu is alles tevoren al zo kapot gekauwd dat er niets meer over is."

Hilde hoort beneden de deur. Ze weet dat het Toon is die thuiskomt van zijn werk. Toon. Hebben ze het dan zo verkeerd gedaan? Ze vecht een moment tegen haar tranen.

Ze gaat met de rug naar Jes toestaan. Ze zegt: „We wilden echt alleen maar het beste."

„Je moet ons met rust laten, moeder. Vader ook. Dat is het enige dat ik van jullie vraag."

„Jessica, geef me eerlijk antwoord. Denk je dat je sympathieker tegenover Koos staat dan de eerste tijd?"

„Ik weet het niet," zegt Jes. „Wel weet ik dat hij zijn zoon wil zien en dat ik het prettig vind dat hij dat vraagt. Dat betekent dat het hem allemaal niet zo onverschillig laat. En, weet je, mam, we zijn allebei even oud. Jullie zijn zoveel ouder, zoveel verder. Je kunt ons de moeilijkheden van het leven niet besparen. Die moeten we ondergaan. Zoals Sander en Ingeborg dat moeten."

„Daar heb je gelijk in," zegt Hilde. Is deze dochter dan de laatste paar maanden jaren ouder geworden? Heeft de geboorte van haar zoon haar zoveel geleerd in zo'n korte tijd?

Ze legt haar hand op Jes' schouder. „Misschien kun je later, als je mijn leeftijd hebt, beseffen wat het betekent als je kind het moeilijk heeft. Misschien voel je dan pas welke motieven ik had."

Jessica kijkt haar vol aan. „Wees nou aardig tegen Koos," zegt ze.

„Dat zal ik doen," zegt Hilde.

„Zijn jullie boven?" roept Toon.

„Ja," roept Hilde terug, „we komen eraan."

Tussen Jes en haar is even een blik van elkaar peilen, van proberen en niet goed weten wat. Misschien ook alleen maar een blik van liefde.

Hilde is stil. Ze wil graag haar vrolijke natuur een kans geven, maar ze voelt dat haar lachen niet echt is, dat ze bezig is met een probleem waar ze zo gauw geen oplossing voor weet. In de keuken heeft ze snel Toon ingelicht. Zijn reactie was gelijk aan de hare. „Wat moet die jongen hier?"

Goed, ze zal aardig tegen hem zijn.

Ze is blij als Sander naar een vriendje gaat. „Niet later dan half elf thuis," zegt ze.

„Dat hoefde ik vroeger nooit," zegt de jongen snel.

„Vroeger is nu niet. Ik ben verantwoordelijk voor je, ik wil graag dat je je aan de regels van het huis aanpast."

„Ouderwets," zegt de jongen, „mijn vrienden komen veel later thuis."

„Misschien is bij je vrienden geen enkele ouder die 's avonds op ze zit te wachten als ze thuiskomen."

„Wachten? Nee, natuurlijk niet, die gaan naar bed."

„Ik ga niet naar bed," zegt Hilde, „niet voordat ik weet dat je veilig thuis bent. En ga nou maar. Heb je de sleutel?"

Sander knikt.

Ingeborg gaat naar haar kamer. Ze is daar graag, ze kan er doen en laten wat ze wil, lekker rommelen. Ze kan er in haar dagboek schrijven, wat beneden niet kan. Ze heeft voor niemand echte geheimen; het is alleen zo prettig om helemaal niemand om je heen te hebben. Ze kan op haar kamer ook fijne, klassieke muziekplaten draaien. Ze geeft Hilde spontaan een zoen. „Soms," zegt ze spontaan, „lijk je een beetje op mam."

„Lief dat je dat zegt."

Hilde kust snel het warme gezicht. „Ik ben blij dat je bij ons bent," zegt ze.

„Zijn jullie met Sander ook een beetje blij?"

„Ja," zegt Hilde, „je weet dat hij niet makkelijk is, maar ik geef veel om hem."

„Gisternacht," zegt Ingeborg, „hoorde ik hem op zijn kamer huilen. Ik ben niet naar hem toegegaan. Misschien had ik dat beter wel kunnen doen. Hij huilt vaak, ik weet dan niet wat ik doen moet."

„Je kunt weinig doen," zegt Hilde. „Alleen de tijd kan misschien iets doen. Alleen de tijd. We moeten wat geduld met hem hebben."

Hilde glimlacht. „Je mag gerust beneden blijven," zegt ze, „maar misschien is er niks aan voor je. Je kent die jongeman niet."

„Is dat die jongen van wie Jes haar kind heeft?"

Hilde knikt.

„Moeilijk allemaal, hè," zegt Ingeborg. Dan gaat ze met een rode kleur naar boven omdat ze zich ergens mee heeft bemoeid wat haar eigenlijk niet aangaat.

„Ik wil Koos graag zelf de baby laten zien," zegt Jes. Er zijn warme plekken op haar wangen, haar ogen lijken te groot in haar smalle gezicht.

„Komen jullie dan later beneden koffie drinken?" vraagt Hilde. Ze heeft een gevoel van pijn om iets waar geen woorden voor zijn. Ze voelt zich onmachtig en eenzaam.

Als Koos aanbelt gaat Jes al naar de deur. Vaag voelt Hilde iets van bewondering omdat deze lange, dunne jongen de moeilijkheden niet uit de weg gaat, maar ze zelfs opzoekt.

„Dag," zegt Jes. Haar stem is hartelijk.

„Dag," zegt Koos. Hij heeft bloemen mee en geeft ze Jes onhandig.

„Zal ik je maar voorgaan?" zegt Jes, „Hij is nog wakker, hij heeft net voeding gehad."

De wieg staat op de grote zolder, het is daar verreweg het meest rustige plekje van het hele huis. Het gehol en geschreeuw van de anderen dringt er nauwelijks door.

Jes kijkt in het kleine, ronde gezichtje, met de helderblauwe lachogen, het prille mondje, dat langzaam in een guitige lach plooit. Uit de wieg borrelen heel kleine zuchtgeluidjes. Het kind kijkt naar Koos, neemt zijn gezicht aandachtig op. Zijn heldere kijkers houden dat gezicht gevangen in een allesonderzoekende blik. Dan glijdt een brede lach over zijn snoetje.

Koos kijkt naar het kind, zíjn kind, ontstaan uit een kort moment van verliefdheid, van verlangen. Geen moment van liefde. Liefde is anders, is veel meer. Hij voelt het, nu hij naar zijn zoon kijkt. Hij weet niet wat hij tegen Jes moet zeggen. Waarom zijn gevoelens zo moeilijk te uiten? Wat kan hij nou beginnen met zichzelf? Hij staat in een niemandsland, in een vreemde, vijandige wereld.

Niemand had hem hier ooit op voorbereid. Op dit gevoel dat boven hem uitstijgt, licht en ontroerend, warm en tot alles bereid. Waarom ging het niet tussen Jes en hem? Waarom was er altijd die afstand, dat niet goed weten waar de mogelijkheden lagen om wat dichter naar elkaar toe te groeien? Soms, een enkele keer, zoals die avond dat ze zich spontaan aan hem gaf, had hij het gevoel dat ze met elkander verder zouden kunnen, wetende, dat er een basis zou kunnen groeien. Er was geen enkele basis gegroeid. Alleen de laatste tijd dacht hij vaak aan het kind.

Hij had het niet willen hebben, hij voelde er zich te jong voor, te onervaren.

„Hoe vind je hem?" vraagt Jes.

Zijn gezicht, zijn rustige, stille houding ontroeren haar. Hij lijkt weer een klein beetje op de Koos die ze in haar armen had, die ze kuste.

„Hij is wel knap, geloof ik."

„Ja," zegt ze. „Wil je thee?"

Thee. Wat moet hij met thee? Hij zou het liefst weg willen, maar het is of hij ergens mee verbonden is. Of hij moet blijven.

„Ik heb het hier. Wil je suiker?"

Hij kijkt naar Jes. Ze is niet meer zo heel slank. Hij viel op haar figuurtje, op dat wat ze uitstraalde aan fierheid en onbewuste uitdaging.

Jongens kijken daar altijd naar. Zo moet het ook. Dat is het leven. Hij weet niet goed waarom hij opeens denkt aan wat hij zijn vader eens tegen zijn moeder hoorde zeggen: „Ik hoop dat onze kinderen het later zullen begrijpen. Dat liefde geven eenvoudiger is dan liefde verdienen."

Hij heeft het wonderlijke gevoel er een heel klein beetje van te begrijpen. Deze gedachte maakt hem wat zekerder. Hij kijkt naar het lachende kind en hij lacht terug. „Hij is ondeugend," zegt hij, „kijk maar naar zijn ogen."

„Ik ben nu echt blij met hem," zegt Jes. Haar gezicht is ernstig. Toch ziet ze er zo weerloos jong uit. Het raakt hem opeens. Door hem is haar leven totaal veranderd, is er een kleur aan toegevoegd die nog niet herkenbaar is.

Zonder enige inleiding zegt hij: „Zag je er erg tegenop dat ik kwam?"

„Ja," zegt ze.

„En nu?" Ze glimlacht verlegen. „'t Valt eigenlijk wel mee."

„Ja." Hij drinkt zijn thee. Hij morst. Hij is blij dat hij alleen met Jes is, dat haar vader en haar moeder er niet bij zijn. Er is een stil verwijt in hun houding, hoewel ze dat misschien niet zo bedoelen.

„Maak je je studie af?" vraagt hij.

Ze knikt. „De baby is hier tijdelijk. Als ik hem niet meer voed gaat hij naar Anneke en Joost. Ze hebben een klein huis. Het is voor moeder te druk, vooral nu Ingeborg en Sander erbij zijn."

Ze krijgt even een warm gevoel als ze aan het begrip 'erbij' denkt. Ze hoopt zo dat ze zich in hun huis gelukkig zullen voelen.

„Waarom hebben ze dat gedaan?"

„Ze hielden van Frits en Lies."

„'t Is me nog al een begin."

„Moeder houdt ervan een uitdaging aan te nemen."

„En je vader?"

„Ook." Hij zegt het zonder erbij na te denken. „Zou je met het kind eens bij ons thuis willen komen?"

Er vlaagt een zachtrood over haar gezicht. „Hebben ze dat gevraagd?"

„Nee."

„Waarom zou ik het dan doen? Het zou alleen maar moeilijkheden kunnen geven."

„Ik zou het prettig vinden als je het eens een keer deed. Zo maar."

Hij denkt aan zijn vader. Hij houdt van hem. Veel meer dan van zijn moeder. Moeder is snel driftig en onbeheerst. Hoe zou vader zijn kleinzoon vinden? Hij heeft moeite met een gevoel van ontroering. Hij vergeet nooit wat zijn vader tegen hem zei toen hij hem vertelde dat Jes een kind van hem verwachtte. „Jongen," zei zijn vader, „je moet doen wat je denkt dat goed is. Vergeet nooit dat, wat er ook is, we achter je staan. Ja, vader wel, maar moeder…

„Moet ik het dan voor jou doen?"

„Als je dat zou willen?"

Waarom voelt ze nou een wonderlijke blijdschap? Waarom zou ze willen zingen? Hardlopen? Lachen? Om wat? Ze verbergt haar gevoelens en zegt: „Goed, zal ik hem er eens uithalen?"

Ze wacht zijn antwoord niet af, tilt de baby teder uit de wieg en geeft het kind aan Koos.

Ze ziet onwil op zijn gezicht, verbazing en ook warmte. „Hoe hou je zo'n kind vast?"

„Gewoon, goed steunen. Nee, met je hele arm."

Hij wil zich niet laten kennen. Hij wordt vuurrood, maar probeert te lachen. „Neem jij hem maar, ik ben daar niet zo handig in."

Voor geen goud zou hij willen bekennen dat hij zich radeloos voelt. Er wordt op de deur geklopt. Jes is blij dat vader klopt. Ze hoort aan zijn manier van tikken dat hij het is.

„Kom erin."

Koos staat op. Hij heeft opeens het gevoel weg te moeten, maar Jes zegt rustig: „Blijf nou, je bent er nog niet eens zo lang."

Koos glimlacht. „Nee, ik heb nog wat te doen, mijn studie wacht ook. Ik zit voor een moeilijk tentamen."

„Je moet voor mij niet weggaan," zegt Toon. Hij bekijkt de jongen. Hij is veranderd, lijkt wat minder slungelig en kinderlijk.

„Dat doe ik ook niet. Nou, ik ga maar. Tot ziens. Dag Jes, dag meneer Poortman."

„Als je zin hebt, kom dan nog eens langs," zegt Toon. Hij meent het.

Opeens, hoe en waarom weet hij niet, lijkt hij ergens een kleine opening te zien. Het verwarmt hem, neemt iets van hem af.

„Dank u," zegt Koos.

Hij is de deur al uit. Hij hoort Jes achter zich. „Waarom heb je zo'n haast?"

Hij keert zich om. „Dat zei ik toch?"

Hij begrijpt niet waarom hij nu opeens zo stug doet, zo afwerend.

Jes herkent de Koos die haar soms afstootte. Het ergert haar dat hij zo doet. „Nou, dag," zegt ze snel.

„Dag." Ze gaat naar boven. Ze weet dat moeder Koos niet heeft gezien, liever niet heeft willen zien. Het doet een beetje pijn daaraan te denken.

Toon zit met de kleine jongen op schoot. Hij houdt van dit kindje; hij heeft bij de geboorte van zijn eigen kinderen niet zo sterk het wonder van een kind gevoeld als bij deze kleine jongen. Het leven is een ernstige zaak en misschien daardoor wel een heerlijke opdracht. Iets van jezelf maken, innerlijk uitgroeien tot een evenwichtig mens. Dit kind alle liefde geven die je hebt te geven.

Hij voelt zich soms een blij en begenadigd mens. Hij vraagt zich vaak af waar hij dit aan te danken heeft.

Hij kijkt op als Jes weer binnenkomt. Zo ontspannen als haar gezicht straks was, zo nerveus is het nu. Hij begrijpt dat hij niet naar boven had moeten gaan, nog niet.

„Ik heb hem er nog niet in gelegd," zeg hij.

„Je verwent hem."
„Komen jullie beneden?" roept Hilde.
Soms heeft een kind met een van zijn ouders op bepaalde momenten geen innige band, is er een leegte. Jes voelt zich nu zo.
„Ga je mee?" vraagt Toon.
„Ik kom straks wel, ga jij alvast maar."
Hij voelt wat ze wil zeggen.
„Dan ga ik alvast."
Jes neemt de baby van hem over. Ze bestudeert het snoetje van de kleine jongen. Het is net of ze er opeens iets van Koos in ziet.

28

Lidy heeft lang voor de kast gestaan waarin haar kleren zijn opgeborgen. Welk spel moet ze spelen? Of is misschien het hele leven een spel, gecompliceerd en uitdagend, met spelregels die steeds wisselen. Er is een gevoel van leegte, van niet weten waar op dit ogenblik van haar leven te staan, aan de goede of aan de minder goede kant, aan de grens van weten of van willen weten.

Ze weet dat ze er zeer goed kan uitzien als ze zich op een bepaalde manier kleedt, dat dan haar ogen donkerder lijken, de glans van haar haren dieper. Ze weet dat ze volop vrouw is en dat het gevaarlijk is daarmee kennis te maken. Te veel eenzaam zijn, verlangens hebben die niet vervuld worden, zijn verkeerde vrienden.

Vanavond met Toon wil ze niet eenzaam zijn, niet vervuld zijn van zichzelf. Vanavond wil ze onthouden als een herinnering, die alleen maar waardevol is om aan te denken.

Ze haalt een eenvoudig zwart jurkje uit de kast, met smalle schouderbanden. Het is geraffineerd van snit, niet opvallend en daardoor voor kenners smaakvol. Ze heeft haar haren een spoeling gegeven en zich bij de kapper afgevraagd waarom ze zich voor één avond zoveel moeite geeft.

Tegen achten zal hij haar komen halen. Toon. De man van haar beste vriendin. Een vriendin die haar voor één keer haar man gunt, wetend dat wederzijds vertrouwen een van de pijlers is waar een huwelijk op steunt. Ergens is het wreed, een ander zo te vertrouwen.

Ze kleedt zich met zorg. Haar armen komen romig van tint uit het doffe zwart, haar hals lijkt langer en sierlijker. Elke vrouw weet wanneer ze haar beaujour heeft. Op dit ogenblik weet Lidy dat ze nooit expressiever zal kunnen overkomen dan nu. Ze beseft ook dat dit wordt veroorzaakt door de hunkering als vrouw mee te tellen, te worden gezien, bemind.

Ze strijkt met haar hand voorzichtig over haar opgevulde borst. Er is niets van te zien; ze heeft de vulling zo gemaakt, dat haar bovenlichaam slank en soepel is. Het doet niet zoveel pijn meer daarnaar te kijken.

Het leven heeft haar geleerd onherroepelijke situaties te aanvaarden.

Een mens kan vaak zoveel meer dan hij denkt.

Ze heeft ook haar werk weer voortgezet, in de zekerheid dat ze niet zielig is, niet de enige die dit probleem moet verwerken. Er zijn mensen die het moeilijker hebben, die veel meer lijden dan zij. Het is een nieuwe kracht die ze in zichzelf heeft ontdekt. Als een mens het moeilijk heeft, is er maar één uitweg: aanvaarden, kijken naar anderen, die veel meer moeten opbrengen en daar niet steeds over klagen.

De telefoon gaat en ze neemt hem van de haak.

„Toon ziet er uit als een opgedirkte kerel," zegt Hildes stem vrolijk. „Ik zou bijna jaloers worden."

Lidy lacht. „Ik zie er ook anders uit dan door de week. Wat dacht je?"

„Wat heb je aan?"

„Mijn zwarte, je kent hem wel."

„Die staat je goed. Ik zou bijna meegaan." Haar stem is plagerig.

„Van mij mag je."

„Nee. Er is te veel te doen. Kinderen hebben is altijd bezig zijn."

„Je weet voor wie je in de weer bent."

„Begin je weer?"

„Met wat?"

„Met je zelfmedelijden. Ik dacht dat je daar nu wel eens overheen zou zijn."

„Niet altijd," zegt Lidy. „Kom, ik ga verder met me mooi maken."

„Toon houdt niet van opgedirkte vrouwen."

„Daarom is het fijn dat jij bent zoals je bent: natuurlijk en altijd hetzelfde gehumeurd."

„Je hebt me zelden 's morgens vroeg gezien, als ik pas uit bed kom."

„Hilde," zegt ze zacht.

„Wou je wat zeggen?"

Bijna had ze zich verraden. Als ze nou eens had gezegd: „Ik houd van jouw Toon, ik heb ertegen gevochten, maar de strijd verloren. Zoiets komt voor, er is nooit iets nieuws onder de zon. Alleen voor mij is het nieuw."

„Ik wilde zeggen dat ik het jammer vind dat je niet meegaat. Je bent altijd erg prettig gezelschap."

„Je bent en blijft een uniek geval," zegt Hilde. „Hier komt Toon, hij wil je nog iets vragen."

Ze hoort zijn stem, warm en mannelijk. „Over een minuut of tien ga ik de deur uit, ik hoop dat ik niet moet wachten."

„Heb je daar dan ervaring mee?"

„Met vrouwen wel."

Hij hangt op en ze vraagt zich verbaasd af waarom hij zo stug doet. Misschien vindt hij het niet zo erg leuk met haar uit te gaan. Aan die mogelijkheid heeft ze nog niet gedacht. Hij houdt veel van Hilde, ze hebben een huwelijk zoals er maar weinig zijn. Ze praten veel met elkaar; als er woorden zijn proberen ze uit te zoeken waar de geschillen liggen, ze werken aan zichzelf en aan hun huwelijk.

Ze pakt haar kleine tas, duwt haar haren nog wat netter en loopt naar de gang.

Daar ga je nou, zegt ze tegen zichzelf. Een vrouw van dik in de veertig, die probeert nog wat kruimels te kunnen oppikken en zich in te beelden dat een mens pas leeft als hij contactrijk is en veel vrienden heeft. Veel vrienden... ze heeft er maar een paar, een paar getrouwde vrienden, waar ze altijd welkom is en ze maakt schaars gebruik van hun uitnodigingen.

Ze hoort een auto toeteren en ze gaat naar buiten. Even weet ze niet haar houding te bepalen, dan begroet ze hem heel natuurlijk en vrolijk.

„Hallo."

„Dag Lied." Geen enkel mens noemt haar ooit Lied, het klinkt prettig en huiselijk.

Het is niet ver rijden naar het gebouw waarin het feest wordt gehouden, ze is er blij om dat ze tijdens de korte rit weinig te praten hebben.

Toon parkeert na een kleine tien minuten de wagen. Hij doet het portier voor haar open en geeft haar een hand bij het uitstappen.

Hij kijkt even snel naar haar. Ze is aardig, hij is op haar gesteld; ze is altijd eerlijk en open, altijd bereid de helpende hand te bieden.

„Wie had dat gedacht," zegt hij schertsend, „wij samen uit. Dat is nog nooit gebeurd."

Ze lacht terug. „Eén keer moet de eerste zijn."

Het is erg vol in de zaal, waar de personeelsavond wordt gehouden; muziek schatert met hoge lach over alle hoofden, schemerlampen geven een sfeer van stille verwachting.

„Geef je jas maar," zegt Toon.

Ze staat daar, slank en een beetje afzijdig, ze is nooit direct thuis tussen vreemden, tast altijd de sfeer af voordat ze zich erin gooit, in het plezier, het kleine stukje leven dat afleiding geeft en verstrooiing.

Ze wordt aan veel mensen voorgesteld, glimlacht vriendelijk, gaat naast Toon tussen de anderen zitten. Woorden gaan los van elkaar over haar hoofd, blijven eenzaam hangen. „Waarom is Hilde er niet? Ze is toch niet ziek."

„Ziek? Nee, ze was graag meegegaan, maar er waren andere besognes."

„Wat drink jij, Lidy? Sherry? Oké. Geeft u mij maar een jonkie."

De muziek schettert nu veel luider, het is moeilijk een gesprek met elkaar te voeren. Er is alleen maar een rondkijken, aan een glaasje nippen en lachen.

Lidy voelt zich opgewekt, ze heeft zojuist een compliment over haar japon gekregen. Van een vrouw nog wel. Vrouwen zijn doorgaans niet zo eerlijk een andere vrouw een vriendelijke opmerking over haar uiterlijk te geven.

Vrouwen zijn jaloers. En ze weet uit ervaring dat jaloezie een ernstige ziekte is. Het is lang geleden dat ze zich zo prettig voelde.

„U werkt in de mode?" vraagt een vrouw naast haar.

Lidy knikt. Ze denkt: „Niemand heeft er erg in dat ik een geschonden lichaam heb, dat ik maar één mooie kleine borst bezit en dat de andere niet echt is."

Die gedachte is oneindig veel belangrijker dan alle gesprekken met doktoren. Léven is het antwoord op een ernstig ziekzijn, bewuster leven dan tevoren, elke nieuwe dag met gejuich begroeten.

„Zullen we dansen?" vraagt Toon.

De muziek is meeslepend, bekoorlijk en lichtvoetig. De sfeer over alles is die van een intense vrolijkheid.

Ze loopt tussen de tafeltjes door. Ze hoort een man zeggen: „Is dat huwelijk van Toon een beetje op de klippen?"

Ze weet niet of hij het ook gehoord heeft. Mensen… mensen kunnen gemeen zijn, roddels verspreiden, vernietigen wat goed is.

„Laat maar eens kijken wat je ervan kunt," zegt Toon.

„Dat zal je meevallen."

Het is tamelijk vol op de dansvloer, de wereld lijkt te bestaan uit enkel feest. Toons hand is licht op haar rug, een rug die in brand lijkt te staan bij die aanraking; haar wangen gloeien, haar hele lichaam is één soepele lijn, toegevend en behaagziek. Maar net niet zo dat het uitstraalt, anderen kan beïnvloeden en inspireren. Het is alleen voor háár… Wonderlijk, dat een mens in zichzelf een zon voelt branden en dat anderen die gloed niet zien.

„Je danst lang niet slecht," zegt Toon. Er is opeens een vreemd, nieuw gevoel in hem, een gevoel dat mannen wel vaker krijgen als ze een mooi meisje voorbij zien gaan. Hoe lang kent hij Lidy? Al jaren. Hij heeft haar heel vroeger eens een zoen gegeven. Hij zou het nu weer willen doen, lang en nadrukkelijk. Hij zou haar lichaam tegen het zijne willen voelen, haar willen bezitten met de dorst van iemand die nergens water vindt. Dit vreemde en toch ook zo bekende gevoel overvalt hem. Hij had nooit gedacht dat hij zo'n man was, zo'n vent als alle anderen.

Tussen voelen en doen liggen werelden, maar wat is het verschil? Hij heeft het warm, hij voelt zich een mannetjesdier op zoek naar een prooi, weet zich met zichzelf geen raad. Deze roesgevoelens hebben niets met Hilde te maken. Hilde is een haven; deze vrouw is een van de vele schepen die je tegenkomt. God, wat is liefde? Verliefdheid? Man zijn?

Hij houdt haar wat steviger vast. Hij kan haar hals zien, die teer is in het licht van de schemerlampen. Hij kan de welving van haar borst zien, de tere, schemerachtige lijn, die verborgen verder loopt onder haar zwarte japon.

„Een wals," zegt hij. „Hou je van walsen?"

Ze knikt.

Hij heeft het erg warm, transpiratiedruppeltjes komen naar buiten, onder zijn neus en zijn hoofdharen. Hij kan ze niet wegvegen. Hij kijkt tersluiks naar Lidy's gezicht; geen mooi gezicht, wel boeiend en lief. Hij wil niet zo blijven denken, maar het is of het hem overspoelt.

„Warm hè?" zegt hij.

Ze knikt. Het is of ze niets anders kan dan knikken, of er een ander in haar lichaam is, een bekende vreemdeling.

Ze voelt een duw in haar rug, ze wordt dicht tegen Toon aangedrukt. Ze lacht. Maar in die korte seconde dat ze de warmte van zijn lichaam voelde, was er een gevoel van contact. Misschien verbeeldde ze het zich omdat ze het zo graag wilde.

„Je kunt hier niet walsen," zegt Toon, „veel te vol."

„Ik heb privélessen in stijldansen gehad," zegt ze, „maar daar moet je veel ruimte voor hebben."

„Zo'n ster ben ik niet, ik heb soms niet eens een goed maatgevoel."

„Ha, die Toon, wat heb ik jou lang niet gezien."

Hij glimlacht naar een aardig jong meisje. Hij weet haar naam niet meer, wel haar werk; koffie rondbrengen op de bovenétage.

„Ik heb je gemist," zegt hij schalks. Hij heeft Lidy losgelaten. De betovering is door een onzichtbare hand verbroken, als het betovering was.

„Laten we even gaan zitten," zegt hij. Hij zou opeens weg willen naar huis, naar Hilde en de kinderen, naar heel die sfeer die zijn leven en zijn geluk uitmaakt. Vanwaaruit hij leeft en mens is. Maar iets houdt hem hier, een nieuwe kant van het leven, een andere, ongekende smaak die zoet moet zijn.

Hij zoekt een paar stoelen tussen de drukte. Hij voelt zich vreemd voor zichzelf, hij is een man die naar de maan wil reiken en weet dat hij zal vallen. De maan is belangrijker dan het vallen.

„Ik kan merken dat ik het lang niet meer heb gedaan," zegt Lidy. „Zelfs dansen moet je bijhouden."

„Ik laat je even alleen," zegt Toon. „Ik zie een collega die ik wil spreken."

Een man naast haar kijkt naar Lidy's handen. Hij heeft wat gedronken en daarom neemt ze hem zijn vraag niet zo kwalijk. „Bent u niet getrouwd?"

Ze glimlacht. „Er zijn mensen die niet trouwen."

„Vrijwillig?"

„Misschien. Het leven is niet altijd zo als je het zelf wilt hebben."

„Alleen is maar niks."

Een onbekende man vraagt haar ten dans. Het sterkt haar zelfvertrouwen dat ze nog een vrouw is waar mannen naar kijken. Ze moet veel meer uitgaan. Ze zit te vaak thuis, bang zich in de massa te mengen, bang zich later, thuis, nog eenzamer te voelen. Het moet juist andersom; mensen ontmoeten kan betekenen nieuwe mensen leren kennen, nieuwe vriendschappen opbouwen.

De man danst goed, ritmisch en bekwaam. „Bent u nieuw hier? Ik heb u nog nooit ontmoet."

„Ik werk hier niet, ik ben als introducée."

„U heeft dus een begeleider?"

„Ja," zegt ze lachend, „Poortman."

„Nééééé..." Hij staat midden op de dansvloer stil. „Waar is zijn vrouw? De olijkerd."

„Er is niets olijks aan," zegt ze vinnig, „Zijn vrouw, Hilde, is mijn beste vriendin. Ze kon vanavond niet."

Waarom geeft ze zo'n vreemde man die ze waarschijnlijk nooit meer zal zien, uitleg?

„Ik ben een collega van Toon, we zitten op dezelfde afdeling. Even voorstellen, Veldhuizen."

„Versterre, Lidy Versterre."

Hij heeft een aardig, vriendelijk gezicht, taxeert haar humor en slagvaardigheid. „Sorry dat ik dat zei, olijkerd. Ik bedoelde er niets verkeerds mee."

„U zei het toch maar."

„Laten we weer gaan dansen."

Hij leidt snel en behendig, glimlacht af en toe boven haar haren. „Waar hebt u zich al die tijd verstopt?"

„Geslapen."

„Jarenlang?"

„Eeuwen."

„Heb ik u wakker gekust?"

„Dat zou wat te veel van het goede zijn."

Ze lachen opeens. Ze ziet zijn witte tanden, de spotlichtjes in zijn ogen.

Ze is het flirten verleerd. Ze gedraagt zich zoals een vrouw van haar jaren zich gedraagt, een beetje speels, éénderde toegeeflijk, tweederde terughoudendheid.

Ergens in de zaal roept iemand: „Laat die vrouw met rust."

Joep Veldhuizen kijkt naar Toon. „Dat zou je gedacht hebben."

„Bent u alleen hier?" Waarom vraagt ze dat.

„Met kennissen."

De muziek zet een pittige tango in. „Die dans beheers ik niet," zegt Joep Veldhuizen. „Zullen we gaan zitten."

„Ja, ik wil wel even rusten."

Wat ze vroeger niet zo dikwijls had heeft ze nu; succes, aandacht. Is het dan toch zo dat elke leeftijd mogelijkheden heeft?

Toon komt met langzame pas op hen af. „Zo zie je alweer," zegt hij. „Nauwelijks licht je je hielen of er zijn kapers op de kust."

„Ze danst voortreffelijk," zegt Joep. „Kan ik bij jullie komen zitten?"

„Plaats genoeg."

De avond is prettig. Er is een cabaretvoorstelling, een koud buffet en er zijn veel lachende gezichten.

Lidy danst de hele avond, voor zover er tussen de verschillende programma-onderdelen gelegenheid is om te dansen.

„Waarom drink jij zo weinig?" vraagt Joep aan het eind van de avond aan Toon. „Je lijkt wel een melkmuil."

„Ik ben met de wagen, daarom."

„Breng je haar naar huis?"

„Dat zou best kunnen."

Hij heeft haar van tijd tot tijd gadegeslagen. Het ontroert hem als hij voelt hoe ze geniet, helemaal opbloeit tot een frisse, charmante vrouw.

Hij heeft van Hilde gehoord dat ze van iemand heeft gehouden die niet vrij was. Dat ze daarna niet meer aan een ander kon wennen. Het is of hij Hildes stem hoort temidden van de drukte en het lawaai. „Ze is kwetsbaarder dan een getrouwde vrouw. Mannen vergeten dat zo vaak."

Zijn nieuwsgierigheid naar haar vrouw zijn, zijn gevoelens van vluchtige begeerte zijn voorbij. Hij ziet haar als mens, als een eenzaam, zoekend mens die bij niemand hoort. Hij zal haar straks op de terugweg niet in zijn armen nemen, hij zal haar niet verleiden. Het zou miserabel zijn. Eerst iemand wekken en hem dan weer laten inslapen.

Hilde... grijze ogen in een karaktervol gezicht, blond haar dat glanzend om smalle wangen valt, een mond die begrijpt en liefheeft. Waar heeft hij haar aan verdiend? Waarom kreeg hij een kans een vrouw als zij te ontmoeten? Kinderen van haar te krijgen?

„Ik weet niet hoe jullie erover denken, maar het wordt tijd om eens op te stappen."

Lidy geeft Joep Veldhuizen een hand. „Misschien tot ziens," zegt hij. Hij houdt haar hand vast. Als Toon er niet was geweest zou hij haar hebben uitgenodigd bij hem thuis nog wat te drinken. Zijn woning is leeg na het heengaan van Ilse. Hij heeft geen kinderen. Hij is geen man om op zoek te gaan naar een vrouw. Hij gelooft in het toeval, in het onverwachte ontmoeten. Misschien ziet hij haar nog eens, misschien ook niet.

„Wij gaan," zegt Toon. Hij haalt jassen en helpt Lidy in haar mantel.

Ze is stil onderweg. Heeft ze ergens op gehoopt? Hij weet het niet. Vrouwen zijn moeilijk te peilen.

Bij zijn huis zegt hij: „De lichten branden nog. Ga mee en blijf bij ons slapen."

„Dank je," zegt ze. „Ik wil liever naar huis."

Hij zet haar voor de deur af.

„Bedankt," zegt ze, „het was een fijne avond."

Hij geeft haar geen zoen. Een paar uur geleden verlangde hij daar nog naar. Hij rijdt langzaam terug.

Als hij binnenkomt, zegt Hilde: „Was het gezellig?" Hij kust haar opeens. „Fijn, dat je nog op bent," zegt hij.

29

„Er belt een agent," zegt Hilde. Ze heeft net de was aan de lijn gehangen en gaat met de lege wasmand naar binnen. Toon is in de tuin bezig.

Als er aan je huisdeur wordt gebeld door een agent, houdt het in dat er iets aan de hand is. Hij heeft een gespannen gevoel als hij de deur opent.

„Poortman?"

„Jawel," zegt Toon, „komt u binnen."

Wat verlegen zegt de agent: „Het gaat over Sander. De jongen woont toch bij u?"

„Wat is er gebeurd?"

„Winkeldiefstal. De winkelier heeft het een paar keer door de vingers gezien, nu gaat het niet langer."

„Wat heeft hij meegenomen?"

„Een fototoestel. Hij werd betrapt. Het spijt me."

Sander... een moeilijke, nog steeds niet te temmen jongen, met een hart van goud en een sterke behoefte aan liefde. Waarin falen ze? Welk gemis maakt dat een jongen een drang tot wegnemen krijgt? In de eerste plaats het verlies van Lies en Frits, maar daarnaast?

„Hoe laat komt de jongen uit school?"

„Over een uur."

„Dan kom ik tegen die tijd terug."

„Kunnen wij als mannen onder elkaar niet eerst eens praten? De jongen heeft veel meegemaakt; zijn ouders weg, zich moeten aanpassen in een nieuwe omgeving."

„We zijn van de feiten op de hoogte. Er zijn verzachtende omstandigheden, maar de zakenman heeft aangifte gedaan. We doen wat ons wordt opgedragen."

„Hoe heet die man?"

„Bosma. In de Kruisstraat."

„Ik ga naar hem toe."

„Over een uur ben ik weer bij u."

Toon ziet het gezicht van Sander, zo'n hoekig, smal jongensgezicht, waarin de ogen nerveus heen weer flitsen. Een jongen die hopeloos met zichzelf overhoop ligt. Een jongen die elke vorm van vriendelijkheid afketst en er diep in zijn hart naar hunkert. „U bent over een uur níet bij me," zegt hij hard. „Ik ken de jongen beter dan u, hij kan weinig hebben, laat u het gesprek aan mij over. Ik zal u bellen en met het kind naar u toekomen als dat beslist noodzakelijk is. Laten wij hem thuis eerst opvangen. Geloof me, daar bereiken we meer mee."

„Goed. Ik heb zelf ook kinderen. Ik weet dat het niet direct slechtigheid behoeft te zijn. Ik wacht uw telefoontje af."

Hilde veegt haar natte handen aan haar schort af. Er is een gevoel van pijn om een kind dat de strijd tegen het leven niet aankan, dat verward is geraakt in een net van gevoelens.

Ze heeft het gesprek gehoord. „Wat doen we nu?" vraagt ze aan Toon. Ze heeft het gevoel dat het haar eigen kind is die dit doet.

„Bosma eens bellen. En wel direct."

Hij ziet haar vermoeide gezicht. Soms zijn er lijnen in, soms is het jong. Mensen zijn elkaars vrienden en vijanden, staan vaak machteloos als het gaat om het uiten van gevoelens. Hij houdt haar even tegen zich aan. „Misschien moest dit gebeuren," zegt hij zacht. „Een explosie kan grote opruiming houden."

„Ik hou zo van dat kind," zegt Hilde.

„Dat weet hij."

„En ik sta vaak zo machteloos."

„Dat zal niet zo blijven, hij wordt elk jaar ouder. Ik ga Bosma bellen. Nee, ik ga er even heen..."

Hilde kijkt hem na. Soms lijkt het of alles goed gaat, Anneke en Joost zijn getrouwd, kleine Hein groeit als kool, bij Taco en Els zijn geen moeilijkheden, bij Michiel en Jeanine ook niet, Jes begint zichzelf een beetje terug te vinden en Wouter blijkt de laatste maanden op school goed te leren. Met Ingeborg heeft ze een goed contact. Maar Sander?

Ze hoort Wouter, die fluitend de tuin inkomt. „Een acht voor scheikunderip," zegt hij, „hoe bestaat het."

„Fijn," zegt ze. „Wil je melk?"

„Wat kijk je gek."

„Hoezo gek?"

„'k Weet niet, net of er een vloeitje over je gezicht ligt."

„Haal het er dan maar af."

Hij wordt lang, haar jongste, met de bruine ogen van Toon en de slungelige gang van een jonge hond. Hij is een jongen die het in het leven wel zal redden, is weinig gecompliceerd, altijd prettig gehumeurd, bezig een beetje te begrijpen waar het in het leven om gaat: jezelf leren ontdekken en aanvaarden.

„Wil jij ook melk?"

„Nee, dank je." Ze vouwt het wasgoed, sorteert het ondergoed.

„Help je me lakens rekken?" vraagt ze. Ze wil niet aan Sander denken.

„Dan moet ik altijd lachen."

„Dan lachen we."

„Ik zal proberen je om te trekken," zegt hij.

„Da's geen sportieve partij," zegt ze. „Een jonge knul tegen een oudere."

„Je bent helemaal niet oud. Wel een klein beetje als je zo stil voor je uitkijkt."

„Schiet nou maar op met je melk, ik wacht op je."

Ze kijkt hoe hij gulzig de beker melk leegdrinkt.

„Zullen we?"

Hij knikt. Het is altijd prettig met mam lakens te rekken, hoewel hij er een hekel aan heeft. Als kleine jongen mocht hij in het midden van een deken of laken zitten en dan floepten mam en pap hem een stukje de hoogte in. Hij herinnert zich dat nog best.

„Niet zo hard trekken, Wouter, dit is een oud laken, maar het kan nog best mee."

Ze hoort zijn heldere hoge lach en opeens staat Sander in de deuropening. Er is een groot verschil tussen haar lachende Wouter en de stille Sander. Ze vouwt het laken op. „Wil je ook melk?" vraagt ze. Ze heeft moeite gewoon te praten.

„Ja, graag," zegt hij. Hij gooit zijn schooltas in een hoek. Als Wouter naar zijn kamer is, zegt hij toonloos: „Misschien blijf ik zitten."

„Dat zou geen ramp zijn. Je kunt beter een klas overdoen en daardoor een betere ondergrond krijgen, dan in de hoogste klassen te struikelen."

Ze zou hem willen vragen: „Hoe kwam dat nou?" maar ze weet dat ze met zachtheid bij dit kind geen voet aan de grond krijgt.

„Waar is oom Toon?"

„Een boodschap doen."

Ze kan met moeite een kleur onderdrukken. Het is of de jongen het voelt. Hij zegt niets. Eigenlijk is het erg fijn hier, maar soms, zoals van de week, voelt hij zich zo verloren, zo helemaal alleen. Ingeborg heeft haar vriendinnen en vrienden, ze is vrolijk en het lijkt net of ze het vergeten is, thuis, de tuin, de schommel, de kleine moestuin waar moeder groente in kweekte. Hij wil ook graag vrolijk zijn, maar hij kan het niet. Hij heeft het gevoel dat hij ergens in zit, in een dicht web waar hij niet uitkan. Iets houdt hem in een harde greep.

Hij kan en wil er met niemand over praten. Hij weet heel goed dat tante Hilde en oom Toon van hem en Ingeborg houden, soms is het een beetje of hij weer een vader en moeder heeft, maar als hij dan aan zijn echte ouders denkt komt er een gevoel van afweer, van overal tegenaan willen trappen, zo maar.

Op school pesten ze hem vaak. Ze weten dat hij dan kwaad wordt. Dat hij niet tegen ze opkan. Dan loopt hij soms een stuk langs de dijk om naar de boten te kijken, al die grote jachten waarmee je de wereld kunt inzeilen. Hij zou best kapitein op een grote schuit willen worden, of piloot. Dan had je een uitdaging, dan vocht je omdat je verantwoordelijk was voor anderen. Je had een zekere macht, je was iemand.

Hilde gaat met de was naar boven. Ze sorteert alles en legt het op de juiste planken in de linnenkast.

Van een kind houden, wat is dat? Hardheid? Zachte woorden? Hoe moest je laten voelen dat je naast een kind staat, in alles wat dat doet?

„De telefoon gaat," roept Sander.

„Neem hem maar op."

Als ze beneden komt ligt de haak naast het toestel en is Sander nergens te bekennen.

„Hilde, met mij," zegt Toon. „Ik kom wat later thuis, ik vertel het je straks wel."

„Wat is later?"

„Over ruim een uur. Ik ben hier bij Bosma. Waarom smeet Sander de telefoon neer?"

„Misschien combineert hij het een en ander."

„Tot straks."

Ze gaat de jongen niet zoeken. Ook een kind heeft recht op privacy. Hoe gewoner alles marcheert, hoe beter dat is.

Ingeborg komt uit school. Ze vertelt over een fuifje dat ze zaterdag van school hebben en vraagt of ze een nieuwe jurk mag, een jurk met een split in de rok.

„Waarom een split?"

„Het is mode. Ze hebben het allemaal."

Wouter komt uit de tuin en begint over een nest in de boom achter in de tuin. Jes opent vrolijk de kamerdeur en zegt: „'t Ging fijn vandaag met de studie."

Warmte, levendigheid, een gezin waarin alles in elkaar lijkt te passen, maar waarin altijd stukjes puzzel zijn die overblijven.

„Waar is Sander?" vraagt Ingeborg.

„Ik denk dat hij fietsen is, ik zag zijn karretje niet in de schuur."

Ze zegt het rustig, Hilde, ze wil, vóór alles, geen paniek.

„Nou nog?"

„Waarom niet? Zo laat is het nog niet. En hij is geen kleine jongen meer. Hij komt wel als we aan tafel gaan."

Maar tegen half zeven is Sander nog niet terug.

Hilde dekt de tafel. Ze zet ook een bord voor Sander neer. Er is angst in haar hart, diepe pijn om een gevoel van machteloosheid. Als Toon binnenkomt, roept ze hem in de keuken. „Ik vermoed dat hij het een met het ander heeft gecombineerd."

„Hij zal toch geen gekke dingen gaan doen?"

„Nee, hij is geen jongen om weg te lopen, daar is hij innerlijk te onzeker voor. Maar daarom maak ik me toch wel ongerust."

Kinderen voelen een spanning in huis altijd naaldscherp aan. Hilde mist opeens de grote jongens, de jongens die mannen zijn geworden en verantwoordelijk zijn voor eigen leven. Ze zou met ze willen praten. Ze hebben vaak een gezonde kijk op dingen, waar je als oudere van kan leren.

„Zal ik Ingeborg eens roepen? Zij kent hem het beste."

„Misschien is dat wel goed."

Ingeborg is erg volwassen voor haar jaren; het verlies van haar ouders heeft haar bijzonder aangegrepen, meer dan ze ooit naar buiten laat merken. Maar in haar ogen is niet meer dat zorgeloze, blije.

„Hij is er straks wel weer," zegt ze en haar lip begint te trillen. „Heeft hij echt iets gestolen?"

„Dat is zo'n geladen woord," zegt Toon. „Laten we zeggen dat hij door de een of andere oorzaak iets doms deed."

Opeens ziet Hilde hem. Hij zet zijn fiets in de schuur en doet de deur achter zich dicht.

„Gaan jullie alvast maar eten," zegt ze. „Ik kom zo."

Sander is bezig zijn fiets een beurt te geven. Hij doet het lusteloos en met grote traagheid. Hij zoekt iets om zichzelf af te leiden.

Straks, buiten op de dijk, met de wind hard in zijn gezicht en een afschuwelijk gevoel van alleen zijn, had hij een moment de gedachte weg te gaan, ergens een schuilplaats te zoeken op een boot. Hij had aan de kade gestaan en de jachten bekeken. Er was een schipper die vroeg of hij iets zocht. Hij was verder langs de kade gegaan, doelloos, niet wetend of hij het doen zou of niet, of hij zich zou verstoppen in zo'n kajuit van een boot, of onder een zeil, en meegaan naar een vreemd, ver land, waar niets hem herinnerde aan thuis, aan dat wat vandaag gebeurde, die man die vroeg of hij even mee wilde gaan naar achteren. Die het fototoestel onder zijn trui vandaan haalde en zei: „Hoe heet je?"

Vanaf dat ogenblik veranderde de wereld, leek alles donker, uitzichtloos. Wat zou hij moeten beginnen in een vreemd land, zonder geld? Waar zou hij moeten wonen, eten, slapen?

Met een vreemd gevoel was hij teruggefietst. Hij voelde zich opstandig en verdrietig.

Wat zou het heerlijk zijn als hij nou gewoon kon binnenkomen en zeggen: 'Ik ben een beetje laat', en dan aan tafel gaan zitten en gewoon meeeten.

Hij hoort de deur van de schuur opengaan. Hij stelt zich onverschillig op. Laat ze hem maar op z'n falie geven, het maakt toch allemaal niks uit. Hij is een lastige jongen, dat weet hij best, ze hebben alleen maar verdriet van hem.

„Ik was ongerust over je," zegt Hilde.

„Over mij?" Hij vraagt het spottend. „'t Zou veel rustiger in huis zijn zonder mij."

„Als alles rustig was, zou er weinig meer aan zijn."

Hij kijkt even op. Hilde glimlacht om hem moed te geven. „Je moet nooit voor iets op de loop gaan, daar kom je geen stap verder mee. En je moet ook niet denken dat je slecht bent. Alles is gewoon een beetje te veel, is het niet? Je rapport, dat gebeuren in de fotowinkel. Zoiets komt vaker voor. We gaan straks eens met elkaar praten."

„Wie we?" vraagt hij.

„De agent, de man uit de winkel en wij. Soms zien dingen er anders uit als je ze uitpraat."

Hij haalt zijn schouders op. Opeens is hij een jongen in nood, hij klemt zich aan Hilde vast en snikt het uit. „Ik wilde dit allemaal niet, ik weet niet hoe het komt."

Ze kijkt in zijn betraande ogen. „Ik weet best hoe het komt. Je kunt het nog steeds niet goed verwerken dat ze er niet meer zijn, hè? Maar er komt een tijd dat je erover kunt praten."

„Dat kan ik juist niet. Dan begin ik te janken. Ingeborg kan het wel. Ik haat 'r soms."

„Ze is ook ouder dan jij. Zullen we naar binnen gaan?"

„Weten ze het allemaal?"

„Nee." Ze kijkt de jongen oplettend aan. „Elk mens maakt wel eens een fout, Sander. Ga je gezicht wassen."

Veel later in de avond hebben ze samen een gesprek. De agent houdt van kinderen, hij kent hun zwakheden en hulpeloosheid. Hij wil alleen maar bijsturen, niet streng straffen. Hij voelt de nood van de jongen, de eenzaamheid. Hij praat met hem zoals een vader dat doet met zijn zoon, zijn toon is ernstig en begripvol.

„Ik denk niet dat dit zich nog eens zal herhalen," zegt hij tegen de jongen. „Dit is een les voor je geweest, daar ben ik zeker van."

De jongen voelt een mateloze ontroering en het is of hij in één klap wat meer volwassen is geworden. Als hij ouder is en wijzer, zal hij het zich herinneren: de kracht die uitgaat van iets dat je wordt vergeven.

30

De zomer is loom en goed, het land ligt voldaan onder een hardblauwe hemel. Het kind, Heintje, draagt enkel een klein broekje, zijn lijfje is bruin en gezond. Jes kijkt naar hem. Hij wordt een knappe jongen, met wimpers waar een meisje jaloers op zou kunnen zijn. Er is de laatste maanden iets zachts in haar gezicht gekomen, iets dat er tevoren niet was. Meer volwassenheid en innigheid.

Misschien is het ook omdat er in haar hart een vage verwachting leeft, een gevoel dat door de tijd is gegroeid, een tere basis waarop een sprankje hoop begint te groeien. Ze ontmoet van tijd tot tijd Koos. Een andere Koos dan die uit de eerste, hevig verliefde dagen, ernstiger, meer in staat iets van zichzelf te geven aan een ander.

Vanavond gaat ze met hem ergens heen. Ze weet dat haar ouders niets meer vragen, zich ook niet langer zo openlijk opstellen. Er is geen enkel verwijt of aanmoediging. Er is een rustig wachten hoe de wegen zullen gaan.

Als ze eerlijk tegen zichzelf is, moet ze toegeven dat ze het prettig vindt eens met hem uit te gaan. Anders prettig dan vroeger.

Ze kijkt naar het kind dat zoet zit te spelen. Het is een makkelijk kereltje, gauw blij en tevreden. Hoe zou haar wereld zijn als ze dit kind niet had? Armer en leger, misschien minder gecompliceerd. Over enkele maanden doet ze haar examen voor kleuterleidster. Ze weet dat ze zal slagen, ze heeft vooral de laatste jaren grondig gestudeerd. Er is een doel: Heintje.

„Lig je te dromen?" Hildes stem is plagend.

„Nee, 't is zo lekker buiten. Wat zijn wij toch bevoorrecht met een tuin als deze."

„Dat zijn we zeker. We zijn met zoveel dingen bevoorrecht. We zijn gezond."

Ze tilt het kind op, dat wild aan haar haren begint te trekken.

„Je verwent hem, moeder."

„Is liefde geven, verwennen?"

„Nee," zegt Jes. Ze werpt haar halflange haar naar achter.

Hilde kijkt naar deze dochter. Ze heeft geboft met haar kinderen, met alle vijf, ook een beetje met Ingeborg en Sander. Heel langzaam groeien de kinderen over het verlies van hun ouders heen, krijgen ze een eigen vaste plaats in het gezinsleven.

„Ik ben er vanavond niet, mam, dat weet je. Vind je het erg om op te passen?"

„Nu Anneke wat grieperig is, helemaal niet. Het kind zou het ook kunnen krijgen. En bovendien, 't is gezellig dat hij er is."

„Ja, hè," vraagt Jes. Er ligt zoveel gretigheid in haar vraag.

„Ja."

Hilde aarzelt. Dan zegt ze: „Weet je, ik heb veel verdriet over je gehad, soms nog wel eens, omdat je een onzekere toekomst tegemoetgaat. Maar de manier waarop je je er doorheen hebt geslagen dwingt respect af. Ik heb respect voor je, Jes."

„Zonder jullie," zegt Jes kalm, „zonder jou vooral, had ik het nooit klaargespeeld, dat weet je."

Ze is blij dat moeder niet over Koos begint. Dat zou de sfeer tussen hen opeens weer kapotmaken.

Heintje klimt tegen haar op. „Wat is het leven toch dikwijls onbegrijpelijk," zegt Jes. „Je denkt veel te kunnen plannen en je merkt dat alles voor je gepland wordt."

„Dat is het geheim van veel dingen."

Het is prettig, denkt Hilde, grote kinderen te hebben, met wie je kunt praten. Met de zoons heeft ze ook een goed raakvlak, en jonge Wouter wordt zo langzamerhand ook een beetje een aankomende man. Hij heeft zich van de week voor het eerst geschoren.

„Wat komt er weinig af," zei hij verongelijkt.

„Wacht maar, over een poosje zal dat wel meer zijn."

De zon kruipt in de struiken en bloemen, vlijt zich languit over het sappige gras. Vlinders dansen gracieus in sierlijke rusteloosheid, de hemel is hoog en blauw.

Soms, denkt Hilde, soms voel je dat je leeft, al ben je maar een nietig schepseltje, klein en simpel, maar met een kracht die zo sterk is als de liefde.

„Weet je wat Taco van de week zei door de telefoon?" zegt Hilde.

„Waarom vader en ik niet eens een paar weken met vakantie gaan. Stel je voor. Waarom moeten we naar het buitenland?"

„Hij heeft gelijk. Jullie doen nooit anders dan naar de eilanden gaan. Wat beleef je daar nou? Je verfrist helemaal niet."

„Dacht je dat?"

Hoe zeg je tegen je eigen kind wat het betekent met je man hand in hand als twee grote, volwassen kinderen langs de vloedlijn te lopen? Wat het is om samen naar de ondergaande zon te kijken, de blozende horizon, het stille uitgestrekte zand en boven op de duinen de wuivende helm.

Hoe zeg je dat je door de loop der jaren pas geleerd hebt wat liefde is? Dat je nog helemaal niets van liefde weet als je gaat trouwen. Dat alles veel en veel later komt, als je hebt geleerd met elkander te leven.

„Ik heb nooit grote eisen gehad," zegt Hilde zacht, „je vader ook niet."

„Maar jullie horizon blijft zo klein daardoor."

„Merk je daar wel eens iets van?"

Jes kleurt. „Nee," zegt ze. „Maar toch zou het leuk zijn als jullie er samen eens een paar weken opuittrokken. Zomaar. Je hebt het druk genoeg."

„Eerlijk gezegd zijn we nooit echt op huwelijksreis geweest. We hadden er gewoon het geld niet voor. En later, toen jullie er waren, kwam het er niet van."

„Nou dan? Waarom gaan jullie niet? Wij redden het best met allemaal volwassen mensen."

„Lief van je dat je ook Wouter volwassen vindt."

Hilde lacht.

Er is heel even een visioen van hoge bergen, sneeuw en stilte. Heel kort is daar een droom, die jarenlang geen kans had ooit verwezenlijkt te worden.

„Je ziet ons altijd nog als kinderen," zegt Jes. „Daar moet je eens mee ophouden. Ga op vakantie en pieker nergens over. Dan zijn jullie terug als ik mijn examen heb gedaan."

„Misschien gaan we juist daarom wel niet," zegt Hilde rustig. „Je hebt je handen vol aan je studie."

„Als Taco en Els hier nu eens zouden komen," houdt Jes vol.

„Zou het voor Els niet moeilijk zijn jouw kind te zien?" Jes aarzelt. „Dat is al zo lang geleden, moeder."

„Ze kunnen geen kinderen krijgen. Het is erg hard te moeten toezien wat een ander allemaal zo maar krijgt aan geluk."

„Vraag dan Michiel en Jeanine."

„Die hebben allebei een baan."

„Belachelijk," zegt Jes vinnig. „Straks zijn ze te oud om een gezin te stichten."

„Ze willen geen kinderen," zegt Hilde. „Ze vinden het er geen tijd voor, geen wereld."

„Wat dom," zegt Jes. „Je leeft nooit in de toekomst, je leeft nú. Elke tijd kent zijn crisis. Jullie hadden het vroeger ook niet bepaald rijk, maar toch kwamen we en het is goed om zo te denken."

„Elk mens heeft recht op zijn eigen leven," zegt Hilde. „Als zij geen kinderen willen is dat hun zaak, daar hebben wij niets mee te maken. Maar laten we over wat anders praten. Hoe denk jij het aan te kunnen als wij twee weken weg zijn?"

„We vragen Lidy" zegt Jes kordaat. „Ze heeft overwicht, ze kent ons allemaal."

„Lidy werkt weer volop."

„Zal ik haar eens bellen en vragen of ze ons wil komen helpen?"

„Het is niet eerlijk," zegt Hilde zacht. „Wij hebben alles, zij heeft niets."

„Niets?" Jes lacht. „Laat me niet lachen. Ze heeft een leuke flat, verdient goed, kan zich alles permitteren en ze is nog gezond ook."

„Dat laatste gelukkig wel, nu tenminste. Maar je vergeet één ding. Alles wat je straks opnoemde, is niet zo waardevol dat je je daarmee gelukkig kunt voelen. Er ontbreekt het belangrijkste aan. Ze is voor niemand nodig."

Ik toch ook niet, zou Jes willen zeggen, maar bij die gedachte komt een blos en ze vindt het gek dat ze nou opeens zo warm wordt.

„We vinden er wel wat op," zegt Jes kordaat. „Jullie zijn nou nog jong, later heb je er spijt van."

„Wat heb jij toch altijd bijzondere gedachten," zegt Hilde.

In dit kind vindt ze toch iets van zichzelf terug. Jes heeft net zoveel fantasie als zijzelf had en nog dikwijls heeft, ze wil in alles het goede en het mooie zien en het leven heeft haar in dat opzicht toch wel teleurgesteld. Ze had gehoopt te trouwen, in een huis te wonen, maar in plaats daarvan maakt ze haar studie af en moet ze straks een baan nemen. Hoe het dan met het kind moet gaan is nog nooit helemaal uitgesproken. Ze wil graag helpen, Hilde, maar ze wordt zo langzamerhand wat te oud om een heel jong kind te begeleiden. Is dat zo? Zei Toon van de week niet: „Als ik niet beter wist zou je denken dat het jochie van ons is."

Haar gedachten dwalen weg naar Sander. De jongen is na dat gebeuren veranderd, hij is stiller en veel gezeglijker. Het is net of je hem innerlijk kunt zien groeien. Soms zijn rake klappen nodig om een mens te doen inzien dat hij op de verkeerde weg staat.

„Waar zit je met je gedachten, mam?"

„Dat raad je nooit. Ik dacht eraan dat ik straks vijftig ben en midden in die veelbesproken 'overgang' zit."

„Daar zit je toch al een hele tijd in," giert Jes. „Ik merk tenminste al zo vaak dat je op de meest gekke ogenblikken een rooie kop krijgt. Wat merk je er nog meer van?"

„Dat je veel bewuster gaat leven. Dat je langzamerhand inziet hoe bijzonder het is als je gezond bent, kinderen hebt, een man, alles. Vroeger dacht ik daar nooit zo bij na, ik leefde het leven zoals het op me afkwam. Nu weet ik dat ik jaren verspild heb, door er niet uit te halen wat erin zat."

„Wat ben je ernstig."

Jes drukt Heintje tegen zich aan.

„Soms," zegt Hilde. „Maar we zitten hier nou wel zo gezellig te praten, ik heb meer te doen. Het is tijd om aan het eten te beginnen. Straks komt je vader thuis."

„Ik ben er vanavond niet," zegt Jes. „Ik ga met Koos wat eten."

„Goed dat je het nu zegt."

„Ik had er niet meer aan gedacht."

Hilde zou dit kind wel eens recht in de ogen willen zien en vragen: „O nee?"

Hilde staat op. Ze veegt zand van haar rok. 't Is niks als je achter in de tuin een zandbak hebt staan, maar soms denk je wel eens dat er meer zand buiten dan in de bak is. Ze legt even haar hand op Jes' schouder.

„Over die vakantie praten we nog wel eens," zegt ze.

„Ik ken je, moeder," lacht Jes.

Ze gaat met het kind in de zandbak, speelt met vormpjes en let erop dat er geen zand in Heintjes mond komt.

De muziek is zacht. Buiten wordt het licht langzamerhand grijzer, begint de zomeravond te komen met zachte handen.

Jes nipt aan haar glaasje fris, Koos drinkt met bravoure zijn bier. Jes houdt niet van bier, het ruikt naar en je wordt er warm en overmoedig van.

„Wat wil jij eten?" vraagt Koos.

Jes kijkt in de spijskaart.

„Ik heb niet zoveel trek," zegt ze. „Misschien een hors d'oeuvre. En jij?"

„Ook maar. Misschien kunnen we straks nog een stukje rijden."

„Je bent wel trots op dat malle wagentje."

Ze zegt het plagerig, niet met de bedoeling echt te bezeren.

„Ik heb het ook zelf verdiend," zegt hij.

Sinds kort heeft hij een bescheiden baantje naast zijn studie. Het vormt een goed tegenwicht. Altijd dat studeren maakt vaak loom en geïnteresseerd in andere dingen.

Hij kijkt tersluiks naar Jes. Hij weet niet goed wat er met hem aan de hand is. Het is net of de laatste tijd binnen in hem iets veranderd is. Hij kan niet zeggen wat. Maar het is net of hij bezig is uit zichzelf te stappen, op zoek is naar zijn andere ik. Een mens bestaat uit zoveel soorten ikjes, is altijd bezig zichzelf weer opnieuw te ontdekken.

Hij is geen man voor erg veel woorden, hij denkt lang na wat en hoe hij iets zal zeggen en als hij het weet kost het hem niet zoveel moeite.

„Wat zeggen je ouders als je met mij gaat eten?"

Ze kijkt hem vragend aan. „Je vergeet mijn leeftijd, ik kan gaan en staan waar ik wil."

„Dat vroeg ik niet."

„Ze zeggen niets."

„Ze mogen me niet erg, hè?"

Ze voelt ergens pijn. Wat moet er in hem omgaan, als hij dit zo naar buiten kan opmerken.

„Daar praten we nooit over."

„Nee, dat zal wel. Dat is erg gemakkelijk. Ze verwijten me in stilte nog steeds wat er is gebeurd."

„Nu niet meer, in het begin alleen."

„Ik voel het, Jes. Ik ben bij jullie thuis nooit echt mezelf, altijd geremd."

„Misschien zijn zij dat tegenover jou.” Ze kijkt hem ernstig aan. „Het is ook niet zo eenvoudig voor ze, dat moet je niet vergeten.”

„Voor mij ook niet.”

„Hoe bedoel je?” Hij drinkt zijn bier gulzig. „Ik weet niet hoe ik het je moet zeggen. Ik denk de laatste maanden, eigenlijk het laatste jaar, over zoveel dingen na.”

„Dat doen we allemaal.”

Haar hals is warm, haar wangen zijn het ook. Ze is een vrouw, ze geeft niet toe.

Ze speelt het spel bloedernstig, zonder zichzelf prijs te geven.

De ober brengt de hors d'oeuvre. „Smakelijk eten, mevrouw, meneer.”

Opeens lacht Jes. „Mevrouw, meneer.”

„'t Zou toch kunnen?”

„Er kan zoveel.” Ze eet met kleine happen. „Lekker,” zegt ze. Het wordt voller in het restaurant. Overal om hen heen is gepraat en gelach.

Koos bestudeert het eten op zijn bord. Hij kan hier niet praten, straks misschien, als ze een stukje omrijden.

Hij bestelt nog een bier. „Wil jij nog iets drinken?”

„Graag, ja, hetzelfde.”

Tegen tienen, als ze alles hebben gehad, en Koos een sigaret opsteekt, vraagt ze: „Sinds wanneer rook jij?”

„Sinds een paar dagen. Eigenlijk moest ik ermee stoppen nu het nog kan. Als ik eraan verslaafd ben, is het veel moeilijker om eraf te komen.”

„Waarom stop je dan niet?”

„Ik weet het niet.”

Hij kijkt de rook na, die traag naar boven kringelt. Ergens is er tussen hen een raakvlak, iets dat onzichtbaar bezig is te groeien, ergens is het ook kil en onzeker.

„Zullen we weggaan?”

„Goed,” zegt ze.

De duisternis is te grijpen, de hemel draagt een zwartgrijs kleed, uit de huizen komt oranje lamplicht.

„Een stukje de buitenkant om?” vraagt Koos.

Het is rustig op straat, de natuur is loom en geladen. In tuinen zitten mensen met elkaar te praten. Muggen dansen onvermoeid in het licht van de lampen.

„Jes,” zegt Koos en hij kijkt voor zich op de weg, „ik weet niet of ik je bezeer, dat is namelijk helemaal de bedoeling niet. Ik wilde je iets vragen en je moet me eerlijk antwoorden."

Ze knikt.

„Is er tussen ons geen enkele mogelijkheid toch nog eens te gaan trouwen?"

Nu de vraag gevallen is, weet ze er geen raad mee. Heimelijk heeft ze erop gewacht en nu ze zou kunnen grijpen wat ze diep in haar hart wil, is er geen antwoord.

„Hoe kom je daar zo opeens bij?"

„Je ontwijkt mijn vraag."

„Ik denk erover na."

„Heb je er nooit aan gedacht dat ik je dit wel eens zou kunnen vragen?"

Ze wil eerlijk zijn. „Ja," zegt ze.

„Ik vraag het je niet omdat het kind er is. Het heeft er niet eens zoveel mee te maken. Ik vraag het je, omdat ik het meen."

„Hoe stel je je dat allemaal voor?"

„Een vriend van me, eigenlijk van mijn ouders, heeft een huis te koop. Niet groot, een klein huis met een stukje tuin, het is hier niet zo ver vandaan. Als jij over enkele maanden slaagt heb je tenminste je diploma. Ik heb een beurs aangevraagd en die gekregen. Het is niet veel, maar we zouden ervan kunnen komen als we het zuinig aandoen. Ik moet nog vier jaar studeren, dan zien we verder. Misschien kan ik tegen die tijd een praktijk overnemen. Ik zou het fijn vinden als het zo zou gaan."

Haar stem trilt. „Ik mis één ding," zegt ze, „jouw gevoelens voor mij."

Hij rijdt de wagen naar een inrit. „Moet ik die dan zeggen?"

„Ja," zegt ze, „ja, Koos, dat moet."

Ze is blij dat hij haar nu niet in zijn armen neemt en haar zoent. Hij kijkt haar aan, ernstig en volwassen.

„Ik ben naar je toegegroeid vanaf het moment dat ik het kind zag. Ik kreeg bewondering voor je, omdat je je er zo goed doorheen sloeg. Later werd ik jaloers. Ik moet eerlijk zeggen dat mijn gevoelens in het begin allereerst om het kind gingen; ik wilde het zien, bij me hebben, kunnen liefhebben. Ik ben niet zo'n man die een kind verwekt en dat kind vergeet. Ik ben ermee verbonden. Naderhand zag ik jóu. Je bent zo veranderd, Jes, je weet zelf niet hoeveel. Vroeger was ik verliefd op je, op je vrolijkheid, je zachtheid, nu is dat anders. Ik ben niet zo verliefd meer, ik denk dat ik van je houd. Om wat je bent en wat ik toen niet zag."

Ze vecht tegen haar tranen. „Zet me niet op een voetstuk," zegt ze. „Ik moest flink zijn, er was geen keus."

„Heb je dan ook zelf niet gemerkt dat we de laatste tijd beter met elkaar overweg kunnen? Anders?"

„Ja," zegt ze, „natuurlijk heb ik dat gemerkt. Ik vond het prettig als je naar het kind kwam kijken, en prettig om met je mee te gaan en ergens te eten, zoals nu."

Hij neemt haar hand. „We zijn er nog lang niet, Jes. We staan aan het begin, als het een begin is."

„Ik dacht van wel," zegt ze stil. „Maar we hebben nog veel meer tijd nodig om echt te weten of het goed is wat we willen. Je kunt niets forceren omdat er toevallig een huis te koop is. Dat is geen basis."

„Wachten dus?"

„Ja." Ze aarzelt. „Ik heb een beter idee. Ik zoek een baan. Laten we zeggen dat ik een jaar ga werken. Dan kunnen we elkaar in die tijd goed leren kennen. Er zullen in de toekomst wel meer koophuizen zijn."

„We missen het belangrijkste," zegt hij. „Ik wil de jongen van ons zien opgroeien. Ik wil erbij zijn als hij gaat praten, ik wil er met alles bijzijn. Jij?"

Ze aarzelt. „Ik wil niet samenwonen," zegt ze zacht.

„Daar heb ik ook niet over gepraat. Je kent mijn plannen. Mag ik met je ouders praten?"

„Ook als je voelt dat je je geremd voelt bij hen?"

„Misschien juist daarom. Ze kennen mij niet. Ik wil dat ze weten wie en wat ik ben. Ze hebben een verkeerde indruk van me."

„Goed," zegt Jes. „Laten we dan direct omkeren."

Als hij de wagen keert, zegt ze heel zacht: „Ik heb zo het gevoel dat het goed komt tussen ons. We zijn ouder geworden, we zien de dingen anders."

„Ik zou je graag een zoen geven."

„Waarom doe je het dan niet?"

Hij stopt. Ze voelt zijn mond op de hare, niet gulzig en fel, eerder zorgzaam en teder. Ze is dankbaar dat hij niet vraagt: „Hou je van me?" Het zou een merkwaardige vraag zijn.

„Jes," zegt hij. Hij streelt haar haren. „Waarom draag je je haar niet meer in een vlecht?"

Ze is blij dat hij haar tranen niet kan zien. Toen ze een vlecht droeg was ze een kind dat met gulzige happen het leven tot zich nam. Naderhand, toen ze veel meer vrouw werd en volwassener, paste die vlecht daar niet meer bij.

„Daar is mijn haar niet lang genoeg meer voor," zegt ze. „Vind je me dit niet goed staan?"

„Niet meer zo vertrouwd."

Ze ligt tegen hem aan, zonder een enkel verlangen naar meer dan alleen maar zo stil te liggen en te ondergaan wat ze al maandenlang hoopte: dat er iets tussen hen zou zijn dat toekomst zou hebben. Ze gaat rechtop zitten, neemt zijn gezicht tussen haar handen. „Je mag niet bang zijn voor mijn ouders."

„Ik ben ook niet echt bang. 't Is alleen maar dat we zo verkeerd begonnen..."

Ze legt een vinger op zijn mond. „Dat gaat alleen ons aan."

„Nee," zegt hij, „dat weet je ook wel."

Hij start de wagen. Hij zegt: „De jongen lijkt een beetje op jou."

Jes lacht. „Dat heb ik nog nooit gehoord. Hij is wel ondeugend."

„Dat heeft hij van mij."

„Ja," zegt Jes, „dat heeft hij van jou."

In de donkere avond rijden ze naar huis.

Hilde is de eerste die de bel hoort. „Wat ben je vroeg?" wil ze zeggen, maar ze zegt iets anders: „Zo, zijn jullie daar?"

Het raakt Jes dat moeder 'jullie' zegt.

„Mevrouw," zegt Koos en het klinkt erg afstandelijk, „ik zou graag met u en uw man willen praten. Als het u schikt."

Wat weten jonge mensen weinig van ouderen. Van een moeder die al lange tijd zuiver heeft aangevoeld hoe de vork aan de steel zit, die eerst onoverkomelijke bezwaren met zichzelf heeft moeten bevechten, die nu heel langzaamaan de streep licht aan de horizon durft te zien.

„Kom erin," zegt Hilde. „Er is nog koffie."

Wouter is nog in de kamer, Ingeborg is al naar boven en Sander draait, goed hoorbaar, op zijn kamer platen.

Toon legt zijn krant weg. „Wat kan dat kind afschuwelijk lang huilen," zegt hij.

„Is er dan iets met hem?" vraagt Jes.

„Nee, 't is alleen maar dat je moeder hem verwent. Meneer wil steeds in handen. Koos, ga zitten, sta daar niet zo, het wordt donker waar ik zit."

Als een jongen een beetje een man begint te worden, als hij zichzelf veel meer in de hand heeft, is het niet moeilijk te zeggen wat je op je hart hebt. Koos heeft het wonderlijke gevoel voor het eerst van zijn leven boven zichzelf uit te groeien, zelfvertrouwen te hebben.

Zonder veel haperingen, rustig en duidelijk, vertelt hij van zijn plannen, van het huis, zijn beurs, de mogelijkheden. Wouter doet net of hij ijverig aan het leren is, slaat steeds een bladzijde om.

„Zou jij niet eens naar boven gaan?" zegt Toon tegen hem.

„Ik weet toch wel waar het om gaat," zegt de jongen spottend. „Je hoeft ze maar aan te kijken en je weet het zo."

„Daarom juist. Als je alles al weet is er niks meer aan voor jou. Ik zou maar gaan, als ik jou was."

Opeens lacht Wouter. „Gekke pap," zegt hij. Hij neemt zijn boeken en gaat de kamer uit. Bij de deur zegt hij olijk: „Ze vinden het vast wel goed, hoor."

Jes lacht. Koos ook.

Hilde legt haar breiwerk weg. Rustig zegt ze: „Jullie moeten elkaar nog wat tijd geven. Dat lijkt me het enige. Je moet samen veel met elkaar optrekken, een beetje ruzie hebben en het weer goed maken. Misschien weet je dan of je het echt aandurft."

„Dat weet ik nu al," zegt Koos.

„Ik ook," valt Jes bij.

„Ik vind het plan zo gek nog niet," zegt Toon. „Ze zijn nog jong, ze kunnen nu nog kopen. Als ze langer wachten worden de prijzen nog hoger."

Ik ben een zonderlinge moeder, denkt Hilde. Nu mijn kind kans heeft op een eigen, misschien beschermende wereld, is het moeilijk haar los te laten, haar en het kind waaraan ik me heb gehecht. Bij de jongens was dat loslaten ook moeilijk, bij Anneke en Joost ging het spelenderwijs, maar juist bij Jes, haar zorgenkind, doet het pijn.

„Misschien kunnen we van de week alle papieren eens op tafel leggen," zegt Toon. Hij heeft geen tegenzin meer in de jongen. Er is moed voor nodig als je jong bent om tegen ouderen, die niet altijd even aardig tegen je waren, te zeggen wat je op je hart hebt.

„Dat is goed," zegt Koos. „Misschien kunnen mijn ouders er dan ook bij zijn."

„Ik zal ze bellen," zegt Toon.

Jes brengt Koos naar beneden. Bij de deur blijft ze staan. Ze voelt zich opeens verlegen. Ze heeft hoofdpijn van de spanning, van de emoties die haar overweldigen. En toch heeft ze het zien aankomen, van week tot week onbewust gevoeld dat er meer tussen hen bestond dan alleen maar het lichamelijke.

Ze legt haar armen om zijn hals. „Dag," zegt ze, „dag, tot gauw." Ze kijkt hem na als hij in zijn kleine wagen naar huis rijdt.

31

Toon Poortman ligt in het duister van de nacht naar de zoldering te staren. Hij probeert zichzelf rustig te houden. Gedachten kunnen soms veel doen. Rustig nou, ouwe jongen, denkt hij, niet direct zo paniekerig doen. Je hebt dit wel eens eerder gehad en het ging vanzelf weer over.

Maar de pijn breidt zich nu uit naar zijn armen. Hij heeft het benauwd, wil Hilde roepen, maar kan het niet.

Opeens merkt hij dat het licht aangaat. Hij ziet Hilde, haar lieve gezicht, haar ernstige ogen.

„Ik heb de dokter al gebeld," zegt ze zacht. „Kalm nou maar, hij is er zo." Ze zit bij hem, houdt haar hand op zijn voorhoofd.

In enkele seconden verandert de wereld, komt er een ambulance, zijn er gevoelens van angst en van ontroering.

De klok slaat drie uur. Maar de nacht lijkt veel ouder. Hilde zit naast Toon in de ziekenauto. Ze is sterk, Hilde, ze beurt op, zegt af en toe iets, en glimlacht als ze zijn ogen ontmoet.

„Gelukkig geen ernstige hartaanval," zegt de arts een tijdje later. „Hij zal er weer helemaal bovenop komen. Alleen, te hard werken is er niet meer bij. Of zijn er andere oorzaken?"

Hilde zit in een smetteloos witte kamer. „Nee," zegt ze, „voor zover ik kan weten, is er niets bijzonders. Met de kinderen gaat alles goed, en we kunnen ons het een en ander permitteren."

Zo rustig kan een mens zijn als het erop aankomt het hoofd koel te houden. Zo heel vanzelfsprekend doe je, wat je moet doen. Om alles en iedereen een beetje in het gareel te houden. De kinderen vooral. Waren ze tot voor kort volwassen jonge mensen, nu zijn ze hulpeloos, steunen op haar kracht. Ze heeft die. Een mens kan veel als het erop aankomt.

„Komt u morgenochtend maar," zegt de arts, „en denkt u eraan: er is niets om u ernstig ongerust over te maken."

„Waarom kan hij dan niet meer hard werken?" Ze vraagt het kil, alsof het buiten haar omgaat.

„Ik heb gezegd 'te' hard werken. Uw man lijkt me een ambitieus mens."

„Dat is hij ook." Ze staat op. „Weet u," zegt ze zacht, „vanaf nu is de rust uit het huis, zal er op de achtergrond altijd iets zijn, iets dat er tevoren niet was. Daar moet je mee leren leven."

„Ja," zegt de arts, „daar hebt u gelijk in. Ik zal u uitlaten."

„Ik kom er zelf wel uit."

De nacht is zo koel en veilig, overal lijken donkere handen zich naar je uit te strekken, je aan te raken en te troosten.

Waarom nu direct het ergste denken? Omdat een mens dat van nature doet, omdat hij zo klein is en machteloos. Jarenlang ben je intens gelukkig met elkaar, gelukkig in duizend kleine dingen, een gebaar, een blik, enkele woorden. En opeens dit. Je leest erover in kranten, je denkt dat dat jouw gezin nooit zal treffen.

Want wie ben jij dat dat jóu niet kan overkomen?

Het is goed zo alleen door de nacht te gaan, met niemand anders dan jezelf om over het leven na te denken. Als je ouder werd was elke goeie dag iets om blij mee te zijn. Zoiets besef je pas als je ouder wordt.

Als ze thuiskomt zijn alle kinderen op. Ingeborg zit met Sander onder het licht van de schemerlamp, Jes komt met koffie binnen. Koffie, midden in de nacht. Wouter's gezicht is klein en wit.

„We hebben de anderen al gebeld," zegt Jes. Kordate Jes, die doet wat er gedaan moet worden. „Ze weten het allemaal." Sander bijt op zijn nagels.

Eerst zijn ouders en nu misschien...Het kan niet waar zijn. Oom Toon is zijn beste vriend, hij heeft altijd veel tijd voor hem, hij begrijpt wat hij denkt en niet zegt. Hij heeft hem bijgestaan met dat nare in die fotozaak. „M'n jongen, denk nooit dat je een dief bent. Dieven zijn mensen die nooit anders doen dan stelen. Jij hebt alleen maar in een impuls iets gedaan waarvan je de consequenties niet zag. En wat dat niet overgaan betreft, er zijn veel erger dingen in de wereld. Vergeet nooit dat ik een beetje trots op je ben omdat je zo bezig bent jezelf terug te vinden."

Ja, dat zei oom Toon een keer tegen hem toen ze samen in de tuin bezig waren, hij met een hark, oom Toon met de grasmachine, Hij moet het vragen, maar hij weet niet hoe. Onhandig is daar zijn stem: „Wat zei de dokter?"

„Een kleine waarschuwing, waarschijnlijk te hard gewerkt. Het is gelukkig een lichte hartaanval, er is niets om je direct zorgen over te maken."

Zo eenzaam is dit kindergezicht. Ze zou de grote jongen, Sander, in haar armen willen nemen, maar ze weet dat hij zich dan zou schamen. „Morgen ga ik erheen," zegt Hilde. „Hij zal er wel de nodige weken moeten blijven, maar het belangrijkste is dat hij weer gezond naar huis komt. Probeer nou te slapen, allemaal. Het helpt niet of we hier blijven zitten."

Ze hoort hun voetstappen, hun stemmen, het openen dichtdoen van deuren. Als ze naar haar slaapkamer gaat zegt Jes: „Zal ik op jouw kamer blijven slapen?"

„Nee," zegt Hilde, „dat hoeft echt niet. Lief van je daaraan te denken."

„Ik hoop dat je kunt slapen, moeder."

„Dat zal wel gaan."

Ze kust Jes. Het is lang geleden dat ze een zo grote, volwassen dochter een zoen gaf.

Het kwam voor bij verjaardagen, en als je iets hartelijks wilde laten blijken trok je aan haar haar of was er een kleine lach.

Haar slaapkamer doet vreemd stil aan. Ze kijkt naar het lege bed naast het hare. Nog altijd moet ze aan een litsjumeaux wennen. Toon lachte hartelijk toen hij de twee bedden zag.

„Laat ik nou net van plan zijn nog een kind te willen," zei hij.

„Op mijn leeftijd?"

„Dat kan best."

Ze was vijfenveertig toen.

Vreemd, zo'n leeg bed. Ze schudt het kussen op, trekt de lakens en dekens recht. Hoe kan ze nou slapen? Ze kleedt zich langzaam uit.

Ze hoort de zomerwind om het huis, een zacht blazend geluid, waarnaar je moet luisteren; het komt en gaat in driftig ritme.

Vreemd, voor het eerst sinds vijfentwintig jaar alleen te slapen. Niet de bekende stem naast je te horen: „Waarom slaap je nog niet?"

„Het was een drukke dag. Ik heb misschien wat te veel gedaan, dan ben ik altijd klaarwakker."

„Moet je dan zo nodig alles tegelijk doen?"

„Dat is mijn aard, ik ben nou eenmaal zo."

„Kom even bij me in bed."

„Ik kijk wel uit, dan lig ik zo op de grond."

„Waarom hebben we het eigenlijk gedaan? Zo'n lits-jumeaux?"

„Omdat jij zo'n woelwater bent. Dat heb je je de laatste jaren aangeleerd."

„Ik? Een woelwater? Jij hebt altijd alle dekens."

„Daarom is het ook beter dat we elk een eigen bed hebben."

„Ik mis de warmte van je lichaam, alles wat ik met dat lichaam mag doen."

„Als we de bedden tegen elkaar aanschuiven zul je niks missen." Zo plagerig was zijn stem. „Na al die jaren is het nog steeds geen sleur tussen ons."

„Ik hoop dat het dat nooit zal worden."

„Daar kunnen we zelf veel aan doen, Hil."

„Ga nou maar slapen."

Wat vreemd dat ze nu in de stilte van de nacht al deze intieme gesprekken hoort, dat het net is of hij bij haar is.

Ze kan nu opeens heel goed invoelen dat vrouwen die een man hebben verloren wel eens zeggen: „Hij is nog steeds bij me, ik bespreek alles met hem."

Een mens is een combinatie van gevoel en verstand. Bij Hilde overheerst dikwijls het gevoel.

Ze draait zich op haar andere zij. Door een opening in de gordijnen valt wat licht naar binnen.

Net als in het leven zelf, denkt ze, hoe donker alles ook is er moet plaats zijn voor wat licht.

Sander gaat naar school. Sinds hij een van de andere jongens ongenadig op zijn bliksem heeft gegeven heeft men een beetje meer respect voor hem gekregen. Hij voelde zich zo sterk omdat hij aan oom Toon dacht.

„Je moet beginnen met níet te slaan, maar als ze je jennen, timmer er dan op."

De andere jongen had een flink blauw oog.

Hij had er met trots naar gekeken. „Je kan nog meer krijgen als je dat wilt."

De jongen had een gemeen antwoord. „Dat heb je zeker van die rotvader van je geleerd."

Wonderlijk genoeg raakte hem dit wel, maar ging hij er niet op in. Voor het eerst in zijn nog jonge leven voelde hij dat hij iets terug had gekregen dat blijvend zou zijn; zijn thuis van nu, met alle kinderen die erin woonden en met wie hij het steeds beter kon vinden. 't Was waar wat tante Hilde eens rustig tegen hem zei: „Als je jezelf vergeet ben je tot veel in staat."

Hij had een beetje geleerd zichzelf te vergeten, hoewel hij soms nog wel eens terug kon vallen in zijn oude gewoonten en met een ontevreden gezicht rondliep.

Op de hoek van de straat ziet hij een kar met bloemen staan. In een flits is er een warm gevoel in hem geboren. Hij wil voor één keer spijbelen.

Hij gaat bloemen kopen voor oom Toon. Het is een heel eind naar het ziekenhuis, maar gelukkig is hij op de fiets.

„Zijn ze duur?" vraagt hij. Hij wijst op een bos rozen.

„Goedkoop in ieder geval niet. Wat denk je?"

Sander haalt zijn schouders op. „Ik weet 't niet."

„Vijf stuks kosten drie vijfenzeventig. Valt je tegen, hè?"

„Is er niks goedkopers? Zoveel heb ik niet."

„Hoeveel heb je dan wel?"

Hij krijgt het warm, hij weet best hoeveel hij nog heeft. Waarom gaat hij ook altijd met een stel vrienden in die ijstent ijs eten? Duur ijs. Met vruchten en noten.

Moedeloos zegt hij: „Laat maar, ik heb niet genoeg."

„Waar heb je ze voor nodig? Voor je meisje?"

Hij kleurt. Hij zegt zonder het te willen „voor mijn vader."

Wat zei hij nou? Vader?

„Hij is ziek, ik wil hem wat gaan brengen. Ik wist niet dat bloemen zo duur waren."

De bloemenman kent de mensen, de goede, de minder goede, de geraffineerde. Ook de eenzamen. De mens die alles zou willen geven voor een bos bloemen, omdat zijn wereld niets anders te bieden heeft.

„Zo, m'n jongen, is je vader ziek? Erg?"

„Gelukkig niet. Nou, aju, ik ga."
„Wacht es even."
De bloemenman geeft hem twee kleine bosjes fresia's. „Neem ze mee en doe je vader de groeten."
„Maar u kent me niet."
„Nee en je vader ook niet en dat kan me geen snars schelen. Ga als de bliksem naar dat ziekenhuis en geef ze hem. Tot ziens."
„Wat moet ik nou zeggen?"
„Niks. Aannemen en wegwezen."
Sander steekt zijn hand uit. Hulpeloos zegt hij: „Ik begrijp niet waarom u het doet, maar fijn is het. Enorm bedankt."
De bloemenman kijkt de jongen na. Hoe kan zo'n jongen ook weten dat liefde het belangrijkste is? Dat zal hij later ontdekken, als hij ouder is en begrijpt waar het om gaat.
„Mooie bloeme… Bij Japie mot u weze voor mooie bloeme…" Hij zingt het bijna.

Bij de receptie vraagt Sander naar de kamer van 'Meneer Poortman'.
„Er is op dit uur geen bezoek," zegt de mevrouw achter de balie.
„Ook niet heel even? Ik wilde alleen maar wat bloemen afgeven."
„Dat doe ik wel."
„Toe… heel even, ik zal niet lang blijven."
„Ben je een zoon van hem?"
Sander aarzelt. Het klinkt zo warm, zo helemaal goed: een zoon.
Hij knikt.
„Ga dan maar even. Tweede trap rechts, richting hartafdeling."
Hij rent met twee treden tegelijk naar boven. Voor de deur blijft hij staan. Tot zijn enorme schrik ziet hij tante Hilde. Wat moet hij nou? Hij wil zich omkeren, maar door de grote ramen is alles en iedereen zichtbaar.
Hij ziet Toon Poortman liggen, hij ziet een monitor waarop de hartslag in korte vreemde tekens geregistreerd wordt.
„Waar wacht je op, jongen?" vraagt een verpleegster.
„Ik wil graag deze bloemen aan meneer Poortman afgeven."
„Vlug dan, en hem niet vermoeien."
Er is geen terug meer. Maar het is gek, hij is bereid elk standje te incasseren.

Hilde ziet hem het eerst. De bloemen hangen wat slap in zijn hand. Ze begrijpt, vecht tegen haar tranen, begroet hem zacht en zegt: „Had jij geen school?"

Sander antwoordt niet. Hij legt de bloemen voor Toon neer. „Ik mocht heel even naar je toe," zegt hij, „ik wilde je even zien."

Toon glimlacht. „Kijk eens hoe regelmatig de hartslag is," zegt hij. Hij voelt zich wat zwak, nog niet in staat de jongen te geven wat hem toekomt. Hij strekt zijn hand naar Sander uit. Hij voelt de koele hand van de jongen in de zijne. Dan zegt hij: „Je bent een fijne dondersteen."

„Ja," zegt Sander.

„En nou als de wiedeweerga naar school."

Hilde glimlacht.

„Ik ren al," zegt de jongen.

Als hij buiten is maakt hij opeens een malle sprong.

Hij zal wel een smoesje verzinnen omdat hij veel te laat is. Maar wat hindert dat? Hij heeft oom Toon gezien…

Als hij uit school thuiskomt is Lidy er. Hij heeft haar lange tijd niet gezien. Hij vindt haar wel aardig, maar te slijmballerig, heel anders dan tante Hilde.

„Ik heb veel huiswerk," zegt hij, „ik ga direct naar boven."

„Wat wil jíj een goeie beurt maken," zegt Ingeborg. Ze is de laatste maanden langer geworden. Ze draagt haar haren halflang op haar rug, het staat haar leuk.

„Moet je haar horen," zegt Sander. „Ik heb je gerust wel gezien vanmorgen hoor, met je vriendje."

„Waar heb je het over?"

„Dat weet je best. Hij is lang en dun en heeft raar haar."

„Hoepel op, joh. We hadden gewoon een uurtje vrij. Mag ik dan met iemand uit mijn klas lopen kletsen?"

„Hand in hand zeker?"

Ze kan haar kleur niet wegdringen. Haar wangen worden zachtrood. Ze wil iets terugzeggen, maar beheerst zich. Rustig vraagt ze aan Lidy.

„Wilt u nog thee? Tante Hilde zal zo wel komen, ze is even boodschappen doen."

Sander gaat naar zijn kamer. Hij is eigenlijk niet eens zo tevreden over het resultaat dat hij bij Ingeborg heeft bereikt. Het is flauw, zo te plagen.

Wat een rare jongen is hij toch! Vanmorgen in het ziekenhuis had hij het gevoel het allerbeste te kunnen geven wat hij in zich had, nu vanmiddag verlangde hij ernaar iemand, wie dan ook, een beetje te bezeren.

„Trek het je niet aan," zegt Lidy tegen Ingeborg. „Zo zijn jongens op die leeftijd. Vertel me eens, is het een aardige jongen?"

„Daar praat ik liever niet over." Lidy ziet Hilde aankomen.

„Wat een verrassing," zegt Hilde.

„Taco belde me. Hij is erg trouw wat jullie familieomstandigheden betreft."

Hilde zet de tas met boodschappen neer. „Omdat het niet zo ernstig was, heb ik je niet willen bellen. Maar nu je er toch bent, blijf je hier het weekend logeren? We hebben nu een bed over, je zou bij mij kunnen slapen."

„Als het niet te druk voor je is."

„Ik ben drukte gewend. Misschien kunnen we nog eens ouderwets kletsen, ik heb daar gewoon zin in. Ingeborg, help je me even met de koffie?"

Een gezin, denkt Lidy, kleine geschillen, elkaar in de weg lopen, ruzie maken, blij zijn met ogenschijnlijk kleine dingen. Is dat de enige vorm van geluk? Moet het niet zo zijn dat een 'mens alleen' ook een bepaalde vorm kan vinden waarin tevredenheid is, rust? Ze is de laatste tijd in positieve zin met zichzelf bezig. Er is een zoeken naar de juiste manier van leven, van uit haarzelf halen wat er aan mogelijkheden in zit.

Als een pijnlijke, nooit helende wond blijft daar het nimmer naar buiten getoonde verlangen. Het gezonde hunkeren naar een man, naar de man.

Toon. Vechten tegen deze gevoelens heeft geen zin, het verlies is er altijd. Het weten dat er een eind is vóórdat je begint.

Toen Taco belde was er een onweerstaanbare drang naar Hilde te gaan, eerlijker nog, Toon te willen opzoeken. Hem wat fruit te brengen, hem even te zien.

Daarvoor is ze gekomen. Niet om nog eens heel gezellig over vroeger te praten, de schooltijd, de onvolwassen wereld van jonge mensen die denken alles te weten en nog zo weinig echt weten.

Ingeborg komt binnen met koffie.

„We kunnen vanavond samen wel even naar Toon gaan," zegt Hilde.

Lidy knikt. „Is dat niet te vermoeiend?"

„Nee. We blijven niet zo lang. Ik bedoel, je zou op de gang misschien op me kunnen wachten."

Wachten... Een woord dat Lidy kent, het gevoel ook. Hoelang wacht ze al? Er waren wel kansen, maar ze heeft die niet gebruikt, ze koesterde steeds dat éne, niet haalbare ideaal. Verstandig? Dom? Ze ontmoette laatst op een modeshow een man. Aardig, uiterst correct, een man van standing. Ze voelde zijn geïnteresseerdheid. Het streelde haar ijdelheid, maar meer dan dat was het dan ook niet.

Wouter komt uit school. „Twee rips voor morgen," zegt hij nors. „Twee maar liefst, ze lijken wel gek."

„Je zult toch iets moeten worden," lacht Hilde.

„Dat wil ik ook wel. Ik heb niet voor niks dat keuzepakket genomen. Je weet best wat ik wil. Ik word dierenarts. Ik weet dat ik dat kan."

Hij gaat erg op Toon lijken, denkt Lidy, dezelfde oogopslag, dezelfde expressie.

Ingeborg zit stil te luisteren. Niemand weet het nog, ze hoeven het ook niet te weten. Sinds een paar weken is ze verliefd. Niet zomaar een beetje, maar heel serieus. En hij is ook echt verliefd op haar. Hij heet Wessel, hij is lang en sportief, en hij houdt van dezelfde klassieken als zij.

Het is moeilijk het verborgen te houden. Ze zien elkaar op school in de pauze, ze doen dan net of ze elkaar toevallig treffen. Vervelend dat Sander dat gezien heeft. Ze hadden een uur vrij en gingen in de stad koffiedrinken. Ze had gehoopt niemand tegen te komen, maar, of je het wilde of niet, er was altijd wel iemand die je tegenkwam. 't Leek net, of het niet mocht. En nou die Lidy ook alweer. Als ze er maar niet met tante Hilde over begint. Zo is ze waarschijnlijk niet. Tante Hilde zou geen kletstante als vriendin hebben.

Die avond gaan Hilde en Lidy op bezoek naar Toon. Lidy heeft fruit gekocht.

„Waarom zo veel?" vraagt Hilde.

„Omdat ik dat leuk vind."

Hilde stuurt het wagentje van Toon behendig door de straten, ze kijkt geconcentreerd op de weg. Toch praat ze af en toe wat.

„Zeg Lidy, je moet me geen bemoeial vinden, maar je praat nooit meer over die Joep Veldhuizen. Ik meen dat zijn vrouw overleden is."

„Ik neem je niets kwalijk," zegt Lidy. „In het begin konden we wel met elkaar overweg, maar hij vergeleek mij steeds meer met zijn overleden vrouw. Zoiets voel je. Ik kreeg bijna een minderwaardigheidscomplex. Bij alles wat ik deed, dacht ik: Hoe zou zij het hebben gedaan? 't Is zo gek, Hil, maar juist als iemand er niet meer is, lijkt het of hij sterker aanwezig is dan ooit. Tenminste, zo heb ik het ervaren."

„Misschien ben jij wel niet in staat echt lief te hebben. Ik wil daar niks naars mee zeggen, maar het lijkt me toe dat het erg moeilijk is met iemand samen te gaan als je dat nooit gewend bent geweest. 't Moet een enorme overschakeling zijn. Vergis ik me?"

De pijn is er weer, zacht en kloppend, de pijn van de leegte en van het weten. Hoe zou Hilde reageren als ze nu eens pardoes zei: „Ik hou van Toon?"

„Je hebt gelijk als je zegt dat jong trouwen tot meer groei in staat is dan wanneer je ouder bent, hoewel dat lang niet bij alle jonge mensen opgaat. Ik heb inderdaad nooit geleerd met anderen rekening te houden, niet lang tenminste, maar ik geloof wel dat ik het kan."

„Dan moet je nooit de moed opgeven, nooit."

„Kan het raampje niet een stukje open, het is hier nogal warm." Hilde draait het raampje een beetje open. „In het ziekenhuis is het nog warmer," zegt ze.

„Hoe is Toon eronder?" vraagt Lidy.

„Je kent hem. Hij is erg evenwichtig, neemt het leven zoals het komt. Het klinkt wat oppervlakkig, alsof er geen strijd aan te pas komt. Maar dat weet je wel beter. Hij bezit een onuitputtelijk vertrouwen."

„Het moet heerlijk zijn als je dat hebt."

„Heb jij dat niet?"

Lidy aarzelt. „Nee," zegt ze zacht, „ik ben bang voor ziek-zijn, bang voor de dood, voor al dat onbekende."

„Toch heb je je er goed doorheengeslagen," zegt Hilde. „Ik heb je zelden echt diep in de put gezien toen je naar het ziekenhuis moest."

„Dat leek maar zo. Elke morgen als ik me was en m'n borst in de spiegel zie met die lege plek, is er een gevoel van onzekerheid. Hébben ze alles echt weggehaald, of komt het jaren later weer terug?"

Hilde parkeert bij het ziekenhuis. „Zo zou ik ook denken," zegt ze, „maar angst is een miserabele vriend. Je kunt hem beter de nek omdraaien."

Ze kijkt naar Lidy in het volle licht van de straatverlichting. „Je ziet er gezond uit."

Nooit… nooit zou Lidy Hilde durven zeggen dat er dagen waren, waarin ze dood wilde, niet langer leven. Voor wie leefde ze? Die gevoelens had ze gelukkig wat overwonnen, hoewel een gevoel van weemoed over haar leven van tijd tot tijd de kop opsteekt. Waarom kon ze niet even alleen naar Toon?

Het is warm in het ziekenhuis. Ze trekt in de lange gang haar jas uit.

„Ik ga eerst wel," zegt Hilde. „Twee bezoekers tegelijk is nog wat druk voor hem."

Lidy zit op de gang. Mensen komen en gaan, verpleegsters lopen jong en veerkrachtig door de gangen.

„Op wie wacht je eigenlijk?"

Lidy staat op. Joep Veldhuizen glimlacht. „Ik sta al een poosje naar je te kijken."

„Er is weinig aan me te zien."

Waarom doet ze zo koel? Ze kan toch wel correct antwoorden?

„Ligt er familie van je hier?" vraagt Joep.

Joep, denkt ze, welke volwassen man heet er nou Joep?

„De man van mijn vriendin."

„Ik was op bezoek bij kennissen, maar het was er zo vol, dat ik maar even ben gebleven. A propos, waarom zie ik je nooit meer?"

Waarom speelt het leven zo'n moeilijk spel met haar? Aan de andere kant van de deur is de man van wie ze echt houdt, aan deze kant een man die een beetje op haar gezelschap gesteld is, een beetje misschien.

Hilde komt naar buiten. Haar gezicht is warm en opgewekt.

„'t Gaat goed met hem. Breng hem zijn fruit maar."

Aarzelend gaat Lidy naar binnen. Er liggen nog twee onbekende mensen aan de monitor.

„Leuk dat je komt kijken," zegt Toon. Hij is wat smaller in zijn gezicht, maar zijn ogen staan even ondeugend als altijd.

Ze legt het fruit op een tafeltje. „Zulke grapjes moet je niet meer uithalen," zegt ze zacht. „Iedereen aan het schrikken maken is niet erg sportief."

„Met een paar weken ben ik weer thuis. En hoe is het met jou? Bevalt je werkkring je nog steeds?"

„O ja. En ik voel me goed."

„Da's fijn. Je hebt ook andere tijden gekend."

Ze kijkt naar zijn handen. Ze zou ze tegen haar wang willen leggen, haar voorhoofd, haar borst. Hoe zou het zijn met deze man naar bed te gaan, zijn warmte te voelen, zijn liefde?

Parels transpiratie komen op haar gezicht. „Wat is het hier bloedheet," zegt ze.

„O, daar wen je wel aan." Hij kijkt peinzend voor zich uit. „Je kunt me geloven of niet, Lied, maar ik ben me lam geschrokken. Die paar minuten alleen met die pijn en die angst... Ik dacht een ogenblik dat ik het niet zou halen. Ik dacht aan Hilde en de kinderen. Gek is dat, dat je niet aan jezelf denkt, maar aan de anderen."

Ze knikt. In een impulsief gebaar legt ze haar hand over de zijne. „Je hebt geen koorts," stelt ze vast.

„Als je die hand daar lang laat liggen, wel." Zijn ogen lachen.

„Je verleert het ook nooit," zegt ze en een dieprood vlamt naar haar gezicht.

„Heb jij ook al last van opvliegers?" vraagt hij.

Ze knikt. Ze kijkt naar de monitor, naar de regelmaat waarmee het hart slaat, erg rustig en ontspannen. Die korte monotone tekens geven de hartslag weer, zeggen haar dat zijn toestand bevredigend is.

„U mag niet te lang blijven," zegt een zuster.

Lidy staat op. „Ik kom nog wel eens kijken," zegt ze.

„Doe dat, dat zou ik fijn vinden." Ze geeft hem een hand. Hij houdt haar hand even vast. „Pas goed op jezelf," zegt hij, „daar doe je Hilde een groot plezier mee."

„Dat zal ik doen." Ze is blij dat ze weg kan. Op de gang heeft Hilde zonder omwegen met Joep Veldhuizen gepraat.

Als je een vriendin hebt op wie je erg gesteld bent is het niet zo moeilijk voor haar in de bres te springen.

Ze vindt Joep Veldhuizen aardig, een gewone man met een gewoon gezicht.

Ze zegt: „Blijft u even bij me zitten. Ik heb een hekel aan wachten in m'n eentje."

Hij gaat naast haar zitten. „Hopelijk komt uw man weer gauw thuis."

„Daar rekenen we allemaal op."

„U hebt een groot gezin, hè? En dat in deze moeilijke tijd."

„We houden van kinderen," zegt ze simpel. Ze kijkt hem aan. „Waarschijnlijk zeg ik u nu iets dat ik niet mag zeggen, maar ik vind het zonde om het voor me te houden nu ik de kans heb eens met u te praten.

Weet u, waarom Lidy er tegenop ziet nauwe banden met u aan te knopen?"

„Praat ze daar dan over?"

„Wij kennen elkaar al ons hele leven, dan kun je wel eens iets aan elkaar kwijt. Ik bedoel, het is nooit roddelen."

„Wat heb ik dan op m'n geweten?"

„Volgens Lidy vergelijkt u haar dikwijls met uw overleden vrouw. Sorry, dat ik de moed heb u dit te zeggen. Ze wordt onzeker bij u, ze verliest haar eigen persoonlijkheid. Ze moet op haar tenen staan om aan bepaalde voorwaarden te voldoen."

„Maak ik die indruk op haar?"

„Ja."

Er hangt een beklemmende stilte na dit gesprek.

Veldhuizen weet niet wat hij met zichzelf moet beginnen. Maakt hij dergelijke grove fouten? Maar het is ook zo moeilijk om te vergeten, om opnieuw te beginnen. 'Vergeten' hoeft ook niet, zegt een stem in zijn binnenste, „ze hoort er altijd bij, maar een mens kan niet blijven leven met de doden."

„Ik heb die vergelijking niet bewust doorgevoerd," zegt hij vriendelijk.

„Het komt waarschijnlijk omdat ik er nog niet overheen ben. Dat is het enige dat ik kan zeggen."

„Ze is de moeite waard," zegt Hilde fel. „U weet niet half hoe Lidy de moeite waard is. Het zit niet aan de oppervlakte, u moet het ontdekken, maar het is er."

„Stil," zegt Veldhuizen, „de deur gaat open."

„Zit je hier nog?" vraagt Lidy. Haar toon is onaangenaam scherp.

„Hè, wat hartelijk," zegt Hilde. „Waarom gaan jullie niet allebei mee naar huis een kop koffie drinken, of een glaasje?"

„Ik heb er niets op tegen," zegt Veldhuizen. Hij kijkt geamuseerd naar Lidy.

„Ik wel," zeggen haar ogen. Opeens begrijpt hij haar een beetje beter, haar nukken en grillen, haar gespannenheid als hij haar kuste. Ze maakte een bijna preutse indruk en die houding ergerde hem, vooral omdat ze een leeftijd had die daar niet bij paste. Heeft hij echt zoveel en zo vaak over Ilse gepraat? Hij herinnert zich dat ze goed kan luisteren. Dat betekent dus dat hij vaak aan het woord was. Hij krijgt het er warm van.

Hij wil graag weer trouwen. Een tweede huwelijk behoeft niets minder te zijn dan het eerste, het zal wel heel anders zijn. Als je ouder bent groei je niet meer zo gemakkelijk naar elkander toe. Maar als je dat bewust wilde? Je inzette om een goede vriendschap te hebben? Dan moest er toch iets groeien.

„Ik zou graag uw huis eens zien," zegt hij, „en de kinderen."

„Het zijn er veel," zegt Hilde lachend.

Lidy is stil. Waarom doet Hilde dit? Ze heeft geen behoefte aan koppelarij, ze kan heel goed haar eigen boontjes doppen.

Ze zit achterin de wagen naast Joep Veldhuizen. Ze doet net of hij een totaal onbekende is. Maar waarom? Ze weet het best. Ze kan de sprong van Toon naar Joep niet maken. Er zal nooit een andere man zijn dan Toon. Bij alles zou ze gaan vergelijken. Ho... zeggen haar gedachten.

Ho, nou zit je wel even goed fout. Joep Veldhuizen moet in alles zijn vrouw maar vergeten en zij mag koesteren wat ze nooit zal krijgen.

Ze is moe. Ze heeft een drukke dag achter zich en dit bezoek aan het ziekenhuis was ook om de drommel niet zo gemakkelijk. Toch verliest ze iets van haar vijandige gevoelens.

„Roken?" vraagt Joep.

Ze rookt zelden, maar nu zegt ze: „Graag."

Ze voelt heel licht zijn vingers op haar hand als hij haar vuur geeft. 't Is niet eerlijk, denkt ze, het is gewoon niet eerlijk.

Hilde rijdt de wagen het tuinpad op. „We zijn er," zegt ze. Uit het huis valt zacht lamplicht. Er zijn gestalten zichtbaar, bewegende figuren. Er zijn een paar honden die wild naar buiten rennen. Joep geeft Lidy een hand als ze uitstapt.

„Mam, Heintje heeft z'n hele bed ondergespuugd. Hij heeft, denk ik, kou gevat. Kom je even?"

„Mam, er was een programma op de tv dat ik wilde zien en Wouter wilde per se het andere net. Waarom drijft hij altijd zijn zin door?"

„Goeie hemel," zegt Hilde, „kan ik m'n jas nog uitdoen?"

Ze kijkt lachend naar Joep Veldhuizen en Lidy. „Zo gaat het nou altijd," zegt ze, „net een grote mand met jonge honden. Kom erin en doe of u thuisbent."

De kamer is niet erg opgeruimd, overal liggen kussens, stapels kranten, het tafelkleed ligt scheef en op de vaste vloerbedekking zijn koekkruimels. Wat heb ik gemist? denkt Joep Veldhuizen. Bij Ilse en hem was alles altijd erg netjes en opgeruimd, er slingerden nooit opengeslagen boeken of schooltassen.

Waarom denkt hij nu weer aan Ilse? Een mens kan de tijd niet terugdraaien, wel het heden beleven. Als hij dat echt wilde.

De kinderen, voor zover je het nog kinderen kan noemen, zijn rustig.

Ingeborg is naar boven gegaan, Sander ook. Jes leest, kijkt af en toe op om Hilde met haar ogen te vragen mee naar boven te gaan.

Lidy ziet het. „Jes wil je iets vragen," zegt ze.

„Da's waar ook, ik ga al."

In de kamer valt nu een beklemmende stilte. Lidy en Joep hebben weinig gesprekstof.

„Wil je nog een sigaret?" vraagt Joep om toch maar iets te zeggen.

Ze knikt. Ze past er wel voor op dat ze zijn hand niet nog eens voelt. Ze weet niet meer wie en wat ze is, waarom ze zo doet. Ze kijkt de rook na.

Als Hilde weer beneden komt doet ze net of ze de gedwongen stemming niet merkt.

„We zullen een paar kaarsen opsteken," zegt ze, „dat is gezelliger. Tenslotte valt het niet mee zonder Toon je dagen en avonden om te krijgen."

„Dat lijkt me nou niet zo'n toer," zegt Lidy, „met al die jongelui in huis."

„'t Is natuurlijk fijn dat we die hebben, maar je kunt er nog niet zo mee praten als met volwassenen."

„Wanneer komt Toon weer thuis?" vraagt Veldhuizen.

„Waarschijnlijk over een dag of tien. Wat zal ik voor jullie inschenken? Ik heb voldoende voorraad."

„Graag een cognacje," zegt Joep.

„Geef mij maar een sherry."

„Op Toons gezondheid," zegt Lidy als ze met het glas in de hand zit.

„En op de jouwe," merkt Joep zacht op. Ze kleurt en ze kan zichzelf wel slaan dat ze op haar leeftijd nog bloost.

De deur gaat zachtjes open en daar staat, met afgezakte pyjamabroek, Heintje, ontroerend klein en onbeschermd, zijn haren dwars over z'n hoofd, z'n ogen klaarwakker. „Ja, ja," roept hij verheugd en klautert tot iedereens verbazing bij Joep op schoot.

„Verlegen is hij niet," zegt Lidy. Ze kijkt naar het gezicht van Joep, waarop een glans van bewogenheid ligt. Ze kijkt naar zijn handen die het jochie vasthouden op zijn schoot. „Waarom slaap jij niet?"

„Nee, nee," zegt het kind en rukt verwoed aan Joeps das, „nee, nee." Hij wijst met een parmantige vinger naar de kaarsen. „Ftttttt," zegt hij.

Het kaarslicht maakt een kindergezicht teder en Lidy moet ernaar kijken of ze wil of niet. Kinderen zal ze nooit hebben, maar dat andere, een man die om haar geeft en van wie zij geleerd heeft te houden: is dat totaal onbereikbaar?

„Mam, hij moet een bed met dichte zijkanten," zegt Jes verontwaardigd.

„Hij komt er steeds uit."

„We zullen wel eens kijken," zegt Hilde.

Ze neemt het kind van Joeps schoot.

Voor geen prijs zou ze durven bekennen dat ze het joch er zelf uitgehaald heeft.

32

Dagen rijgen zich aaneen in een onzichtbare ketting van kleine schakels. Elke schakel is een stukje leven, een groeiproces.

Vandaag gaat Toon Poortman naar huis.

De arts zei het vrij nuchter. „U heeft geluk gehad, ik hoop dat u er iets van geleerd heeft."

„Wat zou ik ervan moeten leren?"

Hij wist het, veel beter dan de arts ooit zou beseffen.

„Dat u de boog niet te gespannen moet houden. Het was een kleine waarschuwing. Vergeet u die niet."

Nee, vergeten zal hij die niet, hoewel hij weet dat hij na verloop van tijd de ergste angst kwijt zal zijn. Zo is een mens, roekeloos vaak, ondoordacht, denkend dat leven eindeloos duurt.

„Jij boft," zegt een patiënt naast het bed van Toon.

„Jouw tijd zal ook komen, vertrouw daarop."

„En als mijn tijd komt om naar huis te gaan, weet ik niet waarnaartoe. Mijn lieve dochter heeft me laten inschrijven voor een bejaardenhuis, maar aan m'n lijf niet. Ik wil in m'n eigen woning sterven."

„Dan doe je dat."

„Ik kan niet zonder hulp, dat is het beroerde. Ik heb geen keus. Jij bent nog jong bij mij vergeleken, een snotneus bijna."

„Ik word tweeënvijftig," zegt Toon lachend. Maar achter die lach ligt begrip voor de ander, liefde en machteloosheid.

Hij ligt naar buiten te kijken, Toon, hij filosofeert maar wat, omdat een mens als hij ziek is kwetsbaarder is in alles. Hij ziet de hemel, de groei van het leven, de machtige, raadselachtige bedrijvigheid van alles wat leven heet. Hij voelt zich klein, zo klein als een jongen die zijn vlieger kwijt is en denkt dat die vlieger regelrecht naar God gaat. Naar God.

Hij is geen man van veel woorden, hij komt nooit in de kerk, omdat hij het daar niet vindt. Wel in de natuur, in muziek. Hoe dikwijls hebben Hilde en hij niet langs het strand gelopen, allebei met eigen gedachten, gevoelens die elkander ergens raakten in een plotselinge glimlach. Hoe gelukkig is een mens als hij bij een ander hoort, bij zijn vrouw, bij de kinderen. Ze hebben samen veel moeilijke jaren gekend, maar waarschijnlijk waren ze in die dagen nog het meest gelukkig. Omdat ze bouwden aan zichzelf, aan een kleine wereld van harmonie.

Hij kijkt op de grote witte klok aan een nog wittere muur. Tergend langzaam gaan de minuten.

Hij gaat naar huis... Huis, wat een woord! Een opeenstapeling van warmte en liefde. Ook van geschillen en langs elkaar heengaan.

„Eigenlijk mag ik nog niet komen," zegt een stem.

Toon kijkt om. „Wat doe jíj hier?" Hij vraagt het plagend. Lidy staat daar met een enorme bos bloemen. „Ik ga een paar dagen de stad uit, we zijn met nieuwe modellen bezig. Ik ga een paar dagen naar Parijs. Daarom ben ik er nu even. Ik wist dat je naar huis mocht."

Meid, denkt hij, lieve meid, wat wil je toch van me? Waarom plaag je jezelf?

„Dat is aardig van je."

Meer dan aardig zal hij haar nooit vinden. Wel een vrouw om respect voor te hebben. Soms kan respect liefde zijn, in dit geval niet. Hij bewondert haar om haar levensmoed, haar wilskracht. Naaldscherp voelt hij dat ze veel om hem geeft, maar dit nooit zover laat komen dat ze zich niet meer in de hand heeft. Toen hij begreep wat er in haar omging, streelde het zijn ijdelheid. Hij wil eerlijk tegenover zichzelf zijn. Een man vindt het prettig als een andere vrouw laat merken dat ze op hem gesteld is. Die avond, toen hij met haar danste, voelde hij haar overgave, haar eenzaamheid. Een mens kan gevoelens hebben die nooit een naam krijgen.

Hij kijkt naar haar gezicht. Het is niet vrolijk. Hij had gehoopt dat die Veldhuizen... Maar misschien is het daar nog te vroeg voor.

Opeens zegt ze, en haar heldere ogen zijn rustig in de zijne: „Ik ben van plan voorgoed in Parijs te blijven." Hij vraagt niet naar het 'waarom'.

„Jij bent ook een vrouw om in Parijs te wonen," zegt hij vriendelijk.

Dus toch geen Veldhuizen, helemaal niets. Alleen het werk, waarin ze zich met alle hartstocht die ze bezit zal storten, om te vergeten. Liefhebben en zelf niet bemind worden, is een langdurige ziekte.

„Hilde zal het jammer vinden," zegt hij.

En jij? vragen haar ogen.

„Ik ben hier een beetje op alles uitgekeken. Ik heb verschillende vrienden in Parijs. Het zal me best lukken daar een nieuw leven op te bouwen."

Waarom heeft de een alles en de ander zo weinig?

Hij ruikt aan de bloemen. „Weet je," zegt hij en hij heeft zichzelf nog nooit zo bloot gegeven tegenover haar, „jij kunt je persoonlijkheid helemaal ontwikkelen. In een gezin lukt dat niet altijd. Kinderen vragen aandacht, man en vrouw vragen dat, er is altijd wel iets waardoor je niet helemaal aan jezelf toekomt. Maar beiden zijn nodig, jij met jouw wereld en wij met de onze. Ze raken elkaar toch ergens, zoals de regen de zon en de sneeuw, de vorst. Het klinkt een beetje overdreven, maar ik weet dat het waar is. Hilde en ook ik verlangen vaak naar rust, naar onszelf, maar het komt er zo weinig van. Iets niet hebben kan diepere gronden betekenen. Kan een mens voortdurend in actie houden om te bereiken wat er niet is." Hij ziet haar ogen, kleine heldere poelen in een smal gezicht.

„Ik zou je graag willen schrijven," zegt ze.

„Dat weet ik."

Er is opeens een opening, een zichzelf terugvinden, zonder iets prijs te geven.

Hij ziet haar smalle, verzorgde handen, haar huid die glanst en jong is.

„Lief van je dat je nog even langskwam," zegt hij.

„Ik ben erg blij dat het je weer zo goed gaat."

Ze verstaat de kunst alles wat ze voor hem voelt tot het laatst aan toe op niveau te houden. Dat ontroert hem meer dan hij ooit kan zeggen. Als hij een ander soort man was, een man die naast zijn huwelijk gemakkelijk een relatie met een andere vrouw kan aangaan, dan had hij het gedaan. Maar hij is zo'n man niet, misschien uit lafheid, misschien omdat hij er geen behoefte aan heeft.

„Je moet weg," zegt hij, „we krijgen direct onze dagelijkse wasbeurt."

„Ik ga al. Zet de bloemen gauw in het water, anders worden ze slap."

„Dat zal ik doen."

Ze buigt zich over hem heen en zoent hem hard op zijn mond. „Dag," zegt ze, „dag Toon."

Hij kijkt haar na. Toch vreemd eenzaam en onbegrijpelijk voor zichzelf.

Vreemd, weer thuis te zijn, met overal planten en bloemen, met een sfeer van vreugde en opgewektheid. Laat me met rust, zou hij willen zeggen, alleen met mezelf, met dat wat ik heb doorgemaakt en waar niemand echt weet van heeft. Hilde? Ja, Hilde wel. Hij weet best dat ze nachten wakker heeft gelegen, dat ze haar dagelijks werk deed en er met haar gedachten niet bij was, dat ze ergens angst heeft gehad en dat die angst nooit helemaal weg zal gaan.

Niet bij haar en niet bij hem. Wel bij de kinderen, kinderen zijn jong, elastisch, hun wereld is die van een groot wonder. Ze passen zich gemakkelijker aan. Of vergist hij zich?

Alle kinderen zijn er, Taco en Els, Michiel en Jeanine, Anneke en Joost, Jes, Wouter, en ook Sander en Ingeborg.

Er waren dagen waarin ze niet zo goed met elkander overweg konden, jaloers waren op elkaar en op alles, dagen die nodig waren om verder te komen, het leven stukje bij beetje wat beter te doorzien.

Hilde komt met koffie en gebak, de kinderen zijn druk en vermoeiend. Hij kan al die herrie aan zijn hoofd niet goed verdragen. Heintje gooit een vaas met bloemen om. Woorden... harde woorden. Is dit niet het leven? Het gewone, alledaagse leven dat elke dag in huiskamers wordt geleefd?

„Wil je rusten?" vraagt Hilde.

Hij knikt.

Hij kijkt naar haar gezicht, haar zachte haar, haar ogen die een verrassende expressie hebben. Wat hou ik van 'r, denkt hij, van alles, haar fouten en tekortkomingen, haar zachtheid en begrip.

„'t Is misschien ook wat te veel." Ze legt plagend een arm om hem heen.

„Ja," zegt hij, „veel te veel." Ze komt even bij hem zitten. Hij gaat met z'n vingers door haar haren.

„Laat me maar even, ga jij maar naar beneden, straks ben ik er wel weer."

„Goed," zegt ze.

In de keuken zijn Jes en Anneke aan het afwassen.

Jes is stil. „Moeder," zegt ze opeens, „ik heb het examen niet gehaald. Het scheelde maar een paar punten."

Hilde weet wat dit voor Jes betekent. Een mens maakt vaak zoveel plannen, er is altijd een 'later', maar in feite is er alleen maar een heden en anders niet.

„Wil je het overdoen?" vraagt ze.

Waarom heeft het ene kind het zoveel gemakkelijker in het leven dan het andere? Anneke loopt alles mee, Taco en Els zijn gelukkig met elkaar, Michiel en Jeanine zijn als het ware voor elkaar gemaakt. En Wouter? De jongste? Met zijn baard en zijn eigenzinnige koppigheid? Hij komt met goede cijfers thuis, weet nog steeds wat hij wil: dierenarts worden. Waarom kan Jes dan haar weg niet vinden?

Anneke brengt tactvol de afgewassen kopjes naar de kamer.

„Nee, we hebben heel andere plannen. Nu het zo gegaan is willen we binnenkort trouwen, Koos en ik. Het huis is nog steeds te koop, we zullen het wel redden."

„'t Is jammer, dat je je diploma niet hebt," zegt Hilde. „Je zou voor later eventueel meer kansen hebben."

„We leven nu, moeder, we willen niet langer wachten. We hebben een keer samen gepraat, jullie en Koos zijn ouders. We hadden een beetje het gevoel of we er niet bij hoorden. Ik hoop dat je begrijpt wat ik daarmee wil zeggen. Het is óns leven, we grijpen de kansen die er zijn, Hein wordt groter, hij moet elke dag zijn vader om zich heen hebben. We hadden gedacht van de herfst te trouwen. Als ik eerlijk ben moet ik zeggen dat ik blij ben dat ik gezakt ben. Nu móeten we een keus doen. We willen geen jaar meer wachten."

Kinderen worden groot, denkt Hilde, hebben eigen verantwoordelijkheden. Je wilt ze helpen, maar ze moeten het zelf doen: fouten maken, naar elkaar toe groeien. Ze moeten eenzelfde weg afleggen als elk ander zoekend jong mens, de weg van de onzekerheid en de eenzaamheid, en misschien veel later die van de rust en het weten.

„Zeg nog maar niets tegen vader," zegt Hilde, „hij kan opwinding niet zo goed verdragen."

„Ik dacht dat jullie het fijn zouden vinden."

Jes kijkt niet op.

Waarom bezeren we elkaar, denkt Hilde, zeggen we woorden die we niet willen zeggen, maar die toch komen?

„Fijn is het juiste woord niet," zegt Hilde zacht. „'t Is alleen maar, dat we het zo graag anders hadden gezien."

„Jullie houden niet van Koos."

„In het begin niet. Nu is dat anders. 't Is moeilijk het je uit te leggen. We vinden dat jullie nog zoveel jaren erg spaarzaam moeten leven, je geen enkele sprong kunt veroorloven. En een kind opvoeden kost geld, veel geld."

Hilde aarzelt. „Ik zal het kind erg missen," zegt ze, „maar het behoort bij jullie. Misschien kunnen je vader en ik financieel voor het kind instaan, dat zal jullie al een stuk schelen."

„Misschien kunnen we dat ook zelf." Ze kent Jes niet, zo fel en ontoegankelijk.

„We gaan geen receptie houden, we trouwen gewoon in stilte, misschien alleen met een paar vrienden in Parijs. We houden dan nog wel wat geld over."

„Is dit nou een dag om zo tegen elkaar te doen?" vraagt Hilde.

„U maakt het er ook naar. Waarom laat u Koos en mij niet leven zoals we dat zelf het liefste willen?"

„Omdat je mijn dochter bent en ik me verantwoordelijk voor je voel. Misschien wel... omdat ik zo van mijn Jes houd."

Het is stil in de keuken. Zo stil dat Anneke, die weer binnenkomt, zegt: „Ik dacht dat ik nou wel weer es kon komen om wat kopjes te halen. Zeg, vader roept, hij wil thee of zoiets."

„Ik breng het wel," zegt Jes haastig.

't Is wonderlijk, soms kan ze erg goed met moeder, soms met vader, en lang niet altijd met alle twee samen opschieten.

Ze gaat langzaam de trap op, met de thee en een paar biscuitjes op een blaadje.

„We dachten dat je sliep," zegt Jes.
„Dat deed ik ook."
„Was het je te druk beneden?"
Ze gaat bij hem zitten.
„Een beetje. Maar aanstonds ben ik er weer bij. Wat kijk jij?"
„Hoezo?"
„Ik mis de sterretjes in je ogen."
„Die heeft moeder eruitgehaald."
Ze had het niet zo moeten zeggen. Ze weet wat Hilde zei, toen het bericht kwam dat vader naar huis mocht.
„Alsjeblieft, spaar hem een beetje de eerste tijd voor zorgen en problemen."
„Ik heb mijn diploma niet gehaald en ik wil het niet overdoen. Koos en ik gaan in de herfst trouwen. Dat is het."
„Zo simpel ligt dat dus," zegt Toon. Hij lacht.
„En we hebben eigenlijk een verrassing voor je, maar we weten niet of jij en moeder er blij mee zijn. Je mag namelijk niet weigeren."
„Is het zo ernstig?"
Er komt een kleine, hartveroverende lach in haar ogen. „'t Is alleen maar leuk."
„Haal nou eens niet alles door elkaar. Als moeder dingen tegen je zei die je niet direct aanstonden, moet je altijd denken dat ze gezegd worden uit liefde. Of eigenlijk..."
Er zijn lachrimpeltjes rond zijn mond. „Weet je wat ik zeggen wil?"
„Ja: of eigenlijk voor je bestwil. Weet je, pap, dat ik dat woord gehaat heb? Altijd. Melk drinken voor je bestwil, op tijd naar bed, alles voor je bestwil."
„Haat je het nu niet meer?"
„Een beetje. Ik weet hoe jullie het bedoelen. Ik wil je iets vragen en je moet er me een eerlijk antwoord op geven."
Toon knikt.
„Mogen jullie Koos niet?"
Hij ziet de eenzaamheid in haar gezicht.
„Natuurlijk mogen we Koos."
„Waarom helpen jullie ons dan niet bij de plannen die we hebben? Ook al hadden jullie het liever anders gezien."
We hebben gefaald, denkt hij. Hilde en ik. We dachten dat we het juist

met dit kind voor elkaar hadden. Maar inplaats van haar een hand toe te steken, hebben we haar losgelaten.

„Dat is volwassen taal," zegt hij. „We dachten dat je dat diploma zou halen. Dat je daardoor een baan zou kunnen nemen en Koos rustig zou kunnen afstuderen."

„En Hein dan?"

„Hein zou zo lang bij ons kunnen blijven, dat hadden we zo'n beetje besproken, vooral omdat het voor Anneke nu immers veel te moeilijk zou worden."

„Hoezo dan?"

„Anneke is twee maanden in verwachting. Ik dacht dat je het wist."

„Nee, ik wist het niet, maar ik begrijp het nu beter. Maar nu wij niet aan jullie verwachtingen beantwoorden, hoop ik dat je ons toch een kans wilt geven. We maken er best wat van, pap, daar kun je van op aan."

„Volwassen mensen, zoals je vader en moeder, maken ook wel eens fouten," zegt hij hartelijk. „Het spijt me als we je daarmee verdriet deden. Trouw met je Koos en word gelukkig."

Hij grijpt even haar hand.

„Als je voor iets vecht, moet het lukken."

„Ik was niet boos, alleen verdrietig. Kom je beneden, pap, we hebben een verrassing voor jullie."

Ze geeft hem snel een zoen. „Zo fijn, dat je weer thuis bent," zegt ze.

Hij gaat met haar mee naar beneden. „Ik heb heerlijk geslapen," zegt hij.

Sander glimlacht. Hij heeft tenslotte toch maar fijn dat plannetje bedacht. Opeens, midden onder zijn schoolwerk. En iedereen vond het goed.

„Ik hoor van Jes dat ons iets te wachten staat," zegt Toon tegen Hilde. „Zijn jullie daarom de hele middag al zo geheimzinnig in de weer?"

„'t Is een beetje moeilijk om het zo lang voor ons te houden," zegt Taco.

„En van weigeren is geen sprake," valt Michiel bij.

Hilde is naast Toon gaan staan. Er is een vaag vermoeden in haar, wat de kinderen achter hun ruggen om hebben bekokstoofd.

„Eerlijk is eerlijk," lacht Anneke, „het is Sanders idee."

„Ik wilde maar dat jullie zeiden wat het was," zegt Toon.

„Nou, daar gaat-ie dan. Jullie zitten over twee weken in een fijn hotel in Spanje. Tijdsduur van de vakantie tweeëneenhalve week. Zo. Ik ben blij dat het eruit is."

Voor geen goud zou Toon nu zeggen dat hij helemaal niet zo van warme landen houdt en veel liever naar het noorden was gegaan. Voor niets ter wereld zou Hilde eruit willen flappen dat ze zo graag samen naar een van de eilanden zouden gaan. Een gevoel van warmte en ontroering komt in haar boven. Moet je die zeven gezichten nu eens zien. Alsof ze zelf gaan. Alle liefde die ze voelen, is in ogen en expressie te lezen.

„En geen gemaar, moeder. Alles is geregeld, hier en daar."

„Goeie genade," zegt Toon. Hij kan geen ander woord vinden. „En wie betaalt dat allemaal?"

„Het is al betaald," zegt Jes. „We zijn met dit plan trouwens al een poosje bezig. We sparen al mooi zo'n tijdje. Nou, hoe vinden jullie het?"

„Krankzinnig," zegt Toon, „krankzinnig goed."

Hij zou het liefst al die grote lummels in zijn armen sluiten. God danken voor wat hij heeft aan geluk.

„Laten we daar maar eens een borrel op drinken," zegt Taco.

„Eén ding nog," zegt Toon, „vindt mijn arts het goed?"

„Daar hebben we natuurlijk het eerst aan gedacht."

„Dan nemen we een borrel."

„Jij hebt nog niks gezegd, moeder," zegt Wouter. Hij is een beetje teleurgesteld omdat hij het idee niet heeft bedacht.

„Soms kun je van pure blijdschap niets zeggen."

Jes is naast haar komen staan. „Blijdschap in alles?"

Het is nooit eenvoudig ja te zeggen als je hele hart er niet zo achter staat, maar ze zegt: „In alles, Jes."

Toch is de emotie erg veel voor Toon. Hij drinkt voorzichtig een paar teugjes mee en zet het glas dan neer. „Voorzichtig aan, Poortman, de eerste tijd. Je bent geen jonge jongen meer. Je kunt er oud mee worden, als je je maar wat blijft ontzien."

Hij heeft dit niet aan Hilde gezegd. Er zijn van die dingen die je voor jezelf houdt. Ineens is dat gevoel van angst er weer. Hij vecht ertegen omdat een mens met angst niet kan leven. Dit zal voortaan zíjn strijd zijn. Hij begrijpt Lidy veel beter. Ook zij leeft met een gevoel van angst.

Maar er zijn er zoveel om hem heen om die angst te doen verkleinen. Of juist te vergroten?

Hij is blij als na het eten de oudste kinderen weer naar huis gaan. En hij is nog veel blijer als het avond is en Hilde vraagt: „Zouden we niet eens gaan slapen?”

Wat is het goed weer in je eigen bed te liggen, met je vrouw naast je. Hij kijkt hoe Hilde zich langzaam uitkleedt, hij ziet haar lange benen, haar nog steeds slanke lichaam, de zachte ronding van haar wangen en de lichtval op haar haren.

Hij ligt er al in als hij voelt dat ze in het bed naast het zijne schuift.

Alles als vanouds. Alles zo overbekend en steeds toch weer helemaal nieuw.

Haar hoofd ligt op zijn borst. „Wil jij graag naar Spanje?”

„Nee. Jij?”

„Waarom gaan we dan?”

„We zouden ze kunnen omruilen. Ik ga er morgen naar toe om het te vragen. Misschien doen ze het.”

„Waar gaan we dan heen?”

„Noorwegen. Zweden. Wat denk jij?”

„Dat lijkt me heerlijk.”

„Hil,” zegt hij, „wat fijn om je weer naast me te hebben.”

Ze knikt. Haar hand schuift langzaam over zijn borst, naar zijn hals. Zo vertrouwd, zo nieuw.

„Ik wil nu liever slapen,” zegt hij. „Vind je dat vervelend?”

„Nee, ik weet dat je moe bent.”

Dit, denkt ze, dit is liefde, dit hebben we vandaag, dit kennen we morgen en misschien nog zo heel lang.

✵ ALLES RIJPT OP EIGEN TIJD ✵

1

„Heb je in de lucht ook links en rechts verkeer?" vraagt Robbie.

Matty hangt de was op, kijkt even tersluiks naar het kereltje naast haar en zegt: „Vraag het maar aan opa, die heeft vroeger gevlogen. Hij weet er veel meer van dan ik."

„Mensen kunnen toch niet vliegen?"

„Opa vloog in een vliegtuig."

„Zat hij achter het stuur?"

Matty knikt.

„Dan heeft hij misschien God wel eens gezien."

Hij zegt het peinzend: „Ik zou ook zo graag God eens willen zien. Zou Hij erg oud zijn? Ouder dan opa?"

„Veel ouder."

Ze antwoordt wat afwezig omdat ze de kleine Ruuthje in de gaten wil houden, die in de zandbak de meest miserabele zandtroep maakt. Haar haren en speelpak zitten vol kliederige zandmassa, haar gezichtje is warm en hevig geïnteresseerd. Ruuthje, eens een zorgenkind...

„Je luistert niet," zegt Robbie. „Oei... daar komt pappie."

Matty kijkt om. Ze heeft Toms auto niet gehoord.

Als hij uitstapt is er een gevoel van intense warmte en dankbaarheid. Waar heeft ze een man als Tom aan verdiend? Zoveel goedheid en veiligheid, zoveel liefde.

Ze kust hem, voelt even de kracht van zijn lichaam.

Zijn gezicht is naar binnen gekeerd, zo noemt ze dat als er een expressie van stille weemoed op is, van verslagenheid. Ze weet dat hij een nare dag heeft gehad, dat er weer een ernstig zieke patiënt is. Hij kijkt altijd zo als hij bij een mens niets meer kan doen om te helpen. Als er een vonnis is getekend.

Ze laat de was staan. „Koffie?"

„Graag."

Tom tilt zijn zoon op, kijkt in de lachende, ondeugende ogen van het kind. „Wat heb je vandaag allemaal gedaan?"

„Erg veel, een paleis gebouwd, gezwommen en mammie geholpen met de was ophangen. Zeg, pap, vloog opa wel eens met een vliegtuig helemaal naar God?"

„Zo ver kan niemand vliegen."

„Kun je ook niet een klein beetje in de buurt komen?"

Tom glimlacht. „Nee," zegt hij, „ook niet in de buurt. God woont overal, hier bij ons, bij de buren, op school, en buiten in het bos."

„Raar hoor. Ga je nou weer vertellen van dat kindje dat altijd ziek was? Van dat jongetje?"

„Dat heb ik al zo vaak verteld."

Hij trekt met één hand kleine Ruuth naar zich toe die smerig en wel haar zandhanden om zijn knieën slaat. „Dag kruimeltje."

„Ik ben geen kruimeltje."

„Een lief kruimeltje dan?"

Het kind knikt.

Met zijn twee kinderen bij zich denkt Tom aan zijn laatste visite deze dag. Eens moest hij het zeggen, maar hij zag er steeds tegenop!

Een patiënt voelt het als een arts eromheen draait. „Er is nog weinig van te zeggen, Van Driel. De tijd zal het leren."

„Hoe was de uitslag van het onderzoek?" Een stem beladen met angst, diepe wanhoop, onzekerheid.

„De uitslag is nog niet binnen."

Hij loog. Hij loog wekenlang, tot aan vandaag, tot hij de smeekbede in de ogen van de man niet kon ontwijken.

„U bent erg ziek," zei hij langzaam.

„Hoe erg? Onherroepelijk?"

„Ik wilde dat ik geen arts was," zei Tom. „Ik wilde dat ik u waardevolle dingen kon zeggen, dat ik..."

„Hoe lang nog, dokter?"

„Ik weet het niet, ik ben ook maar een mens."

Het was erg stil tussen hen, woorden en gevoelens hadden een eigen wereld, een eigen angst en machteloosheid.

„Kijk, Dok," zei Van Driel zacht, „ik ben niet gek. Ik heb weken van twijfel en hoop gehad, maar de twijfel was sterker. Het was om gek van te worden niet te weten waar je aan toe bent. En laat me nu alleen..."

„Nee," zei Tom Jaarsma, „ik wil er graag even bijblijven. Gewoon een tijdje aan je bed zitten en niks zeggen."

Dat had hij gedaan. Hij had Van Driel niets kunnen geven aan troost en houvast, niets. Hij zat daar als een man die zich buitengesloten voelde, die het leed en de strijd van de mens kénde en er steeds weer totaal door overdonderd werd. En toch was de dood vaak zacht en meegaand.

Hij zag het gezicht van Van Driel niet, maar hij hoorde opstandigheid, wanhoop en radeloosheid in zijn stem. „Gaat u maar, Dok, ik moet het toch alléén doen. Bedankt dat u het me zei."

Buiten in de nog milde herfstlucht met overal de uitbundige, maar beheerste bloei van de natuur en het wijze verstilde licht van de dag was zijn lichaam opeens moe, gingen zijn stappen langzamer.

Had hij er goed aan gedaan het te zeggen? Het kon maanden duren eer Van Driel van zijn pijnen en angsten verlost zou zijn.

Uit ervaring wist hij dat het goed was wat hij had gezegd. Misschien waren de laatste maanden met zijn vrouw en kinderen, ondanks alles, toch waardevolle maanden, omdat men samen iets moest bevechten. En samen iets beleven kan totaal nieuwe impulsen geven.

Hij zet zijn kleine zoon op de grond, maakt Ruuthjes kleverige handen los van zijn broek.

„We gaan koffiedrinken," zegt hij.

„Nee, vertéllen," zeurt Robbie.

Hij is een doordouwer, een vechter, en Tom vraagt zich af wat er uit dit opstandige hoopje mens zal groeien.

„Straks, jongen."

Ze rennen voor hem uit, het lange tuinpad af, tot aan de deur van de schuur. Vroeger was het huis een boerderij, met een deel, een achterhuis, nu is het achterste gedeelte bij het huis getrokken, waardoor er veel meer speelruimte voor de kinderen is, met schommels, een wip en een paar ouwe, niet meer gebruikte schoolbanken.

„Laarsjes uit," zegt Tom.

„Kan ik niet," zeurt Ruuthje.

Het valt hem op dat ze zich nog steeds graag laat verwennen, vooral na haar hartoperatie, enkele jaren geleden. Dat ze dit blije, uitbundig levende kind mochten behouden was een wonder.

Niemand had erop gerekend. Maar ze was taai en een vechtster en ze kwam er doorheen. Het leek een tweede geboorte, oneindig veel moeilijker dan de eerste, omdat er een groter risico in zat. Hij maakte de operatie niet mee, hij kon niet weg. In die jaren woonden ze nog in Nieuw-Zeeland. Hij had Matty en de kinderen vooruit gestuurd. Heel even is er een gevoel van pijn om wat hij achterliet in het land dat hem lief was geworden, waar hij een goede praktijk opbouwde, maar waar Matty geleidelijk aan wegkwijnde in een niet te helpen verlangen naar Holland. Het was niet eenvoudig geweest zijn toekomst op te geven, zijn plannen en mogelijkheden, maar uiteindelijk won de liefde voor zijn vrouw en kinderen het van zijn eerzucht in zijn werk veel, zo niet alles te bereiken. Hoeveel jaren leeft een mens, dacht hij vaak. Hoeveel maanden, uren, minuten? Was het niet het belangrijkste als méns iets van je leven te maken? Als man en echtgenoot, als vader en vriend? Hij had wekenlang met zichzelf overhoop gelegen, niet wetende naar welke kant de weegschaal zou overslaan.

Tot hij op een dag simpelweg besefte dat het geluk van Matty en de kinderen ook zijn leven was. Vanaf dat ogenblik kon hij aanvaarden dat hij in Holland opnieuw zou moeten beginnen en… zou kunnen. Want de wil van een mens is een bijzondere kracht. Goed, ze hadden hier minder ruimte, de wereld leek hier, in vergelijking met dat verre land, klein en eng, en het huis waarin ze nu woonden was lang niet zo ruim als het huis in Nieuw-Zeeland. Maar ze hadden een woning, met rondom een tuin, ze hadden warmte en sfeer en mogelijkheden van hun leven iets te maken.

Hij wil niet denken aan de tijd waarin hij ondanks dat, wat hij hier opgebouwd had, toch gelukkiger was. Maar hij zal dat nooit zeggen.

Hij buigt zich met tederheid over het kind, Ruuthje, en trekt de laarzen van haar voeten. Heel even strijkt hij over haar warme wangen. „Maak jij je niet te druk, hummel?"

„Nee, helemaal niks."

Ze lijkt op mijn moeder, denkt hij in een gevoel van verwarring, op Jissy. Hoe lang is het alweer geleden dat hij haar verloor door een ongeluk in de bergen, haar en zijn vader Rob. Gebeurtenissen hebben een bijzondere plaats en kleur als ze onherroepelijk zijn.

Hij was een jongen in die dagen, nu is hij een man en daartussenin ligt een verborgen wereld van nimmer te uiten verdriet. Hij voelde zich in het begin eenzaam en opstandig, vooral de eerste jaren bij vrienden van zijn ouders in huis, Ruuth en Tomas. Hij kende ze niet, wilde ze niets toegeven, hoewel zijn hele hart hunkerde om erbij te horen. Die lange, eenzame jaren maakten hem tot de man die hij nu is, vaak erg stil en ernstig, in zichzelf opgesloten, niet wetend wat aan gevoelens prijs te geven. Hij hield erg veel van Ruuth en Tomas, ze gaven hem een tweede huis, een houvast.

Toch heeft hij vaak het gevoel nú meer te kunnen geven aan begrip dan in de jaren, waarin hij als jongen zijn weg moest zien te vinden. Dat hij veel wijzer is geworden, meer heeft begrepen van het leven en de zin ervan. De zin is nog altijd: je instellen op de ander, luisteren naar de ander. Hij is een ouderwetse huisarts, hoewel hij net eenendertig is en nog niet zo heel veel jaren ervaring heeft.

„Kom je nou, pap?” Robbie schreeuwt van ongeduld.

Tom glimlacht. Met enkele grote passen is hij in huis, in de keuken, waar de geur van verse koffie, het geroezemoes van de kinderen en vooral de stille aandacht van Matty hem de zorgen van daarstraks doen vergeten...

„Tomas heeft gebeld,” zegt Matty. „Hij wil met de kinderen naar Schiphol zaterdag.”

„Hij kan het ook niet laten.” Tomas stem is vermoeid. Hij weet de nimmer eindigende strijd in zijn pleegvader, het diep weggeborgen verlangen nog eens met een kist de lucht in te kunnen. Maar Tomas zal nooit meer de stuurknuppel hanteren, nooit meer het dashboard bedienen. Jaren geleden kreeg hij met zijn vliegtuig een ongeval. Hij genas, maar was niet meer in staat als vlieger zijn dienstjaren uit te dienen. Hij moest tevreden zijn met een baan op de grond. En in de loop der jaren had Tomas de pensioengerechtigde leeftijd bereikt, werd hij met een tamelijk mager pensioen naar huis gestuurd. Vreemd, dat een mens de dag vóór zijn vijfenzestigste verjaardag nog volop produktief meedraait en de dag daarna uitgeteld is. Hij heeft dit altijd als een schreeuwend onrecht gevoeld. Waarom mag een mens niet zelf kiezen of hij verder wil werken?

„Hij hoopt dat zijn kleinzoon nog eens vliegenier wordt,” zegt Matty.

„De jongen is vijf,” zegt Tom. Hij knipoogt naar het kind dat met grote ogen het gesprek probeert te volgen.

„Ben ík die kleinzoon?” vraag hij. Het is een groot woord voor zo’n klein mruuth.

„Ja.”

Het kind weet niet beter of het is zijn echte grootvader en ze hebben besloten het zo maar te laten, tot hij groot en verstandig genoeg is om te horen dat Tomas totaal geen familie van hem is.

„Ik wil best vliegenier worden. Moet je daar veel voor leren?”

„Heel erg veel,” zegt Matty. Ze zoekt met haar ogen het gezicht van Tom. Ze denken beiden hetzelfde; aan Tomas, die steeds meer moeite heeft zichzelf te aanvaarden zoals hij is, die dikwijls stil is en een sfeer van eenzaamheid om zich heen draagt. Vooral een man kan moeilijk aanvaarden niet uit het leven te hebben gehaald wat erinzit, niet met een gevoel van trots te kunnen terugzien op zijn werk en prestaties.

„Als ik tot het laatst aan toe had kunnen blijven vliegen," zei Tomas op een keer, „als ik dan afscheid had moeten nemen omdat ik daar de leeftijd voor had, dan zou alles anders zijn geweest."

„Hoe anders?" vroeg Tom.

„Ik zou tevreden zijn, meer niet."

Het antwoord van de jongen was hard en zakelijk. „Me dunkt dat je meer dan tevreden moet zijn. Je lééft... je had dood kunnen zijn, dat weet je."

„Noem je dit leven?"

„Ja," zei Tom, „Er zijn mensen die met veel minder toemoeten dan jij, maar die er toch in slagen er iets van te maken. Zo simpel is het." Harde taal die over en weer op onverschillige toon werd gezegd. Maar die gezegd werd uit liefde.

„Leren is stom," zegt het kind plotseling, „hartstikke stom. Als ik groot ben wil ik alleen maar met dieren praten, ze voeren en strelen. Daar hoef je niks voor te leren, he, pap?"

„Je moet altijd iets leren. Kom eens hier."

Hij tilt de jongen op. Het is maar zo'n smal mruuth, zo helemaal niets nog, met enkel dunne armen en benen en een paar fonkelende ogen in een smal tenger gezicht. Hij houdt het kind even dicht tegen zich aan. Het is geen uitgesproken mooi kind, maar het is zijn zoon en dat is voldoende.

„Laat me nou los," schreeuwt Robbie.

Tom zet de jongen weer neer. Nooit zou hij hem kunnen zeggen wat hij voelt, waarom er opeens zo'n intense vreugde is om het bezit van dit kind. Er stierf een kleine baby, een jochie met een open ruggetje. Die dingen gebeuren. God heeft zo Zijn eigen geheimen, voor de mens een eeuwig raadsel. En in een artsenpraktijk gebeuren dingen die hard zijn, koud en onbegrijpelijk.

Hij voelt de warme handjes van kleine Ruuthje om zijn benen. „Helpen," zegt haar hoge stem, „helpen met zand."

Ze gaan naar buiten.

Hij hurkt bij haar neer. Hij kijkt in het opgewonden snoetje. Alles wat ze onderneemt doet ze hevig, alsof ze de allereerste periode in haar jonge leventje nog steeds wil inhalen.

In de zandbak in de tuin is het een enorme knoeiboel. Het kind heeft nog zo weinig lijn in het spel, het rommelt maar wat aan, ontdekt voortdurend nieuwe mogelijkheden.

„Zaterdag wil opa met jullie naar Schiphol," zegt hij.

Ze veert overeind alsof ze door een elektrische schok geraakt is.

„Mag ik dan vliegen? Naar God?"

„Reken daar maar niet op," zegt Tom.

„Ik zal een briefje schrijven," zegt ze resoluut, „en dan laat ik dat op Siphol los. Ik kan het ook aan een vlieger doen."

Ze kijkt Tom peinzend aan. „Wat gék," zegt ze, „opa is een vlieger en Robbie heeft ook een vlieger en het is toch anders."

„Wat wil je op dat briefje schrijven?" vraagt Tom.

„Veel. Ik wil graag een zusje en een hond en wel drie cavia's."

Er zal geen zusje meer komen, denkt Tom. Twee kinderen is voldoende. Matty is niet zo erg sterk; drie kinderen zou misschien te veel zijn.

Robbie staat erbij, ernstig en opeens veel meer volwassen.

„Opa zou óók graag willen vliegen, hè?" Hoeveel begrijpt een kind, denkt Tom.

„Als je ouder wordt wil je ook wel eens niks doen," zegt hij tegen de jongen. „Een pijp roken, lezen, wandelen met oma."

„Maar ik weet dat hij graag wil vliegen. Hij kijkt zo anders als hij op Schiphol is."

Hij geeft Ruuthje een duw. „Het is Schíphol en niet Síphol."

„Poeh," zegt het meisje snibbig, „dat weet ik best."

Tom heeft moeite niet te lachen. Hij drinkt met een gevoel van stille vreugde zijn koffie. Alles hier in zijn en Matty's huis is altijd een bron, vanwaaruit een mens verder kan, elke nieuwe dag, vanwaaruit een ongekende kracht in golven warmte omhoogstijgt en zich verspreidt, zich samenbundelt, een beter mens van hem maakt.

„Nog iets bijzonders gebeurd?" vraagt hij.

Hij weet hoe bezorgd Matty altijd is over de kinderen, overbezorgd vaak, alsof het breekbare poppetjes zijn die nergens tegenkunnen.

Zelf staat hij daar anders tegenover. Hij ontmoet in zijn praktijk dagelijks zoveel zorgelijke situaties, dat hij ertegen moet vechten al die gevoelens en emoties thuis los te laten. Hij kan het nooit helemaal en hij wil het ook niet, omdat hij weet dat het goed is, het leed van anderen op je te laten inwerken.

Hij kijkt naar Matty's zachte gezicht, het bruinkrullende haar dat kort en speels om haar wangen valt, haar altijd aanwezige ernst die tussen haar vrolijke ogen een eigen spel speelt. Hij heeft nooit een gezicht gezien dat zoveel expressies heeft. Soms, totaal onverwacht, komt haar lach, zonnig en warm, en lijkt haar gezicht dat van een meisje. Soms is het ook alleen maar stil en zorgelijk en lijkt ze ouder dan haar jaren zijn. Hij weet waarom dat zo is. Het komt door kleine Ruuth. Bij Matty blijft de angst voor dit kind altijd aanwezig, ook al is er geen reden haar te ontzien.

Hij herinnert zich het gesprek met de hartchirurg. „Ze zal alles weer kunnen doen, geloof me. Ze is zo gezond als een vis."

„Misschien zegt hij dit om ons te troosten," zei Matty.

„Nee, ik kén de chirurg, hij zou het me zeker verteld hebben."

„Ik hoop het."

„Er zijn mensen die hun leven lang blijven twijfelen," had hij gezegd, „en daardoor hun leven lang ongelukkig zijn."

„Dat zal niet gebeuren," zei Matty zacht.

Hij drinkt zijn koffie, kijkt over de rand van het kopje naar haar.

„Waarom geef je geen antwoord?"

Ze bloost. „Zomaar," zegt ze, „ik was in gedachten."

Ze zou hem graag zeggen dat ze een vaag spoor heeft gevonden van haar vader. Maar Tom heeft haar eens gezegd ermee op te houden, aan de weet te komen wie haar echte vader was. „Wat heb je daaraan?"

„Ik wil het weten," zei ze, „vind je dat zo vreemd?"

„Nee, dat niet, maar misschien levert het meer moeilijkheden op dan vreugde."

Ze krijgt geen gelegenheid zich verder in dit probleem te verdiepen. Robbie vraagt: „Droom je als je in gedachten bent?"

„Ja, een beetje."

Als de telefoon gaat gilt Ruuthje: „Da's opa, opa zegt hoe laat hij komt. Opa...opa..."

Tomas hoort het lawaai in de kamer, de hoge stemmetjes van de kinderen, de vreugde. „Wie gilt daar zo? Hebben jullie een aap?" vraagt hij.

„Ja," zegt Tom, „onze aap heet Ruuthje."

„Ik wil met opa praten, geef mij hem nou...

„Jouw wil staat achter de deur," zegt Matty.

„Opa, hoe laat kom je zaterdag?"

Tomas hoort het. Een gevoel van warmte glijdt door hem heen, zo sterk als de stroom van een rivier. „'t Is goed dat ze weer in Holland zijn, hij heeft ze gemist, meer dan hij ooit kan zeggen. Ze zijn hun enige kinderen en toen ze weg waren was het of het leven niet meer zo de moeite waard was, net of er een voortdurende kring om de zon was.

„Nou jongen," zegt hij tegen Tom, „ik dacht zo tegen negenen."

Jóngen... zo'n vertrouwd woord, zo helemaal alles.

„Gaat Ruuth ook mee?" vraagt hij.

„Ik ga mee," gilt het kind driftig, „tuurlijk ga ik mee."

Tom grijpt haar met zijn linkerhand in haar haren. 'Grote Ruuth', zegt hij. Hij heeft nooit meer moeder kunnen zeggen, hij wilde het niet. Hij was nog maar een groot kind toen hij bij Tomas en Ruuth kwam en hij was gelukkig dat ze hem nooit vroegen 'vader' en 'moeder' te zeggen.

Soms, in een speels, intiem moment zegt hij wel eens 'mamsie' of 'dad' maar die woorden hebben niets te maken met zijn echte ouders.

„Ruuth wil ook graag mee," zegt Tomas. Heel even is het beeld van Ruuth er. Niet langer jong, gevat en verleidelijk, maar veel boeiender en vrouwelijker. Ruuth met haar zachte gezicht, haar jonge rimpels rondom ogen en mond, haar heldere kloeke stem die opbeurt, troost, begrip geeft.

Niemand anders dan zij weet wat het hem kost Schiphol te zien, de sfeer te proeven van vroeger, de tijd terug te halen waarin hij meetelde, meer van het leven hield dan nu. Of misschien alleen maar anders van het leven hield.

Maar hij laat zich niet terneerslaan, hij blijft vechten, in de stille hoop dat op een dag het litteken niet meer schrijnt.

„Gezellig," zegt Tom. In die korte zin zit heel zijn gevoel voor hen beiden, voor dat wat ze hem gaven, liefde en veiligheid.

„Ik ben er dus tegen negenen," zegt Tomas.

„Goed," zegt Tom, „hier komt Ruuthje nog even."

Hij houdt het kind de hoorn tegen het oor. Haar stemmetje is driftig en luid: „Ga je óók weer voorlezen?"

Tom ziet Robbies verongelijkte gezicht. „Nee, niet voorlezen, voetballen," zegt hij.

Tomas hoort het. „Misschien doen we alletwee na afloop," zegt hij warm.

„U moet u niet te druk maken," laat Tom zich ontvallen.

„Nee, nee, jongen, maak je geen zorgen. Tot zaterdag."

2

Schiphol is Schiphol niet meer, denkt Tomas. De sfeer is veranderd, de mensen worden voortgeduwd, lijken te bestaan uit haast. Er is gretigheid op hun gezichten, ongeduld. En er is geen vreugde.

Hij kijkt naar de kinderen, die aan zijn arm hangen. Hun wereld is nog veilig en boordevol goedheid, alles daarin kan nog ingevuld worden. Jaren geleden vloog hij zélf, was de ruimte zijn wereld, zijn hele ik, voelde hij wat gelukkig zijn betekende. Iets dóen, iets zíjn, zomaar een man met een baan, een piloot, die het leven liefhad, omdat het een uitdaging was. Was ja... Want nooit vergeet hij die dag, dat hij met zijn kist een noodlanding moest maken. Het ging snel, té snel. Hij had ten minste met de moed der wanhoop enkele kleine dorpen kunnen sparen, hij had waarschijnlijk mensenlevens gered met die wanhopige manoeuvre.

Maar zélf? Zelf was hij vanaf die dag een ander mens geworden; de angsten waren in zijn leven gekomen, de twijfels, en veel later de zekerheid. Hij zou nooit meer vliegen... Er waren afscheidswoorden, bedankjes, cadeaus. En opeens was alles uit. Was die uitdaging verdwenen, die intense levenswarmte.

„Waarom maakt een vliegtuig zo'n lawaai?" vraagt Robbie.

Waarom is een hart zo eenzaam, zou hij willen vragen. Zo koud en vertwijfeld.

Hij voelt Ruuth naast zich, altijd als hij iets te bevechten heeft ís ze er, nauwelijks merkbaar.

Hij glimlacht naar haar; maar het is geen echte glimlach; het is een grimas. Hij weet dat ze dat voelt. Is er iets dat Ruuth niet voelt?

Dat ze na al die jaren niet van hem kent? Is dat liefde? Elkaar kennen en begrijpen, dragen met woorden, met een gebaar, een lach? Hij weet het niet.

„Er zitten veel motoren in zo'n vliegende vogel," zegt hij tegen het kind, „en als die allemaal tegelijk draaien, maakt dat een geweldig lawaai."

„Was je nooit bang?" vraagt Robbie.

„Bang? Om te vliegen? Nee..."

Waarom heeft hij het gedaan, nam hij die twee kinderen mee? Hij kent zichzelf toch? Zijn eenzaamheid. Maar hij weet dat het verlangen naar deze intieme hartveroverende wereld groter is, het altijd weer wint van het gemis. Ik hoop van harte dat jij het nooit mee moet maken, jongen, denkt hij, die ontgoocheling, het weten niet meer echt mee te tellen. Vrienden te verliezen met wie je samenwerkte en die je lieten vallen omdat ze je niet meer op het werk zagen. Ik hoop niet dat je ooit zult weten wat het ís, dagen zonder kleur, voldoening, vreugde.

Wat doet God soms met een mens? Daagt Hij hem uit in de hoop dat hij zal beseffen hoe góed de jaren waren, waarin alles was wat hij van het leven verlangde? Leerde Hij hem dat er ook mensen zijn die blij zijn met één enkele goeie dag?

„Daar komt er wéér een," gilt Ruuthje.

Hij ergert zich eraan dat dit kind altijd zo gilt, alsof ze daarmee kracht wil bijzetten aan een onbeheerst enthousiasme.

Misschien ook is het zijn leeftijd. Hij kan minder verdragen, is wat sneller aangebrand, hoewel hij toch ook wel het geduld vindt spannende verhalen voor te lezen.

„Er komen en gaan er erg veel," zegt hij zacht.

Een vliegtuig is als het leven, denkt hij, een komen en een gaan, een opstijgen en een landen en dat in een voortdurend ritme, jarenlang heeft hij het hier op het vliegveld nog volgehouden als grondsteward te werken, hoe moeilijk hem dat ook viel. Totdat ook die periode moest worden afgesloten, omdat hij daar de leeftijd voor kreeg. Hij was nét zestig toen zijn pensioen inging. Hij had gedacht daarna met totaal lege handen te zullen staan, maar er was iets voor in de plaats gekomen, iets dat hij niet voor mogelijk had gehouden.

Ruuth en hij waren dichter naar elkaar toegegroeid dan in de voorgaande jaren. Misschien omdat ze er beiden hetzelfde voorstonden. Ruuth was óók haar werk kwijt, kon haar werk als arts niet langer volhouden. In dit gemis vonden ze elkaar op een totaal nieuwe weg.

„Gaan we nou vliegen?" vraagt Robbie ernstig. Hij is een jochie dat kan wachten als het moet, maar als het hem te lang duurt verliest hij zijn kalmte. Dan is zijn stemmetje beheerst kwaad.

„Goed."

Tomas kent nog veel collega's. Hij zal het Bouwens vragen. Het was een van zijn aardigste collega's.

Even later vliegen ze boven Amsterdam. De stad lijkt een gigantische legpuzzel, met duizenden stukjes.

De wereld is klein en enorm groot tegelijk. Hij kijkt naar Ruuth. Hij weet dat ze altijd een gevoel van angst moet overwinnen, dat ze bang is in zo'n vrije vogel die ver boven de aarde gaat. Ze zégt nooit dat ze bang is, ze overwint zichzelf omdat ze om hém meegaat. Het raakt hem opeens. Vrouwen hebben zo totaal anders lief, zoveel onbaatzuchtiger. Wie en wat zou hij zijn als hij Ruuth niet had? Niet toevallig op een bootreis met haar in contact was gekomen?

„Raar, vliegen," zegt Robbie voorzichtig. Hij kijkt door een van de kleine ramen naar buiten. „Alles is raar, hè opa? Net een draaimolen, maar dan anders."

Tegen zoveel onlogica kan Tomas niet op. Ruuth wel. Ze zegt.

„Omdat alles zo klein is?"

„Ook. Het is of iemand je een duwtje geeft, aldoor maar weer."

Nuchtere Ruuthje zegt: „Gekkie. 't Is fijn, en we gaan zo hoog. Ik zie de wolken."

Tomas glimlacht. Hoe zou ik me als klein kind hebben gevoeld in een vliegtuig, denkt hij. Maar in zijn jeugd was vliegen er niet bij.

Alleen een vlieger oplaten in een weiland en dan dromen dat je aan de staart mee de lucht inging…

Matty zegt tegen Tom: „Weleens prettig, zo zonder de kinderen."

Ze glimlacht wat verontschuldigend. „Zet een plaatje op."

„Goed."

Hij denkt aan Van Driel. Hoe zwaar zo'n man het nu heeft, met de zekerheid dat het eind van zijn leven in 't zicht is. Kan een mens zich voorbereiden op de dood? Op het onzekere? Kan hij afscheid nemen van het leven?

Hij zoekt een plaat van Bach. De muziek is indringend, als de kracht van vriendschap en liefde.

Hij streelt Matty licht over haar haar.

Ze kijkt hem aan, getroffen opeens door zijn warmte en aandacht.

Ze zou het hem willen zeggen, nú: „Ik heb een spoor van mijn echte vader. Ik ken iemand die hem gekend heeft en misschien weet waar hij woont."

Ja, sinds korte tijd weet ze in welke richting ze moet zoeken. In Italië, in Rimini.

„Is hij een Italiaan?" vroeg ze.

„Nee, hij is er, denk ik, gaan wonen na veel teleurstellingen. Ik hou je op de hoogte. Als ik het zeker weet bel ik je. Dat wil je toch?"

„Ja," zei ze. Ze wil het graag. Ze is al jaren bezig, zo stilletjes voor zichzelf. Niemand is van haar zoeken op de hoogte. Zelfs Tom weet lang niet alles. Waarom wil ze weten? Ze heet toch Matty Van Tiel? Ze zou zelfs kunnen zeggen, dat ze op haar vader, op de man met wie haar moeder al jaren geleden trouwde, lijkt; dezelfde lengte, en soms ook de lach. Maar ze weet dat hij niet haar vader is. Ze was bijna tien jaar toen ze een gesprek opving en begreep... „Er zijn dingen waar een mens nóóit mee in 't reine komt," zei Van Tiel.

Ze stond in de kamer ernaast; ze zocht haar poësie-album, omdat de juffrouw op school er een versje in zou schrijven.

„Dat kan," zei haar moeder.

Haar stem klonk onzeker, heel anders dan anders.

„Je mag tenslotte blij zijn dat ik al bijna tien jaar op haar heb gepast, haar mijn naam gaf. Die man heeft altijd tussen ons gestaan. Je hebt haar Matty laten dopen, goed, erg sympathiek van je om haar iets van mijn voornaam te geven, maar dat maakt het niet minder moeilijk voor me."

„Waarom begin je er nou weer over," zei moeder.

„Omdat je de laatste dagen weer zo gelukkig kijkt. Dat valt me op. Is hij soms weer in de stad?"

„Nee," zei moeder, „ik heb hem nooit meer gezien. Hij weet niet eens dat hij een dochter heeft."

„Je had het hem beter kunnen vertellen."

„Misschien."

Het was die dag net of ze veranderd was. Ze zong minder, was stiller en onzekerder en voortdurend op de loer meer te horen.

Maar ze hoorde niets meer. Ze vroeg er tante Els naar, moeders zuster. Ze kleurde toen ze op een dag tegen haar zei: „Ik weet best dat deze vader mijn vader niet is."

„Dan weet je veel. Je hebt een grote fantasie."

Ja, dat had ze. Zou ze zich dan toch vergissen? „Je mag tenslotte blij zijn dat ik al bijna tien jaar op haar heb gepast, haar mijn naam gaf..."

Ze had het gehoord.

Jaren droeg ze dit verdriet; erover praten wilde en kon ze niet.

Tante Els was de enige die haar er meer over zou kunnen vertellen. Na moeders dood had ze het haar opnieuw gevraagd, maar tante Els zei alleen maar: „Ik heb je moeder beloofd het nooit tegen wie dan ook te zeggen."

„Ik ben nou geen kind meer, ik kan het best begrijpen."

„Van mij zul je niets horen."

Tante Els stierf en ze had de moed allang opgegeven. Tot ze op een dag een neef op straat sprak. Hij zei: „Wat lijk jíj op..."

„Op mijn moeder."

„Ja, dat ook."

Ze keek hem, Jan heette hij, lang en zeker aan. „Je wilde zeggen dat ik op mijn vader lijk. Ik weet wel iets meer dan je denkt."

Het deed pijn dat te zeggen, het was net of ze de herinnering aan haar moeder bezoedelde. En ze hield zo van 'r.

Jan lachte wat onhandig. „Sorry hoor, maar ze deden altijd zo geheimzinnig. Ik kwam er toevallig achter, toen ik wat spullen uit Els haar kamer haalde. Stom hoor om in de correspondentie van anderen te lezen."

Jan was geëmigreerd en pas veel later kreeg ze een brief van hem.

„Kom binnenkort in Holland terug, ik kan je nog helpen als je dat wilt."

En vorige week was Jan langsgeweest. Hij vroeg: „Er is één ding dat me bijzonder interesseert en dat is waarom je zo in het verleden graaft."

„Om zoveel, maar vooral om kleine Ruuthje. Ik wil weten van wie ze die hartafwijking heeft, ik wil weten waar ik vandaan kom."

„Je haalt oude wonden open, misschien maak je nieuwe."

„Dat heb ik er voor over."

„Heeft de ander dat ook voor jou? Het is tenslotte niet zomaar wat, wat je wilt doen. Je denkt alleen maar aan jezelf."

„Ik zal geen brokken maken."

Hij keek haar lang aan. „Goed," zei hij, „ik zal mijn best doen."

Ze zou dit alles opeens aan Tom willen zeggen. In een goed samengaan is het normaal als je situaties samen oplost.

Maar ze kan het niet, ze wil het eerst alleen proberen. Als ze er niet uitkomt kan ze altijd nog met Tom praten.

Ze legt haar hand op die van Tom. Ze verlangt opeens hevig naar een derde baby. Gek is dat; als een mens heel zeker weet dat er geen derde kind zal komen wil hij dat kind juist. Tenminste, soms voelt ze dat zo. Maar een sterilisatie maakt dat onmogelijk en het is ook goed dat ze dat heeft laten doen. Hun gezin is compleet. Ze hadden alles zo goed doorgepraat, Tom en zij, twee kinderen was genoeg, ze konden ze later alles geven wat ze nodig hadden en die hartafwijking van Ruuthje, hun laatste, had de nodige angst en onzekerheid gebracht. Géén derde kind dus. Maar ze betrapt zich er een enkele keer wel eens op dat ze het weer zou willen, dat ze totaal onverwacht tegen Tom zou kunnen zeggen: „Ik denk dat we weer een baby krijgen."

Dat gevoel was zoiets groots, daar kon niets tegenop. Waarom neemt een mens zichzelf soms iets verrassends af?

„Hallo," zegt hij, „je ziet er goed uit."

„Ik zie er helemaal niet goed uit, ik word ouder."

„Ik vind je veel leuker dan vroeger. Ik bedoel, sommige vrouwen zijn pas aantrekkelijk als ze wat ouder zijn."

„Waar heb je dat gelezen?"

Ze lacht.

Het is zo heerlijk met Tom, je kunt je bij hem altijd ontspannen.

De kleine zorgjes van de dag lijken helemaal niets als je met hem praat. Er is een prettig samengaan tussen hen, niet sentimenteel, maar wél gevoelig. Ze wist nooit dat mannen zo kwetsbaar konden zijn. Tom is het wél, misschien omdat zijn werk hem bewustmaakt van dat wat voor een mens de grootste rijkdom is: de gezondheid. Hij zegt het zo vaak: „Je kunt alles aan als je gezond bent."

Dan denken ze óók aan kleine Ruuth, aan haar operatie, aan die weken waarin ze hechter naar elkaar toegroeiden, elkaar zo nodig hadden.

„Ik bedenk dat zomaar."

Bach's muziek houdt de kamer in een machtige greep.

„Wil je iets drinken?"

„Heb je koffie?"

„Die is zo gezet."

Tom kijkt naar een leuk kiekje van de kinderen op een laag tafeltje. Vijf is zijn oudste alweer, over een jaar gaat hij naar school; hij kan soms zo wegdromen, zo helemaal niet aanwezig zijn. Daar zou hij bij het leren last van kunnen hebben. Ach wat, de jongen is nog zo jong. Je moet nooit zo ver vooruit piekeren. Maar niemand beter dan hij weet dat elke dag die een mens krijgt er één is.

Soms heeft hij van die bespiegelende buien, dan kan hij nét als Robbie wegdromen, er even helemaal niet zíjn, denken aan alles en niets, bezig zijn en niet weten waarmee. Van de week praatte hij met Tomas en het viel hem opeens op dat die langzamer werd, rustiger, alsof hij altijd op iets wachtte dat hij nog niet had. Het onbekende, de laatste jaren, de toegift ook. Je wist nooit hoeveel tijd je nog had.

„Koffie," zegt Matty.

„Je raadt nooit wat ik van de week hoorde, ik vergat nog het je te zeggen. Bas schijnt getrouwd te zijn. Ik snap niet waarom hij dat niet heeft geschreven."

Bas… de vriend van Tomas, een man op jaren. Een man waar Tomas altijd met iets van humor in zijn ogen over vertelde. „Hij heeft tientallen vrouwen gehad. Maar hij zoekt een vrouw als Ruuth."

„Bas blijft een zwerver, altijd onderweg, misschien onderweg naar zichzelf," zei Ruuth dan. „Op een dag zal hij weten wie hij is en dan hoop ik dat hij zijn eigen plek vindt."

„Van wie hoorde je het?" vraagt Matty.

„In het ziekenhuis ligt een patiënt die hem goed kent, die net als Tomas op Schiphol heeft gewerkt. Van Driel, je weet wel."

„Ja," zegt Matty. Want soms praat Tom thuis wel eens over zijn patiënten, vooral als hem iets dwarszit. „Weet Tomas het al?"

„Ik denk het niet, anders wisten wij het wel van hém."

„Zég je het Tomas als hij met de kinderen thuiskomt?"

„Ik weet het niet. Hij trekt het zich misschien aan omdat hij geen bericht heeft gehad."

„Zo kinderachtig is Tomas niet. Hij zou de eerste de beste trein of het eerste vliegtuig nemen om erheen te gaan, dat weet je. Vriendschap tussen mannen is heel bijzonder."

De telefoon gaat. Tom neemt hem aan. Het is bijna altijd voor hem.

„Ik kom eraan," zegt hij.

„Een bevalling. Ik weet niet hoe laat ik terugben."

Hij geeft Matty een zoen, kijkt haar even aan. „Je hebt nog geen enkele rimpel."

„Ik ben ook pas dertig."

„Ik weet nog dat je als een berg tegen die dag opzag; negenentwintig leek jonger."

„En jij dan?" Haar stem is plagend. „Het vorige jaar wilde je je verjaardag niet vieren omdat je al dertig werd. Wat moet dat worden als je de zestig haalt?"

„Als ja… dat is nog maar de vraag. Ik ga. Dag…"

Als hij weg is blijft Matty voor het raam staan. Het zou fijn zijn als Jan nú belde, nu ze alleen is.

Het meest heerlijke voor kinderen is mee uit met oma en opa, een beetje meer verwend worden dan thuis, wat meer mogen, heel anders benaderd worden.

Ruuthje hangt tegen Tomas aan als ze weer op de grond zijn.

„Moe," zegt ze.

„Vond je 't leuk?" vraagt Tomas. Zijn hand strijkt over haar haren.

„O, jawel, maar krijgen we nou ijs of petat?"

„Je krijgt limonade en gebak."

„Maar dat wíl ik niet."

Ze stampt erbij, haar hele gezichtje wordt rood.

Tomas knipoogt naar Ruuth.

„Ik wil wel limonade," zegt Robbie zacht. „En ook wel gebak."

„Jakkie, nee."

Tomas en Ruuth verbieden weinig, doen alleen alsof er niets bijzonders aan de hand is.

Ruuthje loopt onwillig mee. „Ik eet het toch niet," mokt ze.

„Opa," zegt Robbie, „vroeger, toen je erg vaak zo hoog in de lucht was, zag je toen nooit engeltjes en allemaal dooie mensen? Want die gaan toch naar de hemel?"

„Ik zag alleen maar enorme witte wolken waar we hoog overheen gingen en die net op reusachtige witte bedden leken, gevuld met opgeklopte slagroom. Ik zag het goud van de zon en het blauw van de lange strepen lucht, die zo heel dun en soms zwaar en groot tussen de wolken doorgleden, en..."

„Maar je zag geen engeltjes?"

„Nee, nooit. Maar we vlogen altijd ook zó hard, ik zou ze nooit hebben kúnnen zien, mruuth. Misschien zaten ze wel net achter de wolken."

Hij houdt van dit fantasierijke kind, dat ook in hem weer iets van het kind wakkermaakt, hem iets teruggeeft van het wonder dat in een mens leeft, de ongebreidelde warmte van de innerlijke gedachten en gevoelens, gevoed door de grenzeloze wereld van de fantasie.

„Jammer, ik zou zo graag willen weten of engeltjes meisjes zijn of jongetjes. Nou weet ik dat niet."

„Ik denk wel dat jíj ooit een engeltje wordt," zegt Tomas.

Voor hen, in een kleine straat, ver buiten het lawaai van het vliegveld is een intiem restaurant. Hij duwt de kinderen met zachte dwang die richting in, Ruuthje probeert het nog één keer.

„Petat en ijs," zegt ze.

Ruuth glimlacht. Een kind als die kleine meid moet je nooit kwaad maken. Ze kan enorme driftaanvallen krijgen. Thuis wordt zo'n aanval genegeerd, maar in een restaurant met mensen is alles anders.

Een aardig meisje neemt de bestelling op.

„Twee koffie en twee limonade en vier gebak."

„En petat," gilt Ruuthje.

Het aardige meisje doorziet de situatie, komt even later terug met de bestelling en heeft voor de kinderen ieder een paar kleine brosse stukjes petat mee.

„Oei…" gilt Ruuthje. Ze stopt de enkele stukjes tegelijk in haar mond en kijkt triomfantelijk, zo van: „Lekker, ik heb mijn zin."

Maar ík ook, denkt Ruuth en ze glimlacht naar de hummel die daar als een brok pure levensvreugde op haar stoel zit en de hele wereld lijkt te beheersen.

Robbie zit, als altijd, naast Tomas. Tomas heeft van die grote zachte handen en als hij lacht zijn er lichtjes in zijn ogen. Hij kan zo prachtig vertellen over verre landen en grote zeeën, over wilde dieren en vreemde mensen die een andere huidskleur hebben. Hij zou willen dat opa altijd bij hem bleef, altijd zou vertellen, soms erg blij en vrolijk, soms een beetje stil alsof hij er zo weer naar toe zou willen. Maar over de oorlog vertelt hij nooit. Hij heeft het eens een keer gevraagd en toen zei opa alleen maar: „Dat is allemaal zo naar, mensen doen elkaar pijn."

„Maken elkaar hartstikke dood, hè?" Ja, dat had hij gezegd en hij weet nog dat opa toen stil was en niet verder vertelde.

Dood, wat zou dat toch zijn? Hij zou het opa zo graag eens willen vragen, maar dan moest hij helemaal alleen met hem zijn. Opa's weten altijd zoveel…

„Hoe smaakt het," vraagt Tomas. Hij geeft het kereltje een knipoog.

„Lekker," zegt Robbie. Maar zijn gedachten zijn ergens anders…

3

Op een avond zegt Tom. „Voor we midden in de winter zitten moesten we met z'n allen nog eens een weekend naar het eiland gaan. Dat deden we het vorige jaar ook. We kunnen er ook een vakantie van maken, ik heb binnenkort veertien dagen vrij."

„Alweer vrij?" lacht Tomas. Hij komt vaak zo midden in de week eens een praatje maken. Hij doet dat vooral als Ruuth een avond of een middag heeft met de 'huisvrouwen'. Ze is er al jaren lid van.

Vroeger had ze daar nooit tijd voor. Hij had er nooit iets op tegen; een vrouw moest ook in haar huwelijk haar eigen interesses hebben. Hij heeft ze zelf ook, hij tennist graag, hoewel hij het niet meer zo lang volhoudt als vroeger.

„Tom heeft het nodig," zegt Matty.

Het valt Tomas op hoe snel en vaak ze het voor Tom opneemt, hoe ernstig ze kan zijn.

„Het zou leuk zijn als jullie ook meegingen," zegt Tom.

„Dan kunnen we mooi op de kinderen passen."

Tomas' stem is zacht en ondeugend.

„Niet alleen daarom, dat weet je."

Het is fijn, denkt Tomas, dat ze ons er altijd bij willen hebben, dat we niet uitgeschakeld worden, en er zo helemaal bijhoren, in alles.

Dat is ook met Matty zo. Ze zijn aan elkaar gehecht op een wonderlijke manier, nooit met veel woorden, alleen maar in daden. Want het moet in het leven zo zijn, dat, als je zoon trouwt, je er een dochter bijkrijgt, dat je samen meer te geven hebt. Als je zóón trouwde... Hij glimlacht, het is waar. De jongen ís tenslotte hun zoon geworden. Iets dat uiteindelijk toch ook een beetje uit henzelf is voortgekomen, met enorme liefde en inzet.

Ze kunnen zich niet voorstellen dat de jongen er niet geweest zou zijn. Het leek of hij altijd een grote plaats in had genomen, zo klein als hij was toen hij bij hen kwam, zo eenzaam en verlaten ook. Nooit zal hij Tom kunnen zeggen, hoezeer die hun leven heeft verrijkt, er iets aan toevoegde, dat geen woorden had. Want de meest diep liggende gedachten hebben geen woorden, alleen maar een eigen gezicht, en een eigen kleur.

Hij maakt van zijn handen een vuist, Tomas. Dat doet hij vaker als hij zich geroerd voelt, een vuist maken, alsof je daarmee je gevoelens een beetje de baas kan.

„Ruuth zal het ook fijn vinden," zegt hij. „Ze is dol op het eiland en dol op de kinderen. Dat is dan afgesproken. Nee, geen koffie meer, ik stap op. Het is al bij tienen en eer ik thuis ben…"

„Ja, je woont ook zo ver hier vandaan," lacht Tom.

„Ach, jongen, klets niet."

Hij staat op, Tomas Breuking, een lange schrale man met een gezicht waarop het leven veel ervaring heeft geschreven, met ogen waarin nog iets van tevredenheid is. Want soms moet een mens door een dal om een sprankje licht te zien. Soms moet een sterk gevecht geleverd worden om als winnaar redelijk uit de strijd te komen.

Niemand beter dan hij weet dat. Als hij bij de deur is, zegt hij, „wanneer wilden jullie gaan?"

„Het volgende weekend."

„Da's goed. Bedankt en tot kijk."

Hij slaat de deur achter zich dicht. Op straat is de wind guur en bijtend. Er zit al iets van de naderende winter in, iets van de grimmigheid van vorst en kou. Onder het lopen gaan zijn gedachten als flitsende lichten. Bas is getrouwd en hij heeft het hem niet geschreven. De wereld is klein en soms loop je een man tegen het lijf die je zegt: „Hé, Tomas, wat vind je van die ouwe Bas? Begin zestig en dan nog in de huwelijksboot!"

„Hoezo?"

„Tjonge, man, we lazen het in een krant. Je moet maar lef hebben."

„Weet je het adres ook?"

„Hij woont tegenwoordig in Londen, hij schijnt daar aan de een of andere krant verbonden te zijn. Ik kan het adres wel aan de weet komen. Ik bel je wel."

„Oké."

Het had verdraaid veel pijn gedaan, omdat Bas hem niet persoonlijk had laten weten deze plannen te hebben. Maar waarom zou Bas ook? Zo vaak zagen ze elkaar niet meer. Soms belden ze nog wel eens, maar je ontgroeide elkaar onwillekeurig toch een beetje, vooral omdat Bas een zwerver was. Altijd onderweg, vaak op reportage voor de een of andere krant. Een eeuwige gelukzoeker, hard vaak, cynisch, maar als je hem goed kende, overgevoelig.

Misschien had hij het veel later aan vrienden willen zeggen, hen willen verrassen. Een mens moest niet direct zo beroerd over een ander denken, want vaak is het mis wat in je opkwam.

De wind waait hard om zijn gezicht. Hij regelt zijn passen naar de harde adem van de herfst en met een gevoel van tevredenheid draait hij de sleutel in het slot.

Ruuth is al thuis. „Hallo," zegt ze. „Lekker op tijd."

„Ik heb zin dit weekend naar Londen te gaan. Met jou natuurlijk. Ik wil Bas zien."

Ze begrijpt het. Van de week was hij stil, omdat de een of andere kerel hem had verteld dat zijn boezemvriend getrouwd was zónder het hem te zeggen. Zonder dat hij er ook maar een flauw vermoeden van had, dat de zwerver tot rust was gekomen.

„Als je weet waar hij zit, lijkt het me raadzaam hem eerst te bellen," zegt ze praktisch.

„Daar kom ik wel achter."

Ze kent Tomas, voor zover de ene mens de ander een beetje kent.

Ze houdt van zijn directheid, zijn trouw, zijn botheid soms, maar boven alles houdt ze van hem omdat hij is die hij is; een man zonder franje, open en goed. Een goed mens, die vaak deze wereld met zijn totaal andere normen en waarden maar moeilijk aankan, die nog stilletjes hunkert naar de tijd van het schemeren tussen vijf en zes uur, van de spelletjes rond de tafel, de rust en de aandacht voor elkaar en vooral de huiselijke warmte. Er is nooit een terug, er is ook geen toekomst, alleen maar een nú.

Ze nestelt zich wat dieper in de lage leunstoel. Ze is blij met dit huis, omdat het niet groot is, je een gevoel van veiligheid geeft, als een mantel om je heen sluit in een grote geborgenheid. Er is een tuin, waar Tomas zich mee bezig houdt, en de zon gooit in de zomer en het voorjaar met goedige grote handen licht en warmte over het kleine gazon en de beplanting. Het is een huis om echt in te léven. En het is maar een kwartier bij de kinderen vandaan.

Er zijn van die plotselinge ogenblikken dat je voelt wat je allemaal hébt, hoe intens rijk je bent. Misschien zijn die ogenblikken daarom zo waardevol omdat ze van tijd tot tijd voelbaar zijn.

„'t Was een leuke avond," zegt ze. „Dia's van iemand die naar de wildparken in Kenya was geweest."

„Het is daar fantastisch," zegt Tomas. „Ik ken het, ik ben er diverse malen op vluchtroutes geweest."

„Je mist het nog vaak, hè?"

„Ik heb mijn herinneringen en mijn fantasie," zegt hij vlak. Op dit terrein laat hij niemand toe, díe wereld is met niemand te delen. Die kende jij alleen.

„Dat is erg veel," zegt ze.

Ze vraagt nooit meer dan hij kwijt wil. Hij zou het ook niet dulden als ze meer vroeg dan hij wilde zeggen.

In een flits zijn daar de jaren die ze samen achter zich hebben, de moeilijke jaren van de ontdekking, de roekeloze verliefdheid, de jaren van kritiek op elkaar, afweer en niet toegeven, en nu de jaren van innerlijke rust en totale herkenning. Jaren waarin je, zo totaal anders dan in het begin, opbouwde, blij bent met elkaar zoals je bent, niet zoals je elkaar graag wil hebben.

De telefoon gaat. Ze hoort Tomas zeggen. „Wat…? ben je hier? Bas is aan de lijn. Of hij nog kan komen. Ja, natuurlijk is dat goed. Dat is toch goed, hè Ruuth…?"

Ze kijkt naar de klok. Het zal een late avond worden. Er springt een lach in haar ogen. „'t Is prima," zegt ze. Zelden is Tomas' gezicht zo blij en weer een klein beetje de jongere man die ze leerde kennen. Soms heeft hij dat zelfde lichte, leeftijdloze, als hij met Robbie praat of met Ruuthje.

Als Tomas de hoorn neerlegt, zegt hij. „Hoe bestaat het! Ze zijn híer, ze hebben een hotel en willen komen. Je weet met Bas ook nooit waar je aan toe bent."

„Jammer van het uitje naar Londen," zegt ze schalks.

„Waarom? 't Is daar toch een onrustige boel."

Ze weet best waarom hij zo jongensachtig blij is. Omdat Bas hem níet heeft vergeten. Zelf zou ze net zo zijn, want er zijn van die kleine vreugden als je voelt dat er een band is…

Als Bas en Lucie na een kwartier bellen heeft Tomas al een poosje voor het raam staan kijken.

Hij rent naar de deur. „Zo, ouwe jongen, wat lever je me nou weer? Is dat je vrouw? Hoe heet ze?"

„Lucie," zegt Bas.

Ruuth herkent zijn stem onmiddellijk, de nog altijd speelse, lage stem met het donkere timbre, waar zoveel vrouwen voor vielen.

Ze herinnert zich een nacht dat hij dronken bij haar kwam en vroeg te mogen praten. Ze had hem weg willen sturen, maar na lang aanhouden van zijn kant hem toch binnengelaten. Ze herinnert zich dat hij bleef slapen, netjes op de logeerkamer, en dat hij de volgende morgen een briefje achterliet met zijn excuses. God, ja, waar blijft de tijd? Hij had haar met geen vinger aangeraakt, hij was er ook te dronken voor. Ze respecteerde hem, omdat ze begreep waarom hij in die jaren dronk. Omdat hij zichzelf zocht en het doel van zijn leven.

Ze voelt zijn zoen, hartstochtelijk en fel. „Ruuth..."

Ze glimlacht naar de vrouw in de deuropening en in een flits ziet ze dat deze vrouw er een is van het soort dat Bas nodig heeft.

Begripvol, kordaat en vooral een vrouw die het leven kent en doorziet.

Ze voelt de glimlach van die vrouw, die er een is van warmte en liefde, alsof ze wil zeggen: „Jaloersheid ken ik niet. Ik kén Bas."

Lucie is groot, stevig, grijsblond, een vrouw die opvalt door openheid en sympathie.

„Doe je jas uit," zegt Ruuth.

„Ik had jullie willen opzoeken," zegt Tomas.

„Je wíst het dus? Je vond me zeker een klier omdat je er niet bij was."

„Nogal ja."

„Daar hadden we geen zin in, we zijn niet jong meer en we woonden al een tijdje samen. Vandaar dat al die rompslomp ons geen cent interesseerde. Nou, hoe vind je haar?"

„Ze houdt je misschien wat in 't gareel," zegt Tomas rustig.

„Op míjn leeftijd...! Goeie genade, de ergste drift is wel een beetje weg."

Hij haalt een fles champagne tevoorschijn. „Als excuus voor een late visite."

„Ik bedank," zegt Lucie. „Ik drink niet, ik kan er niet tegen."

Wat later, als Lucie en Ruuth in de keuken staan te kletsen, zegt Bas. „Ik heb nog nooit zoveel respect voor een vrouw gehad als voor Lucie."

Hij aarzelt. „Ze heeft jaren gedronken, ze heeft een rotleven achter de rug. Toen ik haar ontmoette was het een labiele meid, die aan elke impuls toegaf. Ze trok bij me in en ik weet hóe, maar ik gaf haar zekerheid en een thuis. Ze had dat nooit gekend. Kindertehuizen, van de ene pleegfamilie naar de andere. Een rusteloze zwerfkat, net als ik, op zoek. Dat bond me aan 'r, dat rusteloze, want dat kende ik. We woonden een half jaar samen toen ik zag dat ze minder begon te drinken, ze had er geen behoefte meer aan. Veel later durfde ik het met haar aan, begrijp je?"

„Ja," zegt Tomas. „Wie dat niet begrijpt is gek. Ze is geschikt."

Bas lacht. „Ze is niet zoals jouw Ruuth. Ik was destijds best gek op

Ruuth, maar ze had jou en bovendien een vent als ik paste niet bij 'r."

„Je moet nooit vergelijken en je moet nooit zulke idiote dingen zeggen. Ik ben blij voor je."

„Ja," zegt Bas, „dat ben ik ook voor mezelf. We hebben het goed."

„Lekker geroddeld?" zegt Ruuth. Ze heeft hartige hapjes gemaakt. Haar gezicht is warm, haar ogen glanzen.

„Ja, natuurlijk," zegt Tomas. „En jullie?"

„Wij ook."

„Ik werk nu voor een krant in Londen, zoals je misschien weet. Jullie moeten eens een keertje komen, het is maar een paar uur vliegen. Ik zal m'n adres achterlaten."

Ruuth lacht. „Dus tóch naar Londen," zegt ze.

Tomas lacht ook.

„Wat hebben jullie?"

„Onderonsje."

Tegen half twee is het licht uit in huize Breuking. Ruuth ligt in het donker voor zich uit te kijken, ze voelt Tomas naast zich.

„Het is gek," zegt ze, „hoe blij je kunt zijn om iemand die je vroeger niet mocht."

„Mocht je Bas niet?"

„Ik had medelijden met hem, anders niet, en vond het stom dat hij zijn leven zo vergooide, er niks mee deed."

„Dat lijkt zo," zegt hij. „Hij heeft er meer van begrepen dan jij en ik, omdat hij weet hoe het níet moet."

Hij geeft haar een zoen. „'t Is al laat," zegt hij. „Laten we gaan slapen."

4

Terschelling. Een oase van rust, vrede en schoonheid. Een stuk land, dat elk seizoen nieuwe kleuren heeft, nieuwe geluiden, eeuwig anders. Een strand dat de rusteloze golven van de zee met blonde rust ontvangt, terugduwt en lokt, in een voortdurend ritme.

Het huisje ligt op een duin, wat eenzaam, als een uitkijkpost, een kleine jeugdige wachten, als een vriend voor wolken, water en wind. Hoge uitdagende luchten drijven over het onberoerde land, spiegelen zich in het grijze, koudkleurige water, lossen zich op ver achter de wijde horizon.

Maar voor je daar bent, is er eerst de tocht met de boot van het vasteland naar de stilte.

Het is nog tamelijk rustig op de boot, er zijn weinig mensen aan boord, omdat er niet veel in deze rusteloze dagen behoefte hebben naar de stilte van een eiland te reizen en ook omdat de herfstvakanties nog niet zijn begonnen.

Er is een groepje kinderen dat in een van de Terschellinger dorpen woont, gehandicapte kinderen, onder leiding van leidsters. Ruuth kan haar ogen niet van deze kinderen afhouden. Die meisjes en jongens doen een beroep op het allerbeste en zachtste in haar. Er is geen echt medelijden, wel een medeleven. Ze weet uit haar vroegere ervaring als arts dat er maar iets verkeerd behoeft te gaan of de baby heeft een afwijking. Een moeder kon in de eerste maanden van haar zwangerschap rode hond hebben gekregen, een kindje kon bij de bevalling zó in de knel raken dat de hersentjes beschadigd worden. Ja, een baby kon zo maar door een onzichtbare factor worden beïnvloed en uitgroeien tot een eeuwig afhankelijk mensenkind.

Ze kijkt ernaar; ze voelt Tomas naast zich. „Wij hebben nooit kinderen gehad," zegt hij. „Ik zou ze graag hebben willen beschermen, opvoeden tot goede mensen. Als we het wél hadden aangedurfd wie weet was zo'n kind dan net als deze kinderen. We waren tenslotte op een leeftijd waarin je risico's loopt."

Ze keert zich naar hem toe. „Ja, dat is zo."

Ze leunt even tegen hem aan. „Ik denk aan de Rijnreis, aan een railing en aan een gesprek met een mij totaal onbekende man."

„Ja," zegt hij. „Ik vond het toen nogal vrijpostig je aan te spreken."

„Als je het niet had gedaan zou ons leven totaal anders zijn verlopen."

Hij slaat een arm om haar schouder. De zee geeft rust en bezinning. Je geeft je over aan de cadans van de golven, meesterlijke balletdansers in een voortdurende choreografie.

Matty en Tom houden Robbie en Ruuthje in de gaten, vooral Ruuthje, die een sterk avontuurlijke inslag heeft. Robbie ziet in de dansende golven een wisselend schouwspel, zijn kinderfantasie leeft in een andere wereld, in die van grote watermonsters en zeemeerminnen, maar ook in de stille vraag waar al dat zo gelukkig dansende water toch vandaan komt en waar het heengaat.

Ook Matty heeft het groepje gehandicapten gezien. Ze kijkt er met verbijstering naar en het valt haar op hoe gelukkig deze kleinen eruitzien, hoe veilig en beschermd.

Tom praat met een man van het eiland zelf. „'t Is gek, meneer, maar op een eiland, waar het bijna altijd waait, vlaagt de regen meestal snel weg. Er is zelfs vaak zon en het klimaat is er, ondanks grijze luchten en korter wordende avonden, altijd plezierig."

Matty loopt in de richting van de kinderen, er is een sterk verlangen hen van wat dichterbij gade te slaan. Eén van de leidsters leunt over de railing, maar draait zich van tijd tot tijd om om de kinderen goed in het oog te houden.

Matty glimlacht naar haar. Ze komt naast haar staan. „Het lijkt me zo zinvol dit werk te doen," zegt ze opeens.

„O, maar dat ís het. Ik werk al jaren in het tehuis. Ik ken alle kinderen op een prik, met al hun fouten en goedheid."

„Het moet erg moeilijk zijn," zegt Matty, „vooral moeilijk om zo'n kind in andere handen te geven."

„Als je niet aan jezelf, maar aan het kind denkt is het niet zo zwaar. Geen enkele ouder kan een kind vasthouden. Het is hun bestemming om uit huis te gaan, hoe vroeger hoe beter."

De wind waait vochtig langs Matty's slapen. Ze weet niet waarom ze naar deze vrouw en deze kinderen als een magneet wordt toegetrokken. Misschien omdat ze met Ruuthje zulke vreselijke maanden doormaakte, misschien omdat de onzekerheid betreffende Ruuthjes gezondheid nog steeds niet weg is.

Met beheerste emotie vraagt ze. „Is het krijgen van zo'n kind, erfelijk?"

De vrouw kijkt haar even aan. Haar stem is rustig, zelfverzekerd.

„Ieder ouderpaar kan een kindje krijgen dat niet optimaal functioneert. Dat heeft met erfelijkheid niets te maken. We hebben hier kinderen van de meest intelligente ouders en tóch zijn ze geschonden, het is eigenlijk een nog groter wonder als alles goedgaat, maar daar denken de mensen nooit aan, omdat het meestal wél goed gaat. Kijk, dat kleine kereltje daar met die wollen muts op, hij liep bij de geboorte een hersenbeschadiging op, maar hij is gelukkig in zijn wereldje dat geen zorgen kent, geen angsten en toekomstproblemen. Hij zal altijd gelukkig zijn. Ik vraag me wel eens af of alle andere zogenaamd gezonde kinderen wel ooit echt gelukkig zijn. Ik weet het niet."

„Denkt u nooit aan het waarom van deze geboortefouten?"

„Nee, want er is geen waarom, alleen maar een aanvaarding."

Matty glimlacht naar een klein meisje, een mongooltje, met de primitieve lach van een ontspannen diertje. Ze wendt haar hoofd af.

De leidster wordt even weggeroepen en Matty staat alleen aan de railing en kijkt uit over het water, dat troost en antwoordt. Waarom heeft ze zich al die jaren zorgen gemaakt over Ruuthje, over de steeds weerkerende vraag of ze die hartafwijking misschien van de familie van haar vader had geërfd? Waarom wilde ze wéten, terwijl er toch nooit een afdoend antwoord was gekomen.

„Het heeft met erfelijkheid niets te maken," zei de leidster. „We hebben hier kinderen van de meest intelligente ouders..."

Is dit het nou, waarnaar ze onbewust gezocht heeft? Naar een antwoord. Moet ze ophouden met dat rusteloos zoeken naar haar vader? Wat wil ze dan weten? Wie hij is, wat hij doet, of hij intelligent is? Maar wat maakt dat allemaal uit. Ruuthje is nu gezond, Robbie is een intelligent ventje, ze hebben het goed, Tom en zij. Waarom dan dat zinloze gepeuter in een verleden dat afgesloten is?

Er is in haar gedachten en vooral in haar gevoelens wat rust gekomen. Toch komt deze ontdekking zo totaal onverwacht, dat er alleen maar een stilte in haar is, geen blijdschap. Ze moet dus proberen er niet meer aan te denken, aan die onbekende vader, die – gevoed door haar fantasie – een rol speelde, die sterk overtrokken was.

Nu moet ze leren die vader uit haar leven te bannen. Met wie kan ze hier beter over praten dan met Tom? Ze zal hem alles zeggen, alles van Jan, van haar stille strijd te willen weten.

Ze hoort Tom roepen. „Mat... honger! Kom je? Wat sta je daar nou? Ik heb m'n handen vol aan de kinderen."

Ze was alles om haar heen vergeten.

„Deed je een bod op een goeie longontsteking?"

Toms gezicht is boos. „Water trekt altijd zo," zegt ze zacht. Ze zou willen zeggen: ik ben gelukkig, er is iets van me afgevallen, iets dat ik jaren met me meedroeg, in Nieuw-Zeeland, in Holland zoveel jaren. Er is iets met zachte hand weggehaald, zoals bij een nauwelijks merkbare operatie. En ik zal vechten dat het nooit meer terugkomt, die vreemde behoefte een man te kennen met wie ik niets gemeen heb.

De overtocht naar het eiland duurt een paar uur. Het lijkt lang, maar het is eigenlijk maar een zucht. Omdat er zoveel te zien is. De kinderen zijn vervelend, ze kunnen niet hollen en vliegen, ze hebben weinig speelgoed. Wél in de koffer, maar niet in handen. Ruuth probeert in de kajuit met kleine Ruuthje een spelletje te doen, met blokken en een kleine puzzel, maar het kind wil steeds iets anders. Op het laatst zegt Tomas met rustige stem: „Als je nou niet ophoudt doe ik je een zwemvest om en laat ik je achter de boot aan zwemmen."

Haar gezichtje straalt. „Doe je dat? Maar het water is koud en ik heb geen zwemvest."

Robbie zegt: „Opa gooit je zo in zee en dan komen er vissen die je opeten."

„Niet hè? Nietwaar hè?"

„Natuurlijk niet, wat zouden we moeten zonder onze Ruuthje?"

Ze lijkt opeens wat rustiger, maar Ruuth weet dat dat maar tijdelijk is. Het is net of ze nog steeds aan het inhalen is, wat ze voor haar ziekte aan levensdrift heeft moeten inhouden.

Robbie zit weer dicht naast Tomas. Overal om hen heen is gepraat, soms geeft de fluit van de boot een harde schrille kreet, mensen lachen en lopen en overal is het lawaai van kinderen die roepen en spelletjes doen.

Robbie zou het nu wel aan opa kunnen vragen. Niemand let op hem en opa rookt zijn pijp. Dat doet hij altijd als hij rustig is en kijkt alsof er zó een mooi verhaal komt.

„Opa, als je dood bent dan ga je naar God, hè?"

„Ja," zegt Tomas.

„Maar hoe kan dat nou? Hoe kom je bij God? Moet je dan met een vliegtuig of met een grote trap?"

Tomas weet dat jongetjes van zijn jaren erg met de dood bezig zijn. Hij zegt: „Je hebt toch wel eens gezien dat er een kerkhof bij opa in de buurt is, daar achter de verkeersweg, op dat stille gedeelte met die hoge bomen?"

„Waar zoveel vogels zijn?"

„Daar ja. Weet je wat een kerkhof is?"

„'t Is geen kerk of zo."

„Nee. Heb je nooit gezien dat daar zwarte wagens naartoerijden, met van die dichte gordijntjes?"

„Ja, dat heb ik een keer gezien en toen stapten er mensen uit die ook in het zwart waren. Ik weet het wel, daar worden mensen gegraven."

„Begraven."

„Maar hoe kun je dan naar God als je daar op dat kouwe kerkhof moet liggen?"

„Alleen het lichaam van een mens blijft op dat kerkhof. Het zou nooit kunnen dat lichamen helemaal naar boven gaan. Weet je wat er naar God gaat? Je denken, je lachen, je praten. Ik praat nou tegen jou, je kunt me goed horen. Ik lach, ik vertel je verhalen. En dat gaat allemaal naar God. Heel eenvoudig."

„Dan is het helemaal niet erg hè om naar God te gaan?"

„Nee, dat is helemaal niet erg."

„Maar... opa... hoe is dat nou met een poes of met de vogels in de tuin?"

„Hetzelfde. Hun veertjes blijven hier, poes' velletje ook, maar het miauwen van de poes en het zingen van de vogels, hun stemmetjes, dat gaat weer naar God."

„O."

Hij zit stil en denkt na. Dan zegt hij vrolijk. „Ja, opa, ik begrijp het."

Ruuthje heeft maar half geluisterd. Ze zegt opeens. „Gek hoor."

„Jij bent een grote stommerd," zegt Robbie. „Opa weet alles."

„Opa verliest met puzzelen, hè opa?" Ze houdt haar hoofdje wat opzij en kijkt hem hartveroverend aan.

Hij lacht naar dit kind. Het zal een kordate jongedame worden die niet gemakkelijk zonder handschoentjes zal zijn aan te pakken.

Maar misschien heeft dit kind het in deze harde maatschappij veel gemakkelijker dan Robbie met zijn zachte natuur.

De boot geeft een harde, triomfantelijke schreeuw. Stemmen roepen, de loopplank gaat uit.

Ze zijn op het eiland. Matty ruikt er de typische geur van bos, duinen, hei en strand, vermengd met de ziltheid van de zee.

Misschien verbeeldt ze het zich ook maar.

Het huisje boven op het duin ligt er verlaten bij. De kaboutergordijntjes zijn dicht, de luiken gesloten. Tom heeft het gevoel helemaal thuis te zijn. Hij zou hier willen wonen, een kleine praktijk uitoefenen, maar een mens kan zich niet te veel wensen. Maar één ding heeft hij wel in gedachten, hij zou het huis willen kopen. Ze huren het nu al een aantal jaren via de plaatselijke vvv, maar hij zou er een bod op willen doen. Het moest een groot gevoel van geluk zijn hier te mogen wonen.

De kleine winkels in het dorp zijn open, de winkels met de persoonlijke bediening, de aparte tegemoetkomendheid, de echte dienstbaarheid. Waar vind je dat nog? Hartelijkheid, een lach, zangerige stemmen. „Waarmee kan ik u helpen? We hebben net alles vers binnengekregen."

Het huis is koud en een beetje vochtig. Tom zet de kachel aan; er is een flinke gashaard midden in de kamer.

„Mogen we naar het duin?" vraagt Ruuthje, maar haar ogen staan moe en slaperig.

„Nee, morgen. Het wordt nu over een uurtje donkerder en de wind is koud. We gaan morgenochtend met z'n allen."

Robbie grijpt een boek en bekijkt de plaatjes. Alles en iedereen is bezig.

De middag verglijdt in de avond. De duisternis glijdt met zachte hand en in een wijd glooiende mantel over het land, met hoge wolkenkragen en flarden bleekgeel licht.

„Ik zie steeds een lichtje," zegt Robbie.

„Dat is de vuurtoren," zegt Ruuth. Ze is moe, het sjouwen met koffers – ook al droeg Tomas ook het een en ander – vermoeit haar toch. Soms merk je dat je niet meer zoveel kunt sjouwen als jaren geleden. Zo heel geleidelijk voelde je je jaren. Misschien is dat wel de grootste zegen, dat alles zo geleidelijk gaat; je eerste leesbril, een plaatje met nieuwe tanden, grijze strepen in je haar... Ze glimlacht. Eén ding wordt niet ouder, alleen maar anders. Dat is de liefde; die verdiept zich, lijkt inniger en rijker. Je kunt er veel meer mee doen dan toen je jonger was. Soms zou je je kinderen en kleinkinderen willen zeggen waar het om gaat in het leven, maar het is beter dat ze hun eigen fouten maken. Hoe moet je anders leren wat de waarde van alles is?

Omdat het huisje niet al te groot is, is het een beetje passen en meten met de ruimte. De kamer is tamelijk ruim, met aan de zijkanten grote ramen, maar de slaapvertrekken hebben stapelbedden. Er zijn drie slaapkamers, naast elkaar aan een gang, waarop ook de douche uitkomt en het toilet. De keuken is aan de achterkant.

„Een mens is nooit te oud om te leren," zegt Tomas als hij de stapelbedden ziet. „'t Is alleen jammer dat ik je voeten niet kan warmen."

„Wil jij boven?" vraagt ze.

„Als jij geen bezwaar hebt."

„Nee, ik slaap liever beneden."

Ze grinnikt vergenoegd.

„'t Is geen ruimte voor een pas getrouwd stel," zegt Tomas.

„O, die zouden daar wel een oplossing voor vinden."

Ze leunt even tegen hem aan. Ze zou willen zeggen dat ze zo blij is met zijn opgewektheid. Er waren tijden – en die liggen nog niet eens zo ver achter hen – dat hij stil was en zoekend, niet wist hoe de dagen produktief te maken. Vooral na zijn pensionering. Hij leek in die dagen een rusteloze leeuw in een kooi, een gevangene in een cel.

Het was ook eigenlijk niet eerlijk dat je eruit moest als je nog in de volle kracht van je leven was. De ene dag tel je nog mee, de andere moet je eruit. Maar het is ook begrijpelijk: De jeugd staat klaar om het werk van de ouderen over te nemen, jeugd die geen werk heeft. Maar een mens blijft toch een mens, kwetsbaar en gevoelig.

Tomas lacht als hij naar het bovenste bed klautert. „En dat op mijn leeftijd," zegt hij. „Ik voel me een marineman op herhaling."

Ruuth kruipt behaaglijk onder de lakens; de wind is om het huis, de wind is altijd een vriend, die troost en naar wie je luistert. Ze hoort Tomas boven zich bewegen; in het huis is nog het stemmetje van Robbie; Tom en Matty praten zacht om Ruuthje niet wakker te maken.

Een familie, denkt Ruuth, waar gaat het nog meer om in het leven dan om een familie? Om kleine en grote geschilletjes en daardoor meer begrip voor elkaar? Wat is er belangrijker dan naar huis te gaan en te weten dat je niet alleen staat, dat er mensen zijn die in je leven horen en er deel van uitmaken? Ze hoort Tomas snurken, in het begin ergerde ze zich hier wel eens aan, maar ze ziet nú zijn gezicht erbij, dat markante gezicht met de mondlijn die, zelfs als er strenge woorden uitkomen, ergens iets beminnelijks houdt.

Ze legt haar hoofd dieper in het kussen, luistert naar de geluiden van de herfst en valt in slaap.

Het zijn heerlijke weken. In de diepe herfst bloeit de heide op het eiland, de helm heeft de meest blonde kleur van de wereld, de luchten dragen beurtelings blozende en grauwe gezichten en het hele eiland ruikt naar de adem van de zee.

Tom geniet van de nachten zonder het vaak zo hinderlijke gerinkel van de telefoon. Matty heeft het gevoel voor het eerst in haar leven met zichzelf in het reine te zijn. Het is waar, denkt ze, mensen vrezen veel meer dan ze toebedeeld krijgen. Vrees roep je zelf op, vaak bestaat die niet. Je leven is zoals je denkt dat het is.

Zo simpel is het en tegelijk zo moeilijk.

De kinderen kunnen zich uitleven. Ze rennen langs de vloedlijn op zoek naar aangespoeld hout, schelpen, vreemde, ongekende voorwerpen. Hun wangen krijgen steeds meer kleur. Hun stemmen dragen ver over het uitgestorven strand.

En na de lange, heerlijke dagen zijn er de intieme avonden, met spelletjes, gesprekken en innerlijke vrede.

Als de schemering over het eiland trekt, doorschijnend, in een ondefinieerbaar grijs, de kerktoren zijn spits in de wolken lijkt te boren, de huizen gehuld worden in een grijze ommanteling, dan is het geluk in de meest volmaakte vorm aanwezig. Tomas neemt dan zijn onafscheidelijke pijp, Ruuth werkt aan een wandkleed voor de kamer van de kleindochter, Matty leest en Tom probeert met eindeloos geduld een puzzel van tweeduizend stukjes in elkaar te krijgen. Vlak naast de kamer slapen de kinderen. Het is allemaal zo gewoon, helemaal niets bijzonders.

Maar juist dat gewone leven is het leven…

5

De winter is onbarmhartig. Het is jarenlang niet zo koud geweest, met ijzige wind, strenge vorst en veel sneeuw. Vooral de gladheid en de dikke sneeuw maken de wegen zwaar en moeilijk begaanbaar.

Tom Jaarsma rijdt met z'n wagen voorzichtig over de spiegelgladde weg. De strooiwagens zijn aan de laatste voorraad zout begonnen en nog weet de vorst niet van wijken. Hoewel hij sneeuwkettingen om zijn banden heeft, rijdt hij met een uiterst trage gang naar de boerderij van de familie Schouten.

Ze verwachten daar hun eerste kind en ze belden hem een kwartier geleden dat de weeën begonnen waren. Het dichtstbijzijnde ziekenhuis is minstens een klein uur hiervandaan, daarom hadden ze afgesproken dat híj zou komen als het zover was.

Op deze ogenblikken is hij niet zo blij met het vak dat hij heeft gekozen. Hij zat liever thuis met een boek.

De wegen zijn helder door de sneeuw, de wereld lijkt klein en roerloos, alles ademt rust en schoonheid. Maar hij heeft er geen oog voor. Het is bij vijven en de duisternis strijkt over het land.

Ergens op een zijweg staan politiewagens en een brancard. Natuurlijk groeperen er mensen om een ongeval, dat is helaas altijd zo. Hij haat het, die sensatie, dat stomweg staren naar een mens die uitgevloerd is. Als je kon helpen was het een ander geval. Hij rijdt langzaam verder, over een paar minuten is hij er. En dan opeens ziet hij het voor zijn ogen gebeuren: een wagen die in een slip raakt, van de weg glijdt en in de brede vaart schuift. Hoewel het al dagenlang heeft gevroren is het ijs nog niet zo dik dat het een grote auto kan dragen. Het ijs breekt, de wagen zit gedeeltelijk in, gedeeltelijk boven het water, op het ijs. Hij vloekt niet gauw, Tom, maar nu zegt hij woorden die hij voor God niet zo goed kan verantwoorden. Wat moet hij nou? Zijn plicht roept, maar waar ligt nu zijn plicht? Hij bedenkt zich geen ogenblik, stopt aan de kant en rent het ijs op. Alles gebeurt zo snel dat hij later niet meer weet hoe alles in zijn werk is gegaan. Hij ziet een vrouw, een kind, een man.

De deur van de wagen is nog niet ónder. Hij probeert het portier open te krijgen, maar het lukt hem niet. Er komen mensen, hij hoort stemmen. Iemand gilt: „Dat kind, grijp dat kind..."

Tom handelt instinctief. Het portier wordt door hem en een onbekende losgerukt, Tom pakt het kind. De vrouw wordt van haar zitplaats getild. De man heeft een shock en zit roerloos achter het stuur. Tom heeft de vrouw en het kind al in de wagen, laat de man over aan een andere auto die is komen aanrijden. Hij moet nu niet in paniek raken, maar rustig doen wat er gedaan moet worden. Hij zal de vrouw en het kind naar de dichtstbij gelegen boerderij brengen en dan verder rijden naar de bevalling. Er zitten nog twee vreemde mannen achter in zijn wagen, hij weet niet hoe ze erin zijn gekomen en waarom.

„Jappie," snikt het kind. „Jappie is in de auto."

„Wie is Jappie?" vraagt iemand.

„Jappie... mijn hondje."

„Nondeju...

„De wagen is toch al onder," zegt de tweede.

„Ik ga wel terug,"roept de eerste. „Stop, ik wil er hier uit. waar rijdt u deze mensen heen?"

„Naar een boerderij. Het kind moet onder de hete douche, de vrouw ook."

„Breng ons terug naar die vaart," snauwt de tweede. „Je kunt een hond niet zomaar laten verdrinken."

„Ik moet naar een bevalling. Ik heb geen tijd, man, ze wachten op me."

„Dit kind rekent ook op u."

Tom hoort het snikken van het kind, of misschien is het de vrouw die huilt, hij kan het niet zien.

„Als we terugrijden," zegt Tom ijzig kalm, „gebeuren er veel meer ongelukken. Twee mensen kunnen longontsteking krijgen en er kan een baby sterven, ik ga níet terug."

„Stop dan, dan ga ik lopend," zegt de een.

Tom stopt voorzichtig. „Ik breng dit tweetal weg, ik hoor later wel wat er van die hond is geworden."

Hij vindt zichzelf een ellendeling, maar hij kan niet terug. Je weet nooit hoe zo'n eerste bevalling gaat; hij heeft goed gekozen. Hij neemt de totaal versteende vrouw bij de arm, tilt het kind op. Het snikt niet meer, het is alleen maar stil en ontredderd.

Alles gaat nu razendsnel. Hij levert kind en moeder af, zegt dat de vader ook nog wordt gebracht en rijdt naar het huis van de familie Schouten. Onderweg gaan zijn gedachten als het flitsen van een vuurtoren. „Misschien leeft die hond nog, misschien."

Mijn God, wat had hij anders moeten doen? Een hond redden en daardoor misschien zijn plicht verzuimen? Hij is nooit een sentimenteel man geweest, hij is het ook nu niet, maar er is heel even een waas voor zijn ogen als hij eraan denkt dat Robbie en Ruuthje met een hond in de wagen zouden hebben gezeten.

„'t Is goed dat u er bent," zegt de aanstaande vader, hij is zó nerveus dat Tom op slag rustig wordt. Naaldscherp voelt hij opeens weer de waarde van het vak dat hij koos; het begeleiden van mensen in de meest uiteenlopende omstandigheden.

„Kan ik koffie krijgen?" zegt hij.

„Natuurlijk."

Hij voelt dat zijn hart sneller klopt, dat hij zich moet verdiepen in de situatie van de ander. Mevrouw Schouten is nog jong, jonger dan hij zich had voorgesteld. Misschien omdat ze nu haar haren los draagt. Haar gezicht heeft iets heel meisjesachtigs.

Hij onderzoekt haar. De man heeft niet te vroeg gebeld, het zal niet lang duren voor het kind er is. De koffie smaakt hem, hij voelt zich weer een beetje de oude. Opeens merkt hij dat zijn schoenen nat zijn, zijn sokken, de pijpen van zijn broek. Hij verbergt het, wil deze mensen nu niet de stuipen op het lijf jagen door te zeggen dat er een ongeluk is gebeurd in de vaart. Als hij de glibberige baby uit het warme moederlichaam ziet glippen, heel dat prachtige kind ziet bewegen en de nooit vast te leggen glimlach van de ouders ziet, wordt er hard aan de bel getrokken.

„Nog niet opendoen," zegt Tom. „Er komt kou naar binnen."

Hij dekt moeder en kind toe met een deken.

Hij hoort stemmen. „Er moet hier een dokter zijn, hij zei dat hij hierheen ging. Hij moet komen, direct. Zeg maar dat die man uit de auto..."

De jonge vader begrijpt het niet. „U moet komen," zegt hij.

De mannen staan al in de kamer. Ze overzien de situatie.

„Sorry" zegt de een, „maar we hebben u nodig. Wilt u meegaan?"

„Ik ben hier nog niet klaar. Wacht u in de keuken."

Hij wacht op de nageboorte, wikkelt moeder en kind stevig in en trekt zijn jas aan. „Belt u zuster Steenkamp. Ze moet direct bij u komen, ik moet nu weg. Geloof me, alles is goed. Ik kom zo gauw mogelijk weer kijken."

Hij weet dat Loes Steenkamp komt; ze is een bijzondere vrouw, rustig, handig en vooral uiterst bekwaam.

Bij de deur blijft hij staan. „Of wacht, ik zal haar zelf wel even bellen."

Even later is hij buiten. De hemel is dicht en barstensvol sneeuw.

De vlokken vallen met grote regelmaat. Hij staat even stil alsof hij tot bezinning moet komen, kracht haalt uit de koude, roerloze wereld om hem heen. Dan vraagt hij: „Wat is er met die man?"

„Hij haalt geen adem. Hij is in die boerderij, het hondje hebben we ook. Maar die man..."

In de boerderij stuurt hij iedereen weg die niets kan doen, hij laat alleen de vrouw van de man in de huiskamer. Het kind is in de kamer ernaast, het hondje als een grote rust en liefde tegen zich aan geklemd. Het eerste ogenblik denkt Tom dat hij te laat is, de mond op mond beademing lijkt niet te helpen, maar hij gaat door.

Er is een heel bijzondere kracht in hem, want hij heeft in het licht van de kamer de zoon van Van Driel herkend. En hij wil één ding; deze jongen redden... Hij zal hem redden, al zit hij hier de hele nacht. Hij heeft het warm en koud tegelijk maar hij gaat door, met de regelmaat die hoort bij de juiste beademing. Hij drukt zijn handen met kracht op de borstkas, hij voelt het zweet langs zijn gezicht, in zijn ogen. Hij kan bijna niet meer. En dan opeens is daar het lichte bewegen van de borst, een nauwelijks zichtbaar bewegen. Hij perst door, Tom, het is of ook zíjn leven ervan afhangt, of hij een schuld moet aflossen, tegenover de vader en ook tegenover deze jongen, die hij, omdat hij geen tijd had, niet eerder kon helpen. Als de borstkas regelmatiger begint mee te bewegen, weet hij dat hij opnieuw heeft meegeholpen aan een geboorte, de geboorte van een jonge kerel. Hij onderdrukt een gevoel van intense dankbaarheid.

Als hij doodvermoeid opstaat, zegt hij, terwijl hij het zweet van zijn gezicht wist: „Ik neem ze mee, alle drie, en de hond, ik ken deze mensen, tenminste, een beetje."

„U zult ziek worden," zegt de vrouw.

„Een mens wordt zo gauw niet ziek."

Hij hoort de man braken en hij weet dat er een wonder is gebeurd.

Matty is onrustig. Ze heeft al een paar keer voor het raam staan kijken, maar de dichte sneeuw en de helle lichtpunten van de straatlantarens, die vreemde strakke bundels licht verspilden, maakten dat ze niet zo ver voor zich uit kon kijken. Ze weet dat Tom erg secuur is, nooit iets waagt, maar er zijn zoveel roekeloze rijders.

Ze kijkt op de klok. Het is al tegen negenen. Kan een bevalling zo lang duren of is ze haar eigen bevallingen vergeten? De geboorte van Robbie duurde toch ook zeker drie en een half uur, Ruuthje kwam vlugger... Ze glimlacht bij deze herinnering. Als de telefoon gaat neemt ze hem op. „Waar zit je nou, Tom?"

„Ik ben het," zegt een stem. „Ik zou je immers terugbellen."

Ze heeft de laatste dagen niet meer aan Jan gedacht.

„Ja," zegt ze, „ik hoor het."

„Het adres dat ik had blijkt niet meer te kloppen, er zijn verhuizingen in het spel. Maar ik kan proberen erachteraan te gaan eer ik weer vertrek. Als we volhouden komen we er wel uit."

Haar stem is helder en rustig. „Erg lief van je," zegt ze. „Ik zal je alle onkosten vergoeden, maar het hoeft niet meer."

„Waarom ben je opeens zo veranderd?"

„Ik heb ingezien dat het tot niets leidt, dat is alles. Zeg me maar wat ik je schuldig ben."

„Weet je 't zeker?"

Ze hoort intense verbazing in zijn stem. Misschien is het ook opluchting, ze weet het niet.

„Ik weet het zeker, neem het me maar niet kwalijk."

„Ik neem je absoluut niets kwalijk. Ik heb niet zóveel geld eraan besteed. Wil je de correspondentie ook niet hebben? Ik heb die nog niet verscheurd."

„Nee," zegt ze. „Ook die niet. Ik ben je dankbaar dat je zoveel moeite voor me hebt willen doen, dat vergeet ik niet."

„Ik zal alles wat ik heb verscheuren."

„Dat is het enige dat je nog voor me kunt doen."

„Goed, Matty, tot ziens. Ik kom nog even langs voor ik vertrek."

Als ze de hoorn op de haak legt heeft ze het gevoel veel meer volwassen te zijn.

Tegen half tien hoort ze de sleutel in het slot en Toms stem. „Kom je, Matty, ik heb je nodig. Haal een deken."

Hij staat in de gang, geeft haar een kind, duwt een vrouw voor zich uit en zegt: „Stop ze in bed, ik haal er nog één. Is de verwarming op de logeerkamer aan?"

Ze knikt.

„Ook in de kamer daarnaast?"

„Met deze vorst stook ik in alle kamers."

Ze is niet verbaasd. Ze kent Tom. Hij heeft haar al vaker voor een verrassing gezet. Ze neemt de vrouw, het kind, en het schuwe hondje mee.

„Heeft u honger of dorst?" De vrouw huilt zonder tranen. Hulpeloos zegt ze: „Hij misschien," ze wijst op het hondje, dat tegen de benen van het kind staat.

Het komt er wat komisch uit, Mat zet een schaal water voor het diertje neer.

Het kind zegt gelaten: „Ik heb ook dorst."

Even later geeft Matty de vrouw en het kind hete melk. Ze vraagt niets, ze heeft geleerd nooit te vragen, ze zal het straks wel horen van Tom.

„Kun je een ambulance bellen?" zegt Tom. Hij is zo stil de keuken binnengekomen dat Matty ervan schrikt.

De vrouw vraagt: „Is het erger?"

Tom glimlacht. „Nee," zegt hij, „ik neem alleen geen enkel risico. Ik zou willen dat u ook meeging en het kind ook."

„En Jappie?" vraagt het jongetje. Zijn stem klinkt schril en eenzaam.

„Jappie blijft hier, honden mogen niet in het ziekenhuis. Wij passen zo lang op hem."

Tom knielt bij het kind neer. „Weet je, wij houden óók van honden en we zullen erg goed op hem passen."

„Hij loopt vast weg," zegt het jongetje.

„We zorgen van niet. Kom maar…"

Het kind kijkt intens droevig naar het hondje, maar het gaat mee.

De ambulance komt gelukkig snel. De man wordt er behoedzaam ingeschoven. De vrouw en het kind zitten voorin.

Hij kijkt de wagen na, die behoedzaam over de stille wegen gaat.

„Je bent nat," zegt Matty. Ze streelt het hondje, dat zich, steun zoekend, tegen haar been drukt. „En ook koud. Ik zal je een groc geven."

Opeens voelt Tom dat hij beeft. Hij knikt, gaat op de bank zitten en voelt dat zijn hand licht trilt als hij de hete groc opdrinkt.

„Je moet onder de douche," zegt Mat. „Ik zal je helpen."

Ze geeft de hond een bak brood, aait hem even over zijn kop.

„Dat dier is ook nat," zegt ze, „ik zal hem voor de verwarming zetten. Waarom vroeg je of je in de logeerkamer de verwarming brandde, terwijl je deze mensen naar het ziekenhuis liet brengen?"

„Ik weet het niet, vróeg ik dat? Het was ook wel een beetje veel deze keer."

Hij is blij dat ze hem helpt. Hij heeft een vreemd, trillerig gevoel in zijn benen. Het warme water maakte hem loom, hij laat een beetje met zich doen. Het is prettig als je een vrouw hebt die je op zulke momenten helpt, je stevig afdroogt, je pyjama aantrekt, je in bed stopt. Misschien is het de sterke groc die begint te werken.

Hij moet haar nog vertellen wat er allemaal gebeurt is. Hij zegt: „Het is een meisje en er was water en…"

Ze dekt hem toe, blijft even bij hem staan tot hij in een diepe slaap valt. Dan gaat ze naar beneden naar het hondje, dat zielig eenzaam heen en weer loopt en zachtjes jankt.

„Ga jij maar met míj mee," zegt ze. „Je zou het hele huis wakker janken."

Ze tilt hem op. Zijn buik is nat. Ze pakt een handdoek en begint hem af te rossen. Ze voelt een lik op haar hand, een poot die over haar arm glijdt. Ze glimlacht. „Dat je iets hebt meegemaakt, snap ik, maar wat, dat vertel je me later maar eens."

Ze neemt hem mee naar boven, legt een oude deken op haar bed en zet hem erop.

Het duurt lang voor ze in slaap valt, want de hond kruipt tegen haar aan in een zielige poging zijn gevoel van intense verlatenheid te compenseren.

6

De kinderen zijn de volgende morgen uitgelaten bij het zien van Jappie.

„Mogen we hem houden?" vraagt Robbie.

„En dat andere jongetje dan?"

Matty is er met haar gedachten niet bij, ze heeft slecht geslapen.

Tom sliep onrustig, werd een paar keer wakker en zei: „Hoe zou het met die jongen van Van Driel gaan?"

„Dat hoor je morgen wel, ga nou maar slapen."

Ze hoorde hem om en om woelen en lag lang te luisteren naar zijn ademhaling. Als hij beneden komt is ze opgelucht. Hij heeft geen koorts. Vannacht dacht ze dat hij ziek zou worden.

Hij herinnert zich de hond Jappie, glimlacht en strijkt zijn haar naar achteren.

„'t Was me het dagje wel gisteren," zegt hij.

Hij vertelt wat er gebeurde, hij doet het rustig en overwogen, ook al om de kinderen niet te veel te laten schrikken. Hij vertelt van de geboorte, hij grijpt Ruuthje even in haar haren. „Er is gisteravond ergens een klein meisje geboren," zegt hij, „uit een moeder, maar dat wist je al, dat kinderen uit een moeder komen."

Ruuthje knikt. „En óók een beetje uit een vader," zegt ze. „Je hebt altijd een vader en een moeder."

„Dat is zo."

Tom gaat naar de telefoon en belt het ziekenhuis. „Is alles goed met ze?" Als hij de hoorn weer neerlegt zegt hij: „Die man heeft geluk gehad, hij komt er helemaal bovenop. Ik ga na het spreekuur even bij hem kijken."

„Moet het hondje al gauw weer weg, pap?" vraagt Robbie.

„Over een paar dagen zeker. Hou je zoveel van hem?"

De jongen knikt. „Ik hou van alles, van vogels, poezen, tijgers en olifanten..."

„Tijgers eten je op," zegt Ruuthje.

„Mij niet, hè pap?"

„Jou ook, ze eten soms mensen."

„Ik durf best een tijger te aaien, het is net een grote poes."

„Gekkie," zegt Ruuthje.

Tom kijkt naar de kinderen.

Een hond? Nee, ze nemen nog lang geen hond. Ze gaan te vaak weg en wat moet je dan met een hond?

De meeste mensen namen een hond omdat hij er zo leuk uitzag, zo klein was, zo lief. Maar de bezwaren van het houden van zo'n dier zagen ze niet.

Hij eet zijn ontbijt. Er is een zwaar, wat drukkend gevoel achter in zijn hoofd. Vanavond moest hij maar eens vroeg naar bed, dan zou hij er wel weer gauw bovenop zijn.

Hij geeft Matty een kus voor hij aan het spreekuur begint.

„Gaat het?" vraagt ze.

Hij knikt.

Die middag gaat Tom naar Van Driel, eerst naar de zoon.

„Soms weet je niet wat je zeggen moet," zegt de jongen. Want met al zijn vijfentwintig jaar is het ergens nog een jongen.

„Soms is er helemaal niets te zeggen," zegt Tom. „Hoe gaat het?"

„Veel beter."

Hij aarzelt. „Ik moet u bedanken, maar ik weet niet hoe."

„Zeg maar niks, het is oké."

„Weet mijn vader het al?"

„Ik hoop van niet, ik ga aanstonds naar hem toe."

„Mijn vader is erg moedig," zegt de jongen. „Ik begrijp niet dat hij zo kan zijn."

„Als je nog jong bent is het erg moeilijk deze problemen en deze strijd te begrijpen, als je veel ouder bent kun je dat beter. Ga nou maar wat slapen en maak je geen zorgen. Je vader heeft geen pijn en dat is al een heel ding."

„Is het met mijn vrouw en zoon ook allemaal goed?"

„Ik heb gisteren opgebeld, toen was alles in orde. Je vrouw heeft een lichte shock, maar ik denk dat jullie over een dag of drie wel weer allemaal thuis zult zijn."

„Vindt u het goed als ik…als ik voor we naar huis mogen nog naar mijn vader ga?"

„Je moet zo gauw mogelijk naar hem toegaan," zegt Tom, „als je dat kúnt."

„Ik kan het wel."

Als Tom bij de deur is zegt de jongen: „Mijn vader is erg op u gesteld, ik begrijp nu pas waarom."

„Ik ben ook erg op jouw vader gesteld."

Hij ziet tranen in de ogen van de jongen en hij weet dat het goed is als je kunt huilen om een verdriet dat te groot is voor woorden.

De oudere Van Driel kijkt naar het plafond. Als hij de deur hoort, zegt hij met zachte stem: „Bent u dat, Dok?"

„Ja," zegt Tom. „Hoe weet u dat?"

„Er komt op deze tijd nooit iemand, ook geen zuster."

Hij praat als altijd, denkt Tom, er is geen spoor van paniek in zijn stem, hij weet niets. Hoe kan hij het ook weten? Hij ligt alleen en er is geen enkele zuster op deze afdeling die deze man zorgwekkende berichten overbrengt.

„Waarom komt u naar me kijken, Dok? Is het erger met me?"

„Nee, ik was bij een patiënt van me en ik had wat tijd over. Dat is alles."

„Echt waar?"

„Ja, Van Driel, dat is echt waar. Ik heb u nooit voor de gek gehouden."

„Nee, dat is zo."

Er glijdt een vluchtige glimlach over zijn gezicht.

„Weet u wat zo gek is, Dok? Ik wist nooit dat vogels zo prachtig konden zingen, dat alles zo mooi is. Waarom werkt een mens altijd en ziet hij zo weinig?"

„Dat is het leven, een mens is vaak ziende blind. U moet niet zoveel praten, dat is erg vermoeiend."

„Ik vind het fijn om met u te praten."

Tom zou weg willen gaan, maar hij heeft de moed niet. Hij zou deze man willen bedanken voor dat wat hij hem leert: de ootmoedige aanvaarding van leven en dood; de diepe kracht van het weten dat alles gaat zoals het moet gaan, dat alle ontwikkeling haar eigen vaste groei heeft. En dat de dood een einde en een begin is.

„Nou praten we niet, Dok?"
„Ik ben niet zo'n prater," zegt Tom. Hij glimlacht. Hij buigt zich over Van Driel heen. „Ik kom gauw nog eens kijken."
„'t Is altijd fijn als u komt."
Als hij bij de deur is, zegt de oudere stem: „Het gaat dus goed met die jongen van me."
Hij probeert te lachen, maar zijn stem schiet vol. „Mijn vrouw zei het me, vanmorgen pas... Waarom zei ú niets tegen me?" Tom herstelt zich van de lichte schok die door hem heenging.
Hij zegt: „Soms ben je zó op iemand gesteld dat je hem alles wilt besparen..."
„Misschien wilde u niet bedankt worden."
„Dat komt er ook bij, er valt niets te bedanken. Als een mens doet wat zijn plicht is, komt er geen bedanken bij te pas. Zo simpel is dat."
Heel langzaam zegt Van Driel. „Ik heb u al bedankt, vanmorgen, toen ik het pas gehoord had. En ik doe het geen twee keer. Nee, ik doe het geen twee keer."
Tom grijpt even zijn hand en houdt die vast. „Laten we niet sentimenteel doen," zegt hij. „Daar schieten we niks mee op. Als ik u zou zeggen wie ík bedankt heb, zijn we aan elkaar gewaagd."
„God?"
„Ja."
Het is even stil. „Dan is het goed, Dok. Komt u gauw weer eens praten?"
Als Tom de deur van de kamer achter zich heeft gesloten, staat hij even stil op de gang. Een man als Van Driel... Nooit verwijten, steeds mild en wijs. Hoe kwam je als mens zo ver?
Hij groet enkele zusters. De gangen staan vol bloemen. Er is de bekende bedrijvigheid van een ziekenhuis. Een ziekenhuis is een kleine stad op zichzelf, met eigen verkeersregels. Een stad die je maar beter kon mijden, hoewel het in de meeste gevallen erg meevalt. Als je tenminste niet voortdurend je eigen ziek zijn het belangrijkste vindt.
De winterzon is schraal en onzeker. Het verkeer raast over de bekende wegen. Mensen jachten naar hun werk. Hij vraagt zich dikwijls af waarom mensen altijd zo'n haast hebben, alsof ze naar het eind van de reis verlangen, daar waar je de dood in je armen kunt sluiten. Toch ontkomt hij er zelf ook niet altijd aan; het ritme van deze tijd is gejaagd en je wordt

erin opgenomen zonder dat je daar erg in hebt. Net als met het verlangen naar luxe; je probeert er niet aan mee te doen omdat je diep van binnen weet dat stoffelijk bezit helemaal niets betekent, dat het alleen maar gaat om een innerlijke basis, een gelukkig zijn vanuit de geest. Tevreden zijn heeft alleen te maken met innerlijke rust en niet te veel wensen. Hij kent mensen die zo zijn en hij weet dat je dan het ware geluk in jezelf hebt gevonden.

In de auto, op weg naar huis, zingt hij. Het is voor hem de enige manier spanningen te uiten. Is er iets heerlijkers dan zingen; je volkomen geven in de melodie? Hij is een muzikaal man hoewel hij geen enkel instrument bespeelt, maar hij weet wel, dat hij zijn kinderen – als ze het willen en er een redelijke aanleg toe bezitten – een instrument zal leren bespelen, misschien een harp, of een cello of anders een blokfluit. Matty is nog eens een blauwe maandag op een koor geweest, maar ze hield het niet lang vol. Hij weet nog steeds niet waarom ze niet doorgezet heeft.

Hij kijkt op zijn horloge. Hij heeft wel níet beloofd nog bij het bejaardenhuis langs te gaan, maar hij weet dat er verschillende oude mensen zitten te wachten op zijn komst. Om alleen maar eens wat te praten, om gedachten kwijt te kunnen die ze aan niemand kunnen zeggen. Dat is pas de totale eenzaamheid; wachten op het nieuws uit de krant, hopen dat het meisje dat de koffie brengt tijd voor je heeft, de deur van je kamer op een kier laten om iets te horen van mensen die over de gang lopen of op bezoek gaan. Hij weet dat er nergens zoveel afgunst en nieuwsgierigheid is als in een bejaardenhuis. Nergens zoveel wachten. Wachten op bezoek, op iets onverwachts, té vaak kijken naar de klok die maar niet vooruit lijkt te gaan. Hij ondergaat deze eenzaamheid alsof het om zijn eigen ouders gaat, om Tomas en Ruuth. Ze zouden totaal ontworteld zijn. Tomas vooral. Ruuth met haar inschikkelijke natuur zou het misschien iets beter aankunnen. Maar een man als Tomas...? Er is pijn in hem als hij daaraan denkt. Tomas zou op een gevangene lijken die levenslang had.

Hij stopt de wagen voor het bejaardentehuis, van buiten een imposant, vriendelijk gebouw met kleurige zonneschermen, met aan de voorzijde een fraai uitzicht over landerijen. Het zou een klein paradijs moeten zijn, maar dat is het bij lange na niet. De directeur en de directrice zijn te jong om heel oude mensen in hun waarde te laten, hun zelfrespect. Ze bevelen slechts en wensen gehoorzaamd te worden. Hij herinnert zich mevrouw Wormsbecher. Hij zocht haar op toen ze er nog maar een paar dagen was en nog volkomen bezig zichzelf in deze nieuwe omstandigheden te vinden. Ze was erg stil, apathisch. Hij maakte een praatje, nog beter, hij luisterde. Want bij oude mensen gaat het om het luisteren.

„Meneer zegt dat dat kastje daar weg moet. Ik wil het zo graag houden, mijn man en ik kochten het bij ons trouwen. Hij zegt dat er houtworm in zit. Dat kan best, dokter, maar daar is toch wel iets aan te doen? Ik kan het niet missen."

Een stem gevuld met leed en gemis.

„Ik zal het voor u vragen," zei hij.

De directeur was een harde man, de directeursvrouw nog harder.

Heel vroeger hadden ze aan het hoofd gestaan van een tehuis voor jongeren die aan de drugs en alcoholproblemen leden. Ze waren gewend met straffe hand te regeren.

„Ja," zei de directeur, „we kunnen hier geen houtworm gebruiken. Dat ding moet eruit. Het wordt morgen weggehaald."

„Het blijft daar staan," zei Tom. „Ik zal het laten behandelen. Morgen, of misschien zelfs vandaag nog."

Hij glimlacht als hij er aan terugdenkt. De directeur leek wat kleiner te worden, een bange jongen die op school is blijven zitten en niet naar huis durft.

„Als u er een oplossing voor weet, ja... dan..."

„U wacht dus tot ik iemand heb gestuurd," zei Tom.

„Ja, natuurlijk dokter."

Hij gaat de brede deur van het tehuis binnen. Het kastje staat er nog, denkt hij. Lieve help en dit is nog maar een kastje...

Hij bezoekt mevrouw van Drunen. Haar man is een maand geleden overleden en hij voelt wat er dan in een mens omgaat. Bijna vierenvijftig jaar samen met een ander, een hecht goed leven, met strijd en begrip. En opeens alleen...

Op latere leeftijd kun je elkaar helemaal niet meer missen. Maar het tragische is dat mevrouw van Drunen van de ene op de andere dag uit haar gezellige, ruimere tweepersoonskamer moest verhuizen naar een kleine eenpersoonsruimte, met uitzicht op de binnenplaats. Tom begrijpt wel dat het niet anders kan, dat er echtparen op de lijst staan, hopend op juist zo'n kamer. Maar het is en blijft miserabel.

In de toekomst, denkt hij, zou alles anders moeten. Er zou niet één groot mensenpakhuis moeten zijn, maar tientallen laagbouwhuisjes, met toezicht en een beetje meer persoonlijke warmte, met een klein stukje grond en het mogen meenemen van hond of kat.

Hij weet best dat hij op dit punt een té grote idealist is en dat het niet kan, omdat er te veel mensen in een kleine ruimte wonen, maar hij filosofeert er wel eens over. De laatste jaren van een mens moesten de meest zorgeloze en blije zijn.

Mevrouw van Drunen zit wat te handwerken. Ze heeft een klein flesje naast zich op tafel, er hangt in de kamer een flauwe alcoholgeur.

Ze heeft een warme kleur. Verontschuldigend zegt ze: „Mijn man gebruikte het altijd. Hij had er nog wat van staan. Als ik het drink heb ik het gevoel dat hij er weer bij is."

„Hij is ook bij u zonder dat flesje," zegt Tom. Hij heeft een vreemd gevoel in zich. „Uw man dronk wat voor de gezelligheid, ik denk dat u het doet om een beetje te vergeten."

„Ik ben niet zo verdrietig met dít."

Ze wijst onhandig op het halflege zakflesje.

„Hebt u er nog meer van?" Verlegen zegt ze: „Ja, nog wel wat."

„Ik zou het erg kalm aandoen," zegt hij. „'t Is niet zo goed voor u."

„Ik word er zo anders van, lang niet zo eenzaam meer en alleen."

„U mag twee kleine glaasjes per dag gebruiken. Zou u dat voor míj willen doen?"

„Voor u?"

„Ja. Ik wil graag dat u weer wordt zoals ik u kende. U moet iets gaan doen. Helpen bij de bibliotheekboeken, post rondbrengen, eens op bezoek gaan."

Hij weet dat het zinloos is wat hij zegt, dat het verdriet te groot is en de tijd, nog iets met dit eenzame leven te doen, te kort.

„Ach, dokter, ik heb zo weinig zin in al die dingen. En ik vind het hier zo naar, je bent net een kind. Mijn man zei altijd: 'Laat ze toch kletsen. Doe waar je zin in hebt.' Maar ik ben niet zo, ik heb een hekel aan ruzie."

„Ik zal een paar boeken voor u meebrengen," zegt Tom. „Ik kom elke week een keer kijken."

„Ik mag dus maar twee van die glaasjes?"

„Niet meer."

„U behandelt me ook als een kind," zegt ze, maar er is heel even een lachje op haar gezicht.

„Een kind bent u om de drommel niet. Ik begrijp best dat u de dagen probeert te vullen, maar dit" – hij wijst naar het halflege flesje – „heeft nog nooit een mens geholpen. En nou moet ik weg. Van welke boeken houdt u?"

„Van romantische, van die goeie familieboeken, met veel verwikkelingen."

„Ik zal kijken of ik die heb. Tot kijk, mevrouw van Drunen."

„Dag dokter. Ik ben een stom mens, hè?"

„Nee," zegt hij. „Eenzaamheid is moeilijk te bevechten en dan doet een mens wel eens iets dat niet helpt."

Hij zou haar een zoen willen geven. Verdorie, ja, dat zou hij willen doen.

Bij de deur zegt haar zachte stem: „'t Zal wel slijten, dokter. Een mens moet door zoveel dingen heen."

Tom bezoekt nog een paar andere oude mensen. Hij houdt van ze, het is ten slotte de toekomst van iedereen. Maar het is het moeilijkste om oud-zijn te beleven op de manier zoals het zou kunnen, met bezig zijn, met iets dóen, zodat de uren wat sneller voorbijgaan en er 's avonds een gevoel van voldoening is.

Ze zouden zelf hun kamer moeten doen, denkt hij, zelf hun potje koken en boodschappen doen. Als ze daar lichamelijk en geestelijk toe in staat zijn. En ze zouden tussen jonge mensen moeten wonen, zodat ze nog dienstbaar konden zijn.

7

De jaren rijgen zich onzichtbaar aaneen, tuimelen in elkaar over, in een ononderbroken keten van licht en donker, zon en maan, bloemen en liefde. Alles groeit, sterft af, bloeit opnieuw. Kinderen worden langer, zelfstandiger, beginnen meer en meer een eigen persoonlijkheid te worden. En ouderen worden ouder, minder soepel, zich meer en meer bewust van de stille zekerheid dat elke nieuwe dag er één is.

Ruuth zit met Tomas in de tuin. Het is maar een klein stukje grond, groot genoeg voor twee berken die schaduw geven en met hun slanke bleekgetinte stammen en zachte waaier van groen koninklijk uitkijken over de weelderigheid van de volle zomer.

Tomas harkt wat afgevallen knoppen en bladeren bijeen. „'t Heeft flink gewaaid vannacht," zegt hij. „De jongen zal wel later zijn met zo'n wind."

De jongen is Robbie, of beter Rob, want met zijn tien hele jaren nu begint hij meer en meer op een halfvolwassen mens te lijken. Lang, hoekig en dun; zo dun als de takken van een boom, denkt Tomas. En nog steeds zo gevoelig als een jonge meid. Hij zal het later niet makkelijk krijgen, de maatschappij is niet zo gesteld op mensen met een sterk ontwikkeld gevoelsklimaat. Je moet handig zijn, geraffineerd, ellebogen hebben om anderen voorbij te kunnen streven. Hij had het zelf ook gehad, en toch heel anders. Het was bij hem meer een gevoel van uitdaging.

Vliegen had niet zoveel met ellebogenwerk te doen, maar met volop vertrouwen in eigen kunnen, zoals een chirurg en vaak ook een schrijver. Je moet van jezelf opaan kunnen, ergens diep van binnen weten dat je niet zult falen, nooit.

Dat is andere praat dan tegen elkaar opbieden alsof het leven één grote, alles omvattende wedstrijd is.

Maar geen mens maakt zichzelf. Rob moet net als iedereen leren leven met de mogelijkheden die hij heeft. Met leren had hij soms een beetje moeite, vooral met geschiedenis en rekenen. Hij kan het wel, maar het duurt lang eer hij het begrijpt. Nee, er zit geen piloot in hem. Die droom moet hij maar laten varen.

Hij harkt en schoffelt wat, voelt de zoele zomerwind om zijn kop.

Zijn armen zijn bruin, want het was tot nu toe een heerlijke zomer, met veel zon en een gestadige, kleurige groei.

„Hoe laat heb je met Rob afgesproken?" vraagt Ruuth.

„Tussen half vijf en half zes."

„Misschien kan hij blijven eten."

„Misschien wel, dat hangt van zijn huiswerk af."

Sinds een klein half jaar helpt Tomas de jongen een beetje met de vakken waarin hij niet zo sterk is, met geschiedenis en rekenen. Het is een prettig gevoel een heel jong mens een beetje te mogen begeleiden, hem iets van je eigen wereld kenbaar te maken, in de stille hoop dat je de juiste woorden kiest en op de goeie manier les geeft. Het is al heel wat jaartjes geleden dat hij zelf een jongen was, barstensvol verlangen naar alles wat je zag en niet zag, begreep en niet echt kon begrijpen.

Ruuth leest in de schaduw van de boom, door een scherm beschut tegen de wind. De zon loopt in de hoek een beetje vast en ze heeft het warm. Ze heeft het de laatste tijd vaak warm, alsof ze in haar jaren nog een beetje knokt met de overgang, maar dat is natuurlijk larie. De volgende maand wordt ze vierenzestig, ze herinnert zich dat een overgang soms erg lang kan duren, dat er een variatie in jaren is van vijf tot vijftien. Maar soms heeft ze ook van die plotselinge rillingen alsof ze het koud heeft. Een mens moet niet te veel op al die kleinigheden letten, want vaak legt piekeren een schaduw over een dag vol zon en worden uren nodeloos bedorven.

De zon hangt met een bolrond rood hoofd boven het achterste gedeelte van de tuin, waar, achter dichte begroeiing, een brede sloot het gouden licht opvangt en terugkaatst.

Haar blik valt op Tomas, die leunend op de hark naar de vogels kijkt in de boom. Ze zou hem in deze houding willen tekenen, maar ze kan niet tekenen. Zijn houding is volkomen ontspannen en los, zijn gezicht vol interesse en vreugde, met een wat behoedzame lach en openheid. Ze houdt meer en totaal anders van hem dan vroeger, veel rijper en bewuster, alsof een onzichtbare hand hen aaneensmeedde, boordevol goedheid en kracht. Vooral de laatste jaren voelt ze wat het is, te mogen liefhebben, zorgen, behoeden.

„Daar komt hij," zegt Tomas. Hij zet de hark tegen de schuur, veegt zijn handen met een los gebaar aan zijn sporthemd af en zet zijn klompen op het pad.

„Waar ga je met hem werken?"

„Boven op mijn kamer, daar is het koel."

„Ik breng straks wel thee."

„Ik denk dat hij liever iets fris heeft."

De jongen suist, met een behendig genomen bocht, de hoek om. Even later belt hij, lang en nadrukkelijk.

„Is er brand?" vraagt Tomas. „Kom er in."

„Oom Bas is erg ziek," zegt de jongen. „Pappa zei het vanmorgen, hij wordt niet meer beter."

„Dat is vreselijk, ze zijn nog maar vrij kort getrouwd."

„Pappa wil er het weekend heen, mét mam. Komen jullie dan bij ons? Dat is hartstikke gezellig, net als de woensdagen."

„Daar zal wel niets anders opzitten."

De jongen smijt zijn schooltas op de grond. „Ik heb veel huiswerk en nog een proefwerk ook, bah."

Tomas luistert maar half naar het gekwebbel van Rob. Waarom krijgt de ene mens zoveel meer kansen dan de ander, vraagt hij zich af. Of gaat het er alleen maar om dat je hebt gelééfd, maakte de tijd die je kreeg, niets uit? Hij voelt een vreemde, diepe pijn van vreugde, omdat hij zelf nog niets mankeert, zich alleen een enkele keer 's avonds wat vermoeid voelt als hij veel heeft gewandeld, in de tuin heeft gewerkt, in de schuur heeft geknutseld. Ziek is hij nooit, terwijl Bas, die nog maar nét wist waar het in het leven om ging, al geen kans meer had. Hij ergert zich eraan dat de jongen zo plompverloren met dit bericht aankomt, alsof het gaat over het repareren van een tuinhek.

„Hoe voor de drommel weet jouw vader dat?"

„Van een collega. Hij vertelde het tegen mam. Ik had het toch al gehoord."

„Kon hij mij daar zelf niet over bellen?"

„Ik geloof dat hij dat nog zal doen."

De aardigheid van het lesgeven is weg; het kan hem opeens niets meer schelen of de jongen een voldoende haalt op zijn rapport.

Wat heb je aan goeie cijfers? Léven moet je, leren wat het betekent mens te zijn, alles benutten om uit het leven te halen wat je kan. Plezier maken, gelukkig zijn. Jeempie, wat is het leven een geweldige knoeiboel.

Hij kijkt de jongen aan, die zijn boeken en schriften op tafel uitspreidt.

„Sorry jongen," zegt hij. „Ik moet het even verwerken. Dat neem je me toch niet kwalijk, wel?"

„Ik wil best naar huis gaan."

„Ja, dat zou je wel willen, dat begrijp ik, maar dan ken je mij nog niet. Ik heb verdriet, snap je, ik heb zwaar de pé in, maar dat betekent nog niet dat jij vandaag kunt doen waar je zin in hebt. Hoewel... van vissen en voetballen kun je ook een heleboel leren, waar of niet?"

„Ik weet het niet."

„Nou, vertel op. Waar waren we gebleven?"

Hij luistert naar de stem van de jongen, maar het is alsof hij andere geluiden hoort. De oorlog is er, het wilde gebulder van de kanonnen, gierende granaten. Bas is er. „Ja, die poot van je gaat eraf, en wat dan nog? Je hebt er nog altijd eentje over."

„Laat je niet afleiden door mooie meiden, denk aan je hachie. Kom op, Tomas, Magere Hein krijgt ons nog niet."

„Wat zit je daar nou te janken, man? Het is voorbij, voorbij hoor je, de oorlog is over."

„Kijk, dat begrijp ik nou niet, opa."

„Wat niet, jongen?"

„Dat zeg ik toch."

„Ik was er even niet bij. Zeg het nog es."

Hij legt opeens zijn hand op die van dat kereltje tegenover hem.

„Ik hoop één ding," zegt hij. „Dat je nooit een oorlog zult moeten meemaken."

„Hoe komt u daar nou bij?"

„Bij geschiedenis hoort oorlog, dat is helaas altijd zo geweest. Mensen willen macht, altijd en overal. Daarom is de mens het stomste dier van de schepping, snap je?"

„Ik vecht ook vaak," zegt de jongen. „Als ze me meppen, mep ik terug."

„In een oorlog meppen ze niet. Nou, we gaan verder."

Rob kijkt hem aan. „Ik snap het best," zegt hij vertrouwelijk. „U denkt aan oom Bas."

„Daar kon je wel eens gelijk in hebben. Oom Bas en ik waren samen in de oorlog. Nou kun je nagaan hoelang we al vrienden zijn."

„Ik heb niet zoveel vrienden, misschien komt dat omdat ik graag lees."

„Je hebt aan één vriend in je leven genoeg."

„En als je die dan kwijt raakt?"

„Dan heb je niks meer. O ja, je houdt nog veel over, je vrouw en je kleinkinderen en daar ben je blij mee. Maar een vriend is toch heel iets anders, snap je?"

„Nee."

Het uurtje lijkt eindeloos lang. Ruuth brengt frisdrank, knipoogt naar de jongen. „Denk je aan je tijd of blijf je eten?"

„Ik ga straks zwemmen. Nee, deze keer blijf ik niet."

Hij kijkt even naar opa. Hij wil ook niet blijven. Opa is zo ernstig, hij lacht helemaal niet. Het leuke is juist als hij vertelt over van alles en daar komt deze keer natuurlijk niks van. Hij vindt die oom Bas niet zo aardig. Hij heeft hem een keer gezien, maar hij lacht zo luid en hij is zo druk. Het is net of hij altijd indruk op je wil maken en een opschepper is het ook.

Om half zes zegt Tomas: „Denk je dat je het een beetje snapt?"

Rob knikt. „Nou, ik ga, opa. Ik hoop dat u dit weekend komt."

„Ik denk het niet, ik denk dat ik meega naar Londen. Zo zit dat. Oma zal wel komen, maak je geen zorgen. En schiet nou maar op."

Als Tom 's avonds belt luistert Tomas, alsof hij elk woord indrinkt.

„Rob hoorde het, het spijt me. Ik had het je zelf willen zeggen. We gaan er dit weekend heen, ik bedoel wij. Ik laat je niet alleen gaan. Matty blijft hier. Het zou natuurlijk fijn zijn als Ruuth haar gezelschap zou kunnen houden. Zei de jongen dat niet tegen je?"

„Nee, niet zó. Ik dacht dat je met Matty ging."

„Matty kent hem amper. Denk je dat je meegaat zondag?"

„Vliegen?"

„Ja, wat anders?"

„Doe je dat voor mij?"

„Vind je het gek?" Hij slikt even iets weg, dan zegt hij. „Ik hou niet van medelijden."

„Dat heb ik ook niet. Je zult het best redden, maar ik weet nogal de weg in Londen."

„Sympathiek van je, Tom."

„Je hebt voor mij ook wel eens iets gedaan. Je hebt me een keer een fiets gegeven, weet je nog?"

„Dat is al heel wat jaren geleden. Ik weet nog wat je zei. 'U moet niet zo aardig tegen me doen; als u aardig doet voel ik het allemaal zo erg'."

„Ja," zegt Tom, „dat vergeet ik nooit. En ik weet nog, wat je toen antwoordde. 'We moeten allemaal weleens iets opgeven, maar je houdt altijd wel iets over'."

„Zo is het, Tom. Zo was het vroeger en zo is het nog. Bedankt."

Bas ligt niet in het ziekenhuis. Hij is er geweest voor observatie, maar na een paar weken weer naar huis gestuurd.

Tomas heeft zich grondig voorbereid op dit weerzien. Hij heeft zich een sterk pantser aangemeten, het met een stevige klik om zijn hart gesloten zodat er geen onnodig gevoel naar binnen kon.

Hij kan dat als het moet. Als kind kon hij dat al, hij wist voordien nooit dat zoiets bestond, het wegdrukken van iets dat je niet aankunt. Er was een kind uit de klas verongelukt en ze gingen allemaal naar de begrafenis. Hij stond erbij alsof er niets aan de hand was, hij liet niets aan gevoel toe, sloot alles diep in zich weg. Er huilden veel kinderen en hij vond het stom dat ze dat deden.

Weken later kwam dat verdriet en dat vreemde gevoel er bij hem uit. Hij had het zichzelf geleerd en was vaak verbaasd dat het zo gemakkelijk ging. Net of je ergens een deksel op legde en tjoep… weg was het gevoel. Het kreeg geen tijd naar boven te komen. Hij kon dat ook als hij onvoorbereid miserabele films zag, zoals het 'Dagboek van Anne Frank.'

Hij was ergens op visite en hij moest of ernaar kijken of weggaan. Hij keek, maar hij wilde het niet voelen. Eigenlijk kón een mens het ook niet op deze manier voelen, want als je het jezelf toeliet te voelen wat dat meisje in die jaren gevoeld had, dan zou je wegwillen uit die hel, niet meer willen leven.

Hij ziet hoeveel magerder Bas is geworden. Hij herkent zijn glimlach, onverschillig en een beetje scheef, waardoor het lijkt alsof zijn bovenlip uit twee verschillende gedeelten bestaat.

Hij herkent ook in Lucie de vrouw, die hij achter haar stoerheid vermoedde. Een flinke vrouw, die niet zit te kliemen en te janken. In deze minuten herkent hij alles wat menselijk is; angst, moed, onzekerheid, en het spel tussen vermoeden en niet zeker weten.

„Je hebt toch geen bloemen mee?" vraagt Bas.

„Ik geef nooit bloemen aan een man, dat weet je zo langzamerhand wel. Ik heb eigenlijk niks mee, of toch… ik vond het bij wat oude spullen. Je hebt het me eens geschreven: 'De weg naar een vriend is nooit te lang'. Je hebt dat waarschijnlijk niet zelf bedacht, dat is niets voor jou."

„Ik heb het ergens uit overgeschreven, omdat ik dacht dat het waar was. Maar waarom kom je eigenlijk helemaal hierheen? Hoe wist je dat ik ziek was?"

Hij weet nog niet alles, denkt Tomas, maar het zal niet lang duren of hij weet het wel, want een man als Bas hou je niet zo erg lang voor de mal.

„Zoals je misschien weet," zegt Tomas droog, „is mijn zoon hier arts. Hij spreekt veel mensen, ook veel collega's. Hij hoort nog wel eens iets, vandaar…"

„En wat zou deze arts dan wel gehoord hebben? Over een griep praten jullie toch niet, neem ik aan."

„Daar hebben we het óók wel eens over," zegt Tom, „maar er zijn toch belangrijker zaken."

„Zoals…"

Bijna had Tom gezegd: „Zoals ú," maar hij kan deze woorden nog inslikken.

Bas hoest. Hij heeft het benauwd, zijn borstkas piept en hijgt op een vreemde manier. Tomas weet dat hij zijn hele leven gerookt heeft als een schoorsteen. Dat hij gedronken heeft als een clochard, die alleen maar de drank als vriend heeft. Bas heeft geleefd als een man die geen zee ooit te hoog was, geen nacht te lang. En soms komt dan de rekening voor veel verknoeide jaren.

Tom antwoordt niet. Tomas gaat vlak naast Bas zitten. „Toen ik met dat vliegtuigongeval maanden moest liggen was je er vaak. Je kwam uit Duitsland over, geen reis was je te veel. En nu doe ik hetzelfde."

„Ik wou dat ik wist wat ik had. Gek, juist als je niets weet denk je het ergste. Dat is menselijk."

Hij hoest weer, lang en verstikkend.

„Het is hier warm," zegt Tomas. „Je zou wat meer frisse lucht moeten hebben."

Hij kijkt naar Lucie. Ze schudt heel even met haar hoofd.

Bas praat, langzaam en helder. „Als je zo lang in bed ligt raak je aan de pieker. Ik had bijvoorbeeld graag een zoon gehad, twee zoons. Ik zou ze hebben gezegd respect voor vrouwen te hebben, ze niet als gebruiksvoorwerpen te zien. Ik zou een ander mens zijn geweest als ik zoons had gehad. Waarom zie ik dat nu pas?"

„Je kunt niet alles hebben," zegt Tomas. Het pantser drukt tegen zijn hart, roept om vrijheid. Maar Tomas laat niets los, hij voelt zich alleen maar veilig met deze harde achtergrond, vanwaaruit hij nu praat, luistert en kijkt.

„Je hebt succes in je werk, veel vrienden, je lééft... Vaklui praten over je artikelen, je hebt een goeie naam opgebouwd. Lig nou niet te klieren over wat je níet hebt."

„Je kunt prachtig praten, Tomassie, dat heb je altijd goed gekund; praten, mooie woorden zeggen. Er is een goed acteur aan je verloren gegaan. Misschien kun je later, hierboven, een rol krijgen. Verdraaid je zou het er best afbrengen. Maar ik heb schijt aan al die mooie woorden."

Hij krijgt opnieuw een zagerige benauwdheid.

„Wil je even alleen met hem zijn?" vraagt Lucie. Haar gezicht en stem zijn kalm.

„Natuurlijk wil ik dat. Je hoeft niet jaloers te zijn, Luus..."

„Dat ligt niet in mijn aard. Maar wind je alsjeblieft niet zo op."
„Nee, dokter."
Het klinkt rauw en spottend.
Ik hoop dat ik het volhou, denkt Tomas, het hele spel, het liegen.
Hij zou waarschijnlijk veel meer voor hem kunnen betekenen als Bas wist waar hij aan toe was. Als ze nú niet kunnen praten zullen ze het nooit meer kunnen.
Er komt een opening in het pantser en hij weet dat het verder open zal scheuren, omdat in deze momenten hun vriendschap op zijn sterkst is.
„Wat zei Tom?" vraagt Bas. Hij vraagt het kalm alsof hij het antwoord al lang weet.
„Doktoren hebben een beroepsgeheim, dat weet je. Hij zegt nooit iets tegen me over zijn patiënten."
„Ik ben geen patiënt van hem."
Tomas probeert het nog eens.
„Hij neemt zijn vak serieus. Het is niets voor hem om uitspraken te doen, vooral niet over mensen die hij oppervlakkig kent."
„Hij weet dat we vrienden zijn."
„Misschien juist daarom."
Nou heeft hij zich verraden. Het is stil in de kamer.
„Dank je," zegt Bas. „Ik heb aan een half woord genoeg. Je... je weet zeker niet hoe lang nog?"
„Nee."
„Ik voel het wel, ik heb het vanaf het begin gevoeld; het zijn mijn longen. Ik heb gekozen in het leven, maar ik deed het verkeerd. Ik koos voor het pakken wat je pakken kunt, nemen wat je nemen wilt. Maar de laatste vijf jaren heb ik echt geleefd..."
„Veel mensen krijgen zelfs die vijf jaren niet."
Het hoesten is schor en eenzaam.
„Wil je wat voor me doen?"
„Alles."
„Ik heb nog geld op een bank in Duitsland, Lucie weet dat niet. Ik heb haar nooit gezegd dat daar een vrouw woont die een dochter van me heeft. Dat zei ze tenminste altijd, ik weet niet of het waar is. Er zijn vrouwen die zelfs met een kind als inzet liegen. Maar ik wil niet met een onzeker gevoel... afscheid nemen. Ik heb alle papieren al klaar. Pak dat koffertje eens, onder mijn bed."

Tomas geeft het en maakt het met een sleuteltje open.

„Hier heb je de papieren, er is een volmacht bij voor je. Als je wilt, ga dan naar München, naar de Sparkasse. Je moet dat geld van de bank halen en het die vrouw brengen. Als het waar is wat ze zegt wil ik haar dat geld geven. Stop alles bij je en verlies het niet.”

„Maakt het je rustiger?”

„Ja. Lucie redt zich wel, maar die Annelies... Er was een periode waarin ik van haar hield. Ach, ik weet het niet meer.”

Hij hoest en Tomas geeft hem te drinken.

„Ik zou willen dat je zoon hier dicht bij me woonde. Dan zou ik hem vragen... ja, ik zou hem vragen of hij me zou willen helpen als het te moeilijk wordt.”

„Hij zou het niet doen,” zegt Tomas zacht.

„Wil jij niet iets voor me halen, zodat ik... Ach nee, ik zou het niet willen. Het zou uitkomen en jij zou ervoor opdraaien.”

Het pantser is weg. Gevoel komt in hete golven boven, overspoelt, sleept mee, maakt zwak en kwetsbaar.

„Laten we nu eens even niet praten,” zegt Tomas. „Alleen maar stil zijn.”

„Maar ik kan het nu nog...”

„Er is zo weinig te zeggen. We weten alles van elkaar, er is bijna niets dat we niet weten.”

Bas heeft zijn ogen dicht. „Misschien kom je nog een keer, dat hoop ik zo.”

„Ik kan ook blijven.”

„Blijven? Weken, maanden? En Ruuth dan?”

„We zouden hier in een hotel kunnen. Als het jou rustig maakt...”

„Zou je dat doen?”

„Ja.”

„Dat kan niet... Misschien... misschien kan Luus je bellen als ik... je nodig heb.”

„Ik kom dan met het eerste het beste vliegtuig.”

„En denk je aan dat geld voor Annelies?”

„Natuurlijk. Wil je nog meer zeggen nu?”

„Nee.” Tomas legt zijn hand op die van Bas, Hij zou willen zeggen: „Ouwe jongen, malle fantastische ouwe jongen,” maar hij zegt het niet. „Ik laat je nooit in de steek, dat weet je, en ik ben bij je als je me nodig hebt.”

Hij knijpt hard in de hand van zijn vriend.
„Je doet me pijn."
„Je doet mij ook pijn. We doen weer alles samen. We voelen weer hetzelfde."
„Ik zou je willen bedanken voor zoveel jaren."
„Ik jou ook."
„Nou moet je gaan."
Tomas staat op. Hij heeft nog nooit in zijn leven een man omarmd. Hij houdt Bas tegen zich aan. „'t Is een oneindig stomme rotstreek van je," zegt hij, „om me in de steek te laten..."
Hij weet niet meer hoe hij de kamer uitgekomen is, ook niet hoe hij bij Lucie en Tom daarna overkwam, Hij weet alleen nog dat hij weg wilde, of er een vliegtuig ging of niet.
„Bel me als je me nodig hebt," zegt hij tegen Lucie. Hij zoent haar snel. „En ik kóm, Luus, ik kóm."

8

Onmerkbaar loopt de zomer naar het einde. De hemel lijkt af te wachten; de natuur bereidt zich voor op een afscheid van warmte, licht en groei.
Tom zegt tegen Matty. „Soms heb ik het gevoel dat je je wel eens verveelt, dat je je niet helemaal gelukkig voelt."
Hij kent me goed, denkt ze. Ze houdt even op met strijken. „Gelukkig ben ik wel, maar ik zou wel eens iets anders willen. Ik bedoel, een cursus volgen een middag of avond in de week. Ik zou er zo graag eens uit willen, al is het maar één keer in de week."
„Als je dat graag wilt, moet je het doen."
Ze lacht. „En dat zeg jíj, die er altijd zo voor is dat moeders thuis zijn, kinderen opvangen, redderen en zorgen."
„Eén dag per week zou daar niet zoveel aan veranderen. Ik zie het in mijn praktijk ook zo vaak, vrouwen die van alles en nog wat mankeren, kwalen hebben die niet thuis te brengen zijn, maar als ze dan een baantje hebben, voor halve of hele dagen, dan voelen ze zich stukken beter. Vooral vrouwen in de overgang."
„Daar ben ik nog lang niet aan toe."

Ze pakt een bloesje van Rob, schakelt de bout op 'flanel'. „Meen je het, Tom?"

„Ja. Je zit erg veel thuis. Je bent te bezet. Als ik er niet ben, let je op de telefoon."

„Meestal het antwoordapparaat."

„Goed, maar je bent er en je helpt als het zo uitkomt. Je neemt boodschappen aan aan de deur als ik naar een patiënt moet. Het zou je erg goed doen."

„Zo eenvoudig is het niet. Hoe moet dat dan met het eten en met de kinderen als jij wegmoet?"

„Tomas en Ruuth zouden het heerlijk vinden om op te passen en ik ook. Je kunt soms wat stil zijn, net of je er niet helemaal bijbent. Dat ken ik niet van je."

„Ik heb er zelf ook wel eens over nagedacht, vooral nu de kinderen groter worden. Ruuthje is een stuk minder onhandelbaar en Rob vindt het heerlijk als Ruuth en Tomas er zijn. Hij adoreert ze, vooral Tomas, Ik ben daar wel eens jaloers op," zegt Matty.

„Daar moet je tegen vechten; jaloezie is iets afschuwelijks. Je weet bovendien dat daar helemaal geen reden voor is; een kind houdt van een grootvader anders dan van zijn moeder. Maar wat voor cursus zou je willen volgen en waar?"

„Ik dacht er aan inlichtingen bij de Volksuniversiteit te vragen, vooral over een cursus kunstgeschiedenis. Vind je 't gek?"

„Nee, absoluut niet. Ik zou het doen. Het is lang niet altijd eenvoudig met een huisarts getrouwd te zijn."

„Nee, lang niet altijd," ze lacht, „maar meestal is het fijn."

„Wanneer dan niet?"

„Als er nare dingen zijn en je zo stil en afwezig aan tafel zit. En ook als je naar die studieweken moet voor nascholing. Dan duren de dagen en nachten lang."

„Het is ook al weer een poosje geleden dat ik afstudeerde, Er is in die bijna acht jaar weer veel veranderd, veel nieuwe mogelijkheden zijn er bijgekomen."

„Ik begrijp het best, maar je vroeg ernaar en daarom zeg ik het je. Ik zal morgen meteen die cursus aanvragen."

Ze aarzelt. „Eerlijk gezegd heb ik die al in huis. Ik dacht, als je het niet goed vindt is er nog geen man overboord."

„Matty van Tiel is een interessante vrouw, je ontdekt steeds iets nieuws bij haar. Maar zeg, ik heb het je nooit eerder gevraagd, omdat ik het helemaal was vergeten, je hebt nooit meer gepraat over dat uitzoeken van je vader. Ik ben daar natuurlijk erg blij mee, want ik zag er niks in. Maar waarom heb je het opgegeven?"

„Ik was het al weer vergeten," zegt ze. „Ik kreeg het antwoord op mijn vraag destijds in de herfst, toen we met z'n allen naar het eiland gingen. Ik zag die gehandicapte kinderen, ik vroeg een leidster over de achtergronden, over eventuele erfelijkheid, maar ze zei dat dat er niets mee te maken had."

„Waarom wilde je iets meer over erfelijkheid weten?"

„Om Ruuthje. Om wat ze vroeger had..."

„Dat had je mij toch kunnen vragen?"

„Ik was bang dat je niet met een eerlijk antwoord zou komen. Soms jokken mensen tegen elkaar, vooral als ze van elkaar houden. Dat jokken noemen ze dan elkaar sparen."

Tom zegt niets.

„Die vrouw op de boot was totaal onpartijdig. Ik voelde dat ze de waarheid zei en – wat het meest belangrijke was – ik besefte opeens hoe dwaas ik was geweest, omdat ik niet zag wat ik allemaal had. Jou, Robbie, Ruuth en alles... Ik had rust. Het hoefde niet meer, Tom, Begrijp je het?"

„Ja, maar je had het me moeten zeggen. Ik bedoel, je had veel uitgebreider moeten zijn, Ik merkte wel dat er iets was. Je was vrolijker, ik combineerde wel het een met het ander, Ik dacht dat je díe kinderen met die van ons vergeleek."

Hij kijkt ernstig. „Je moet zulke zware problemen nooit voor je houden, nooit Mat."

„Je wilde er niets meer over horen,"

„Dat was dom van je."

„Soms ben ik dom."

Hij neemt haar opeens in zijn armen. Er zijn van die ogenblikken dat er geen woorden nodig zijn, alleen maar een laten voelen van elkaar te zijn, samen, Ook een eigen leven hebben, een eigen ontwikkeling, die echter altijd weer uitvloeit in een gemeenschappelijke warmte. Mensen zijn als twee rivieren, elk met een eigen stroming, een eigen ritme en een eigen muziek. Maar de uitmonding is voor beiden de zee...

„O, de bout," zegt ze. „Laat me los, Tom."

„Daar heb ik op zitten wachten," zegt Tomas. „We zijn graag een beetje nodig."

Hij kijkt naar Matty. „Als je zo uit de kinderen bent is het wel eens stil in huis, dan is het fijn als je een dagje kunt oppassen."

„Maar het is élke week."

Matty kijkt naar Ruuth. Verbeeldt ze het zich dat Ruuth de laatste tijd wat moe ziet?

Ruuth voelt Matty's blik. „Het is fijn," zegt ze zacht.

Gelukkig dat ze nooit tegen iemand heeft gezegd dat ze vaak nachten wakker ligt, de slaap niet kan vinden. Ze is laatst naar een arts geweest, nee, niet naar Tom, naar een collega van hem. Ze heeft vaak last van hoofdpijn en soms overvalt haar een lichte duizeling.

„De bloeddruk is wat aan de hoge kant," zei de arts, „vooral de onderdruk."

„Hoe hoog?" vroeg ze.

„Vijfennegentig."

„En dat noem je wat aan de hoge kant?"

Tenslotte is ze niet voor niets schoolarts geweest.

„Je weet het zelf het beste, zo goed als geen zout, een beetje rustig aan en niet te veel piekeren. Veel afleiding, Kom over een paar maanden nog maar eens terug. En... Ruuth, er is geen reden om je zorgen te maken."

Ze neemt trouw elke dag de tabletten in die ze kreeg, ze doet het zonder dat Tomas het merkt. Soms wordt ze moe van Tomas. Hij wíl altijd zo veel, hij heeft zoveel energie, zit boordevol plannen, wil dat ze meegaat op vakantie naar het buitenland, naar concerten, tentoonstellingen, ergens eten. En ze zegt altijd: „Goed."

En nu dat oppassen weer... Ze is gek met de kinderen, maar Ruuthje is en blijft een opstandig ding, vooral als haar vader en moeder er niet zijn. „U bent mijn moeder niet. Van mijn moeder mag ik het wel."

Elke hele woensdag... Ze zou nee willen zeggen, maar ze doet het niet. Ze glimlacht naar Matty. Het is goed dat jonge moeders van nu er eens een dag tussenuit gaan, iets helemaal voor zichzelf hebben. Het leven is gejaagd, er gebeurt te veel en er wordt vandaag de dag van ouders veel meer verlangd dan vroeger.

„Wanneer gaat het in?" vraagt Tomas. Hij denkt aan Bas. Elke nieuwe dag die God geeft kan er gebeld worden en hij zál naar Londen.

„Over twee weken."

„Dat is dan afgesproken. Wat zeg jij, Ruuth?"

„Prima."

Ze kijkt naar Matty... jongere mensen hadden het in veel opzichten gemakkelijker in deze tijd, vooral waar het technische uitvindingen betreft. Ze hebben afwasmachines, wasmachines en alles wat er nog meer bij het huishouden te pas komt. Maar wat het geestelijke aspect betreft is er achteruitgang. Het is veel moeilijker in deze tijd kinderen groot te brengen dan vroeger.

Normen en waarden zijn verschoven, mensen leven steeds meer naast dan met elkaar. Kleine intieme buurtwinkeltjes zijn met een lantarentje te zoeken, van die leuke kleine winkels, waar de boodschappen nog thuisgebracht worden en zelfs in een weekend, als je had vergeten naar de bank te gaan, gepoft werd.

Wás je jaren geleden gelukkiger? Of lijkt dat alleen maar zo omdat de tijden veranderen? Nee, gelukkiger waren ze niet, wél rustiger en zinvoller omdat iedereen werkte, bezig was.

„Kunstgeschiedenis," zegt Tomas. „Wat kun je daar nou mee doen?"

„Veel en ik hou ervan, In musea zijn schilderijen bijvoorbeeld veel meer herkenbaar als je meer achtergrond weet."

„Zeker van die malle moderne dingen waarvan je niet weet of ze op hun kop hangen of niet."

„Je bent ouderwets," zegt Matty. „Gewoon ouderwets."

„Mag ik? Tenslotte ben ik een man van tegen de zeventig, hoewel dat nog drie jaren duurt. Zeventig... Als ik als kind iemand van boven de zestig zag vond ik dat stok- en stokoud en nu..."

„Nu is het jong."

Ruuth lacht.

„Fijn dat jullie het willen," zegt Matty. Ze geeft Ruuth spontaan een zoen. „Het is zo'n geruststelling, te weten wie er bij de kinderen zijn. Als het niet gegaan was had ik de cursus afgezegd."

„Haal uit het leven wat je denkt dat erinzit."

Ruuth zegt het zacht.

„Lééf, soms kan dat niet meer."

„Wat ben je somber," zegt Tomas. „Dat is niets voor jou."

„Dat komt misschien omdat er verschillende mensen wegvallen als je ouder wordt, kennissen, goede vrienden."

„Je denkt aan Bas," zegt hij langzaam.

„Ja, vaak. Ik heb veel van hem geleerd. Vooral dat je zuinig met je gezondheid moet omspringen.”

„Ik wilde maar dat ik een telefoontje kreeg. Ik zou blij voor hem zijn als er een eind aan kwam.”

Matty wil opeens weg. Ze kan niet tegen al deze verhalen, ze hoort van Tom thuis genoeg over het leven in al zijn hardheid en verrassingen. Ze wil het niet nog eens horen. Ze is nog jong, er is nog zo weinig plaats voor dood en ziek zijn. Dat komt allemaal later.

„Ik ga,” zegt ze. „Tom is alleen thuis.”

„Kunnen jullie elkaar dan geen uurtje missen?” vraagt Tomas.

„Een uurtje wel, een dag ook, maar niet langer. Doeg...!”

Ruuth kijkt haar na. Een jonge, aardige vrouw, met de spankracht van een mens die alles nog voor zich heeft. Zou ze zelf weer zo jong willen zijn? Zo midden in het leven willen staan met al zijn verwachtingen en teleurstellingen? Toen kende ze Tomas nog niet, was ze zoekend naar hét leven, naar dat grote prachtige leven, tot aan de nok gevuld met geluk.

Ze heeft geleerd dat geluk veroverd moet worden, elke dag opnieuw, elke nacht ook. Dat de dingen nooit helemaal veilig zijn, maar dat er onverwacht een schaduw voor de zon kan komen, onafwendbaar. Ze gaat bij het raam vandaan. Heeft ze vóór Matty kwam nou dat tabletje ingenomen? Ze weet het niet.

Ze pakt het wandkleed en gaat verder. Het is een pietepeuterig werk en vooral ’s avonds vermoeit het een beetje.

Ze zijn geen van beiden erge tv-mensen, Tomas en zij, maar het is een prettig idee dat je, als je dat wilt, de hele wereld binnen kan halen.

„We zijn rijk,” zegt Tomas.

Ze begrijpt wat hij bedoelt. „Ja,” zegt ze, „zo rijk dat ik er soms wel eens bang voor ben.”

„Zo moet je niet denken.” Ze komt met het kleed naast hem zitten, een gedeelte van de stof valt over zijn knieën. Hij kijkt ernaar. „Wat stelt het voor? Een wolf of zo?”

„Nee, een man, een man met zijn kleinzoon, Ach, Tomas, dat zie je toch, het is een edelhert.”

„Ik zou me rotschrikken als ik zoiets aan de wand had.”

„Het is ook niet voor jou.”

Hij glimlacht, kijkt naar haar voorovergebogen hoofd. Hij is blij dat ze haar haren niet spoelt. Het staat veel zachter en natuurlijker, dat grijs om haar gezicht. Waarom hebben mensen toch zo'n hekel aan grijs haar? En aan rimpels? Het hoort bij het leven. En het kan een gezicht karakteristieker maken.

„Wil je daar nog lang mee doorgaan?" vraagt hij.

„Nee, alleen dit ene stukje nog, Ik kom direct achter je aan." Zo goed kende je elkaar, dat je wist dat de ander naar bed wilde, een beetje lezen en dan soezerig het lampje hoven het bed uitknippen. Ze hoort hem opstaan, naar het toilet gaan, Ze hoort het doortrekken van de wc, de geluiden boven, het kraken van de deur… Nee, ze neemt geen tablet. Twee zou niet goed zijn.

Na een kwartiertje legt ze het wandkleed weg. Onder het prikken met de naald in de zachte stof zijn haar gedachten tot rust gekomen.

Als ze naast Tomas kruipt zegt hij: „Je hebt kouwe voeten."

„Daarom wil ik nooit twee bedden naast elkaar."

Ze voelt zijn warmte en drukt zich even tegen hem aan.

9

Ruuthje kijkt diep verongelijkt. „Ik wíl geen beugel, dat staat lelijk. Ze lachen me allemaal uit op school."

„Ze lachen ook als je tanden raar scheef groeien."

„Met scheve tanden kan ik ook lachen, met een beugel niet. Waarom moet dat nou?"

„Omdat het beter is."

„Poeh…"

„Je bent een stom kind," zegt Robbie, „gewoon stom."

„Jíj hebt geen beugel."

De jongen zwijgt. Hoe zou híj het vinden met zo'n ding om je voortanden? Ook niet leuk, maar het was maar voor een poosje en je kreeg er later prachtige tanden door. Hij zegt: „Ik heb een klein kiertje tussen mijn voortanden, heb je dat nooit gezien? En daar kunnen ze helemaal niks aan doen."

„Dat heb ik allang gezien, het is net of er een tand vergeten is. Maar het is niet zo gek als met een beugel lopen."

Matty luistert naar het geharrewar, ze komt er niet tussen.

Ruuthje bedaart altijd vanzelf. Als ze voelde dat ze niet kon winnen gaf ze de strijd op. Dat was vroeger anders. Dan schopte ze tot ze alle energie uit haar kleine lijf had gehaald en doodmoe ophield.

Ze zegt alleen: „Er zijn kinderen die niet kunnen lopen, of zien, die niet eens kunnen praten of horen."

Waarom zegt ze dit? Kunnen jonge kinderen dit begrijpen?

„Ja," zegt Robbie, „bij ons op school, mam, is een jongetje dat kinderverlamming heeft gehad vroeger en erg moeilijk loopt, maar we schelden hem niet uit. Eén keer heeft Jos het wel gedaan, Jos Hagers, een rotjongen en toen zei die Michiel, want zo heet dat jongetje: 'Het is nog veel erger als je de stomste van de klas bent en dat ben jij.' Net goed, hè?"

„Ja, net goed, het is intens flauw en gemeen iemand uit te schelden."

„Dat doet toch geen zeer," zegt Ruuthje nonchalant, „Daar voel je niks van."

„O nee?" Robbie zegt het voor zijn doen hard. „Dat is nog veel rotter omdat je niks terug kunt doen. Als juf tegen mij zegt..."

Hij zwijgt. „Nee, niks."

Later, denkt Matty, als we met zijn tweetjes zijn, dan zal ik het hem vragen.

Maar de dag verloopt anders dan ze zich hebben voorgesteld.

Tegen twaalven komt Ruuth. „Ik zou graag vandaag en misschien de komende dagen bij jullie zijn. Tomas kreeg vanmorgen telefoon van Lucie. Hij is er nu naartoe."

„Dat is toch altijd goed," zegt Matty, „dat weet je toch?"

„Jawel, maar het komt zo onverwacht."

„Nare dingen komen altijd onverwacht."

„Gaat oom Bas nou dood?" vraagt Robbie. Hij is zijn eigen verdriet vergeten. Hij wil er niet meer aan denken wat juf voor de klas zei. Alle kinderen waren erbij. Ze zei het gemeen en hard.

„Kinderen die op hun nagels bijten zijn mensentreiters."

Hij voelde dat ze naar hém keek, de andere kinderen ook. Hij werd helemaal warm, zo vreemd warm, en hij voelde een ongekende verontwaardiging. Er kwam een drift in hem boven die hij tevoren niet kende. Hij weet nog dat hij opstond en zei: „Mensen met grote neuzen zijn treiterkoppen."

Hij rende de klas uit. Hij had gisteren de hele middag een beetje rondgezworven, maar was gewoon, tegen vieren, thuisgekomen. Hij verlangde opeens heel erg naar opa, maar die was er niet. Pap had het druk, die was naar zijn patiënten, en mam deed boodschappen. Hij had wel een paar keer de telefoon horen gaan, maar net gedaan of hij die niet hoorde. Net lekker, dat rotmens. Hij had haar kunnen slaan. Ze had hem voor de hele klas beledigd. Waarom moest ze dat doen? Ze had het net zo goed tegen hem kunnen zeggen, veilig, als je met z'n tweetjes was, tussen de middag voordat je naar huis ging. Ze had moeten zeggen: „Het is niet goed nagels bijten."

„Maar ik bijt niet," zou hij dan gezegd hebben. „Ik speel ermee en als ik er dan aan trek, gaan ze stuk."

„Het staat zo lelijk."

Dat zou ze gezegd kunnen hebben. „En je krijgt van die brede vingertoppen."

Hij had thuis niks gezegd omdat hij het niet kon. En nu moet hij straks weer naar school. Maar hij gaat niet. Hij doet het niet. Hij wil naar opa, en nou gaat die juist vandaag naar Londen. Er springen opeens hete tranen in zijn ogen. Wat moet hij nou? Alles gaat vandaag anders en er is niemand die op hem let. Hij kan nou ook niet naar oma, want die is hier.

De telefoon gaat weer en Matty neemt de hoorn van de haak. „Ja," zegt ze, „hij is thuis. Hij had vrij van gym, zei hij. Wat zegt u? Of ik op school kan komen? Goed ja. Hoe laat? Tegen vijven. Ik zal er zijn."

Ze keert zich om naar Rob. Zijn gezichtje is spierwit, er is zoveel eenzaamheid en woede in dat ze zegt: „We gaan samen naar de slager. We zijn zo terug, Ruuth."

De jongen zegt niks, hij loopt bokkig naast Matty.

Opeens zegt ze zacht. „Vertel het maar. Hoe erg het ook is, het is altijd beter om het te zeggen. Misschien kan ik je helpen."

„Nee."

„Is het zó erg?"

„Ik heb gezegd..."

Hij huilt niet, er klinkt, iets striemends in zijn stem, iets van een enorme triomf. „Ik heb tegen d'r gezegd dat mensen met grote neuzen treiterkoppen zijn."

„Tegen juf?"

„Ja..

„Is ze een treiterkop?"

„Nog veel meer."

Hij vertelt wat ze heeft gezegd voor de klas.

Matty luistert. Hoe kan een mens zoiets doen, denkt ze. Ze kijkt op hem neer, op dat steeds langer wordende kind dat met zo'n kwetsbaar hartje de grote wereld in moet.

„Weet je," zegt ze en ze grijpt zijn hand die hij direct weer loslaat, „misschien had ze een rotdag of ergens verdriet over. Ze heeft tenslotte ook helemaal niemand thuis, ze woont alleen. Ik weet dat ze vroeger, toen ze jong was, wilde trouwen en kinderen hebben, net zoals wij, maar dat haar man bij het zwemmen verdronken is. Ze is daarom nooit getrouwd. Ze heeft veel meegemaakt, Rob."

„Daarom hoeft ze mij niet zo te vernederen."

„Nee, dat was fout. Maar vond je het goed wat jij zei? Ze heeft een wat grote neus en als iemand dat dan hardop in een klas zegt is dat ook niet zo plezierig. Nagels kunnen groeien, maar aan een grote neus kun je weinig doen."

Er glijdt een flauwe glimlach over zijn gezicht. Hij is blij dat ze niets zegt over zijn nagels. Dat heeft ze maar één keer gedaan.

„Hou daar nou mee op, lieverd."

„Ik kan het niet."

„O jawel, dat kun je best. Je probeert het niet."

Er waren wel eens dagen dat hij het vergat, maar als hij bijvoorbeeld naar opa luistert bij een spannend verhaal, dan vergeet hij het weer.

„Ik ga geen excuus maken," zegt hij opeens. „Dat doe ik nooit."

Was Tom er nou maar, denkt Matty, of Tomas. Er zijn momenten dat ze niet weet wat ze het beste kan doen. Diep in haar hart is een gevoel van verontwaardiging. Ze ziet zo'n kind in de klas zitten, al die grinnikende gezichten van de andere kinderen, ze hoort ze roepen: 'Jij bijt op je nagels, klein kind. Jij bijt op je nagels.'

Want zo kunnen kinderen zijn. Ook haar Rob kan zo zijn. Hardheid en woede zitten in ieder mens, de goede gevoelens echter ook.

„Het doet pijn, mam als ze zoiets tegen je zegt."

„Je hebt haar nu ook niet bepaald een plezierige dag bezorgd."

„Moet ik nou naar school vanmiddag? Hoe kan dat nou?"

Ze heeft een idee. „Als we nu samen eens gingen. O, ik zal je heus niet de hand boven het hoofd houden. Tenslotte had je niet zo grof moeten zijn, maar begrijpen doe ik het wel."

„Samen naar school? O nee, mam, ze zouden me uitlachen. Durf je niet zonder je moesie...? U kent dat wel."

„Goed, dan ga ik alleen. Ga jij maar naar huis, ik kom wel."

Ze kijkt hem na. Een onverschilligdoend jongetje, diepbezeerd en verlaten. Maar het leven is nu eenmaal zo, hard en vol strijd. Hoe jonger je daar op voorbereid bent, hoe beter.

Juffrouw ten Kate blijkt mee te vallen. Ze zegt: „Het was niet bepaald verstandig wat ik deed, maar het is gebeurd. Naderhand dacht ik dat ik als kind ook furieus was geworden. Stuur hem maar weer gauw naar school. Hoe eerder het uit de wereld is, hoe beter."

„Hij wil geen excuus vragen," zegt Matty. „Ik weet niet of u dat van hem verlangt."

„Het moet uit hemzelf komen en anders... ik zou hém eveneens moeten zeggen dat het me spijt."

„Komt u eens een keertje bij ons thuis," zegt Matty. „Dat zou ik erg plezierig vinden."

Er glijdt heel even een verraste lach over het gezicht van Mies ten Kate.

Het gebeurt niet zo vaak dat ouders haar uitnodigen; de tijden zijn te druk, alle mensen hebben zo hun eigen besognes. Ze klaagt nooit, Mies, ze houdt van haar werk, vooral van het apart lesgeven aan buitenlandse kinderen, wat veel van haar vrije tijd vraagt. Maar er zijn wel eens van die dagen dat ze zich afvraagt of ze het allemaal wel kan volhouden. Ze is niet meer een van de jongsten. Volgende maand wordt ze tweeënvijftig. Er is veel veranderd in het onderwijs; er zijn veel vernieuwingen die ze niet altijd zo gemakkelijk in haar lesgeven kan inlassen.

„Ik kom graag eens," zegt ze. „Zeg maar tegen Rob dat ik het jammer vind dat ik het heb gezegd."

„Hij is bang dat ze hem nu zullen plagen."

„Daar zorg ik wel voor."

Matty glimlacht. Een beetje onhandig zegt ze: „En wat die grote neus betreft, ik dacht zo dat dat best meeviel. Heeft iemand ooit wel eens tegen u gezegd dat u prachtige bruine ogen heeft?"

„Nee."

„U moet maar eens gauw bellen om een afspraak te maken."

„Dat zal ik zeker doen."

Waarom is er soms spanning nodig om mensen wat dichter tot elkaar te brengen?

„Wat zei ze?" vraagt Rob.

„Ze vindt het jammer dat het zo gegaan is. Ga maar gauw naar school vanmiddag, niemand zal erop terugkomen."

„Soms is ze best aardig," zegt de jongen met een zucht. „En moet ik geen excuus maken?"

„Je moet doen wat je hartje je ingeeft. En daar zou ik maar eens goed over nadenken."

Die middag stapt Robbie de klas in. Hij heeft een enorme overwinning op zichzelf behaald. Hij gaat naar juf ten Kate en zegt: 't Was stom van me, ik had het niet moeten zeggen."

„Ik ook niet."

Ze kijkt even de klas door. „En wie hier flauwe grapjes over maakt, is bij mij nog niet jarig. Pak je aardrijkskundeboek..."

Rob kijkt haar snel even aan. Hij schenkt haar een van zijn meest blije glimlachen.

10

Zo klein is een mens als hij van aangezicht tot aangezicht met de dood staat, de stille vijand die altijd onuitgenodigd komt en met trefzekere hand neemt wat hij wil hebben, het léven. Dat is het enige wat hij wil. Némen. Toch krijg je gelijkertijd ook vaak rust, vrede, aanvaarding.

Tomas kent de dood. Hij zag hem in de oorlog, bij het ziekbed van zijn ouders, het verlies van vrienden en bekenden en hij blijft zich erover verwonderen dat zelfs de dood honderd verschillende kleuren heeft, zachte en snelle, wilde en onzichtbare. Hij begrijpt niet waarom mensen er bang voor zijn, want er is niets zo kalm als het heengaan van een mens die heeft mogen leven, die uit het niets geboren de kracht van de zon, en de liefde, de schoonheid en troost van muziek en de onovertroffen warmte van de schepping heeft mogen proeven. Bas heeft gelééfd. Deze magere, eenzame man met het weerbarstige karakter van een man, een kind en een jongen in één lichaam, met de harde lach achter een zacht verdriet en een diepe ontroering achter een verbeten strijd. Lucie is rustig en stil. „Praat niet te veel tegen hem," zegt ze.

„Het vermoeit hem."

„Ik ken hem langer dan jij en op een totaal andere manier."

De winter is op zijn retour, de natuur bereidt zich voor op nieuwe impulsen, de aarde geeft zich over aan groei en ontvankelijkheid.

En zo zal het altijd zijn, het machtige, nimmer te begrijpen proces van geboren worden en sterven, eeuw in eeuw uit.

Er is een weerloosheid in de ogen van Bas. Fijn dat je er bent zeggen ze, fijn dat je me ook nú niet alleen laat. want je weet niet hoe alleen een mens kan zijn die voor de poort staat. Heel het afgelegde leven is er, alle kleuren van haat en verzoening, zwak zijn en weer winnen, fouten maken en die fouten te lijf gaan.

Hij kijkt naar Tomas alsof hij wil vragen: Heb je alles geregeld? Ben je naar Annelies geweest?

„Alles is goed," zegt Tomas.

Lucie is naar de keuken om voor de eerste keer deze dag een kop soep klaar te maken.

„Was het zo?" vraagt Bas. „Bestaat dat kind?"

„Nee."

Hij had ook já kunnen zeggen, want hij weet het niet. Annelies weet het zelf niet. Er is een kind, maar ze weet niet wie de vader is.

„'t Is ook beter zo.

„Gelukkig," zegt Bas. „Ik heb er niet veel van terechtgebracht."

„O, jawel. Alleen, jouw foutjes waren wat meer zichtbaar dan die van een ander."

„Hou me 's vast, Tomas. Ik heb het zo koud."

„Er is niets om bang voor te zijn."

Hij heeft een arm om zijn schouder.

„En ik had een hond willen hebben. We zouden een hond nemen, ik wist er alleen nog geen naam voor. Weet jij een goeie naam voor een hond? Dat weet je toch wel?"

„Bas is een goeie naam."

„Ik heb het benauwd, Tomas. Ben je er nog? Er is zoveel… zoveel muziek en zon en ze schieten ook weer."

„Dat houdt straks op."

„We hebben gewonnen. Is Lucie er ook?"

Waarom heb ik niet meer kracht, denkt Tomas, kracht om te warmen en te laten voelen wat het is, vriendschap?

Hij voelt het weerloze lichaam, hoort de zwakker wordende stem.

„Ouwe jongen," zegt hij, „malle ouwe jongen…

Maar er is alleen nog een zucht. Dan niets meer… Hij blijft bij het bed staan en kijkt naar Bas. Zo'n vriendschap komt nooit meer; niets komt ooit weer in eenzelfde vorm terug. Liefhebben niet, geboren worden niet...

Hij voelt Lucie naast zich. Hij trekt haar naar zich toe en houdt haar dicht tegen zich aan. „Meid," zegt hij, „'t is voorbij..."

Ze huilt niet, alleen haar gezicht is vreemd, ver en haar stem ook als ze zegt: „Hij zou willen dat we nu soep aten. Zo was hij."

Terug in het vliegtuig ontbrandt er een woede in Tomas, tegen zichzelf en de wereld. Die boosheid is verdriet, dat weet hij, maar hij geeft zich er aan over, zoals een kind aan een boze bui. Het is de enige manier zijn gevoelens te uiten, een beetje primitief misschien, maar wel doeltreffend.

Er zit een bloedmooie meid bij hem in de buurt en hij kijkt ernaar.

Ze is jong en hartveroverend, niet alleen maar jong in jaren, maar in een tekort nog aan levenservaring. Hij kent deze meisjes, sommige stewardessen waren in zijn tijd zo; gevaarlijk jong en gevaarlijk verleidelijk. Maar hij was toch nooit een kerel geweest die zich altijd zo nodig lichamelijk moest bewijzen.

Hij kijkt naar het meisje, blond en slank. Nog wel, denkt hij, alle jonge meisjes, overal in de wereld, zijn slank en verleidelijk. Maar er komt een dag en dat moment komt altijd heel geleidelijk, dat meisjes vrouwen worden, eerst nog mooi en rijp, en wat ronder, later, zo tegen en in de middelbare leeftijd, dikker. Hij denkt aan Ruuth. Een echt mooie vrouw is ze nooit geweest, wel een interessante, zoals hij haar daar zag staan de allereerste keer van zijn leven op die boot. Hij had haar te dansen gevraagd. „Ik hou van een Engelse wals," zei ze.

Haar huid voelde glad en warm aan, haar grijze ogen in een sterk levendig gezicht boeiden hem, haar brede mond ook. Hij had er tegen gevochten, lang en intens. Maar hij had verloren. Wat jong was hij nog, om in het begin te denken dat het nooit iets kon worden omdat hij meende nog met Ruuth verbonden te zijn. Zijn vrouw Ruuth, die hij in de oorlog verloor. Hij denkt er nooit meer aan. Een heel enkele keer komt het nog wel eens boven. Bij een bombardement was ze getroffen. Hij had in de oorlog het gevoel gehad ergens voor te vechten, voor een liefde, een leven, een toekomst. Ze hadden zoveel plannen, Ruuth en hij. Ze zouden kinderen willen als de oorlog voorbij was...

Ach, een mens is dom om plannen te maken, te denken dat hij God niet nodig heeft, dat hij het zélf wel kan. Nou, het was mooi allemaal niet waar.

Dit meisje lijkt een beetje op Ruuth, hetzelfde lange zachtglanzende haar, de wijze waarop ze haar hoofd schuin houdt.

Bas... ja, die zou haar benaderen, proberen haar te versieren zoals dat zo mal heet. Bas heeft eindelijk, na een turbulent leven, rust.

Bij hém komt nu de onrust, angst opeens. Hij denkt eigenlijk zelden aan zijn eigen heengaan. Het overvalt hem wel eens, maar die momenten zijn te tellen. Hij heeft vaak het gevoel dat het bij hem nooit op zal houden. Belachelijke gedachte.

Hij drinkt de koffie uit het hem gegeven pakketje. Het smaakt hem niet. Over een paar uur is hij weer thuis, bij Ruuth. Hij verlangt er opeens hevig naar haar weer te zien, te voelen, haar zoen, haar begrip. Hoeveel jaren hebben zij nog samen? Man, klets niet zo idioot, zegt een innerlijke stem.

Door een van de vele kleine raampjes ziet hij de natuur, de schepping in al haar overrompelende schoonheid, de witte wolkenzee met hete zonnegloed er speels doorheen.

Hij voelt zijn ogen dichtvallen; het monotone geluid van de motoren maakt hem slaperig. Hij heeft de nacht daarvoor geen oog dichtgedaan. Voorbij een periode; alles wat warm was en goed, voorbij...

Hij valt in slaap. Met een schok komt hij tot zichzelf als hij de stem van de stewardess hoort. „Wilt u de veiligheidsriemen vastmaken, we gaan landen."

Het is altijd vreemd als steden langzaam herkenbaar worden, huizen, daken, rivieren, als piepkleine autootjes langzaam groter worden, de hele wereld weer is zoals hij was: druk, vol en benauwend, met veel te veel mensen op een kleine ruimte.

In de hal wacht hij op zijn koffertje. Het is maar een kleine citybag, net genoeg voor een verschoning en wat toiletartikelen.

Opeens hoort hij haar stem. Hij zwaait... Zo is Ruuth nou, denkt hij. Ze is er gewoon als je haar nodig hebt.

„Hallo," zegt ze.

„Hallo."

Er is een warm licht op zijn gezicht, het is een beetje het licht uit de eerste dagen van hun samen-zijn.

„Toch geen narigheid thuis?" vraag hij.

„Nee."

Ze heeft haar auto op de hoek geparkeerd.

„Mag ík rijden?" vraagt hij.

Ze knikt. „Daar rekende ik zo'n beetje op."

Ze zegt maar niet dat ze weer naar de dokter is geweest en dat die haar heeft aangeraden volkomen zoutloos te eten.

Het leidt hem af, dit rijden, deze volkomen concentratie. Want bij het rijden heeft hij zijn gedachten alleen maar bij het verkeer.

„Was het moeilijk?" vraagt ze voorzichtig.

„'t Ging nogal, 't duurde gelukkig niet lang. En er waren God zij dank heel weinig mensen bij de begrafenis, Bas hield niet van die poespas. Ze huichelen allemaal, zei hij vaak. Ze komen alleen maar om de sensatie, om te kijken wie er staat te janken en wie niet."

„Dat gaat voor enkele mensen op," zegt Ruuth, „de meesten leven wel degelijk mee."

Ze wil hem niet zeggen dat het drukke dagen voor haar waren, dat ze die herrie van jonge kinderen niet zo goed meer aankan, zich gauw ergert aan hun gedrag en vooral aan hun vrijheid. Maar ze scheelt ook twee generaties met hen en er is zo veel veranderd. Robbie handelt al helemaal zelfstandig en hoe oud is de jongen helemaal? Ruuthje krijg je met geen stok naar pianoles. Als ze niet wil, wil ze niet, afgelopen. Geen enkele dwang helpt, ze glimlacht vriendelijk en zegt: „Nee."

Het windt haar op. Ze zou het kind graag eens een flink pak op haar billen willen geven, volkomen onverwacht. Maar ze bemoeit zich nergens mee. Ze kijkt toe, luistert en trekt haar conclusies. Hoe deden zij dat dan met Tom? Die kwam toch ook als kleine jongen bij hen. Maar in die jaren was de tijd veel rustiger, drong de televisie niet elke avond je huiskamer in, zochten ze het veel meer in lange wandelingen, waardoor de jongen, Tom, 's avonds bek-af was en gauw sliep.

„Tom wil een assistent aantrekken," zegt ze om Tomas' gedachten te verdrijven. „Hij krijgt het te druk."

„Als hij zich dat financieel kan verantwoorden. Hij kan dan meer tijd aan zijn patiënten besteden, dat lijkt me alleen maar gunstiger. Hij heeft nu hooguit tien minuten voor een patiënt."

„Dacht je dat dat langer werd? Met een stampvolle wachtkamer elke dag en daarnaast nog visites afleggen? Tom is veel te consciëntieus, hij wil altijd zoveel mogelijk mensen helpen."

„'t Lijkt me een rotvak," zegt Tomas, „altijd ziek en zeer en narigheid."
„O nee, het is positief werk. Je helpt tenslotte mensen die je nodig hebben."
„Hij zoekt het maar uit," zegt Tomas. „Hij is oud en wijs genoeg. Als hij maar goed uitkijkt dat hij een vent neemt die bij hem past, die gewoon is en vooral een man uit hetzelfde hout. Zeg... verdraaid fideel van je om te komen."
„Dat had ik al in m'n hoofd toen je wegging. Zullen we onderweg ergens een stukje eten of wil je direct naar huis?"
„Wat wil jij?"
„Ik heb van alles in huis."
„Dan rijden we door."

De nieuwe assistent is er, een aardige vent met een sfeer van opgewektheid. Een jong en kundig man.
Tom is danig met hem in zijn sas. Hij kan het werk nu gemakkelijker indelen, al verdient hij uit de aard der zaak wat minder. Maar is het leven dan alleen maar leefbaar als je steeds meer moet hebben? Is er ook nog niet zoiets als werkelijk léven? Flip van Raalte, de assistent, is er immers? Dat betekent meer armslag en een betere dagindeling, die vooral de patiënt ten goede komt.
Ook Tomas vindt Flip sympathiek. „Ik denk dat ik hem als arts neem," zegt hij tegen Ruuth. „Waarom doe jij dat ook niet? Het is wat dichter in de buurt."
„Je gaat je gang maar," zegt Ruuth resoluut. „Ik blijf bij de oude Van Zeggelen."
„Die woont veel verder en bovendien zijn jonge artsen veel beter op de hoogte. Ze hebben modernere ideeën."
„Je beïnvloedt me niet."
Daarmee is de kous af. Tomas laat zich inschrijven bij Van Raalte, Ruuth niet. Het is niet alleen dat ze erg gehecht is aan haar oudere arts, het is veel meer. Ze wil niet dat Tom erachterkomt wat er met haar aan de hand is.
Bij de laatste visite zei de oude huisarts – en hij keek haar onderzoekend aan: „U moet wat rustiger aandoen. De onderdruk van uw bloed zakt maar niet, ondanks de medicijnen. Misschien moet u eens voor observatie naar het ziekenhuis."

„Nee," zei ze, „Tomas kan niet alleen."

„U weet zelf wat de consequenties zijn. Als u over een maand bij me terugbent en de onderdruk is nog steeds honderd, dan hebben we weinig keus, dacht ik."

„Hij kan ook zakken," zei ze.

„Alles is mogelijk. Maar ik zou niets riskeren."

Natuurlijk weet ze de consequenties, maar ze wil daar niet te veel aan denken. Als ze alles zoutloos neemt, wat vroeger naar bed gaat, veel wandelt, misschien dat dan alles verandert.

Robbie is inmiddels elf jaar. Hij is op school getest en kan met vlag en wimpel naar het atheneum.

„Wil je geen piloot worden?" vroeg Tomas een keer met iets van verwachting in zijn stem. Hij zou dolgraag zien dat juist dit kind een beroep zou kiezen waar híj altijd zo enorm veel van had gehouden.

„Nee, opa, ik word later musicus. Ik wil na het atheneum naar het conservatorium. Dan kies ik piano als hoofdvak en zang als bijvak. Misschien ga ik ook in mijn vrije tijd schrijven of schilderen. In ieder geval ga ik iets doen waarin ik alles wat ik voel kan uiten."

Tomas was teleurgesteld, maar wel zo wijs dat niet te laten merken. Pianist… zo'n vent die met een mooi pakkie aan voor een volle zaal speelt, die applaus krijgt en toch een eenling blijft. Want de kunst beminnen betekent voor een groot deel de eenzaamheid kiezen.

„Zo jongen," zei hij alleen maar. „Je moet altijd doen wat je hart zegt, dan zit je op een goeie koers."

„Dat zei u vroeger al eens tegen me, ik heb het altijd onthouden."

„Ik wist nooit dat jij zo goed in muziek bent."

„Ik wilde altijd al de beste zijn, het beste van iedereen pianospelen, en als je dat wilt, nou, dan kom je misschien erg ver."

„Eerzucht is goed, jongen, maar alleen als dat gekoppeld is aan een groot kúnnen…"

„Ik weet dat ik alles nog moet leren," zei Robbie, „maar ik wil het en dan kan ik het ook. Dan speel ik met een orkest, opa, later, en dan zit jij in de zaal op de eerste rij en je klapt je handen kapot, zo mooi vond je het…"

Tomas is niet erg enthousiast over deze nieuwe ontwikkeling in het kind. Nou, kind… Ruim elf, tamelijk lang en al een beetje zelfverzekerd.

Nu moet hij, als oudere man, niet weer terug gaan denken aan hoe hij zelf was op die leeftijd, maar het glipt opeens in zijn gevoel en hij kan het niet tegenhouden. Hij voetbalde als een gek, kwam altijd met een vuurrooie kop thuis. Hij vergat zijn huiswerk als hij kon zwemmen en tennissen. Hij leefde zich helemaal uit in de sport. Misschien reageerde hij met al die sport en met zijn enthousiaste inzet, veel spanningen af van zijn man worden. Het is goed als een jongen veel aan sport doet. Maar waarom wil hij dat Robbie zal zijn als hijzelf?

Het kind heeft een eigen persoonlijkheid, is een uniek mens; daar moet je niet te veel aan willen veranderen. Hij verlangt van Ruuth toch ook niet dat ze dezelfde interessen heeft als hij. Ze laten elkaar vrij en juist die vrijheid geeft zo'n intense gebondenheid.

Hij denkt hier allemaal aan op de oppaswoensdag, die ene dag in de week dat ze bij Tom en de kinderen zijn, omdat Matty naar de cursus kunstgeschiedenis is. Soms blijft ze een hele dag weg, gaat ze met een vriendin naar de bioscoop en komt pas tegen de avond terug.

„De moderne tijd," zegt hij tegen Ruuth. „Daar had jij vroeger geen tijd voor en geen zin in."

Ruuth glimlacht. Het wandkleed onder haar handen is bijna klaar. Ze is allang weer aan een nieuwe begonnen. Het is haar manier om zich te uiten; handwerken en in de tuin bezig zijn. De vorige week heeft ze viooltjes geplant en het kleine tuinhuis samen met Tomas geschilderd. Over rustig aandoen gesproken... „Tijden veranderen," zegt ze, „en het is goed dat een vrouw één middag of één dag in de week voor zichzelf heeft. Vroeger kon dat niet, nu wel en daar ben ik blij om. Matty komt veel blijer thuis, doet met meer plezier de huishouding. Het is niet zo simpel, altijd maar in huis bezig te zijn, met honderd en een karweitjes, die elke dag weer terugkomen. Dan heb je wel eens afleiding nodig."

„Dat zal wel."

„Ik kan je wel zeggen dat ik er vroeger naar snakte om de boel eens in de steek te laten en een dag vrij te nemen. Vooral als de zon scheen en ik aan het strand dacht."

„Er zijn nog altijd dingen die ik niet van je weet," zegt hij.

„Dat zal altijd zo blijven," zegt Ruuth zacht. „Ik zou niet graag alles van jou weten."

Ruuthje komt binnen. Ze draagt haar haren in een paardestaart, haar gezichtje is guitig en warm. „Ik stik gewoon in die trui, ik ga een bloes aantrekken. „'t Is veel te warm."

„'t Is pas begin april," zegt Tomas. „Vannacht was er nog nachtvorst."

„Die is nóu allang weer over, 't is in de zon heet."

Ze rent al naar boven.

Ruuth roept haar nog na. „Neem dan tenminste een vest mee."

„Nee."

„Stijfkop," zegt Tomas.

„Ach," zegt ze, „ze is pas negen."

11

Matty draagt haar tas met boeken onder haar arm. Ze voelt zich prettig, opgewekt, een beetje zorgeloos alsof ze weer met een stel meiden en jongens op school zit. Zo'n vrij, uitgelaten wereldje, waarin alle dingen goed zijn en verrassend.

Ze heeft de cursus kunstgeschiedenis met goed gevolg afgesloten en zich opgegeven voor een cursus filosofie. Het leven lijkt één grote zonnige kleur.

Tom zal het leuk vinden dat ze dat papiertje kunstgeschiedenis behaald heeft. Hij is soms een beetje trots dat ze heeft doorgezet.

Ze kijkt op haar horloge. Het duurt nog even voor de trein gaat.

Ze besluit in een restaurant een kop koffie te gaan drinken. Het is voorjaar, de zon wordt al warmer, de vogels zingen en het is heerlijk te leven.

„Hallo, Matty," zegt een bekende stem. Zij kijkt op.

„Dag Flip! Helemaal in je eentje een beetje aan het pierewaaien?"

„Pierewaaien nu niet direct, mijn moeder woont hier, maar dat heb ik misschien nooit gezegd. Wat kijk je happy."

„Ik ben ook happy."

Ze lacht.

Ja, denkt Flip, sommige mensen zijn gelukkig, maken iets van hun leven, zetten zich in en winnen. Misschien heeft híj nog nooit de vrouw ontmoet die die allesomvattende verandering in hem kon teweegbrengen. Zo'n vrouw die echt vrouw is, zorgzaam, hartelijk, tevreden met de plaats die ze heeft. Hij kent veel vrouwen, dat brengt zijn vak mee, maar ze vinden hem aardig omdat hij toevallig arts is. Alsof dat zo heel bijzonder is.

Ieder mens is op zijn plaats nodig en nuttig en al die valse romantiek betreffende doktoren en verpleegsters…

„Zin in koffie?" vraagt hij.

„Ja. Maar ik heb niet veel tijd."

„Je hebt goeie oppas thuis, dat weet ik."

Ze is aardig, denkt hij. Ze is gewoon een aardige vrouw, altijd even hartelijk en vrolijk, blij met Tom, de kinderen, met alles. Hij voelt even iets van jaloezie. Waarom heeft de een zoveel meer dan de ander, is alles zo ongelijk verdeeld?

De koffie is geurig en vers.

„'t Is prettig dat je de praktijk voor een groot deel over hebt genomen, we hebben nu wat meer vrije tijd, en voor onszelf en voor de kinderen. Er was een tijd dat ik Tom amper zag. Hij was altijd in touw, maakte veel te lange dagen. Dat is nu gelukkig anders."

„Het bevalt me best," zegt hij. „Er zijn veel afgestudeerde artsen die geen kant uitkunnen, ik vind dat ik geboft heb."

Hij raakt per ongeluk met zijn been het hare, maar maakt geen excuus.

Het kan zijn dat hij het niet gemerkt heeft, denkt Matty. Ze moet ook niet direct de preutse vrouw spelen, dat is op haar leeftijd ook helemaal niet nodig. Ze is een vrouw die wel iets van het leven kent, die, hoewel ze niet te veel ervaringen heeft, toch, door een sterke intuïtie, situaties vrij snel doorheeft.

„Ik heb mijn papiertje," zegt ze. Ze wil het gesprek op neutraal terrein houden. „Mijn papiertje kunstgeschiedenis. Het was veel moeilijker dan ik dacht."

„Wat heb je daar nou aan?"

„Erg veel. Alles wat je weet is belangrijk."

„Nee," zegt hij, „niet altijd. Vroeger, toen ik niets van ziekten wist, van de oorsprong, de erfelijkheid, de mogelijkheden, toen was ik argelozer. Ik weet niet hoe ik het zeggen moet, maar ik leefde, door die onwetendheid, veel gelukkiger."

„Waarom koos je dit vak dan?"

„Mijn vader is ook huisarts. Ik ben de enige zoon en van kind af aan zag en hoorde ik niet anders. Ik vond het trouwens eén interessant vak, dat vind ik nog. Maar soms denk ik wel eens, wat kan een mens enorm veel soorten ziekte krijgen, en dan overvalt me wel eens een vage angst."

„Waarom? Je voelt je toch goed?"

„Ik rook veel, ik hou van een borrel – o, nooit te veel, maar toch wel regelmatig – en ik eet nu niet bepaald zo verantwoord, als ik zou moeten."

„Je kunt bij ons eten, dat heb ik al eens eerder gezegd."

„Je moet als vrijgezel nooit in een gezin treden."

Matty lacht. „Toe maar, tréden nog wel. Jammer niet zo, maar doe er iets aan."

Ze houdt haar hoofd een beetje schuin, haar korte haar valt in bruine golven langs haar gezicht.

Haar smalle wangen, met daarin de opvallend zachte mond, lijken er voller door, haar ogen hebben een diepe glans.

Waarom kan hij het geluk niet vinden? Hij heeft verschillende vriendinnen gehad, maar het knapte altijd weer op de een of andere manier af. Zit hij nu nóg met vroeger, met dat schuldgevoel? Het was toch een ongeluk, een nimmer tevoren voorziene situatie?

Letty trok al rijdende het portier van de wagen aan haar kant open; een slip van haar jurk zat klem tussen het portier.

„Ik zit zo akelig, stop nou es even! Mijn jurk zit vast."

„Ik kan hier niet stoppen, we zijn direct bij een vluchtstrook. Wat doe je nou? Lét..."

„Stop nou, m'n jurk gaat er aan. Stóp..."

Hij stopte zo abrupt dat het portier aan Letty's kant openvloog.

Ze tuimelde er uit. Alles was een hel. Hij had haar nog gezegd vooral de veiligheidsgordel om te doen. „Goed, ik zal hem wel omdoen, maar ik maak hem niet vast."

Letty... zo bloedjong, amper negentien, lief en spontaan.

Ze werd naar het ziekenhuis gebracht, maar hij wist het eigenlijk al toen ze in de ambulance werd geschoven.

Hoe kan een mens leven met schuldgevoelens? Met het verwijt dat hij haar had moeten dwingen die rotgordel vast te gespen.

„Dan kan ik niet zo makkelijk tegen je aanleunen als ik dat wil."

God, hij was zo gek op 'r, hij vond alles goed wat ze deed. Ze waren ook nog zo jong, zo onverantwoordelijk.

Hij is nu een man van net dertig, hij moest er al lang overheengegroeid zijn, maar hij weet dat er altijd ergens een grote open plek blijft, dat geen enkele andere vrouw die plaats kan innemen.

Dwaas om verder te leven met een herinnering. Herinneringen kunnen je niet echt verwarmen, troosten, voeden. Ze trekken je alleen maar naar de weg van de melancholie, de eenzaamheid.

Hij probeerde het verschillende keren. Een heel enkele keer, zoals met Loes, leek het iets te kunnen worden, maar al gauw gebeurde er niets meer tussen hen, inspireerden ze elkaar niet meer. Misschien wilde hij het ook niet meer, en zocht hij onbewust naar een vrouw als Letty.

En de vrouw van Tom leek een beetje op haar. Een beetje maar, maar hij kan zich voorstellen dat Letty zo'n vrouw zou zijn geworden, vrolijk, blij, altijd op weg naar warmte.

Daarom wil hij niet elke dag bij Matty en Tom eten. Hij weet nu al hoe het zich zou kunnen ontwikkelen en dat is het laatste wat hij zich kan veroorloven. Hij zou zijn baan kwijt zijn, in ieder geval zou hun relatie verbroken worden en zou hij in z'n eentje een praktijk moeten zien op te bouwen en daar heeft hij het geld nog lang niet voor. Het is trouwens toch al niet zo eenvoudig als het leek, want Tom moest een deel van zijn patiënten naar hem overhevelen en de meesten wilden dat niet; ze bleven liever bij de meer ervaren Tom Jaarsma. Hij begreep dat wel, maar het was toch moeilijk patiënten te behandelen die hem met argusogen bekeken en onwillekeurig vergeleken met de andere arts.

„Ik zal nog wel eens zien," zegt hij. „Zo'n grote eter ben ik niet."

„Je moet het gewoon dóen," zegt ze. „Zeg, ik heb best zin in een goeie film. Ik ga vaak met mijn vriendin Marjan en dan ben ik ook niet zo vroeg thuis. Er is een prachtige film, 'Herfst-sonate', met Bergman en Uhlman. Doen?"

„Mij best. Dan breng ik je straks naar huis. Je weet toch dat ik een klein huurhuis heb in de Spoorstraat, vlak bij het Westeinde? 't Is wel klein, maar om te beginnen lang niet gek."

„We gaan naar de film," zegt ze, „maar ik wil eerst even Tom bellen en hem zeggen dat ik geslaagd ben."

Zeg hem niet dat je met mij bent, wil hij haar zeggen, maar hij zegt het niet.

Als ze van de telefoon terugkomt, zegt ze: „Prima, de groeten van Tom, je moest goed op me passen."

Hij huivert. Wat doen vrouwen een man aan? Hoever gaat hun argeloosheid? Of onschuld of heel misschien nieuwsgierigheid?

Het is druk in de bioscoop, druk, donker en geheimzinnig. De film is ontroerend en dwingt tot meedenken. Matty is totaal in de probleemstelling op het witte doek verdiept. Ze heeft het gevoel helemaal alleen op de wereld te zijn, op zoek naar haar eigen identiteit. Flip raakt van tijd tot tijd volkomen onbewust haar schouder en hij is, als hij het merkt, eerder verward dan op een spel uit. Want Matty reageert nergens op. Hij kijkt tersluiks even naar haar gezicht, naar die rechte neus en de even gebogen wimperlijn die af en toe licht beweegt. Vrouwen kunnen zo helemaal opgaan in zo'n film. O, die is best aardig, daar niet van, maar waarom maken mensen altijd van die enorme problemen? De wereld is er al bezaaid mee, hij weet het van zijn spreekuren. „Ik wil dit kind niet, ik kan het niet grootbrengen."

„De gynaecoloog wil me in het ziekenhuis hebben voor een operatie."

„Moeder is na haar attaque sterk verouderd, ze zou naar een verpleeghuis moeten, maar hoe moet je zo'n aanvraag indienen?"

Hij zucht.

„Vind je 't niet prachtig?" fluistert Matty.

„Jawel."

Hij is blij als de film afgelopen is. Hij grijpt haar heel even bij haar arm bij het opstaan.

„Ga mee naar huis om een borrel te drinken," zegt Matty.

„Dat is best."

Hij zal haar niet aanraken onderweg, niet met de wagen stoppen om haar in zijn armen te nemen. Want hij komt Tom onder de ogen en het zou niet fair zijn van deze situatie misbruik te maken.

De avond is zoel en stil, de wegen zijn druk, tenminste de hoofdwegen. Bij een tweesprong zegt hij: „Zullen we door de dorpen rijden? Daar is het rustiger."

„Dat was het vroeger," zegt ze. „Dorpen zijn allang geen dorpen meer. Alles verandert. Je merkt het eerst nauwelijks en opeens is het zichtbaar, dan komt er weer een nieuwbouwwijk bij, en het hele karakteristieke van zo'n kleine gemeenschap is weg."

„Kom je uit een dorp?"

„Nee, maar ik heb er als kind vaak gelogeerd. Ik had er een grootvader en -moeder, een paar tantes. Het was er heerlijk, zo vrij en onbezorgd. Zomers lag ik bovenop de hooiwagens. Heb je wel eens hooi geroken? En heb je wel eens de luchten gezien boven grasland en kleine huizen? Zoiets vergeet je niet. Mijn oom had een boerderij met koeien en paarden. Ik gaf er iets voor als ik nog eens op blote voeten door dat vochtige zomergras mocht lopen, met overal dauw om je heen, en aan de horizon al die dieren in een grappig, wazig omhulsel. Maar misschien was alles zo prachtig omdat ik een kind was."

„Dat ben je nog altijd een beetje."

Ze kijkt hem peinzend aan. Het is of ze niet hoort wat hij zegt, maar haar mond vertrekt even in een lach. Waarom vinden mannen dat ze iets kinderlijks heeft? Tom zegt het wel eens: „Je moet niet zo naïef doen, op een keer stoot je daar je hoofd mee. De meeste mensen denken dat je een spel speelt."

En nu Flip weer. Hij is aardig, het type man waar ze graag mee omgaat, gezellig, recht op zijn doel af, misschien een charmeur, maar dat heeft ze nog niet ontdekt.

De dorpen liggen slaperig en eenzaam, de hemel spant grijs boven gemoedelijk uitgestrekte wegen, flauw zigzaggend door de stille verten om samen te komen bij de brede omarming van de dijk.

„Ik zou in een dorp kunnen wonen," zegt Matty, „ik hou ervan. Maar Tom niet, die is gek op bergen en klimmen."

„Ik ook," zegt hij. Hij zou haar aan willen raken, willen weten hoe het voelt, dat zachte haar, die smalle schouders. Met moeite kan hij zich beheersen. Vrouwen moesten niet zo'n uitstraling hebben, zo zacht en gevoelvol zijn, uitdagend en verleidelijk.

Matty nestelt zich behaaglijk dieper in de zitting. De veiligheidsgordel knelt een beetje en ze probeert die wat losser te maken.

„Laat zitten," zegt Flip. Hij zegt het scherp en ze kijkt hem verbaasd aan.

„Natuurlijk laat ik hem zitten, wat dacht je dan?"

„Niets."

Hij probeert te kalmeren. Hij moet voor alles kalm zijn en beheerst, aan niets anders denken dan aan de weg, het verkeer, het gevaar voor en achter. Eigenlijk is heel het leven één gevaar, overal moet je voor op je hoede zijn, van kind af aan. En het houdt nooit op.

„Sorry," zegt hij, „ik ben een beetje moe."

Matty is het alweer vergeten. Ze is geen type dat direct gepikeerd is, hoogstens is ze wat verwonderd omdat ze Flip zo niet kent.

Als ze bijna thuis zijn, zegt Flip: „Gelukkig, we zijn er."

„Heb je zo'n hekel aan autorijden?"

„Ik doe het te vaak, denk ik. Daar krijg ik wel eens genoeg van."

„Ik zou zelf moeten rijden," zegt ze zacht. „Maar ik heb er geen aanleg voor en bovendien ben ik snel afgeleid. Zeg, je gaat toch nog mee naar binnen? Tom zal het leuk vinden."

Hij wil veel liever naar huis, maar fatsoenshalve moet hij wel even mee.

Tom staat al in de deur. „Aardig van je, haar even thuis te brengen," zegt hij. „Kom erin."

Hij kust Mat. Hij doet dat met een gevoel van trots, alsof hij nog maar heel kort met haar getrouwd is.

„Ze gaat zo rustig haar gang," zegt hij, „en het is leuk dat ze geslaagd is."

De kamer is gezellig. Boven de drie en de tweepersoonsbank branden dezelfde kleine elektrische kaarsen. De open haard vreet gulzig grote stukken hout; de avonden zijn nog wel eens aan de frisse kant.

„Jij rode wijn, Mat?"

Ze knikt.

Even later zegt Flip: „Proost, op een doorzetster."

„Op het heil van de mensheid," lacht Matty, „en..."

Ze maakt haar zin niet af. De deur gaat open en Ruuthje staat in de kamer, haar haren warrig om haar gezicht, met nog een kleur van slaap in haar ogen. „Ik dacht dat ik iets hoorde, maar ik zie niks. Kom je even mee kijken, pap? O, dag oom Flip."

Altijd vraagt het kind naar haar vader, denkt Matty. Er is een hechte band tussen hen, ze hebben van die kleine geheimpjes samen. Maar het is goed zoals het is, meisjes trekken vaak naar hun vader en jongens naar hun moeder, hoewel Robbie wat dat betreft een uitzondering is. Die amuseert zich zelf. Uren kan de jongen bezig zijn. Hij heeft voor veel dingen interesse en vooral muziek geeft hem veel vreugde.

„Ik ga wel even mee," zegt Tom.

Hij lacht als hij op Ruuthjes bed kijkt. Er ligt een kat op te slapen.

„Hij is door het raam gesprongen," zegt het kind.

„Daar moet hij dan ook weer door terug. Katten op bed is vies en je weet niet van wie hij is."

„Het is Dodo van de buren," zegt het kind. Ze tilt de kat met tegenzin op en duwt hem terug.

„Ga nou maar weer slapen," zegt Tom.

Ze slaat opeens haar dunne armen om hem heen. „Als je niet mijn pappie was," zegt ze met grote heftigheid, „zou ik met je willen trouwen."

Hij maakt haar armen los die stevig om zijn hals liggen. „Malle meid," zegt hij. Hij kust haar warme wangen en gaat naar beneden.

Ik heb veel, denkt hij. Soms ben ik bang dat ik te veel heb aan geluk...

12

Die nacht wordt Ruuth wakker. Haar hoofd bonst, er drukt een vreemde pijn boven haar slapen, haar ogen voelen zwaar, alsof ze niet open kunnen. Ze tast met haar hand naar haar hoofd, het gebaar is langzaam alsof ergens in haar lichaam iets geblokkeerd wordt. Ze probeert het nog eens, maar het lukt niet. Er is weinig kracht in haar vingers, het is of ze niet willen.

Ze voelt een vreemde diepe radeloosheid, een pijn die geen echte pijn is, maar heel langzaam, als een klein licht, aan en uit gaat, een uitweg zoekt om te ontsnappen. Ze wil Tomas wakker maken, maar ze durft het niet; ze hoort zijn ademhaling, gelijkmatig en vredig. Wat kan hij voor haar doen in het holst van de nacht? Niets... ja, ze zou Tom kunnen bellen, maar dat wil ze ook niet. Omdat ze wel weet wat er met haar aan de hand is. Ze heeft er eigenlijk al wel eens aan gedacht dat het zou gebeuren, ze weet alleen niet hoe erg het is.

Ze probeert haar benen te bewegen en zich om te draaien. Het lukt. Een hete vreugde glijdt door haar heen. Ze kan zich bewegen, haar benen, haar armen, haar hoofd. Ze probeert te praten... ja, ze kan praten ook. Alleen haar rechterhand... Er zijn een paar vingers die niet meewillen alsof ze lui zijn. Met haar linkerhand glijdt ze over haar gezicht, haar wang, haar mond. Ze voelt dat de onderlip een beetje scheef is, er loopt wat speeksel langs... Als nou die hoofdpijn maar overging... waarom weet ze nu zo precies wat er aan de hand is? Ze had nooit moeten studeren, gewoon een baan moeten hebben, trouwen, kinderen krijgen...

Ze weet dat de attaque niet ernstig is. Het is een lichte, over een paar maanden kan het over zijn. Dan is de zomer volop volwassen...

Ze zal in de tuin zitten en naar Tomas kijken die met rust en overgave bezig is. Alleen een paar vingers en een onderlip... Het is eigenlijk niks, maar het is alles. Het is een begin en ze beseft dat vanaf nu de angst haar grote vijand zal zijn.

Ze sluit haar ogen alsof ze het heftige kloppen daar boven haar wenkbrauwen daarmee wil stoppen. Maar slapen kan ze niet. Ze ligt in het donker voor zich uit te denken en probeert haar gedachten stop te zetten.

Tegen zessen is ze toch even in slaap gevallen. Ze hoort Tomas zeggen: „De zon schijnt en de vogels zingen."

Ze zou willen dat ze deze dag werkelijk zonnig voor hem kon maken in alle opzichten.

„Slaap je nog, Ruuth?"

„Nee."

„Nou, kom er dan uit."

Ze ziet dat hij uit bed stapt, voor het open raam een paar gymoefeningen maakt. Tomas… denkt ze, Tomas…

„Je bent lui," zegt hij. Hij trekt de gordijnen open en draait zich om. Hij kijkt naar haar, ze voelt zijn blik over haar gezicht en ze weet dat hij iets moet zien, maar hij zegt: „Heb je weer hoofdpijn?"

„Nee."

„Wat is er dan?"

„Kom eens dichterbij."

Hij gaat op de rand van het bed zitten. Opeens zegt hij: „Ben je ziek, Ruuth?"

Ze knikt. „Maar vast niet erg, dat weet ik zeker."

„Zal ik Tom bellen?"

„Nee, m'n eigen arts."

Nu is de zon weg van zijn gezicht, denkt ze, nu is het hele leven anders.

„Heb je dit al vaker gehad?" vraagt hij.

„Nee, ik was al wel een poosje bij de arts."

Ze praat toch wat moeizaam.

„Je had het me moeten zeggen."

Ze glimlacht verontschuldigend.

Als de arts tegen twaalven komt zegt hij, na haar onderzocht te hebben: „'t Valt mee, maar dat wist je al. Je zult je nog meer in acht moeten nemen, vooral de eerste tijd. Je bent een sterke vrouw."

Ze glimlacht. Ik ben nog geen zeventig, denkt ze, ik ben nog lang niet oud.

„Ik zal een recept achterlaten, morgen kom ik weer kijken. Je moet hulp hebben, daar moeten we eerst voor zorgen."

Tomas voelt zich volslagen hulpeloos. Het is of het hele leven in een klap door elkaar wordt gegooid, of alles uit duizenden kleine legstukjes bestaat die niet bij elkaar passen.

Hij weet best wat er met Ruuth aan de hand is, ook al doet ze of het maar een peuleschilletje is. Hij kan zijn handen niet goed stilhouden en het is of hij helemaal niet weet wat hij nu doen moet. Niets, zegt een stem diep in hem, je moet helemaal niets doen. Je moet vertrouwen hebben, vertrouwen geeft kracht en dat is het enige dat nodig is, kracht.

Bij de deur praat hij met de arts. „'t Valt allemaal erg mee. Het heeft tijd nodig, maar ze is een taaie. Kunt u aan geschikte hulp komen?"

„Dat is het belangrijkste niet," zegt Tomas. „Denkt u dat het weer terug kan komen?"

„Dat kan altijd, maar het hoeft niet."

Hij kijkt de arts na. Hoe komt hij nou aan hulp? En hoe moet alles gaan?

Hij oefent om een voorzichtige lach op zijn gezicht te krijgen. Als hij bij Ruuth terug is, zegt hij: „Ik wéét wie ons kan helpen. Als ze wil tenminste, Lucie..."

Er is een glans van optimisme op Ruuths gezicht. Ze knikt. Ze zou zomaar zachtjes willen huilen, maar tranen hebben nog nooit een mens geholpen.

„We komen er wel door," zegt Tomas. „Je zult het zien."

De zomer heeft zachte warme voeten en de prille herfst probeert de warme volle dagen, beladen met een intense gloed, te verdringen. Vooral 's avonds is in de luchten al heel voorzichtig iets van een nieuw jaargetijde, hoewel de vogels tot aan het donker worden toe zingen, de geluiden van de dag nog naklinken en de vreugde van het werk zichtbaar is op de weilanden. Want het koren maakt het weiland verrassend jong en de blos van de zon laat een vredige kleur achter.

Ruuth zit in de tuin. Ze oefent in een pan water door haar vingers regelmatig te strekken en te buigen. „Zes keer per dag," zei de arts, maar ze doet het veel vaker. Ze kijkt om zich heen.

Lucie hangt de was op, haar sterke lichaam tekent zich af tegen het volle groen van de bomen. Wat zouden ze moeten beginnen als Lucie geen 'ja' had gezegd?

Eenvoudig zei ze. „Bas zou zeggen dat ik zo lang als nodig is moet blijven."

„Da's fijn," zei Ruuth. Want soms zegt een mens meer met daden dan met woorden.

Ze is hier nu al een week of vijf. Het is net of ze er altijd bijgehoord heeft. Soms hoort Ruuth haar zingen, het is een zingen uit pure eenzaamheid en uit een pijnlijk verlangen. Ze kent dit.

Het is geen echt zingen, meer een willoos proberen, een heimwee verdrijven.

Tomas komt het tuinpad op. Zijn haar is wat grijzer geworden en het is net of zijn broek wat ruimer om zijn lichaam glijdt, maar ze vindt toch nog steeds diezelfde vertrouwde vrolijkheid in zijn ogen en die lach om zijn mond. Ze zal nooit weten of hij zich geweld moet aandoen om te glimlachen en vrolijk te zijn; het is voldoende om zich aan te warmen en op te trekken. Soms overvalt haar een zo hevige angst voor de toekomst dat ze behoefte heeft aan zijn stem of alleen maar aan zijn aanwezigheid. Haar mondlijn is weer als vroeger, het is net of er niets mee gebeurd is, en zelfs haar vingers lijken het oor van een kopje wat steviger vast te houden.

„We leven vandaag," zei Tomas. „Niet in het gisteren en niet in de toekomst. Alleen maar vandaag. Zo doet de hele schepping, zo zijn de dieren en zo is de natuur."

Ze probeert te denken als hij, maar verliest zich vaak in dromerijen. We krijgen om de beurt een moeilijke tijd, denkt ze, terwijl ze naar Lucie blijft kijken; er waren maanden waarin Tomas mij nodig had, nu zijn de rollen omgekeerd.

Ziek zijn, angst hebben, bewust voelen dat leven zoveel meer in zich heeft dan alles gewoon vinden, maken een nog hechtere band, geven een diep besef van kracht en dankbaarheid.

„Dag opa," hoort Ruuth opeens de heldere stem van Rob.

Hij is weer een stuk in de lengte gegroeid, denkt ze, weer een beetje onhandiger en mannelijker.

„Dag oma, hoe gaat het?"

Ze knikt naar hem. Een zoen geeft ze hem allang niet meer.

Jongens die een beetje naar de volwassenheid toebuigen hebben daar geen zin meer in, vinden alles wat zweemt naar een stukje gevoel, raar en sentimenteel. Hij zit nu in de vijfde van het atheneum, een normale, aardige jongen met een helder verstand.

Ruuth denkt aan de eerste weken van haar ziek zijn, aan zijn bezorgdheid, zijn ernst. „Ik kan wel boodschappen doen, die doe ik dan voor ik aan mijn huiswerk begin. Zal ik ook voor u piano spelen? Dan kan ik hier bij u een beetje oefenen…"

Het was erg goed bedoeld, maar het was haar te druk. Alles was de eerste tijd veel te druk. Als kleine Ruuthje kwam was het beweeglijke van het kind nauwelijks een kwartier vol te houden. Het kind had een sterke intuïtie, het kon opeens zeggen: „Ik ben veel te druk voor je hè, maar het is ook zo moeilijk om stil te zitten en niks te doen. Ik zal de volgende keer een boek meebrengen, hè oma?"

„Je doet maar," zei Tomas dan, „als je je maar een beetje rustig houdt."

Ze begrijpt een klein beetje dat Tomas diep in zijn hart meer op de jongen is gesteld. Misschien omdat die kalmer is, zelfs al iets van ontspanning uitstraalt, zo jong als hij is.

Rob buigt zich over Ruuth heen en legt de afgevallen stola om haar schouder. Zelfverzekerd zegt hij: „'t Gaat goed hè? Dat zie ik zo."

„Ja," zegt Ruuth.

Hij slentert naar opa. „Hallo," zegt hij, „hoe is het met de boot?"

„Morgen misschien," zegt Tomas. Hij kijkt snel naar Lucie. „Tenminste…"

Lucie keurt nog even de was, alles hangt goed. „Ik kan jullie best missen," zegt ze, „lekker opgeruimd."

„Morgen heeft Ruuthje schoolreisje, de eerste drie dagen, lekker rustig," zegt Rob.

„Zo moet je niet over haar praten," zegt Tomas.

„Ze is zo gauw kwaad en ze kan erg driftig worden."

„Je moet haar nooit kwaad maken. Je weet dat dat niet goed voor haar is."

„Oh… nou, pap is anders ook wel eens flink nijdig op haar hoor. Dat hindert niks. Gaan we met de boot?"

Tomas heeft Ruuth willen verrassen. Het vorige jaar kwam hij al eens op de gedachte een kleine boot te kopen, met een kajuit en een pittige motor, maar ze vond het zonde van het geld. En nu, deze nazomer… Ze zou op het water rust hebben, vooral in het naseizoen. Hij had de boot gekocht, of eigenlijk…

„Bas heeft er een," zei Lucie. „Ik zie er tegenop hem weg te doen, hij was er zo gek op."

„Kan ik hem kopen?" vroeg Tomas snel.

„Kopen? Ik weet het niet. ik ben er sterk aan gehecht. We zien wel. Gebruik hem maar, dat is altijd beter dan hem in het dok te laten liggen."

„Het dok?" vroeg hij verbaasd.

„Zo noemde hij dat altijd, als hij opgeknapt moest worden voor de wintertijd. Gebruik hem maar, Tomas... Het zal Ruuth goed doen. Hij hield veel van Ruuth."

Ze zei het zonder een zweem van jaloezie en Tomas bewonderde haar er om.

„Hij hield maar van één vrouw," zei hij, „van jou."

Ze was opeens hard aan de afwas gegaan.

Hij heeft de boot al verschillende keren gebruikt. In de warme zomerdagen een paar maal met Ruuth en ook een paar keer met Rob. De jongen is gek van water en boten.

„Dus morgen?" vraagt Rob nog een keer.

„En je huiswerk?"

„Morgenochtend, we hebben de eerste uren vrij."

„Om zeven uur?"

„Om zeven uur," zegt de jongen.

„Je verwent hem," zegt Ruuth als Rob weg is.

„Ik heb maar één kleinzoon."

„En één kleindochter."

„Daar ben ik vaak wat verlegen mee. Ze kan zo wild uit de hoek komen en ik vind ze zo wijs tegenwoordig."

„De tijd is ook sterk veranderd," zegt Ruuth zacht, „veel moeilijker geworden."

„Ik ben heus wel gek met 'r, maar ze kan me aankijken met die felle ogen, net al een klein vrouwtje. Ik weet niet hoe ik haar aan moet pakken."

„Gewoon," zegt Ruuth, „zoals ieder ander kind. Ze heeft een gouden hart maar dat moet je een beetje ontdekken. En dat kost tijd."

„Alles wat waarde heeft groeit langzaam," zegt Tomas.

Hij kijkt naar Ruuths lieve gezicht, dat de laatste tijd verouderd is, net of er een nieuwe glans overheen ligt die hij niet begrijpt: Misschien is het de glans van de angst of van het wéten of van honderden naamloze angsten. Hij zal het nooit weten. Net zo min als zij van hem weet, van zijn wakker liggen in de nacht, zijn diep verborgen gedachten, zijn eenzaamheid en zorg. Het is of er een onzichtbare vijand tussen hen leeft, met een eigen gezicht en stem, of er iets heel nieuws aan het groeien is, een sterker bewustzijn.

„Een volgende keer neem ik Ruuthje wel eens mee," zegt hij, „maar ze maakt me verdikkeme nerveus met dat drukke gedoe. Als zij erbij is gebeurt er altijd wel wat."

„Arme meid," lacht Ruuth. Ze kan nog net een klein stukje van de witte wolken zien. Het is of ze tussen de berkeboom blijven hangen als een geweldige ballon.

„'t Is voor jou te koud nu," zegt Tomas. Hij legt een arm om haar schouder. Hij drukt haar even tegen zich aan. „Hallo," zegt hij.

„Hallo."

Lucie is in de keuken bezig. Ze heeft het gevoel dat dit huis met zijn sfeer en gezelligheid ook een beetje haar huis is. Het leven is, ondanks een enorm verdriet, goed voor haar. Want als dat telefoontje van Tomas nu eens niet was gekomen? Ze was bezig haar eenzaamheid te voeden, ze kweekte zelfmedelijden, stond laat op, kookte slecht, sliep op tabletten. Het leven was niet meer de moeite waard. Ze was niet meer nodig. En nu...?

Bas praatte erg veel over Ruuth en Tomas. In het begin had ze daar wel eens last van, maar het feit dat hij haar in alles betrok gaf haar een gevoel van erbij te horen, er ook deel van uit te maken.

Veel jaren hadden ze samen niet gehad, maar het waren de meest fijne jaren van haar leven. Het maakte weinig uit of je jong al begreep wat gelukkig zijn was, of veel later. Het kwam er alleen maar op aan dat je het gekend had, dat onuitsprekelijke, waardoor een mens altijd verder kan, omdat het verwarmt, sterkt en verder groeit, ook al is het nauwelijks merkbaar.

„Wat eten we, Luus?" Tomas kijkt naar haar bezige handen.

„Dat zal je wel zien."

„Hoe kan ik nou gezond blijven met twee vrouwen?"

Lucie doet of ze het niet gehoord heeft. Ze roert in de soep en haar gezicht is warm.

13

Het is kouder de volgende morgen, de wind is wat straffer. Het is zo'n wind die uitdaagt en spot. De late nazomerzon, nog nauwelijks goed wakker, glijdt welwillend maar zonder veel kracht over het water, snelle lichtbundels achteloos wegwerpend over een deinende zee.

Tomas kijkt naar de jongen die aan dek staat, zijn jong, gaaf profiel scherp gebeeldhouwd tegen een grillige hemel, de stevige houding roerloos gefascineerd, zo helemaal opgaand in dat eeuwig nieuwe schouwspel van wind, water en wolken.

Nu zou ik Beethoven willen spelen, denkt de jongen, beheerst, maar grillig, onderworpen aan een sterke wil te winnen. Zó zou het moeten zijn, een eenheid tussen strijd en rusteloosheid, macht en onmacht.

„'t Is goed dat je warme kleding aanhebt," zegt Tomas rustig. „Het lijkt nog een beetje zomer, maar het wordt kouder, vooral op het water."

„Ik zou altijd op het water willen wonen," zegt de jongen. „Het moet heerlijk zijn zo richtingloos op het water te zijn, niet precies weten waar je uitkomt, altijd maar verder."

„Vrij vermoeiend," zegt Tomas, „en bovendien vrij nutteloos. Een mens moet altijd een doel hebben, een weg."

„Vaak zie ik die niet," zegt de jongen. „Ik wéét dat ik een groot pianist word, maar er is nog zoveel meer dan muziek."

„Het is vaak zo, dat alles je uit handen wordt geslagen als je iets van zekerheid hebt gevonden. Misschien is het beter niet zoveel te weten, m'n jongen, af te gaan op je gevoel, op wat je hart je vertelt. Tenminste, zo heb ik lange tijd geleefd. Totdat ik wíst en het met mijn spontaniteit gedaan was."

„Ik wil veel weten."

„Dat zul je ook. Maar je zult nog veel meer niet weten. En dat is goed."

Het water lijkt mee te praten, zingt een eigen muziek, wild en ontembaar, ritmisch op de strepen licht van de zon.

„Opa..."

„Ja, Rob."

„Het is zo jammer dat mensen waar je van houdt op een dag er niet meer zijn. Waarom heb je die dan leren kennen? Als je ze toch over een aantal jaren weer moet verliezen, wat voor zin heeft dat dan?"

„Moeilijk hoor..."

Tomas volgt de golven; ze lonken, lachen, lijken op vrouwen die uitdagen.

„Dat heeft die zin," zegt hij langzaam, „dat je weet wat het ís: van mensen houden. Dat je door dat gevoel gevormd bent, eigen zelfstandigheid hebt veroverd en alleen verder kan als dat zou moeten."

„Zou u… Ach nee, laat maar."

„Of ik alleen verder kan als er met oma eens iets zou gebeuren?"

„Ja."

„Ik zou verder kunnen, Rob, omdat de wil om te leven erg sterk is, maar ik zou me welverminkt voelen, net of er iets uit me weg was."

„Ik vraag het zomaar," zegt de jongen verlegen.

„Je mag altijd alles vragen, dat weet je. Zullen we naar de oude haven gaan? Er liggen veel boten. Dan kunnen we in 'De Toren' wat eten."

Het verontrust hem dat de jongen soms zo ernstig is. Als je ruim zestien was moest je niet zo diep over moeilijke problemen nadenken, of misschien juist toch in die jaren? In die periode van groei en wisselvalligheid.

De boot 'Luba' – een samenvoeging van Bas en Lucie – glijdt trefzeker door het water, soepel meedeinend, voorbereid op een ongelijk, spontaan spel, in staat tegenwicht te geven als dat van haar gevraagd wordt. De wind wordt kouder; de eerste onvolwassen herfstgrillen proberen indruk te maken, maar worden door gebrek aan kracht, als dovende vuurpijltjes weggedreven.

Het is rustig op het water, enkele botters zijn zichtbaar tegen de horizon, visnetten bewegen aan grote lijnen en palen, grauwe wolken lijken mee te glijden en in het niets op te lossen.

Het is maar een klein half uur varen naar de oude haven, die, gevangen in een prachtig gekromde arm van verweerd steen en een natuurlijk ontstaan bos, glimlachend lijkt te slapen, om bij zoevend motorgeluid van boten en het krijsend geklapper van zeemeeuwen wakker te worden en de dikbuikige toren van de haven goedmoedig te laten spiegelen in het wijde grijze sop. De oevers zijn kleurig versierd met boten, jachten van allerlei grootte en schoonheid.

De Luba meert aan de kade. Tomas is de eerste die voet op de wal zet. Hij geeft Rob een hand, trekt hem op de begane grond.

„Fijn stadje om te wonen," zegt Tomas. „Alleen jammer dat er nieuwe wijken aan worden toegevoegd."

„Je kunt niet altijd in het verleden leven," zegt de jongen. „En de echte oude kern is tenminste bewaard, die oude straten en huizen met eeuwenoude gevels."

In 'De Toren' is het erg rustig. Het drukke vakantieseizoen is voorbij, de jachten wachten op het volgende zomergetij.

„Een glaasje wijn?" vraagt Tomas aan de jongen.

„Nee, dank u, ik kan er niet goed tegen."

Rob lacht. Nooit zal hij zeggen dat hij op een schoolfuif het vorige jaar een beetje door elkaar heen had gedronken. Hij dacht dat hij wijn voor zich had staan, maar het was bessenjenever en dat had hij nog nooit geproefd. Echt dronken was hij niet, maar hij zag wél twee dezelfde onderwijzers. En thuis in bed draaide de wereld op een merkwaardige manier, net of je in een molen zat op een kermis.

„En roken?" informeert Tomas voorzichtig.

„Ik heb het wel gedaan, maar ik vind er niks an. Waarom zal ik meedoen als ik het niet lekker vind?"

Een te braaf ventje, denkt Tomas, een jochie dat nog aan de kant van het veilige land staat, van zekerheid, veiligheid, onschuld.

Bijna zeventien en dan nog zo helemaal een jongen. Hij vraagt niet verder. Het is niet fair dat te doen. Wat een verschil met zijn jeugd; hij had in die jaren al een meisje. Alleen haar naam was al een gedicht, Lucielle. Stel je voor dat je Lucielle heet, op hoge dunne benen door de wereld gaat, met op je rug een vracht blond haar die meewiegt op de maat. En dat je er dan al een beetje uitziet als een meisje, met van die kleine puntborstjes die meebewegen en zo'n fikse rooie mond... Waarom denkt hij hier nu aan? Misschien omdat hij ouder wordt? Dan heb je wel eens van die buien dat je achterom kijkt. Niet doen, ouwe jongen! Je koopt er niets voor, je kunt hooguit een beetje de pé inkrijgen omdat jouw jaren, jouw allerbeste jaren voorbij zijn.

„Laten we een gebakken tong nemen," zegt de jongen. „Als ik daaraan denk loopt het water me in de mond."

„Binnenhouwen als het kan," zegt Tomas.

Rob heeft in de hoek een piano zien staan. Hij zal opa straks eens verrassen. Maar eerst de tong.

Na het eten zegt hij: „Ik ga even naar het toilet."

Als hij terugkomt loopt hij langs de piano. Hij gaat zitten, zijn vingers zoeken de toetsen, glijden over wit en zwart, beheerst en zeker.

Hier geen Bach, denkt Rob, geen Chopin, maar een lekkere Dixieland, een ragtime. Hij laat zich helemaal gaan. Als hij speelt bestaat de wereld niet meer, de gewone, alledaagse wereld. Dan is het of hij hoog boven zichzelf getild wordt, of iemand zijn vingers leidt in een niet te stuiten dwang.

Tomas geniet. Dat had hij niet van die jongen verwacht, hij had hem altijd één richting uitgeduwd gezien, die van de ernstige klassieken, maar nu zit daar een doodnormale jongen die met enorm plezier de wereld van de jazz, de blues aanraakt.

„Ik zou u in de zomermaanden best kunnen gebruiken," zegt de gérant. „Het betaalt goed. Denk er es over na. Gratis drinken, maar wel lange dagen, avonden vooral."

„Nee," zegt Rob, „geen tijd. Ik zit nog op school en het volgend jaar is het examenjaar. En daarna ga ik, als ik toegelaten word, naar het conservatorium."

„Als u zich nog eens mocht bedenken, weet u waar u terechtkunt."

Rob knikt. Opeens is de aardigheid van het spelen eraf. Hij improviseerde zomaar wat, speelde voor zijn plezier. Hij deed het ook wel eens op een fuif.

Je maakte gauw vrienden als je goed piano speelde. Het streelde zijn gevoel van ijdelheid, en hij wist dat ze je aardiger, interessanter vonden als je speelde. Vooral de meisjes. Dan hingen ze over je heen en was je de getapte bink.

Hij schuift de stoel voor het instrument. Tomas rekent af. Het is gaan regenen. De oude keien glimmen in het grijze licht, de lucht is vaalgrijs. Het is alsof je helemaal ingesloten bent, alleen op de wereld. Het is wat drukker op straat, de geluiden van de dag klinken voller. Mensen gaan voorbij, in de verte klinkt de muziek van een orgel. Het klinkt vrolijk en de wereld lijkt er blijer door, aangeraakt door licht en vreugde.

Op de hoek botst Tomas tegen iemand op. „Kijk uit," zegt de man.

„Kijk zelf uit."

„Als jij Breuking niet bent…"

„Die ben ik ja. Even denken… dat smoel komt me bekend voor… Van der Koelen, niet? Eens op de route Amsterdam-New York. D'as mooi zo'n tijdje geleden. Zo, kerel, hoe is het ermee?"

„Prima, alles oké. Waar heb jij al die tijd gezeten?"

„Gezeten heb ik nooit, hoewel… je hebt een tijdje in de States gewoond, meen ik, je weet dus niet dat ik later op de grond werkte. Een ongeluk en niet meer vliegen... ja, dat gaat zo."

Ik kan erover praten, denkt hij. Verdikkeme ik begin er zo maar over, alsof het eigenlijk niks te betekenen heeft. „Ga mee naar huis," gaat hij door. „Mijn vrouw zal het leuk vinden. Zoveel ouwe bekenden breng ik mee naar huis... is eh... leeft jouw vrouw nog?"

„Nee, al een jaar of vijf niet meer. Dat gaat zo in het leven. Je gaat lang samen en je eindigt alleen... Soms denk ik wel eens dat een mens beter ongetrouwd kan blijven, dat bespaart je een heleboel narigheid. Maar je hebt het niet voor het kiezen. Ik ga graag mee als het je schikt."

Rob kijkt wat verongelijkt, hij vindt het niet zo leuk. Hij ging veel liever samen met opa terug om onderweg nog wat te babbelen.

Maar zijn moeder zei vroeger altijd: „Lieverkoekjes worden niet gebakken."

Hij hangt er wat verveeld bij. Als vrienden elkaar hebben ontmoet kun je wel inpakken, dan hebben ze geen aandacht meer voor je.

Terug in de boot, met een kille wind en het monotone dansen van de golven tegen de boeg, zegt Tomas en hij geeft Rob een knipoog: „Als je deze kleinzoon van me hoort pianospelen, sta je verstomd. Hij kan d'r wat van."

Rob grinnikt. Opa kan altijd zo zalig overdrijven.

„Daar moet je in verder gaan," zegt Toon van der Koelen.

„Dat ben ik ook van plan."

De terugtocht is lang zo gezellig niet; de mannen praten en lachen en Rob staat aan dek. Hij kan de horizon zien, de schepen die daar dicht langsglijden alsof ze één zijn met water en wolken. Er gaat zo'n rust uit van opspattend water, van die eindeloze verten waarin de hemel zich koket spiegelt in het beweeglijke sop. Hij denkt aan wat de gérant straks zei, hij zou eigenlijk best eens een weekend in 'de Toren' willen spelen, maar vader zal het niet goedvinden. Hij zou een lekker zakcentje kunnen verdienen om met een paar jongens van school een vakantietocht naar Noorwegen te maken. Zo scheutig is papa nou niet bepaald. Tom snapt dat niet; papa verdient hartstikke veel. Waarom houdt hij hem en Ruuth dan eigenlijk zo krap? Hij heeft het hem wel eens gevraagd.

„Het is niet goed als je alles wat je wilt zomaar krijgt. Daar kom je later wel achter."

„De meesten op school hebben ook meer zakgeld."

„Allicht… lekker patat smikkelen, frikandellen en hoe heet die troep nog meer. Lekker veel cholesterol in je bloed krijgen, snoepen en drinken zodat je dikker wordt. Allemaal erg belangrijke zaken misschien, maar van mij krijg je niet meer zakgeld. Als je je gezondheid wilt verpesten, oké, maar niet van mijn geld."

Daar bleef het dan ook bij. Hij had de smoor in, maar nog veel meer op het feit dat vader gelijk had. Hij was een van de weinige jongens die geen gaatjes in zijn tanden had, omdat hij al van kind af aan heel weinig snoep had gekregen, ijs en vette dingen.

„Ik koop het later zelf wel," had hij heel stom geantwoord.

„Dan is mijn verantwoordelijkheid niet meer zo nodig."

Hij zou nu geld kunnen verdienen. Waarom zei die man dat? Het leek wel of hij er een idee van had dat hij het best kon gebruiken.

Misschien stond het op zijn gezicht te lezen.

Hij keert zich om. „Ik vraag al voor de tweede keer of je ook koffie moet," zegt Tomas.

„Graag."

Toon van der Koelen drinkt bij Tomas en Ruuth een goed glas wijn. Hij kijkt over het glas naar die andere vrouw, die Lucie. Hij kent haar ergens van, maar hij weet niet in welke richting hij die bekendheid moet zoeken. Het valt hem wel op dat ze zeer terughoudend doet, enigszins uit de hoogte, alsof ze krampachtig probeert niet te laten merken dat ze zich onbehaaglijk voelt.

Geen lelijke vrouw, alleen zijn smaak niet direct. Een beetje te gewoon met die vele rimpels en dat geverfde haar, dat helemaal niet bij haar leeftijd past. En die Ruuth lijkt zo te zien geen langblijvertje, wat smalletjes en kwetsbaar. Tomas is eigenlijk weinig veranderd, afgezien dan van het feit dat hij stukken ouder is. Maar dat is hij zelf ook.

Opeens weet hij waar hij die Lucie eerder heeft ontmoet; op een feest waar het destijds nog al wild toeging. Ze was een beetje aangeschoten en maakte de indruk dat ze het allemaal niet zo nauw nam. Gunst ja, hij had nog met haar gedanst; ze kleefde gewoon aan hem vast en hij weet nog dat hij walgde van haar houding. Lucie Lammers…

Lucie nipt van de wijn. Het is niet eerlijk, denkt ze. Als je een periode had afgesloten moest je daar niet meer aan herinnerd worden. Vooral niet door die Toon, die haar aankijkt op een manier die niet sterker kan uitdrukken wat hij denkt, die minachting in zich heeft en onverschilligheid. Ze herinnert zich die avond met hem nog goed.

Het was in de tijd dat ze zich labiel voelde, eenzaam en bedrogen. Ze kon het nergens vinden, begreep in die jaren nog niet dat een mens alles helemaal alleen moet doen, dat niemand in staat is een ander werkelijk te helpen. Als ze kort daarna Bas niet had ontmoet... Ze vecht even tegen haar tranen.

Bas zou het begrijpen, hij begreep alles van 'r, zelfs de behoefte zich helemaal te laten gaan. „Meid," zei hij toen ze hem een paar dingen uit haar leven vertelde, „je moet maar zo denken dat je nooit de enige bent. Alle mensen hebben alles in zich aan goed en minder goed, maar bij sommigen komt het er nooit uit omdat hun omstandigheden gunstiger zijn. Zo simpel is het."

Ze hervindt opeens haar zelfvertrouwen. Ze zegt – en het is erg goed dat ze dat doet: „Nou weet ik waar wij elkaar vroeger eens ontmoet hebben. Bij Rijnders. Ik heb nog met je gedanst, geloof ik. Ach ja, dat was in de periode waarin ik het niet kon vinden... Maar die tijd ligt gelukkig allang achter me."

Oké, denkt Tomas, deze vrouw is oké; ze is verder in ervaring dan Ruuth ooit zal komen, ze is eigenlijk een best wijf. Weinig mensen hebben de moed te bekennen dat ze de plank wel eens misgeslagen hebben. Hij bekijkt haar opeens met andere ogen.

Hij zegt en er is iets warms in zijn stem: „'t Is goed dat Ruuth van mij ook niet alles weet."

En jij van mij niet, denkt Ruuth. Het is goed dat je alleen maar een vermoeden hebt over veel dingen, maar het echte, wezenlijke ervan niet kent. Mijn angsten niet, mijn hoop en vertrouwen.

We lachen naar elkaar, doen of er niets aan de hand is, maar we weten wel beter. Alleen ik weet – omdat ik arts ben – en ik gaf een lief ding als ik minder wist.

Ze nipt aan de wijn, ze neemt maar een heel klein glas.

Geef me nog tijd, denkt ze, veel tijd...

14

„Ik weet niet wat ik aan dat kind heb," zegt Matty. Ruuthje heeft de deur knalhard achter zich dichtgeslagen.

„Niets bijzonders, ze wordt ouder en daardoor lastiger. Het is een kwestie van tijd," zegt Tom. Hij is er met zijn gedachten niet helemaal bij. Het is druk, er zijn veel zieken en hij moest er vannacht een paar keer uit.

„Dan hoop ik maar dat die periode een beetje gauw voorbij is. Ze maakt me tureluurs met haar grote mond en brutale houding. Ze vraagt niet, ze doet. En ze is pas zeventien..."

„Dan ben je nog een kind," zegt hij. Hij zegt het tegen beter weten in. Hij heeft patiëntes van zeventien die de pil gebruiken. Hij is ertegen, maar wát kun je eraan doen? Tijden veranderen en je moet meegaan. Hoewel hij altijd eerst probeert consequent zijn eigen verantwoordelijkheid tegenover het leven kenbaar te maken, hun te zeggen een beetje respect te hebben voor zichzelf, dat is eigenlijk alles.

„Wat jij een kind noemt. Ze is bijna zo lang als ik ben en ze heeft zeer volwassen ideeën."

Ze zegt hem maar niet dat ze laatst zag hoe Ruuthje afscheid nam van een vriendje. Daar stond toen geen onervaren jong meisje, maar een vrouw die wist wat het leven te bieden heeft en die al volop in staat was grote happen van dat leven te nemen.

Rob is een stuk gemakkelijker. Hij gaat rustig zijn gang, heeft niet zo veel behoeften aan steeds uitgaan, fuifjes en laat thuiskomen.

Hij studeert hard en soms zou je denken dat hij ouder is dan negentien jaar. Op het conservatorium doet hij het goed, hij is ijverig en geconcentreerd.

Als Ruuthje deze gedachten van haar moeder zou kennen zou ze heel misschien durven zeggen dat ze jaloers op Rob is. Omdat hij zoveel meer kan dan zij. Prachtig pianospelen, zodat iedereen die hem hoort hem complimentjes geeft. Ze kan daar niet goed tegen.

Ze wil op haar manier aandacht. Ze is brutaal, grof soms, ze smijt met deuren, doet of ze zich van niets iets aantrekt, maar ze weet wel beter. Vaak als ze 's avonds in bed ligt zou ze een potje willen janken omdat ze zo graag anders wil zijn. Maar ze kan het niet, het is net of er een klein stemmetje in haar zit dat zegt. „Niet doen, het kan ze toch niet schelen. Ze hebben alleen maar complimenten voor Rob."

Ze zou dit tegen iemand willen zeggen, maar tegen wie?

Ze staat op haar kamertje voor het raam te kijken. Ze is woedend en nog het meest op zichzelf. Waarom zei ze nou tegen mam 'dat ze ouderwets was', niets begreep van meisjes van nu? Mam is eigenlijk best geschikt. Ze is alleen niet zo dol op die beatmuziek en wil altijd dat de platenspeler niet zo luid staat. Maar voor de rest...

Ze hoort Rob naar zijn kamer gaan. Die lieve, begaafde, geweldige Rob. O, ze haat hem, ze zou... Nee, ze zou niks, want eigenlijk zou ze hem best eens willen vragen of hij nog een keer de 'Marche funebre' van Chopin zou willen spelen. Ze houdt zo van die muziek.

Ze luistert naar de muziek die Rob speelt; saaie oefeningen, waar niks aan is. Ze voelt zich ongelukkig en moedeloos. Ze heeft veel huiswerk en helemaal geen zin om daaraan te beginnen. Ze gaat fietsen, ze wil eruit. Misschien naar opa...

Er is heel even iets liefs in haar ogen. Tegen opa zou ze het durven zeggen.

Ze gaat naar beneden, doet de deur zachtjes achter zich dicht. Ze heeft bij de deur nog gauw gezegd waar ze heenging. Mam zal wel weer teruggeroepen hebben: „En je huiswerk dan?" Het is koud buiten en ze heeft wind tegen. Het is lekker om hard in de wind te fietsen, dan raak je je boosheid een beetje kwijt.

„Ha, Ruuth," zegt een jongen.

Ze bloost. „Hallo!" Rijdt dan hard door. Ze heeft nu geen tijd voor Jelle.

Ze zet na een kwartier snel te hebben gereden haar fiets bij Ruuth en Tomas voor de deur. Tomas is in de tuin, als altijd. Hij draagt een ouwe overall en heeft een grote vuilnisbakzak waar hij afgevallen bladeren instopt.

„Zo kind," zegt hij.

Ze wist nooit dat hij van die lieve bruine ogen had.

„Dag..."

„Kom je me helpen? Ik kan soms best wat hulp gebruiken..." Hij kijkt naar haar stevige smalle handen, haar jonge kracht. Het is heerlijk en moeilijk tegelijk, jong zijn. „Kom je zomaar eens langs?" vraagt hij.

Ze kan niet zo goed tegen hartelijkheid. Dan moet ze altijd dwarsdoen. „Misschien," zegt ze. Er gaat zo'n rust van hem uit, net of hij altijd in zijn humeur is. Ze kan zich hem moeilijk voorstellen als een ouwe brombeer, een man vol grillen. Hij is altijd dezelfde aardige oude man, die met je meeleeft en probeert je een beetje te begrijpen.

„Draag jij die vuilniszak even naar de schuur," vraagt Tomas.

Ze tilt hem op alsof het een veertje is.

„Je zou me eigenlijk best om de paar weken eens kunnen helpen," zegt hij. „Je weet dat oma vaak nogal moe is."

Ze knikt. Ze denkt eigenlijk altijd alleen maar aan zichzelf. De hele wereld draait om haar wereldje – alles wat daarin gebeurt is belangrijk – ze denkt zelden aan oma. Alleen met een verjaardag of een andere feestdag.

Ja, denkt Tomas, oma is vaak nogal moe, en vooral tegen de avond kan ze zo wegtrekken alsof ze een hele dag hard heeft gewerkt.

Het meisje naast hem is stil. Hij kijkt haar tersluiks even aan. Een pril, leuk profieltje, wimpers die te lang lijken boven de heldere ogen, van die prachtige diepblauwe ogen waarmee ze de wereld inkijkt alsof alles wat daarin thuishoort van haar is. Maar er is zo weinig vreugde op haar gezicht, ze kan zo ontevreden kijken alsof er niets meer te ontdekken is en goeie hemel, er is nog zoveel te ontdekken, zelfs en vooral in zijn jaren. Het is goed te leven, te beseffen dat je in een land bent geboren zonder honger, angst, oorlog. Hij vraagt zich wel eens af: „Waarom wij wel en miljoenen anderen niet?" Maar je kwam er nooit als je je dat afvroeg.

Opeens zegt hij: „Wat ben je stil."

„Zomaar, ik ben wel eens meer stil. U nooit?"

„O, jawel. Heb je trek in koffie?"

„Altijd."

Er valt een beetje kille zon in de huiskamer, de lichtbundels glijden over een paar foto's. Er is ook een foto van Jissy en Rob, de echte ouders van Tom, die bij een ongeval in de bergen om het leven kwamen.

„Wie zijn dat?" vraagt Ruuthje. De gezichten komen haar vaag bekend voor, ze heeft ze wel eens in een fotoalbum van pappie gezien. „Dat zijn de vader en moeder van jouw vader," zegt Ruuth. „Ze waren onze beste vrienden."

Opeens is Ruuthje geïnteresseerd. „Hoe waren ze?"

„Erg aardig," zegt oma Ruuth. Ze kijkt even naar de foto. „Ik verbeeld me weleens dat je een enkele keer, als je lacht, een beetje op haar lijkt. Maar dat komt misschien omdat ik dat graag wil zien. Ze was een schat,

Ruuthje. Het is nog altijd ontzettend triest dat het zo moest aflopen."

Ruuthje weet het. Pappa heeft wel eens verteld dat hij als jongen bij Tomas en Ruuth in huis kwam, omdat zijn ouders bij een ongeval in de bergen verongelukten. Ze huivert als ze naar die gezichten op de foto kijkt. Je ouders verliezen als je erg jong bent, een kind nog bijna? Hoe moest en kon je dan verder? Pappa was tenslotte enig kind. Hij is nog altijd stil als er over wordt gepraat.

Dan doet hij heel onverschillig en steekt een sigaret op, hoewel hij anders nooit rookt.

„Hoe is 't op school, Ruuth?" vraagt Tomas. Hij vindt het maar niks, al dat ophalen van herinneringen. Wat had je eraan? Je bewaarde al die gevoelens, in je hart, daar had een ander toch geen weet van.

„Gaat wel."

„Niet veel zin?"

„Ik weet niet wat ik worden wil en als ik dat weet is er toch geen werk, dus waarom zal ik me inspannen?"

„Jammer, dat je zo denkt," zegt Ruuth. „Wat schiet je daar mee op? Je jaren gaan voorbij."

„U lijkt moeder wel," snibt ze, „dat heb ik al zo vaak gehoord. Toen u jong was was er overal werk, maar wat moeten wij als we van school komen?"

„Rob denkt er anders over."

„Ja, Rob wel. Dat is ook zo'n heilig boontje, zo'n fantastisch jongetje. Of, nou ja, jóngetje... ik krijg er wat van steeds met hem vergeleken te worden. Wat heb ik daaraan? Hij is hij en ik ben ik."

„Klare taal," zegt Tomas. Hij geeft haar een knipoog. „Je hebt volkomen gelijk, maar wat kun je daarmee doen? Geen snars. En wat dat geen werk krijgen betreft, het is een moeilijke tijd, maar dat betekent niet dat je van tevoren de moed nou maar moet laten zakken."

„Ik had een paar onvoldoendes," zegt Ruuthje gelaten. „Die leraar Frans mag me niet en ik hem ook niet; het is een klier."

„Als je alle klieren in de wereld wilt vermijden moet je je in je kamer opsluiten. Trouwens... ben jij altijd zo'n schatje?"

Hij zegt het met lichte spot, niet met verwijt. Hij heeft haar nog nooit zo aardig gevonden als nu. Omdat ze nogal met zichzelf overhoop ligt en het is dan net of er bij hem een lichtje gaat branden. Misschien kan hij haar aan een baantje helpen op Schiphol.

Opeens valt ze uit, haar stem is razend en scherp. „Natuurlijk ben ik geen schatje, ik zou het niet eens willen zijn. Weet u wie een schatje is? Rob. Ze zijn allemaal hartstikke trots op hem. Wat kan ik eraan doen dat ik nergens in uitblink?"

Ze staat op. Onbesuisd rent ze naar de kapstok en trekt wild haar jas aan.

Tomas staat achter haar. Hij slaat een arm om haar heen. Hij voelt dat ze hem wegduwt, maar ze kan tegen zijn kracht niet op. Tegen zijn stem ook niet, die zacht is en begrijpend. „Je vergeet dat we maar één kleindochter hebben."

„U bent niet eens mijn echte opa."

„Nee, dat is waar," zegt Tomas. „Ik zou het best gewild hebben, grootvader zijn van zo'n prachtmeid."

„Prachtmeid..."

Ze zegt het schamper, maar er is weer iets van een lach in haar ogen.

Ik zal haar eens meenemen, denkt hij, of zogenaamd toevallig tegenkomen. En dan moet die jaloezie uit haar vandaan, want er is nooit een reden op een ander jaloers te zijn. En het maakte je lelijk, je mond, je ogen, je hele uitdrukking. Dan krijg je een expressie van onverschilligheid en bent niet langer meer leuk om naar te kijken.

Hij laat haar los. „Alles oké?"

„Ik ben geen kind."

„Nee, je bent veel meer. Ik zou niet weten wat we zonder jou zouden moeten beginnen. Nou wat doen we: jas aan, jas uit?"

„Jas aan," zegt ze. „Ik ga naar huis."

Het klinkt niet zo hard meer.

Ik kan haar niet helpen, denkt hij, haar alleen laten voelen dat ze de moeite waard is zoals ze is, met alle fouten en tekortkomingen.

„Ik ga oma even goeiendag zeggen."

Ze trekt heel even aan de rever van zijn jas. „Ik kom hier graag," zegt ze, „en ik ben blij dat je mijn grootvader wilt zijn."

Ruuth kijkt naar dat opgewonden standje dat opeens weer in de kamer staat. „Dag, oma! Trek u het maar niet aan. „'t Gaat allemaal wel over, alles gaat altijd weer over."

Alles niet, denkt Ruuth. Ze weet niet hoe ze met dit kind moet omgaan. „Wil je een volgende keer niet zo druk zijn," zou ze willen vragen, maar ze glimlacht. „Tot gauw."

Ruuth en Tomas kunnen niet meer elke woensdag komen oppassen. Ruuth kan het niet meer opbrengen, hoe graag ze ook zou willen. Zelfs Ruuth voelt dat het Matty ergens een beetje dwars zit en ze probeert zich in haar situatie in te leven. Waarom kan de ene mens zo veel meer geven dan de ander? Matty heeft er nooit met een woord over gepraat, maar Ruuth voelt het. Na haar ziek zijn is er een gevoelsradartje bijgekomen, is ze meer ontvankelijk, is zich de uren en dagen meer bewust.

Matty mist de woensdagen; ze heeft een gevoel van onrust, van verlangen. Tom heeft zijn werk, de kinderen worden ouder, hebben haar niet meer zo echt helemaal nodig. Soms weet ze niet goed wat met haar dagen te beginnen. Ze heeft hulp voor het huishoudelijke werk en wat er aan bezigheid overblijft interesseert haar niet zo erg. Ze beseft nu dat het in haarzelf ligt, dat ze veel meer uit het leven moet halen dan ze doet, dat ze op een verkeerde weg is. De weg van de ontevredenheid. Misschien heeft ze het te goed. Misschien had ze dat al in Nieuw-Zeeland, en was het veel meer dan allemaal maar heimwee en een nog niet hebben gevonden van zichzelf.

Het is of ook Tom merkt dat er iets met haar is. Van de week zei hij, en hij keek haar op een speciale manier aan: „Mis je de cursus aan de volkshogeschool?"

„Een beetje," zei ze. „'t Was altijd leuk ergens naar uit te kijken dat buiten het vlak van de dagelijkse dingen ligt."

„Ik kan het Ruuth niet meer vragen," zei hij, „juist omdat die zich zo helemaal op de ander instelt. Het is niet verantwoord. Maar als je toch wilt, kan ik wel vragen of de hulp die we hebben, woensdag wat langer kan blijven. Dan betalen we haar wat meer."

„Als dat zou kunnen," zei ze.

Daarmee gaf ze een verlangen naar vrijheid prijs, naar één dag in de week mogen doen wat je graag wil; tussen andere mensen zijn, nieuw geestelijk voedsel krijgen, voldoening in het zelf iets voor elkaar krijgen en soms zomaar lekker gezellig met een vriendin winkels kijken, ergens een hapje eten...

Ze denkt hieraan als Tom binnenkomt. „Is Ruuthje er nog niet?"

„Nee."

„Het is toch allang over vieren."

„Ze loopt niet in zeven sloten tegelijk. Er is nog koffie," zegt ze.

Ze maakt zich over dit kind geen zorgen, veel meer over Rob met zijn ontvankelijke natuur, zijn ernst en te snelle volwassenheid.

Ruuthje ziet en proeft de dingen, Rob niet. Hun dochter is meer beschermd door haar intuïtie…

Tegen half zes komt Ruuthje thuis. „Hallo."

Haar toon is vlak en onverschillig, Matty wil tegen haar uitvallen, maar opeens zegt Ruuthje: „Mam…"

„Is er wat?"

„Kom je even mee naar boven?"

Boven zijn de slaapkamers van Rob en Ruuthje, een apart stukje leven, gevat in kleurige gordijnen, wijdopen ramen en leefbare slordigheid.

„Mam…"

„Zeg het maar. Ik merk al een poosje dat er wat is."

„Ik wil die school niet afmaken. Ik ga trouwen… met Jelle."

„Trouwen…?"

Matty lacht opgelucht. Als dat het probleem is is er nog geen vuiltje aan de lucht.

„Ik denk… ik weet het niet zeker, maar ik denk dat ik een baby krijg."

Het is eruit. Ze heeft het gezegd, die ene zin die zo vreemd vijandig is en een eigen leven lijkt te leven, zo'n zin die alle dingen anders maakt. Als mam nou maar niet zo keek, zo ontsteld, alsof ze haar zou willen slaan en tegelijk omarmen.

„Hoe lang?" vraagt Matty. Het is haar eigen stem niet, maar die van een ander, van een onbekende bekende.

„Een week of drie, ik weet het niet precies."

Mijn kind doet zoiets niet, natuurlijk niet; het is altijd een ander kind. Mijn kind is anders, heeft een beter niveau… die is precies zoals je verwacht, heel bijzonder, apart en een voorbeeld. Mijn kind…! Er snerpt een vreemde pijn, die nergens en overal zit.

„Ben je al bij een arts geweest?"

„Nee."

„Ga dan morgen. Ik zal vragen of je naar de arts van oma kunt. Die is niet zo bekend, bovendien woont hij in het nieuwe gedeelte… Ruuthje, hoe kun je…"

„Misschien is het helemaal niet waar," zegt het kind hulpeloos.

„Wil je nog niks tegen pappa zeggen? Alleen als ik het zeker weet?"

Ze zou nooit zeggen dat ze in een roes leefde, in een gevoel van onzekerheid. Ze wist dat ze zou blijven zitten en Rob was nooit blijven zitten;

ze wilde dezelfde aandacht en bewondering als hij.

Ze had maar twee glazen wijn gedronken op een schoolfuif toen, kleine glaasjes, helemaal niet zo lekker. Jelle bracht haar 's avonds naar huis. In een bos hadden ze wat gevrijd. Het was de eerste keer dat ze echt vrijde en het had haar een schok gegeven omdat er zo helemaal niets geweldigs aan was. Ze deed het om te vluchten, om dat zitten blijven te vergeten...

„Mam..."

Ze ziet opeens tranen in Matty's ogen. Mam houdt dus van 'r, van haar ook, met haar vaak stuurse buien, opstandigheid, brutaliteit.

Ze ligt in haar armen, kleiner dan ze ooit geweest is.

„Ik kan zo slecht doen of er niets is, tegen je vader bedoel ik," zegt Matty.

„Dat moet mam. Ik ben soms bang voor hem, ik weet niet waarom, maar het is zo, hij is altijd zo ver weg met zijn gedachten."

Matty's arm ligt stevig om het kind heen. Nu moet ze niet aan zichzelf denken, niet aan Tom en aan de mensen. De mensen gaat het niets aan, het gaat alleen maar om Ruuthje...

„Hoelang blijven jullie boven?" roept Tom.

„Vrouwengeheimen," zegt Matty. Ze kijkt naar Ruuthje, die over een week achttien wordt. Achttien... dan liep je op blote voeten door een korenveld, liet je je meewiegen op de maat van de wielen, rook je de geur van het hooi en proefde je de warme zon die alleen voor jou leek te schijnen. De vogels zongen voor jou, de paarden achter de ploeg waren je vrienden, de stemmen van de mensen en het roezige geluid van het vee betekenden een brok geluk. Het deed pijn te voelen hoe je eigen jeugd was en die van dit kind in deze moderne tijd, met een totaal andere hartelijkheid en ontroering.

„Ik ga met je mee," zegt Matty. „Naar de arts van moeder."

„Ja. Ik vind het moeilijk om alleen te gaan."

Ze doet vrolijk, Matty, want een mens kan veel als het er opaankomt, als er iets van je gevraagd wordt dat je tevoren niet kende aan kracht. Ze heeft met de arts de afspraak gemaakt. Ze heeft hem gevraagd of ze mee mocht komen. En nu zit ze in de wachtkamer en wacht op de uitslag.

Ze bijt op haar nagels. Wachten is afschuwelijk, is je overgeven aan twijfel en hoop tegelijk. Wat moet er van Ruuthje worden als haar vermoedens juist zijn, als in een klap alle zorgeloosheid uit hun leven is verdwenen? Nooit zullen de dingen meer zijn als vroeger. Er zal een baby in hun gezin komen. Ze herinnert zich dat ze jaren geleden naar een derde kind verlangde, maar ze kon geen kinderen meer krijgen. Maar op deze manier wil ze niet nog eens met klein spul beginnen, niet zó... Als Tom het wist...!

Nee, hij zou zeker zijn eigen kind nooit helpen. Ze kent zijn principes. Zelf heeft ze haar twijfels daarover. Als een kindje niet echt gewenst is wat moet het dan beginnen in deze overvolle, maar vooral harde wereld? Het groeit op zonder liefde, zonder geborgenheid. Opeens vraagt ze zich af of ze Ruuthje wel die veilige haven heeft gegeven die het kind behoeft, opeens is er een gevoel van mede-schuldig zijn, omdat Robbie, door zijn prettige levenshouding, zijn velerlei kunnen, nooit problemen had en Ruuthje voortdurend gecorrigeerd moest worden. „Je begint overal veel te laat aan, je wacht tot het allerlaatste moment en dan raffel je alles af. Hoe wil je dan de stof op school kennen?"

„Laat niet alles achter je slingeren, het wordt tijd dat je wat netter wordt."

Honderden van die op- en aanmerkingen, waardoor ze misschien zelf een houding van verzet opriepen, van weinig zelfvertrouwen. Het is of ze opeens een beetje beter begrijpt waar die brutaliteit vandaan komt, dat uitlokken en spotten.

Ze had zich ook dat zitten blijven erg aangetrokken, hoewel ze met een lachend nonchalante houding binnenkwam, het rapport op tafel smeet en zei: „Ik ben niet over."

Ze heeft brandende plekken op haar gezicht, ze voelt het. Dit wachten is slopend.

Dan gaat de wachtkamerdeur open. „Mam... het is niet zo, er is helemaal niets aan de hand."

De arts staat in de deuropening. Hij is niet jong meer. „Het gebeurt wel meer dat door angst de menstruatie wegblijft. Ik kan u verzekeren dat ze niet zwanger is."

Zo'n simpele zin, zo'n enorme opluchting. Ze schaamt zich niet voor de opkomende tranen; de wereld is weer jonger en de moeite waard.

„Gelukkig," zegt ze.

Ze weet dat ze dit gebeuren niet aan Tom zal zeggen. Hij zou het vertrouwen in Ruuthje kwijt zijn en vertrouwen is op dit ogenblik en ook de komende tijd het enige waar het opaankomt. Soms moet er iets gebeuren om dichter naar elkaar toe te groeien.

Misschien moeten ze alle twee blij zijn dat ze deze ontzettende angst hebben geproefd, om te weten hoe je tegenover elkaar staat.

Ze beseft dat juist dit kind, snel op weg naar een zogenaamde volwassenheid, veel meer kind is dan het vermoedt. Alles, alles wat jullie ooit nog aan narigheid zullen moeten meemaken, denkt ze hartstochtelijk, Rob en jij, het zal altijd minder naar zijn omdat we zullen helpen, er zijn.

„Zullen we de dijk langs?" vraagt Matty.

Ruuthje knikt. Als je boven op de dijk loopt komt de wind met volle kracht langs je gezicht, door je haar, net of je helemaal schoon wordt en opgeknapt.

De dijkt lijkt het stadje in twee helften te verdelen. Aan de ene kant ligt het water, met in de kromming de nieuwbouw, de hoge flats die het water lijken tegen te houden, aan de andere kant is lager gelegen land, met ook overal huizen. Vroeger was alles groen, sappig en wijds, maar de optrekkende verstedelijking maakt dichte nieuwe buurten noodzakelijk.

Ruuthje voelt de prikkelende wind. Hoe kan ze mam ooit zeggen dat er eigenlijk zo weinig gebeurd is tussen Jelle en haar, dat het nieuwsgierigheid was en eenzaamheid?

„Mam," zegt ze en haar gezichtje heeft een lieve glans, „ik hou van je, ik heb het je nooit gezegd."

„Maar ik heb het wel geweten."

Als iemand lief tegen me is, denkt Ruuthje, als ik mag zijn die ik ben, dan heb ik veel meer te geven…

15

Op zomaar een rustige morgen, die nog alles aan beloften in zich heeft, belt Tomas Tom. „Kun je komen, jongen?"

Als hij met zo'n beheerste stem 'jongen' zegt, heeft hij me nodig, denkt Tom.

„Is het dringend?"

„Ja," zegt Tomas.

„Ik kan over een half uur bij je zijn."

Een half uur is lang, gaat het door Tomas heen, maar ik heb liever mijn jongen nu dan de andere arts.

Hij loopt in de slaapkamer zacht heen en weer, alsof hij bang is de stilte te verbreken. Vogels zingen naar hartelust, de aarde bloeit en geurt, het vredige leven ademt het regelmatige ritme van de dag.

Tomas sluit de gordijnen voor het heldere, vriendelijke licht, dat elke nieuwe dag de mens wekt, roept tot het werk en het besteden van de uren tot in de late avond. Want zonder werk en bezigheid is de dag geen echte dag...

Hij blijft staan en kijkt de tuin in. Gisteren zaten ze in de beschutte hoek koffie te drinken. Hij had een sjaal om Ruuths schouder gelegd, hij deed het met een teder gebaar. Er was zoveel warmte in haar ogen.

„Ik heb je nog nooit zo zorgzaam meegemaakt."

„Ik doe het graag."

's Avonds hadden ze naar de tv gekeken. Toen het stuk uit was, zei hij: „Spannend en een goeie plot."

Ze lachte wat verlegen. „Ik sliep. Hoe is het afgelopen?"

Ze gingen niet laat naar bed. Dat waren ze de laatste jaren zo gewend en het is goed om, als je ouder wordt, aan je regelmatige ritme van dag en nacht vast te houden.

Hij hoort de bel. Hij schrikt. Het is zo hard in deze onwezenlijke stilte. Hij heeft zijn ochtendjas nog aan, maar hij merkt het nauwelijks. Hij laat de jongen binnen. „Kom maar," zegt hij. Om zijn hart is een knellende greep, die niemand kan wegnemen. Alleen de tijd zal dit gevoel doen slijten, over jaren en laren.

Tom kijkt naar Ruuth, naar dat stille, vredige gezicht, „Vader Tomas," zegt hij. „Wanneer?"

„Ik werd vanmorgen wakker en ik zag het. Ik weet niet precies wanneer."

Hij zou tegen de jongen willen aanleunen, even maar, zo heel even laten merken dat hij dit niet aankan, niet Ruuth, niet de bron van zijn bestaan.

Maar er is een kracht, machtiger dan het verdriet, en hij klampt zich daaraan vast met alles wat hij heeft. Een mens groeit boven zichzelf uit zonder dat hij zich dat bewust is. Hij weet niet of dat aanvaarding is, want aanvaarding voelt hij niet, alleen maar weemoed en een stil zijn.

„Wil jij alles regelen," vraagt hij, „want dat kan ik niet."

„Dat zal ik doen. Ik zal alles voor je doen. Wil je niet mee naar huis?"

„Mijn huis is hier. Ga maar, jongen, en kom gauw terug."

„Ik zal Matty sturen en Rob, Ruuthje. Dat wil je toch?"

„Het maakt niet uit wie je stuurt. Tot straks."

Tom grijpt hem bij zijn schouder. „Wil je iets hebben, iets dat je kalm houdt?"

„Dank je, ik red het wel."

Ik kan hem niet alleen laten, denkt de jongen. Hij gaat naar de andere kamer en belt Matty.

„Kom direct, Ruuth is overleden."

Even later is Matty er, ze heeft een taxi genomen, Rob is er ook.

Ruuthje is naar school. Rob herinnert zich wat opa heel vroeger over de dood zei: „Je denken, je lachen en praten, dat gaat naar God."

Hij is twintig nu, maar hij voelt zich weer die kleine jongen van toen, alleen opa lijkt opeens veel jaren ouder.

In deze ogenblikken, waarin hij eigenlijk aan oma zou moeten denken, gaat het door hem heen dat het fijn zou zijn als opa bij hen zou komen wonen. Ze hebben nog een kamer over, die wordt alleen gebruikt voor logeervertrek. Het is een mooie kamer, met een balkon, en er is in de allervroegste zonnige dagen direct zonlicht. Hij zou het hem nu meteen al willen vragen, alsof hij daarmee een stuk eenzaamheid zou kunnen doorbreken, maar een gevoel van respect voor oma Ruuth maakt dat hij dit niet durft voor te stellen.

Ik kan de tuin doen, denkt hij, opa zal er geen zin meer in hebben.

Als hij in zijn eigen huis wil blijven zal ik hem helpen. En moeder wil natuurlijk voor hem koken en zijn was doen.

Tomas kijkt naar Rob. „Zie je," zou hij willen zeggen, „zo vredig kan de dood zijn, zo volkomen onverwacht en als een genade. Ze was geen vrouw om in een wagentje te zitten of niet meer te kunnen praten, ze wilde van het leven altijd alles of niets, en dat alles was er niet meer bij. Zo heel langzamerhand groeide ze hier naartoe, naar dit einde."

Het is zo wonderlijk dat hij, omdat hij een teveel aan gevoel heeft, helemaal niets voelt, net of het buiten hem om gaat. Hij moet denken aan dat pantser dat hij altijd van jongs af aan om zich heen sloot als er moeilijk te bevechten dingen gebeurden. Het pantser is er weer, hij heeft het zichzelf omgedaan en het is niet gemakkelijk nu een andere man te zijn, een die zijn gevoelens toont.

Opeens ziet hij dat Rob huilt, niet onbeheerst, maar stilletjes en zonder geluid. Hij draait zich om. „Toe," zegt hij, „'t is beter zo."

„'t Is gemeen… gemeen om dit te laten gebeuren. Waarom moet dit nou? En wat moet jij nou?”

In dagen dat er nog niets bijzonders was, denkt Tomas, dacht ik altijd dat ik het wel aan zou kunnen, dat ik best in staat zou zijn alleen verder te gaan. Maar dat denkt een mens als er niets onherroepelijks is. Alles is anders als je voor het feit staat. Dan weet je niet wat je moet, hoe het nou verder kan gaan…

Hij kijkt naar Rob. Dit is zijn allereerste verdriet en wie weet wat er nog aan strijd voor hem komt, maar geen mens ontkomt hieraan. „Pieker daar maar niet over,” zegt hij.

Op de dag na de begrafenis staat Tomas heel vroeg op. Hij maakt het touw van zijn boot los, het striemt even fel tussen zijn handen.

De ochtend is er eigenlijk nog niet, zo roerloos zijn alle dingen, zo volkomen nog in slaap: de hemel, de geluiden, heel de wereld.

Zelfs de wind is er nog niet. Er is alleen een roerloos schemeren. Het is goed nu alleen op het water te zijn, de veilige vertrouwdheid van de boot te ruiken, de golven te zien die nog naglinsteren van de voorbije nacht.

Hij weet niet waar hij naartoevaart, waarom hij vlucht uit het huis dat nog warm lijkt van haar adem, nog ruikt naar haar geur.

Hij weet een ding, dat hij hier in deze onmetelijke stilte zichzelf moet terugvinden. Niet nu, maar misschien morgen, de volgende week, het volgende jaar. Niemand kan hem zo goed begrijpen en helpen als het water, de natuur waarmee hij zich verbonden weet.

Misschien had hij toch de jongen mee moeten nemen. Hij ziet hem weer tegen de boeg staan, zijn jonge profiel gericht naar de verte. Hij is sterk met Rob verbonden, misschien omdat ze beiden op zoek zijn naar zichzelf in een wereld van schoonheid. Misschien ook omdat de jongen stil kan zijn en in die stilte een goede metgezel is.

Maar de jongen heeft het druk en Ruuthje ook. Het is niet gemakkelijk weer Ruuthje te zeggen. Hij zou het kind een andere naam willen geven, maar hij weet niet wat voor naam.

Als een mes snijdt het plotseling in zijn vlees. Rúúth…

In de schemering van de morgen mag een man huilen, omdat alleen God het ziet, het water en de vogels het horen en er ergens troost komt…

Ze staat daar alsof het heel vanzelfsprekend is. „Ik kom de boel redderen," zegt Lucie.

Tomas heeft de hulp, bij Matty en Tom te komen wonen, afgeslagen.

„Dat gaat nooit lang goed," zei hij langzaam. „Jong hoort bij jong, oud bij oud. Ik wil graag vaak eens langskomen, maar mijn eigen bedoeninkje opgeven, nee, daar prakkizeer ik niet over."

„Hoe houdt u dan alles schoon en wat doet u met het eten?"

Hij was de laatste weken wat afgevallen, maar dat kwam niet door een tekort aan eten, dat kwam door dat knagende gevoel, alsof iemand aan hem zat te knabbelen. Dat is die grote stilte, die diepe strijd. Ik ben jarenlang vrijgezel gebleven, dacht hij, ik heb na de oorlog jarenlang voor mezelf moeten zorgen en ik heb dat altijd uitstekend gekund. Het wordt tijd dat ik dat weer in praktijk breng. Hij zou een verkeerde stap zetten als hij ging inwonen.

Rob gaat binnenkort op kamers; over enkele jaren is Rekel aan de beurt.

Hij noemt haar nooit meer Ruuthje. En Rekel is een naam die bij haar past. Hoewel ze de laatste tijd opvallend veranderd is, wat rustiger, alsof ze over een bepaalde periode heen is.

„Jammer," zei Tom. „Het zou zo'n geruststelling voor ons zijn."

Maar voor mij zou het vreselijk zijn, dacht hij. Een mens moest zo lang mogelijk zelfstandig zijn, zichzelf zien te redden. Daar kwam je een heel eind mee.

„Ik kan me niet herinneren dat ik daarom gevraagd heb," zegt hij tegen Lucie. Waarom zegt hij dat zo nors, ze is toch ook de beroerdste niet?

„Laat me je nou maar helpen," zegt ze. „Zo om de paar weken de boel wat schoonmaken. Je zult geen last van me hebben. Ik wil ook komen als je er niet bent; dat werkt eigenlijk veel plezieriger."

Ze zou zich wat moderner moeten kleden, denkt hij, en haar haren in de natuurlijke kleur laten groeien, dan zou ze een andere vrouw zijn.

„Wil je koffie?" vraagt hij.

„Graag. Ik zet ze wel," zegt ze.

Waarom doen vrouwen altijd zo bedillerig? Vooral als een man alleen is. Alsof hij zelf geen koffie kan zetten? Nou dat kan hij best, en eten koken en bedden opmaken en nog veel meer van die dingen. Alleen aan wassen heeft hij een hekel. Maar hij kan best de hele mikmak naar de wasserette brengen.

„Heeft Tom je gezegd eens naar me te gaan kijken?" Hij vraagt het spottend.

„Ik laat me nogal sturen."

Nee, denkt hij, daar ben je het type niet naar. Hij herinnert zich die avond dat Flip erbij was. Hij herinnert zich wat ze toen zei en dat hij haar een fidele vrouw vond. Ieder mens had zo zijn weg te gaan, de een met veel meer vallen en opstaan dan de ander. Met veel meer mogelijkheden.

Hij kijkt vanuit de keuken naar haar. Een vrouw aan de mollige kant, met rokken die langer moeten zijn, maar ze heeft, als ze niet zo hard kijkt, aardige ogen.

Hij ruikt de koffie. Hij doet er deze keer wat meer zijn best op. Ze moet niet tegen Matty kunnen zeggen dat hij geen koffie kan zetten.

Hij heeft niet meer aan die Lucie gedacht. Ze heeft hem en Ruuth toen fantastisch geholpen. Ze kwam als je haar dat vroeg, ze was die afgelopen periode een prima hulp, rustig en onopvallend. Hij herinnert zich dat Ruuth zei: „Het is zo fijn dat ze er is, het maakt me rustiger."

Hij had nooit meer aan haar gedacht. Ze was na Ruuths overlijden nog een paar weken gebleven en toen weer vertrokken. Matty en Tom hadden ook van haar hulpvaardigheid geprofiteerd. Zo ging dat als je als vrouw alleen was, dan wist iedereen wel iets voor je te doen. Hijzelf had haar ook onmiddellijk voor zijn karretje gespannen toen hem dat zo uitkwam. Natuurlijk hebben Mat en Tom haar zo ver gekregen. Of misschien heeft ze hier nog andere kennissen en vrienden. Wat weet hij van haar af? En het interesseert hem ook geen lor. Ze komt er alleen zo plompverloren mee aan en daar houdt hij niet van.

„Hoe kom je hier zo verzeild?"

„Gewoon, ik had hier nog wat te regelen. Bovendien moet ik er nog aan wennen in mijn huis andere mensen te horen. Ik heb namelijk een gedeelte van de etage verhuurd. Ik dacht dat ik het prettig zou vinden geluiden te horen, stemmen, muziek. Ik kan er niet tegen om alleen te zijn, maar het is nog wennen."

„Je wordt niet eh... Nou ja, Tom zit er toch niet achter?"

„Ja, ik ben me daar gek. Maar het zit me dwars als ik weinig om handen heb. Ik ben altijd bezig en ik ken hier door Bas veel mensen. Het is moeilijk in deze tijd aan goeie hulp te komen."

Hij knikt. Wat praat die vrouw, daar word je compleet tureluurs van.

„Je zet goeie koffie," zegt ze. „Da's al een heel ding."

Hoe lang is het nou geleden, denkt hij afwezig, de tijd is zo vreemd en onwennig. Tijd is een lege, doelloze vijand, omdat je niet weet wat je met al die uren van de dag moet doen. In de tuin werken houdt ook eens een keertje op; zijn wekelijkse avondje in de soos, met wat biljarten, is een leuke afleiding, maar daarna, dat thuiskomen en dan helemaal niks vinden. In de ijskast kijken of er nog melk is, een beker hete melk drinken om toch in maar te kunnen slapen en dan maar weer wachten op de nacht en de volgende dag.

Mensen menen het goed, maar ze zeggen van die stomme dingen tegen je, het leven gaat door, zeggen ze, alsof hij dat zelf niet weet.

„Je moet verder."

Ja, nogal wiedes, hij heeft nog nooit een mens gezien die niet verderging, die zomaar op de grond ging zitten en zei: „Ik ga niet verder, ik stop ermee."

Maar niemand zei je hóe je verder moest, hoe je die miserabele pijn in je kon wegwerken.

Hij kijkt naar die Lucie die haar handen om de bak koffie heeft. Ze heeft grote handen, daar kun je maar beter geen tik mee krijgen. Zoals ze daar nou zit. Je zou 'r een cent geven. Maar misschien is dat een houding van haar, met vrouwen moet je altijd oppassen.

„Als je per se iets om handen wilt hebben in dat tijdje dat je hier bent," zegt hij niet al te toeschietelijk. „Het zou me wel lijken als je een ochtend in de week de rotzooi zou kunnen bijhouden."

„Een ochtend is niet genoeg, ik wil een dag. Je hebt een bewerkelijk huis."

„Zo, zo."

Hij zegt het brommerig. Hij is zeker bezig een gekreukt oud mannetje te worden en dat is het laatste wat hij wil.

„Nou, goed, een dag, maar het kan vaak gebeuren dat je me niet thuis treft. Enfin, je kent de gang van zaken een beetje, hoop ik."

Ze moet even iets verwerken. Ze had had gehoopt dat hij zou zeggen: „Trek zolang hier in en bezoek je vrienden en je werkhuizen van hieruit."

Maar zoiets komt niet in zijn hoofd op. Niet om wat de mensen zouden zeggen, daar is Tomas geen man voor, maar omdat hij haar niet eens als mens ziet staan. En dat laatste raakt haar. Ze mag er nog best zijn, ook al is ze dan over een jaar zestig, ze is gezond en sterk.

Ze kijkt naar Tomas. Alle fleur is uit die man vandaan, het is of hij ergens meegestorven is. Ze zegt hartelijk: „Het is goed vaak uit je huis te gaan. Je moet onder de mensen blijven, afleiding zoeken, dan verstrijkt de tijd. Maar je moet geen zelfmedelijden hebben, want dat maakt je kapot."

Zelfmedelijden. Moet je dat horen. Maar heeft hij dat dan niet? Er is geen man die het moeilijker heeft dan hij, geen enkele man in de hele wereld.

„Geef me nog maar koffie," zegt hij.

Ze is te breed, denkt hij als hij haar nakijkt, en ze lijkt op een hond die graag iets voor de baas doet.

„Is het goed dat ik morgen kom?" vraagt ze. Ze zet een dampende kop voor hem neer.

„Jawel, maar eh... ik heb niet graag dat je spullen verzet of zo. Ik wil dat je alles laat zoals het is, ik bedoel, ach, waarom zal ik het zeggen? Ik wil graag dat je die spulletjes op de slaapkamer en in de douche zo laat, die vrouwendingetjes en zo. Dat hoef je niet op te ruimen, liever niet."

„Goed," zegt ze. Ze zou hem opeens een zoen willen geven, zo'n zoen die je geeft aan een mens die het moeilijk heeft, maar ze doet het niet. Ze zou alleen willen zeggen: „Ruim al die rommel nou op, man. Je zit jezelf op een afschuwelijke manier te pijnigen."

Was Bas er maar. Hij zou weten hoe Tomas op de juiste manier aan te pakken...

„Kun je goed koken?"

„Als ik er tijd voor heb, wel."

„Zou je dan voor vandaag vlees willen braden? Dat lukt me nooit zo erg, het is vaak te hard."

„Zeg maar waar ik het kan vinden."

Er is een vluchtige vriendelijkheid in zijn ogen. „Dat is sympathiek van je," zegt hij.

16

Matty ziet Ruuthje uit school komen. Het kind fietst als een razende. Ze zal niet meer de Ruuthje worden zoals iedereen haar kende: vrolijk, gevat, in staat de hele boel te vermaken. Het gebeuren met Jelle heeft haar rijper gemaakt, rustiger, alsof er iets met haar gebeurd is dat doorwerkt.

„En?" vraagt Matty als ze binnenkomt.

„Geslaagd! Hoi!"

„Je hebt ook een goed koppie, als je het maar gebruikt."

Waarom zegt mam dat nou weer zo? Ze voedt altijd zo op. Ze zou zo graag iets heel anders willen horen, bijvoorbeeld: „De zon is er en de hele wereld wacht op je. Er is een speciaal plekje dat alleen voor jou is en daar ga jij je verdere leven bouwen."

Maar zulke dingen zeiden ouders nooit. Ze hadden eigenlijk weinig fantasie.

Misschien lieten ze dat niet toe omdat ze bang waren dat je daarin wegdroomde. Nou, dat laatste deed ze vaak. Zomaar een beetje wegdrijven op de maat van je gevoel, nergens heengaan en nergens uitkomen, maar zo lekker onderweg zijn.

„En met een tamelijk redelijke lijst."

„Dat is fijn."

Ze hebben er zelden over gesproken wat ze na dat examen zou gaan doen. Tomas opperde wel eens haar aan een baantje op Schiphol te helpen, maar Ruuthje heeft andere plannen. Ze wil dierenarts worden. Ze houdt veel van dieren, maar er speelt nog iets een belangrijke rol. Ze wil zich tegenover Rob bewijzen, net zo zijn als hij, wat intelligentie betreft. Kúnnen...! Pianospelen zal ze nooit zo goed kunnen, ze pingelt maar een eind weg, en ze is er tevreden mee. Ze hoeft niet zo nodig op dat punt op te vallen, ze heeft geleerd dat er veel belangrijker dingen zijn: begrip, warmte, een vader en moeder die om je geven, die van je houden zoals je bent. Mam zei het laatst zo goed; 'Wat je wordt maakt ons niets uit, als je je maar gelukkig voelt, als je maar een mens wordt."

Het waren van die zware, grote woorden, maar ze begreep een klein beetje wat mam bedoelde. Ze wilde alleen maar zeggen: „We zijn gewoon blij dat we jullie hebben, de rest maakt eigenlijk zo weinig uit."

Zou ze blij geweest zijn als ze wel een baby had gekregen? Gek idee, ze denkt er nog vaak aan, aan dàt gebeuren en aan hoe alles had kunnen aflopen. Maar mam zei dat je andere mensen veel beter begreep als je zelf in het leven iets had meegemaakt. Ze is veel dichter naar moeder toegegroeid, het is net of ze een periode van onevenwichtigheid heeft afgesloten en wat meer zekerheid heeft gekregen.

„Ik wil graag dierenarts worden, mam, zegt ze. „Ik weet dat dat een erg moeilijk vak is, maar ik kan het in ieder geval proberen."

„Pap zal daar blij mee zijn."

„Ik hoop het. Gek, ik ken jou eigenlijk veel beter. Ik ben soms een beetje bang voor pap, ik weet niet hoe dat komt, hij is ook vaak zo afwezig."

„Dat brengt zijn werk ook wel een beetje mee, daar moet je begrip voor opbrengen."

„O, dat probeer ik ook wel. Zeg mam, ik zag opa in de stad, maar het was net of hij me niet zag. Ik riep naar hem, maar hij hoorde het niet. Hij is erg veranderd, hè?"

„Ja, dat vinden wij ook. Hij maakt een moeilijke tijd door. Misschien groeit hij er een beetje overheen. Maar dat zal wel een hele poos duren, hij had het erg goed met Ruuth."

„Hij noemt mij nooit meer zo, maar ik vind het niet zo erg. Zeg, mam, vind je 't goed als Jelle eens thuiskomt?"

„Zie je hem dan nog steeds?"

„Erg vaak. Het was niet zomaar een flirt, het is meer, denk ik."

„Neem hem maar mee. Ik heb liever dat ik weet waar jullie uithangen dan dat geslenter op straat of in discobars."

Ze kan er nog steeds niet zo goed over praten, Matty. Ze zou een hekel aan die Jelle moeten hebben, maar het is onredelijk om zo te denken. Ze is zelf immers ook jong geweest? Er wordt verwacht dat je je dan in alle opzichten leert beheersen, maar juist die periode is de meest moeilijke.

Ze heeft de jongen alleen uit de verte gezien, een aardige, lange knul. Het is goed dat hij nu eens thuiskomt. Ze dacht dat het allang voorbij was met die twee, maar misschien zijn ze veel hechter naar elkaar toegegroeid.

„Da's fijn, mam, ik zal het hem zeggen. Maar ik weet niet of hij het wil."

„Daar moet hij dan maar overheenstappen," lacht Matty. „Ik zou het prettig vinden hem eens te zien. Zeg hem dat maar."

„Dat zal ik doen, mam."

Matty kijkt het kind na, dat enthousiast de kamer uitholt.

Ze denkt na over wat het kind zei. „Mam, ik zag opa in de stad en hij zag me niet."

Ze maakt zich zorgen om hem. Hij is in korte tijd sterk veranderd, verouderd vooral, de hele levenslust is er een beetje af en het is net of hij voortdurend in een eigen wereld leeft.

Alles gaat langs hem heen en als hij zichzelf een moment vergeet is hij verbitterd en ongeïnteresseerd.

Hij zou iets om handen moeten hebben, maar wat?

Laatst werd er een amanuensis bij een middelbare school gevraagd. Ze had erover gedacht hem dit te zeggen, maar het niet gedaan. Hij had zo zijn eigen trots en nam weinig van anderen aan.

Oud worden is heerlijk, denkt ze, maar alleen oud zijn is oneindig moeilijk.

Rob heeft op het conservatorium zijn eerste officiële solo-optreden, voor ouders, medeleerlingen en genodigden.

Misschien heeft hij die muzikaliteit van mijn vader, denkt Matty.

Heel even is het er weer, dat rusteloze, dat willen weten, maar het is geen sterke stem meer die om een antwoord vraagt. Het is veel meer een stil verlangen. Voor zover ze kan nagaan komt er noch in haar, noch in Toms familie een zo sterk gerichte muzikaliteit voor. Misschien zou haar vader het antwoord kunnen geven.

Maar het is goed dat ze een streep heeft gezet.

De jongen speelt nerveus, maar er is een sterke bezieling in zijn spel. Hij is zeker van zichzelf, ook al beseft hij dat hij nog maar aan het begin staat.

Tom kijkt en luistert met trots naar Rob. Hij zal lang geen gemakkelijke toekomst krijgen. Er is veel concurrentie, vooral wat de pianomuziek betreft, en hij heeft nog niet die ellebogen en sterke eerzucht, die maken dat je de top kan bereiken.

IJdel is hij wel, maar het is een nog zo jonge ijdelheid, die niets te maken heeft met het gevoel de beste en begaafdste te willen zijn. Hij speelt omdat hij ervan houdt.

Ruuthje en Jelle zijn er ook. Er is vreugde in Ruuth dat ze niet langer jaloers is, niet meer zo de behoefte voelt zich te bewijzen.

Misschien komt het omdat ze Jelle heeft. Wat heeft Rob nou eigenlijk, behalve zijn muziek? Wat is dat voor een leven, altijd maar studeren, nergens anders tijd voor maken dan voor die piano? Rob is getrouwd met de muziek en het witte en zwarte toetsenbord. Maar bij een ander horen, samen allerlei leuke dingen doen, er opuittrekken en steeds weer iets anders en nieuws in elkaar ontdekken, daar kan geen enkele prachtige carrière tegenop.

Ze geeft veel om Jelle. Misschien is het een houden van, ze weet het niet; dat is zo'n groot beladen woord. Ze kan moeilijk buiten hem, mist hem als ze hem niet ziet. En dat gevoel geeft een diepe vreugde. Jammer dat opa er niet is. Hij had geen zin.

„Muziek maakt me weemoedig," zei hij, toen Rob het hem vroeg.

„Dan krijg ik net zo'n gevoel als wanneer ik de Matthäuspassion hoor. Nee, jongen, later misschien."

Rob was teleurgesteld. Hij had zo gehoopt dat opa er bij zou zijn.

Ze begrepen elkaar altijd zo goed. Maar het was nu net of er een afstand tussen hen was gekomen.

Hij speelt technisch vaardig, maar muzikaal nog erg onrijp.

Heel even ziet hij de gezichten van zijn ouders. 't Is tenminste al heel wat dat pap er bij is, denkt hij en hij speelt met overgave... Want welke jongen heeft zoveel kansen als hij?

Achter in de zaal van de kleine schouwburg zit Flip van Raalte. Hij heeft voor het eerst dit jaar een abonnement genomen op een serie waar van alles bij is: ballet, toneel, een musical. Deze avond is er een blijspel. Daar houdt hij van. Een mens moest veel meer lachen, er is al narigheid genoeg. Hij is vanavond naar de schouwburg met Marianne, een verpleegster, een meisje zoals er honderd in een dozijn gaan, slank, pittig, kwebbelziek. Hij voelt haar schouder even licht tegen de zijne. Waarom bieden vrouwen zich soms zo heel onopvallend een beetje aan? Hij wil zèlf veroveren, er is geen charme meer aan een spel dat voor het nog begonnen is al een uitkomst heeft.

Maar er is veel meer... Een paar rijen voor hem zit Matty. Hij heeft het direct gezien. Geen enkele vrouw heeft zulke smalle schouders, zo'n zacht, prettig profiel. Bovendien is ze alleen. Tom heeft waarschijnlijk weer eens geen tijd. Wat een vent, altijd werken! Misschien heeft hij zijn wekelijkse Rode Kruisavond, dat kan. Het bestuur had het hem ook gevraagd. Maar hij had weinig zin in die avonden. Als cursisten zo nodig hun ehbo-diploma moesten halen, zochten ze maar een andere arts om les te geven. Hij luistert naar het gepraat van Marianne. Hou je mond nou eens een keer, denkt hij. Hij is blij als de bel voor de pauze gaat.

„Ik haal wel koffie," zegt hij tegen Marianne. Ze komt achter hem aan.

Hij dringt tussen de mensen door. Hij ziet Matty tussen de wachtenden. „Koffie?" vraagt hij.

Ze knikt.

Hij geeft het haar. „Goed stuk, ik heb in lange tijd niet zo genoten."

„Het is meestal de bedoeling dat een stuk goed is," zegt Matty. Ze kijkt in de richting van Marianne.

Hij stelt de vrouwen aan elkaar voor.

„Bent u de vrouw van die charmante Tom Jaarsma?"

Zo, denkt Mat, is mijn Tom charmant? Daar moet ik eens wat meer op letten. Het is altijd goed als een andere vrouw me daar nog eens aan helpt herinneren.

„Dat ben ik ja, en óók zeer charmant," zegt ze. Ze lacht als ze het gezicht van Flip ziet. Hij kijkt haar stomverbaasd aan en zegt dan: „Daar is geen woord van gelogen en ik kan het weten."

Marianne is opeens niet meer zo geïnteresseerd, ze voelt zich genomen en weet niet waardoor.

De regen is onverwacht gaan vallen, zo'n zoele, prettige regen die als behoedzame zoentjes op je gezicht komt, de warmte van je wangen neemt.

Matty wacht op een taxi. De avond is jong en bezielend, er is een bepaalde belofte in schemerig licht, gevangen tussen helle lampen, de wereld is goed en verwachtingsvol omdat het toneelstuk dat was, het gaf je te denken, je vergeleek je eigen situatie met die uit het stuk en je probeerde heel objectief je eigen huwelijk te zien. Er zijn van die momenten in je leven dat je denkt: 'Is dit nou alles? Heb ik hier in m'n jonge dromen van gedroomd?'

Als ze heel eerlijk is is er een onontgonnen stuk land over, een terrein dat nog braak ligt en waar van alles op kan groeien. Dat terrein is de toekomst, die altijd bezig is het heden minder gaaf en mooi te maken, omdat je je voortdurend afvraagt hoe de dingen zich zullen ontwikkelen.

Ze weet dat Tom graag verder zou studeren, zich zou willen specialiseren. Hij was diep in zijn hart het liefst kinderarts geworden. Hij houdt veel van kinderen, maar hij kan er lang niet zo veel van verdragen als zij. Het is goed dat hij die kant nooit uitgegaan is. Misschien zou hij daar veel spijt van hebben gehad.

Maar wat nú overblijft is een stukje onvrede met zichzelf, omdat hij zijn eigenschappen, zijn kunnen niet ten volle uitgeprobeerd heeft.

„Als je op een taxi wacht," zegt Flip opeens tegen Matty. Hij heeft Marianne bij zich.

„Ik wil je niet storen, er komt er aanstonds wel een," zegt Matty.

„Stap toch in. Ik breng eerst Marianne thuis en dan jou. Dat is helemaal geen moeite."

Ze gaat achterin zitten. Ze voelt de kille sfeer van Marianne, maar het kan haar niet schelen. Ze wil naar huis, naar Tom. Ze wil met hem over dat stuk praten, hem zeggen dat ze veel vaker samen ergens heen moeten gaan, dat ze hem gemist heeft.

Er is een nieuw, warm gevoel, net zo'n wonderlijk gevoel als ergens uitkomen waar je niet op gerekend hebt.

„Ik dacht dat we nog koffie zouden drinken?" merkt Marianne scherp op. Ze kijkt woedend naar Flip. Ze heeft zich van deze avond veel voorgesteld. Eindelijk had ze hem zover dat hij met haar meeging naar die avond en nu zet hij haar als een klein braaf meisje voor de deur van haar huis af. Misschien moest ze zich niet zoveel illusies maken. Je bereikte bij een man als Flip het meeste als je niet kwaad werd of liet merken dat je in hem teleurgesteld was.

„We hebben toch koffie gehad?" merkt Flip rustig op. Hij zou met Matty willen praten, haar vragen: Denk jij dat een mens maar een keer in zijn leven van iemand kan houden, dat de grote liefde nooit opnieuw kan worden beleefd? Denk je dat dat zo is of is een mens tot zoveel meer gevoelens in staat?

Hij heeft jarenlang met een bord voor zijn hoofd gelopen, altijd gevoed wat niet meer bereikbaar was, en in wezen was hij daardoor en zichzelf en de vrouw van wie hij, heel vroeger, hield, veel meer ontrouw. Hij durfde niet los te laten, te vergeten. Hij hield dat gevoel vast, in de hoop dat hij niet verder moest. Maar hij móest verder, hij en al die andere mensen die een groot leed te verwerken krijgen. Er is in het hele leven een voortdurend moeten en het is goed dat dat zo is, want anders kwam er van een mens weinig terecht. Dan bleef je een blad aan een boom, stuurloos, meewaaiend met elke windrichting.

Waarom zoekt hij, meisjes en vrouwen als deze Marianne? Van die vluchtige avontuurtjes, waar je naderhand zelden meer aan terugdacht? Het is natuurlijk zijn eigen uitstraling. Ieder mens krijgt de partner die het beste bij hem past, omdat je voelt wat de ander uitstraalt, je vangt van de ander op wat je bekend voorkomt. Zo simpel zijn de dingen.

Hij zet Marianne voor de deur af. „Misschien zie ik je van de week nog?" vraagt ze.

„Dat is best mogelijk. Slaap lekker."

Hij zegt het spottend, een spot die een bescherming is van zichzelf, een houvast om niet helemaal af te glijden.

Matty voelt een vreemde spanning. Hij had met Marianne mee moeten gaan. Het is niet fair, iemand illusies te geven en je er dan met een Jantje van Leiden af te maken. Mannen zijn vaak egoïsten, maar vrouwen kunnen er ook mee terecht.

Het is niet een bekende spanning, denkt Matty, het is iets anders en het is niet prettig.

„Kom hier voorin zitten," zegt Flip, „naast me, dat is gezelliger."

„Ik zit hier best," zegt ze.

Het is maar zo'n enkele zin, maar het tekent onmiddellijk een situatie.

„Gezellig hoor, zo in de ruimte te kletsen. Hoe vond je 't stuk?"

„Erg goed. Te goed om er zomaar even over te praten. Het werkt nog een beetje na."

We weten nu precies waar we staan, denkt Matty. We hebben elkaar getaxeerd en de plaatsen bepaald. Arme Flip, ze kan zich zo goed in zijn gevoelswereld verplaatsen, weet wat hij zoekt. Dat doodgewone gezinsleven met al zijn ups en downs, zijn voor- en nadelen, eenzaamheid en volheid.

„Ik vraag me vaak af waarom de een alles heeft en de ander niets," zegt Flip.

„Dat weet ik niet," zegt Matty. „Als je zelf happy bent, gun je dat iedereen."

„Hoe vind je Marianne?" Hij vraagt het rustig.

„Erg geschikt, maar niet voor jou."

„Zo."

Het is prettig en veilig om op de achterbank te zitten, naar dat achterhoofd van Flip te kijken, geen ogen te zien, die veel verraden, geen mond die een eigen eenzame wereld is.

„Je hebt gelijk," zegt hij. „Ik zou een vrouw als jij moeten hebben. Nou ben je natuurlijk gecharmeerd, of geshockeerd, ik weet dat nooit bij vrouwen."

„Geen van beiden."

Ze lacht helder en meisjesachtig. Als ze heel eerlijk is moet ze toegeven dat het prettig is als een andere man dan de jouwe je aardig vindt, of hij dat nu meent of niet.

„Ik vind je prima, gewoon prima,” zegt hij. „Ik zoek zo’n soort vrouw. Degelijk, betrouwbaar, dienstbaar… Oei wat ouderwets allemaal! Maar dat komt omdat ik in het huwelijk geloof, gewoon: huisie, tuintje, vrouwtje, kindje… Niets bijzonders en toch ook wel. Wat klets ik nou allemaal…”

„Je moet vaker bij ons komen,” zegt ze, „als Tom er ook is. Je bent altijd welkom, dat weet je. Ik heb je dat al vaker gezegd.”

„Ik kom liever als Tom er niet is.”

Hij zegt alles speels, kwajongensachtig, alsof het maar een spel is, een luchthartig, maar o zo gevaarlijk spel. Hij geeft haar geen blik in zijn ware gevoelens.

Dat geeft hij zichzelf niet eens. De tijd van spelen is voorbij; daar is altijd een leeftijd voor en hij is die leeftijd allang te boven. Al heel lang. Wat weet Matty van zijn doodgewone verlangens?

Samen naar bed gaan, wat praten, ruziemaken, naar elkaars ademhaling luisteren, elkaars warmte voelen, bij de ander horen, zoals het zout bij een ei, het licht bij de dag.

Leven, liefhebben, niet alleen maar lichamelijke ontspanning zoeken, maar in die veel ruimere en diepere wereld van de geest wegzwerven en vinden wat je met elkaar verbindt: begrip.

Als ze Matty’s straat inrijden, zegt ze: „Ik ben ervan overtuigd dat je ’t op een dag vindt. Omdat je weet wat je zoekt en waarom… Bedankt voor de lift.”

Hij voelt heel even haar lippen op zijn wang.

Hij kijkt haar na.

Hij zou opeens willen dat er nog een kroegje open was.

17

Tom legt het boek, waarin hij zat te lezen, weg. „Hoe was het?”

Ze legt impulsief haar armen om zijn hals. „Ik heb je gemist. Waarom kon je niet mee? Waarom heb je zo vaak ’s avonds die controlepatiënten of hoe heten ze ook weer, die keuringspatiënten? Kan dat overdag niet?”

„Nee. Dat weet je. En zo vaak komt het nou ook niet voor. Je ziet er opgewonden uit."

Hij raakt even haar wang aan.

Dit gevoel dat hij nu bij haar oproept kwam in de auto met Flip bij haar boven, dit gevoel van trouw en veiligheid. Och, een mens is maar een mens. Tot nu toe heeft ze volop genoeg aan Tom, maar zal dat altijd zo blijven?

„Je moet me niet alleen naar zo'n stuk laten gaan? Ik vind er niks aan en ik kan er niet met je over praten."

Ze gaat op een stoel zitten, gooit haar jas achteloos achter zich. „En ik vind het niet prettig, ik ben niet getrouwd om alleen uit te gaan."

„Je doet alsof dat elke avond gebeurt."

Ze ziet dat hij moe is. Hij werkt gewoon te hard, dat deed hij in Nieuw-Zeeland al, maar toen was hij piepjong, toen was alles een enorme uitdaging. „Heb je al koffie gehad?"

„Natuurlijk. En op deze tijd heb ik er geen trek meer in."

Hij kijkt haar aan. „Je hebt een kleur, dat staat je goed."

„'t Is altijd warm in zo'n zaal."

Nee, denkt ze, dat is het niet alleen. Ik heb zo'n kleur omdat het gesprek met Flip me verraste.

„Ik zou een vrouw als jij moeten hebben, ik vind je gewoon prima."

„Was dat Flip niet, straks?"

Ze knikt. „Ik kon geen taxi krijgen. Hij was met die Marianne..."

„Waarom kwam hij niet even binnen?"

„Ik denk dat hij geen zin had."

Ze gaapt. Ze kijkt Tom peinzend aan. „Wanneer heb je weer vakantie?" vraagt ze.

„Over twee weken. Hoezo?"

„Omdat je er weer aan toebent, ik zie het aan je."

Hij gaat er niet op in. Hij houdt van zijn vak en iedereen is wel eens moe. „Gelijk heb je. Rob heeft nog gebeld. Hij heeft een verrassing voor je."

Hij zegt het langzaam, alsof hij nog nageniet van wat de jongen vertelde.

„Wat dan?"

Hij moet zich inhouden om de trots in zijn stem wat te temperen. „Hij heeft een solistisch optreden met een Filharmonisch orkest. Voor de tv."

„Nee…”

„Ja. Hij belt je er nog over, hij weet niet precies wanneer.”

„Hij is een bijzondere jongen,” zegt ze.

„Nee,” zegt Tom. „Hij is een doodgewoon kind met een aanleg, anders niet. Ik denk wel eens, als hij die aanleg niet had en hij zou gewoon een baan hebben, vrienden, meisjes, waarschijnlijk zou hij gelukkiger zijn.”

„Welnee. Bovendien voelt hij zich erg happy.”

„Ik bedoel ook niet het geluk van bekend en beroemd zijn, dat is maar een vluchtig en tijdelijk iets. Je begrijpt best wat ik bedoel. Hij doet niet anders dan piano studeren. Wanneer leeft die jongen?”

„Misschien vindt hij dat leven,” zegt ze zacht.

„Ik maak me vaak zorgen over hem, ik weet niet waarom.”

„Omdat hij niet in een hokje past, nog op zoek is naar zijn identiteit? Kom nou Tom, alsof arts zijn zo'n plezierige job is.”

Ze hoort de buitendeur open en dicht gaan.

Ruuthje staat in de kamer met Jelle. „We vinden het beter het jullie zelf te zeggen,” zegt Ruuthje. „Als je het van anderen hoort is het net of we het niet willen weten. We kunnen een etage huren, Jelle en ik, en we gaan daar samenwonen.”

Ze is volwassener dan Rob, denkt Matty, zelfstandiger ook. Het is een kind dat je altijd, haar hele leven voor verrassingen zal zetten, lieve, nare, gezellige, drukke…

Het is een totaal andere tijd dan toen ze zelf jong was. Er was toen een vaster patroon, je wist welke grond je onder je voeten had.

Het leven is nu net een enorme legpuzzel, er zijn te veel stukjes en je weet vaak niet welk stukje bij welk voorbeeld past. Je probeert alle brokjes uit die voor je liggen en soms kies je de goeie, soms de verkeerde. Ze kijkt tersluiks naar Tom. Ze weet dat hij het niet prettig vindt. Hij is een man van de oude stempel, nog uit de tijd van ‘eerst trouwen en dan pas elkaar ontdekken’.

„Waar is die etage?” vraagt Matty. Ze wil de stilte doorbreken omdat Tom zo helemaal niets zegt, voor zich uit kijkt en quasi onverschillig een pijp stopt.

„Midden in de stad, lekker overal dichtbij en de huur is niet al te hoog.”

„Wat versta je daaronder?” vraagt Tom.

„Vierhonderd gulden. Dat betekent voor ieder van ons de helft. Ik heb al een baantje via een uitzendbureau. De studie doe ik erbij, dat kan best.”

„Doe jij dat ook?"
Tom kijkt Jelle vragend aan.

„Ja. Ik neem een baantje voor halve dagen, Ruuth ook. U zult zien dat we het best redden en tijd over hebben om te studeren. Ik word ook dierenarts. We willen later samen een praktijk opzetten, ik voor groot vee, en zij," hij glimlacht naar Ruuth, „voor kleine huisdieren. Dat is ons plan."

„Zou er van studeren veel komen, denk je, als je dag en nacht samenbent?"

Hij heeft een licht gevoel van jaloezie. Hoe anders was alles in zijn jonge jaren, in de jaren dat hij bij Ruuth en Tomas tot volle wasdom kwam, uitgroeide tot de man die hij nu is. Alle liefde en begrip die zij voor een jong kind konden opbrengen gaven ze hem, terwijl ze nooit kinderen gewend waren geweest. In een flits ziet hij zich daar nog die allereerste keer staan. Twaalf was hij en hij wist dat zijn echte ouders, Jissy en Rob, nooit meer thuis zouden komen, maar echt begrijpen en voelen kon hij dat nog niet. Het was als een vreemde film die over hém ging en waar hij naar zat te kijken. Als ze niet door die lawine in Zwitserland waren getroffen, wat voor jongen zou hij dan geweest zijn?

Waarschijnlijk een veel zorgelozer jongen, want vanaf die tijd was het net of er een sluier voor de zon was, of het heel diep in zijn voelen en denken gedeeltelijk dichtgetimmerd was. Hij kwam er natuurlijk wel overheen, zoals je over alle dingen meestal wel heengroeit, maar er bleef iets in hem achter aan kwetsbaarheid waar hij geen naam voor wist. Het bepaalde later een groot deel van zijn jonge jaren, van zijn niet zo gemakkelijk zich meer durven hechten aan anderen, uit angst opnieuw te verliezen. In het begin, toen hij Matty leerde kennen, kon hij moeilijk géven, iets uit zichzelf, iets, waardoor mensen samenvloeien tot een geheel. Tomas en Ruuth lieten hem vrij, maar hij durfde die vrijheid niet goed aan. Het verdriet om het verlies en gemis uit zijn heel jonge tijd was gesleten, maar er was onzekerheid voor in de plaats gekomen, eenzaamheid.

Daarom is er nu iets van jaloezie, omdat Ruuthje en Jelle meer durven, veel meer verwachtingen hebben, en er samen aan werken die te verwezenlijken. Hij moet die jaloezie geen kans geven, het is zinloos; zijn eerste jeugd is voorbij, de hunne moet nog beginnen.

„Waarom zou daar niets van komen?" vraagt Jelle. Hij heeft iets zekers over zich en hij is niet bang. Voor niets en voor niemand.

Hij weet wat hij wil en dat gevoel maakt hem sterk.
„Ik vraag het maar zo," zegt Tom.
„'n Rare vraag als ik het eerlijk mag zeggen."
Geen ruzie, denkt Matty, alsjeblieft geen ruzie. De tijd is anders, je moest je daar als oudere bij aanpassen. Alles gaat in 't leven anders dan je je voorstelt. Ze is niet blij met dit plan, maar ze laat dat niet zo merken.
„Ik heb nog wel meubels," zegt ze. „Je weet wel, Ruuth, die op zolder."
„Dat is een goed idee." Ruuths gezichtje straalt. „Jelles broer heeft een wagen, die kan misschien van de week wat spullen komen halen. We moeten het huis eerst schoonmaken. Dat wilden we het weekend doen."
Tom behaalt een overwinning als hij zegt: „Als we dat met z'n allen doen, ik bedoel wij erbij..."
Ruuthje is nooit zo vreselijk omhelzerig, maar ze vliegt Tom om de hals, knelt haar armen stevig om hem heen. „Fijn, paps, dat je het goedvindt."
Ze moest eens weten, denkt Tom, ze heeft geen idee hoe hard ik moet werken aan deze overwinning.
Hij vangt heel even een glans uit Matty's ogen. Dit, lijken die ogen te zeggen, is nou de weg, dit is een stuk geluk.
Robs televisie-optreden zinkt totaal in het niet, Matty vergeet helemaal het Ruuth en Jelle te zeggen. 's Avonds laat, als ze in bed liggen, denkt ze. Hoeveel vormen van geluk zijn er eigenlijk?
Rob zoekt het op een totaal andere manier, Ruuthje is op haar wijze happy en zij en Tom hebben al zo'n stuk van de weg afgelegd en voelen soms een klein beetje waar het om gaat. Leven is moeilijk maar heerlijk, denkt ze, ieder doet dat op de manier die het beste bij hem past. Mensen zijn zoals heel de natuur is: alles rijpt op eigen tijd, op het moment dat een stuk gevoel tot wasdom is gekomen. En nooit eerder. Ze voelt de warmte van Tom tegen haar rug. Ik ben heel gelukkig, denkt ze, nu, in dit stille uur van de nacht. Ik maak me geen zorgen over de kinderen, over een toekomst. Ik leef nú en ik laat al die warmte en tevredenheid over me heenkomen als de zon over een zomermorgen.

Rob móet het opa zeggen. Het optreden voor de tv maakt zo'n groot stuk van zijn eigen ik uit dat hij, net als vroeger, toen hij nog een jongen was, naar dat vriendelijke huis moet, waar vroeger altijd alle dingen licht leken en vrolijk. Maar het huis is veranderd, omdat opa veranderd is. Niet opvallend, maar soms even merkbaar in een gesprek, een houding. Tomas is bezig het verdriet en gemis als een mantel om zich heen te trekken, als bescherming tegen de eenzaamheid. En zo jong als Rob is, voelt hij dat Tomas zo niet moet doen, dat hij moet proberen weer onder de mensen te komen, belangstelling te hebben.

Tomas is in de tuin bezig de schuur op te ruimen. De herfstzon kleurt de overdadige pracht van alles wat bloeit, het stille vlakke land, dat roerloos uit het matte licht komt, de zware wolken, vredig en beladen met verzadigd licht van de zomer, de zoete voorbereiding op een ander seizoen. Hij voelt dit allemaal wel, zoals een kind van zingen houdt, maar het is of alles over hem heengaat, niet dóór hem heen.

Hij zet harken en schoffels tegen de muur. Hij kan vanuit de open deur ver over het land kijken. De horizon draagt regen, het zou best kunnen dat de zon het over een tijdje moet verliezen. Dan komt de regen en staan morgen de bloemen nog frisser en uitbundiger dan vandaag. Hij houdt niet van de herfst; dan is de wereld stiller en grijzer en worden de dagen eenzamer.

„Opa..."

Hij draait zich om naar de kant vanwaar het heldere geluid komt.

„Zo, jongen."

Tomas veegt zijn bemodderde hand aan zijn broek af. In het heldere licht lijken zijn haren grijzer, alsof de herfst te vroeg komt. Om zijn bruine ogen glijden de rimpels in een scherp patroon en zijn wangen zijn mager en tanig.

De jongen ziet het en hij heeft een gevoel van weemoed. Waar is die lach die opa's gezicht zo gemoedelijk maakte en lief? Die lach van opa waar je naar moest kijken of je wilde of niet?

„Kom je me helpen?"

„Nee."

Hij voelt opeens hoe onbelangrijk zijn televisie-optreden moet zijn voor Tomas, hoe weinig waarde dat vertegenwoordigt. Hij zou zeggen: 'Zo, jongen, en wat komt daarna? Muziek is een heilige zaak, daar komt geen prestatie of eer bij te pas, dat is iets helemaal alleen voor jezelf'. Hij hoort hem dat al zeggen. Hij heeft een sterk ontwikkelde intuïtie, de jongen, het heeft hem al dikwijls behoedt voor het maken van fouten.

„Wat kom je dan doen? Me zo maar eens opzoeken?"

„Ik had zin bij u te zijn."

„Zo, zo, dat is mooi. Trek je jas uit en ga mee, ik heb koffie."

Het is netjes en opgeruimd in huis, dat valt de jongen op. Er zitten ook een hond en een kat, ouwe beesten, die zo helemaal bij Tomas passen.

„Je hebt mensen die denken dat ze van dieren houden," zegt Tomas – hij schenkt koffie in grote kommen – „en die gaan dan verhuizen en kunnen die dieren opeens niet meenemen. Die zijn dan te veel en die lopen hier dan rond. De baas zal ze komen halen, zei hij, maar hij is weg en we weten geen adres. En dan word je op een nacht wakker, jongen, en dan hoor je het janken van een hond. Heb je dat wel eens gehoord? En je gaat je bed uit omdat je dat janken al eens eerder hebt gehoord en er geen aandacht aan schonk, omdat je dacht dat dat beest gewoon zomaar jankte... En dan doe je midden in de nacht de deur open en dan schiet me dit mormel naar binnen, nat en hongerig, hongerig naar veiligheid en een thuis. En wat doe je dan?"

„Je houdt hem," zegt Rob.

„Juist. Hij is hier nou alweer twee weken. Je bent dus twee weken niet geweest."

Rob lacht.

„Wat zijn nou ook twee weken, dat is een zucht..."

Tomas drinkt de koffie en kijkt de jongen aan. „Zo ging het met die kat, denk ik, wel hetzelfde. Ze had trek, kreeg melk en ze bleef..."

„'t Is best gezellig zo. Alleen jammer dat Lucie niet zo van dieren houdt. Maar ik zei: 'Dan kom je maar niet meer'."

Lucie, denkt Rob, wie is Lucie ook weer? Opeens weet hij het, dat was de vrouw van oom Bas.

„Ze helpt me wel eens met het een en ander. Ze is netjes en precies en ze kan goed koken. Maar niet zo lekker als Ruuth."

„U bent niet de enige die haar mist," zegt de jongen, „maar we praten er nooit over omdat u er niet tegen kan. Dat is niet eerlijk."

„Zo, is dat niet eerlijk?" zegt Tomas.

Rob weet niet waar hij opeens de moed en de woorden vandaanhaalt. „Mijn vader praat thuis wel over haar, maar als u komt zegt hij niks meer. En zo was oma niet, ze zou niet willen dat ze niet meer meedeed, in gesprekken, in alles. Dat ze er niet meer bijhoorde alsof het voorbij is. Het is niet voorbij. Ik denk veel aan 'r, maar ik kan er met u niet over praten. En dat is fout. U houdt haar helemaal alleen voor uzelf."

„Hoe kom je aan die wijsheid? Van je vader?"

„Nee," zegt hij, geschrokken opeens over wat hij eruitflapte, „zo voel ik het. Er hangt zo'n druk op het huis, het is niet meer zoals vroeger."

„Nee, het is niet meer zoals vroeger. Vind je dat vreemd?"

„Ik zou het anders doen," zegt Rob. „Ik zou er juist wel over praten. Dan is alles weer een klein beetje zoals het was."

„'t Is nog zo kort geleden," zegt Tomas.

„Een paar jaar, opa, bijna twee jaar."

Jongen, zou Tomas willen zeggen, die paar jaar zijn voor mij nog maar een paar maanden. Hoe langzamer de tijd verstrijkt, hoe moeilijker het wordt, omdat je iemand steeds meer begint te missen. Omdat je, als je hebt liefgehad, dat gevoel niet meer uit je hart kunt bannen. Hoe kan ik je dat allemaal zeggen? Je kent de liefde niet en dus ook het gemis niet en het verlangen. Het simpele verlangen naar alles waarvan ik hield.

„Soms zijn twee jaren te kort om er een beetje overheen te zijn."

„Dat begrijp ik, ook al denkt u van niet. Maar dat u er nooit over praat dat begrijp ik niet."

„Dat kan ik niet, zo eenvoudig is het, en laten we nu over iets anders beginnen. Hoe gaat het met je muziek?"

Ik had dit alles niet moeten zeggen, denkt de jongen, maar ik deed het ook om hem te helpen, om hem uit dat isolement te halen.

Hij zegt, en zijn stem klinkt lang niet zo enthousiast als toen hij dit thuis vertelde: „Erg goed, ik speel de volgende week voor de televisie."

„Had je me dat willen zeggen?"

„Ja."

„Als ik er niet naar gevraagd had zou ik het misschien nog niet weten."

Ik durfde het niet, denkt de jongen, er is iets tussen ons veranderd. „Och," zegt hij en hij streelt de oude hond die naast zijn stoel ligt, „zo belangrijk is het nou ook weer niet."

„Voor mij wel," zegt Tomas. Er is heel even weer iets van het oude vuur in zijn stem, er is trots en belangstelling en hij begrijpt waarom de jongen niet direct met dit bericht in huis viel. Omdat zijn houding die vreugde blokkeerde. Het is of er nu een hele kleine opening is, of hij zichzelf een beetje op een afstand kan zien. Is hij zó veranderd? Straalt hij zoveel eenzaamheid en dufheid uit dat anderen de moed missen vrolijk te zijn?

„Wanneer is het?" vraagt hij.

„Volgende week zaterdag, in dat programma 'Jonge mensen op het concertpodium'."

„Ik zal er naar luisteren. Reken maar. En ik zal je zeggen hoe ik het vond."

Muziek, denkt Tomas, luisteren naar muziek als je je verlaten voelt, dat betekent de grootste vijand in huis halen wat je gevoel betreft. Dat betekent zwakte en emotie.

„Dat is fijn, opa."

De jongen staat op.

„Je wordt steeds langer," zegt Tomas.

„Ja. Nou, ik ga."

„Kom gauw nog es."

„Dat doe ik."

De jongen aarzelt. Hij zou Tomas een zoen willen geven maar hij kan het niet.

Bij het hek kijkt hij nog een keer om. Hij zwaait.

Tomas is al naar binnen. Hij voelt zich op de grens van twee landen, van het land dat hij kent en een nieuw, onbekend stuk grond waar hij naartoe moet.

De jongen zei eigenlijk hetzelfde als Lucie, alleen met andere woorden maar het kwam op hetzelfde neer. Ze hing van de week de dekens buiten. Hij hielp haar later met het kloppen. Hij deed het zwijgend en in zichzelf gekeerd.

Ze zei: „Je bent niet de enige die iemand verloren heeft."

Er was iets zachts in haar gezicht, maar haar stem klonk hard. „Je bent altijd alleen maar met jezelf bezig."

Hij zag dat ze haar haren nodig weer moest laten kleuren, bovenop haar hoofd waren stukjes grijs te zien, haar gezicht was wat vaal en onopgemaakt.

Hij dacht aan Bas, het was of hij hem hoorde zeggen: „Je bent stom in de weer, ouwe jongen…"

Hij gaf haar geen antwoord omdat hij de stap naar dat andere land, naar het verdere kunnen, nog niet kon zetten. Maar hij was meer geraakt door haar woorden dan hij kon zeggen. Omdat hij wist dat ze de waarheid zei en op een betere manier tegen haar eenzaamheid vocht dan hij. Want hij vocht niet…

18

„'s Avonds zal de jongen spelen. Tomas is de hele dag gespannen, hij weet wel waarom. Hij kan deze keer niet alleen thuiszitten, in die stille kamer met als gezelschap de ouwe hond en de kat. Hij moet juist nu mensen om zich heen hebben, Tom, Matty. Hij beseft opeens dat hij weinig vrienden meer heeft. Hij gaat nog wel eens naar de soos om een partijtje te biljarten en soms wordt hij nog wel eens opgebeld om in te vallen als ze bij het bridgen een partner tekort hebben, maar echt zuinig zijn op vriendschappen en daar iets mee doen, nee, dat vergeet hij.

Die dag werkt Lucie hij hem, ze geeft de keuken een goeie beurt. Ze werkt rustig en handig. Meestal gaat ze na het eten weg.

Hij zegt: „Zou je het vervelend vinden vanavond wat later weg te gaan?"

„Hoezo?"

Hij vertelt van het concert. „Misschien vind je 't ook leuk die jongen te zien en te horen," eindigt hij.

Ze voelt zijn hulpeloosheid. Het raakt haar meer dan ze wil bekennen. Mannen zijn vaak net als kinderen, zo kwetsbaar en onzeker.

„Ik heb toch niks bijzonders," zegt ze vlak.

„Dat is prettig."

's Middags belt Tom, en vraagt of hij vanavond zin heeft bij hen te komen. Eerlijk gezegd zou Tomas dat nog liever hebben gedaan, zo helemaal met elkaar zijn en opnieuw voelen dat je met elkaar een band hebt. Maar hij kan Lucie niet zonder meer de laan uitsturen. „Misschien met een volgend optreden," zegt hij.

Hij weet niet goed waarom, maar ergens is hij een beetje bang voor Lucie, en hoe dat nou komt, is niet zo gemakkelijk onder woorden te brengen. Er zijn van die vrouwen waar een man geen raad mee weet, die hem verwarren omdat ze ongrijpbaar zijn, in staat het leven van alledag weer op te nemen alsof er niet zóveel veranderd is en juist die ogenschijnlijke onverstoorbaarheid verwart Tomas. Ze moet Bas toch óók missen... Maar je merkt weinig aan 'r. Hij kan het niet goed hebben dat een vrouw sterker is dan hij, dat is een naar, onvoldaan gevoel.

Na het eten ruimt Lucie de tafel af, gaat afwassen. Hij hoort haar heel even zacht zingen, maar misschien heeft hij zich dat ook wel verbeeld.

Hij zet de tv aan, knipt de schemerlamp in de hoek aan en wacht op de dingen die komen.

Lucie draait de gashaard wat hoger, komt met geurige koffie binnen en trekt naderhand de overgordijnen dicht. Als hij 's avonds alleen zit, vergeet hij dat wel eens. Dan kijkt hij lang in de schemering en later in het duister naar buiten, luistert naar de geluiden van auto's, voetstappen van mensen. Dan is hij tóch bij de wereld, maar de wereld is niet bij hem, want niemand kan hem daar voor het raam zien zitten.

Tomas ziet dat ze zich omgekleed heeft. Ze heeft zich een beetje opgemaakt, haar bleke huid heeft wat kleur.

„Ik drink 's avonds nooit koffie," zegt hij.

„Wat ongezellig."

Opeens is de jongen in beeld, groot, mager en zeker van zichzelf.

Hij speelt, Chopin, Schumann. Het is opeens geen jongen meer, maar een man, een mens die een sterke geestelijke rijpheid heeft, een eigen kracht. Ruuth, denkt Tomas, je zou hem moeten horen.

Je zou trots zijn, blij, meer blij dan trots, om de eenvoud van deze Rob, zijn overgave aan de muziek. Hij betrapt zich erop dat Ruuth opeens zo volkomen rustig bezit van hem neemt, van zijn voelen en denken, dat hij die herinnering niet weg wil werken door op te staan, iets heel anders te gaan doen, waardoor hij dat beeld weer een beetje kwijtraakt. Het mag opeens, het maakt vrij. Hij luistert roerloos. Hij wilde dat hij dat ook kon, zo spelen en jezelf totaal vergeten.

„Hij kan 'r wat van," zegt Lucie rustig.

„Zo'n jongen kan het nog heel ver brengen."

„Waarom verder?"

Haar stem is kalm. „Me dunkt dat hij al ver genoeg is. Ik heb heel vroeger als kind viool gespeeld. Als mijn ouders niet gescheiden waren, wie weet had ik dan beter kunnen doorzetten."

Tomas hoort de jongen nu praten, hij vertelt aan de interviewer wat zijn toekomstplannen zijn. Het hele gebeuren duurt niet langer dan een goed kwartier.

Het praten gaat hem minder goed af dan het spelen, denkt Tomas, dan is Rob opeens weer een jongen. Hij glimlacht om dit kind dat hem zo na aan het hart ligt.

„Waarom zeg je niks," zegt Lucie. „Ik praat tegen je."

„Sorry."

Hij heeft natuurlijk wel gehoord wat ik zei, denkt ze, maar hij heeft geen zin zich in de problemen van anderen te verdiepen. Ze blijkt zich te vergissen.

Tomas vraagt: „Hoe oud was je toen je ouders gingen scheiden?"

„Zeven."

„Da's beroerd."

„Meer dan dat, het is of je opnieuw geboren wordt, maar dan bewuster. En ik werd een lastig portret, op school en thuis. Ik bedoel maar, ik was gek op muziek en ik speelde niet onverdienstelijk viool, maar het was toen afgelopen met die lessen. Moeder kon het niet meer betalen."

„Dat maakte je al erg jong zelfstandig zeker?"

„Niet alleen zelfstandig, ook wijs, veel te wijs."

Hij zou willen zeggen: Ik weet wat je bedoelt, ik ken dat gevoel ook. Ik was alleen ouder dan jij toen het bij ons thuis gebeurde. Ik pantserde me, dat kon ik goed. Maar toen ik Ruuth ontmoette, werd ik een beetje anders. En veel later, bij Ruuth, vond ik mezelf, rijper, beter. Ik probeer nu dat oude pantser van heel vroeger weer terug te vinden, omdat ik weet hoe veilig je je daarachter kunt verschuilen. Maar het is net of het niet meer om me heen past, of het niet meer zo helpt.

Heb jij ook een pantser, zou hij willen vragen, trek je ook een onzichtbare mantel om je heen, die je warmte en veiligheid moet geven? Hij voelt zich opeens wat beter bij haar thuis, hij weet waar ze over praat, en het maakt hem vriendelijker en toegankelijker voor de ander.

Hij zegt: „Maar er kwam later ook veel waardevols, ik bedoel..."

„Je bedoelt Bas?" Ze zegt het op een gewone, sterke toon.

„Ja, dat bedoel ik."

„Dat was het beste wat me in het leven is overkomen. Die tijd met hem samen, dat ontdekken dat het bestaat, je bij iemand thuisvoelen. Door hem ben ik anders geworden, en het maakt niet uit dat hij er niet meer is, ik bedoel, dat ik hem niet meer kan zien en aanraken. Zijn invloed op mijn leven was zo groot dat het niet meer verandert. Ik ben dankbaar dat ik het heb gekend. Hoe zou ik anders geweten hebben wie ik ben?"

Ze kleurt om haar openhartigheid. „Soms, zing ik weer een beetje. Hij vond het leuk als ik dat deed en daarom wil ik het."

„Ik kan dat niet," zegt Tomas, „maar ik heb het ook nog nooit echt geprobeerd."

„Er komt een dag dat je dat wél kunt," zegt ze langzaam. „Er komen zelfs dagen dat je niet meer bij alles wat je doet, aan die ander denkt en dat is goed."

Ze schenkt nog eens koffie in.

Veel later op de avond als Lucie haar jas aantrekt, zegt hij: „Waarom blijf je niet slapen?"

„Slapen?" Ze aarzelt. „Och, waarom ook niet? Ik weet waar het logeerbed staat."

Het maakt het huis weer levendig, denkt Tomas.

Eigenlijk, denkt hij, moest je altijd vertrouwen hebben in jezelf, want hoe minder je tobde, hoe meer je openstond voor alles om je heen. Ook en vooral voor de vriendschap.

Want dat is het wat hem met Lucie verbindt, een begrijpen en een gevoel van diepe vriendschap.

Hij hoort de geluiden op straat. Ze klinken anders, de hele wereld is nu anders. Op een bepaalde manier beter…

Hij zou Lucie over haar haren willen strelen, maar hij heeft genoeg aan haar lichamelijke aanwezigheid.

Wat raar is alles, denkt hij, en wat gewoon…

Ze is die morgen al vroeg op. Hij hoort haar naar de voordeur lopen en de krant uit de bus pakken. Hij neemt al die kleine gedragingen waar alsof ze iets heel bijzonders vertegenwoordigen en eigenlijk zijn ze ook bijzonder. Vooral als je lang achter elkaar alles in je eentje deed, automatisch bijna. Dan gebeurt er een wonder als je hoort dat je de uren mag delen met een ander, die thee voor je zet, je brood snijdt en de kaas op tafel zet.

Hij opent zijn ogen, strekt zijn armen achter zijn hoofd. Zo ligt hij rustig naar haar te kijken als ze ontbijt op bed brengt. Naar haar ochtendjas – een oude van hem – die te ruim om haar heen valt, naar haar gezicht dat niet mooi is, maar zo helemaal bij haar hoort, bij haar stem, haar lach, haar bezig zijn.

„Hoe laat is het?" vraagt hij.

„'t Is nog vroeg."

„Wat noem jij vroeg?"

„Net acht uur. Ik sta altijd op die tijd op, dat ben ik gewend."

Ze schenkt kokend water op de theepot. „Wil je al thee?"

„In bed? Nee, ik kom eruit."

Hij trekt een ochtendjas van een haak, het is ook maar een oudje en hij vindt het opeens vervelend dat hij geen nettere heeft.

Als er gebeld wordt, zegt hij: „Dat kan de post zijn, ik verwacht een pakje."

Maar het is de post niet.

Het is Matty. „Ik heb je zoveel keer opgebeld gisteravond," zegt ze met iets verwijtends in haar stem. „Had je de telefoon van de haak?"

„Nee," zegt Tomas naar waarheid. „Misschien lag de hoorn er niet goed op. Kom erin."

„Hoe vond je Rob?"

Er is zoveel gretigs in haar toon dat hij glimlacht. Als ik zo'n zoon had, denkt hij, zou ik net zo reageren.

„Fantastisch, ik was apetrots."

Hij voelt Matty's blik naar Lucie, die in haar ochtendjas met de thee komt. „Wil je ook?" vraagt ze Matty.

„Nee, merci, ik ben op weg naar de markt en daarna komen Ruuthje en Jelle. Ze hebben een etage en kunnen wat meubeltjes van ons krijgen. We hebben er nog wel een paar op zolder staan."

„Wanneer gaan ze trouwen?" vraagt Tomas belangstellend. Kleine meisjes worden groot, denkt hij, en oudere mensen worden maar steeds ouder.

„Ze gaan eerst samenwonen."

Matty zegt het met iets van spijt in haar stem. „Ach, misschien hebben ze ook wel gelijk, ik weet het niet. Ik moet er nog een beetje aan wennen."

„En Tom?" vraagt Tomas rustig.

„Tom wil vóór alles harmonie om zich heen hebben. Hij kan niet tegen spanningen en ruzie, dus doet hij of hij het goed vindt maar in zijn hart is hij ertegen."

„Misschien is het ook een beetje een gevoel van jaloezie," zegt Tomas. „Wat de jeugd van nu kan, bestond in zijn jeugd niet. Ik bedoel maar..."

„Hij groeit er wel naartoe," zegt Matty. Ze kijkt even naar Lucie, die rustig haar thee drinkt. „Je bent ook vroeg," zegt ze.

„Lucie is nu eenmaal een ijverige vrouw," Tomas lacht. Jonge mensen hebben zo hun geheimen, maar ouderen hebben die ook.

Alle mensen hebben heel diep verborgen hun eigen stukje land, dat geen ander kent.

Lucie drinkt rustig haar thee. Ze trekt de ouwe jas wat dichter om zich heen. Er gaat een gevoel van rust van haar uit, van vrede hebben met het leven zoals het op dit moment is.

Misschien is dat het geheim van je gelukkig voelen; niet denken aan morgen of aan gisteren, maar je overgeven aan vandaag, aan dat prille ochtendlicht en aan de warmte in huis, aan een man als Tomas, een moeilijke man met het hart van een kind.

„Wil je echt geen thee?" vraagt ze aan Matty.

„Nee, dank je. Hoe vond jij Rob?" Het klinkt kinderlijk en tegelijk ontwapenend.

„Erg goed, maar het belangrijkste vind ik dat het zo'n gewone, normale jongen is, zonder kapsones. Ik hoop dat hij zo blijft."

„Dat hoop ik ook," zegt Tomas. „Succes kan een mens erg veranderen en niet altijd ten goede."

Hij glimlacht even naar Lucie. Hij heeft het gevoel een heel klein stukje van zichzelf terug te hebben gevonden, weer een beetje grond te voelen. Het is goed wat er tussen hen gebeurde, omdat ze beiden het verdriet kennen en de eenzaamheid. En als je dat geproefd hebt ben je blij met elke warmte die op je weg komt.

Maar hij is toch nog niet zo ver met zichzelf dat hij kan zeggen: „Ik heb op zolder ook nog wat spulletjes staan."

Want die kan en wil hij niet missen. Hij kocht ze samen met Ruuth... de pijn om dit tere gevoel komt opeens boven, de herinnering aan iets waardoor je voor een groot deel gevormd werd. Deze pijn zal, veel later, als hij nog weer wat meer van het leven heeft begrepen, minder worden, maar helemaal weggaan zal het nooit...

„Nou, ik ga," zegt Matty.

„Doe je de groeten aan Tom?" zegt Tomas. „En zeg dat hij niet te hard moet werken."

„Ik zal het zeggen."

19

Lucie ruimt de ontbijtboel op. „Wil jij je eerst douchen?" vraagt ze aan Tomas.

„Nee, ga jij maar. Ik wil het ochtendblad nog doorkijken."

Hij glimlacht even. „Je ziet er goed uit."

„Ik heb er nog nooit goed uitgezien, je moet me niet voor de gek houden.”

„Ik meen het.”

Ze zou willen vragen: Wat denk jij dat Matty denkt? Wat begrijpt ze wel en wat niet?

Ze loopt langs hem heen. Een slip van de kamerjas blijft even aan de ronding van de stoel hangen, slaat het kledingstuk een eindje open en valt dan weer over haar benen.

„Kom eens bij me, Luus...”

„Nee, ik wil opschieten, ik heb nog veel te doen.”

„Heb je spijt?” vraagt hij. „Ben je bang voor roddels?”

Een brede glimlach lijkt haar goedige gezicht in twee helften te verdelen, er is een glans in haar ogen en in haar stem. „Nee, dat is niet in me opgekomen.”

„Dan is het goed, Lucie...”

Ze raakt heel even zijn haar aan. Het is het simpele gebaar van iemand die opnieuw van het leven is gaan houden, niet van de man Tomas, maar van dat wat hij aan haar heeft gegeven; weer wat zon in een koud lijf, wat koestering en genegenheid. Ze is geen vrouw die zich direct illusies maakt, bergen bouwt op grote fantasieën.

Ze is alleen maar blij met onverwachte warmte, anders niet. Ze gaat naar de badkamer. Het warme water loopt in kleine smalle stromen over haar lichaam. Het verkwikt en geeft ontspanning, het maakt het begin van de dag goed en behaaglijk.

Tomas leest in het ochtendblad, zonder veel in zich op te nemen. Hij kijkt over de krant door het raam de weg op. Er hangt een grijze tint over de wereld, zo'n behoedzaam grijs dat als het breekt verrassend licht doorlaat, met wat zon en speelsheid. Waarom hebben mensen toch een hekel aan de herfst, aan dat jaargetijde, dat alles wat kracht en kleur is in zich verzamelt en bijeengaart?

Als jongen hield hij al van de herfst, omdat je dan je eigen krachten kon meten met die van de wilde wind die op je aanstormde en je omver probeerde te duwen, met overal de onstuimigheid van de natuur en de late bloei van de rozen in de dichte hagen. Eigenlijk is een mens net zo ontvankelijk voor groei als de hele natuur. Soms ontplooide je je in het voorjaar of in de volle zomer, maar het gebeurde ook dat je in de herfst en de winter de rozen van genegenheid vond.

Hij hoort Lucie zacht zingen. Ze heeft een heldere krachtige stem en hij begrijpt sinds kort wat Bas in haar heeft gevonden: niet alleen maar goedheid en rust, maar veel meer nog levenskunst, de gave van elke situatie iets te maken. En dan hoeft een vrouw niet mooi te zijn, omdat dat andere, sterkere, uit de geest, het hart kwam en veel mooier was op een bepaalde manier.

Hij verdiept zich er niet in hoe alles nu verder zal gaan. Misschien gaat er wel helemaal niets verder, bleven ze ieder een eigen weg gaan, als stukken hout, drijvend op het water, soms naast elkaar glijdend, soms weer uit elkaar geslagen door de drift van de golven.

Hij glimlacht over deze poëtische vergelijking. Vroeger was hij toch veel meer een man van praktische nuchterheid, de realiteit, maar na zijn ongeluk, nu alweer jaren en jaren geleden, werd er iets van die nuchterheid afgenomen en kwam er iets anders voor in de plaats. Na een gevoel van verbittering, groeide er iets naamloos in hem, was hij zich veel meer bewust van de kracht en de schoonheid van het leven. Omdat hij mócht verderleven, omdat hij zoveel geluk had gehad. Want hij had toch maar mooi weer kansen gekregen. Hij had Ruuth leren kennen en die jaren met haar waren van een nimmer weerkerende eenheid. Hij wil helemaal niet aan Ruuth denken nu, maar ze komt en gaat in zijn gevoel wanneer hij er niet aan denkt. Ze is als een hete vlam die door zijn lichaam brandt, die soms bijna dooft, maar steeds opnieuw weer nieuw voedsel vindt om op te vlammen.

„Klaar," zegt Lucie.

Haar haren zijn nat, haar gezicht glimt.

Hij vouwt zijn krant samen. „Ja," zegt hij, „ik ga me ook wassen."

In de badkamer hangt een geur van zeep en frisheid.

„'t Is gek, denkt hij, maar alles lijkt opeens anders, ruikt anders, en het lijkt opeens mijn eigen badruimte niet meer. Maar dat kreeg je als je een vrouw in je bad toeliet.

Ze zong, denkt hij, als hij de waterkranen opendraait, en dat is iets dat ik nog niet kan...

Matty fietst naar huis; de fietstassen zijn dik en bultig van de inkopen op de markt. Er is een tevreden gevoel in haar, omdat ze met haar boodschappen geslaagd is. Haar voeten bewegen ritmisch op de trappers. En haar gedachten lijken mee te glijden op de maat. Tomas en Lucie... denkt ze. Maar waarom ook niet? Twee eenzame mensen, op zoek naar veiligheid, naar weer een thuis.

Als ze de straat van haar huis inrijdt, ziet ze de vele fietsen staan. Tom krijgt het bij elk spreekuur drukker, vooral als er collega's een paar weken weg zijn. Tomas heeft gelijk, Tom werkt veel te hard, kan eigenlijk moeilijk patiënten afschuiven. Soms maakt ze zich ongerust over hem, over zijn groeiend gevoel van eerzucht.

„Waarom zal ik twee en een halfduizend patiënten houden als ik er gemakkelijk drieduizend kan hebben?"

We hebben toch alles wat we wensen, dacht ze, toen hij dat zei.

Een ruim huis, welstand, vakanties en twee fantastische kinderen. Waarom nóg meer daaraan willen toevoegen?

„Flip van Raalte denkt daar anders over," zei ze.

„Flip heeft geen gezin, dat is heel anders."

Ze denkt opeens aan Flip, aan dat wat hij haar eens zei: „Ik zou een vrouw als jij moeten hebben, degelijk, betrouwbaar, huiselijk."

Ze ontlopen elkaar een beetje, spelen een spel zonder vastgestelde regels, bang voor zichzelf, of voor een bezeren van de vriendschap?

Ze rijdt met haar fiets langs het zijpad, naar de schuur. Ze knikt naar de assistente, Lotte, die sinds kort de veel oudere Marie heeft vervangen. Lotte is secuur, handig en vrolijk.

In een flits ziet ze, als ze door het raam kijkt, Flip bij de telefoon.

Hij heeft een kleur, Lotte ook.

De situatie is haar opeens duidelijk, Flip en Lotte... Ze kan het zich nauwelijks voorstellen. Lotte is zo helemaal zijn type niet, maar wat weet ze van Flip? Niets!

Er is een licht gevoel van jaloezie in Matty. Het is kinderachtig om dat te voelen. Lotte is jong, zit nog helemaal in de jaren van groei en spel, uitdagen en afweren.

Heeft die enkele zin van Flip haar, Matty, dan toch onbewust wel iets gedaan?

Ze knoopt een schort om haar middel, wast de meegebrachte groente en schilt de aardappelen. Dat doet ze altijd, dan kan ze ze straks direct opzetten.

Tegen twaalven heeft Tom zijn recepten van die dag geschreven.

Hij voelt zich moe, er is veel griep, en dan dat van Flip er nog bij.

„In het begin dacht ik dat we het best samen zouden kunnen vinden," zei Flip van de week, „maar we verschillen te veel. Jij houdt heus wel van je patiënten, maar je wilt óók meer verdienen dan je kunt opmaken. Ik hou alleen maar van mijn patiënten en ik vind geld een prettige bijkomstigheid."

„Wat wil je daarmee zeggen?"

„Dat ik naar iets anders ga uitkijken, iets waarin ik me meer als mens kan uitleven."

„Hoe stel je je dat voor?"

„Gewoon, pionieren in de ontwikkelingslanden, mijn opgedane kennis in dienst stellen van mensen die het hard nodig hebben. Man, dat lijkt me ideaal. Weg uit dit kleine overvolle landje. Ergens nog eens helemaal opnieuw beginnen, midden in de rimboe, in de ruimte en de onmetelijke woestheid van de natuur. Als ik eraan denk zou ik wel zo het vliegtuig kunnen nemen."

Hij was niet helemaal eerlijk, Flip, want er kwam nóg iets bij waarom hij wegwilde. Om een vrouw als Matty. Hij vocht tegen zijn groeiende gevoelens voor haar, voor zover een mens daartegen kan vechten. Hij zag haar te veel en hij begon haar steeds aardiger te vinden. Misschien dat hij daarom een beetje met Lotte begon aan te pappen, om te vergeten dat er vrouwen zijn, met kort krullend haar en spottend lachende ogen, met een stem een stuk vol muziek en met sportieve gratie.

„Ik had me veel van deze samenwerking voorgesteld," zei Tom ernstig. „Bovendien zou je over enige tijd een eigen praktijk kunnen beginnen."

„Ik weet best wat ik weggooi," zei Flip.

„Als het je ernst is moet je er geen gras over laten groeien, dan moet je maatregelen nemen. Niet alleen voor jezelf maar ook om mij. Ik kan dan naar een andere assistent uitkijken, hoewel dat niet mee zal vallen."

„Is dat nodig?"

„Natuurlijk is dat nodig, ik kan in m'n eentje al die patiënten niet aan. Ik heb nu al niet meer dan hooguit tien minuten per patiënt."

„Wat een krankzinnige wereld," zei Flip. „Dan laat je er toch zeker een aantal afvallen? Er komen, vooral in de nieuwbouwwijken, nieuwe artsen bij. Wat let je man?"

Nee, dacht Tom, dat nóóit. Ik heb jarenlang gewerkt om een bloeiende praktijk te krijgen. Ik zal me daar gek zijn.

Tom denkt aan dit alles, als hij de koffie roert die Matty voor hem neerzet.

„Hoe was het bij Tomas?” vraagt hij.

„Goed. Veel beter zelfs, hij is niet meer zo in zichzelf opgesloten. Het is of hij er een beetje bovenuit begint te krabbelen.”

„Het is ook al weer ruim twee jaar geleden,” zegt Tom. „’t Is wonderlijk in het leven, nu hij zelf een gezin heeft, een eigen verantwoordelijkheid draagt, is het gemis van Ruuth minder schrijnend. Omdat hij zijn eigen leven heeft, zijn eigen besognes. Hij heeft ook niet veel tijd om aan Ruuth te denken, het werk en de grote afwisseling daarin maken dat hij niet zo veel aan zichzelf en het gemis van Ruuth toekomt. Hij denkt wel vaak aan ’r, maar dan als hij in bed ligt en niet kan slapen. Dan komt hij wel eens tot de verdrietige conclusie dat hij haar eigenlijk helemaal niet zo diep gekend heeft, dat ze beiden veel geestelijke terreinen braak hebben laten liggen. Maar misschien was dat met alle mensen wel zo, dat er een gevoel van schuld was als je niet meer met iemand van wie je hield, kon praten en om uitleg kon vragen.”

Matty vertelt nog niet van Lucie. Het is niet eerlijk, denkt ze, om een beginnende doodgewone vriendschap een bepaalde kleur te geven. Alleen de tijd zal ook wat Tomas en Lucie betreft wel een antwoord geven.

Ze kijkt naar Tom. „Je ziet er moe uit. Was het zo druk?”

„Ja, nogal.”

Ze kent hem. Als je jaren met elkaar getrouwd was, proefde je de kleur van een stem, kon je vrijwel onmiddellijk invullen of er narigheid was of niet.

„Wat is er?” vraagt ze.

„Och, laat maar, ’t is allemaal niet zo eenvoudig. Van Raalte wil hier weg. Hij wil naar de ontwikkelingslanden. Hij zet me mooi voor het blok.”

„Flip weg?” Ze bukt zich om een opkomende kleur te onderdrukken. „Waarom?”

„Een bevlieging, denk ik, wat van de wereld willen zien. Stom van hem, hij kan hier een pracht van een praktijk opbouwen.”

Waarom stom? denkt Matty. Gingen Tom en zij jaren geleden niet naar Nieuw Zeeland om ook wat meer de vleugels te kunnen uitslaan? Omdat zij last van heimwee kreeg en vooral omdat kleine Ruuthje hier in Holland een zware hartoperatie moest ondergaan, kwamen ze terug, maar ze wilden toch in feite hetzelfde als wat Flip nu wil. Wat meer van de wereld leren kennen dan alleen maar dat piepkleine stukje Holland.

Ze begrijpt niet waarom het haar iets doet dat Flip weg zal gaan. Wat kan het haar schelen? Of… hechtte ze tóch waarde aan zijn complimenten zijn vleierijen? Maar dan is ze nog lang niet echt volwassen.

Er glijdt een glimlach om haar mond. Volwassen zijn, wat is dat? Mag je dan niet meer een beetje wegdromen? Blij zijn met de aandacht van een andere man? Een beetje kleur proeven? Een andere kleur dan die Tom je gaf?

„Als hij weg wil, kun je hem niet tegenhouden," zegt ze kalm.

Gods wegen zijn altijd ondoorgrondelijk geweest, denkt ze. Misschien kan Tom straks geen nieuwe assistent vinden en móet hij patiënten afschuiven. Dan heeft hij wat meer tijd en ruimte voor ontspanning, ook voor haar… Want zijn liefkozingen zijn vaak vluchtig en snel en in de vakanties is Tom de eerste dagen meestal moe en rusteloos. Om zichzelf pas na een dag of drie weer wat terug te vinden. Maar dan hebben ze eigenlijk al drie dagen verloren van de kostbare vrije tijd.

„Ik zal hem ook niet tegenhouden," zegt Tom. „Als hij weg wil dan liever morgen dan volgende week. Het is alleen niet fair dat hij dit plan niet bij zijn sollicitatie heeft verteld. Dan had ik hem nooit genomen."

„Je vergeet dat hij jong is," zegt ze zacht.

Hij kijkt Matty oplettend aan. „Waarom neem je hem in bescherming?"

„Omdat ik hem graag mag," zegt ze rustig.

„Wat moet ik daaruit opmaken?"

„Niets meer of minder dan wat ik zeg."

Het was een spel, denkt Matty. Sommige mannen komen nooit verder dan spelen, met het leven en met zichzelf. Maar een spel kan ook ernstig zijn en serieus.

„Je moet je niet direct zulke grote zorgen maken," zegt ze. „Er komt wel een oplossing, hoe dan ook."

Tom zet zijn lege kopje weg. Waarom moeten de dingen vaak zo anders gaan dan je gedroomd hebt? Waarom?

20

Rob Jaarsma sluit de klep van de piano. Hij kan op zijn kamer gelukkig studeren zoveel als hij wil, maar vooral in de avonduren is hij toch veel minder geconcentreerd. Hij weet best hoe dat komt. Diep van binnen is hij niet tevreden met zichzelf. Hij zou dit aan Tomas willen zeggen en heel vroeger zou hij het tegen Ruuth hebben gezegd, maar Ruuth is er niet meer. Wonderlijk dat je met je problemen zo zelden naar je ouders ging, alsof je ze wilde sparen, of omdat je niet zo gemakkelijk kon zeggen wat je dwarszat.

Hij kijkt de straat in, waar het verkeer af en aan rijdt, het leven een ononderbroken ritme heeft, gejaagd en voortgeduwd in een afschuwelijke haast.

De avonden duren lang, denkt de jongen, en dat komt omdat ik zo weinig echt goeie relaties heb, vrienden. Omdat ik me zo in mezelf opsluit, nooit helemaal weet hoe ik me tegenover anderen moet gedragen.

Vroeger, als kind, had hij daar niet zo'n last van, maar vooral sinds hij met zijn pianospel succes heeft, zich helemaal geeft aan die ernstige liefde, de muziek, voelt hij dat hij bezig is zich meer en meer terug te trekken uit het dagelijkse leven, aan dat wat de medeleerlingen van het conservatorium zo vlot en gemakkelijk kunnen: uitgaan, vriendinnetjes hebben, je echt jong voelen. Hij voelt zich nooit helemaal jong. Het is net of hij ouder is, veel verder in denken en voelen. Misschien komt dat omdat hij als kleine jongen zo vaak en fijn met Tomas kon praten, over de schoonheid van kleine dingen, de stilte en bewegelijkheid van het water, de hemel, de kleuren van het licht, over die innerlijke groei die zo kwetsbaar was en ontvankelijk voor alles wat te maken heeft met vormen, volmaaktheid en respect voor het geweldige grote leven rondom.

De regen maakt kleine ronde figuurtjes op de ruiten, tikkelt met vaste regelmaat en natte handen.

De jongen huivert. Binnen is de veilige beslotenheid van het huis, het licht van de schemerlampen en de warmte van de kleine gashaard, buiten glanzen de straten koud en nat en in zijn hart is een gevoel van verlatenheid. Hij zou Mieneke kunnen bellen. Ze spelen wel eens samen, zij viool, hij piano. Ze is, net als hij, in het laatste jaar van het conservatorium. Ze ambieert geen solo-carrière, weet eigenlijk niet precies wat ze later zal gaan doen. „Misschien lesgeven aan een muziekschool of in een groot orkest spelen," zei ze een keer.

Ze is blond en fijntjes, Mieneke Spaander. Alles aan haar is tenger, vanaf haar smalle polsen tot aan haar enkels. Alleen als ze viool speelt is het of de hele wereld zingt en zich opent, of alles wat daarin past sterk is en zelfbewust.

Hij heeft veel respect voor Mieneke en dat betekent: niet zo goed durven wat andere jongens durven, je nog niet helemaal hebben gevonden, geremd worden door overstelpende gevoelens die nog geen vaste vorm hebben.

„Heb je geen wijn in huis?" vroeg ze toen ze de laatste keer bij hem musiceerde.

Hij had geen wijn, hij is niet zo'n drinker en vlotte jongen, hij is veel meer in zichzelf gekeerd, voelt zich veilig bij zijn muziek.

„Nee," zei hij.

„Heb je nooit wijn of iets anders?" vroeg ze.

„Ik vergeet dat altijd," zei hij.

„Wat saai."

Hij begreep niet waarom dat saai was. Hij begreep zoveel dingen niet. Hij voelde zich vaak zo buitengesloten, vooral als er bij een van de laatstejaars een fuifje was. Dan wist hij nooit wat hij moest doen, hoe hij moest doen. Dan voelde hij zich een verlegen, nerveuze jongen die zich van binnen totaal anders voelde dan hij overkwam.

Als hij met een meisje danste hoorde hij sommige jongens wel eens lachen.

„Een beetje inniger, Rob, je moet 'r lekker dicht tegen je aanhouden."

Hij begreep drommels goed wat ze daarmee bedoelden, maar hij gaf geen antwoord. Hij vond het maar stom geklets. Maar hij voelde wel dat hij heel anders met meisjes omging dan de jongens om hem heen. Hij voelde zich veilig als hij met een meisje musiceerde, langs het strand een wandeling maakte, zomaar een eind weg kletste bij het licht van een paar kaarsen...

Hij weet best dat mam zich wel eens zorgen over hem maakt. Omdat hij altijd zo met muziek bezig is. Ze wil natuurlijk dat hij ook eens met een leuk meisje thuiskomt, dat hij is als Ruuthje en Jelle, die elkaar op elk gebied kennen, maar hij heeft daar nog niet zo'n behoefte aan. Hij is tenslotte nog maar eenentwintig.

Eenentwintig, denkt hij, terwijl hij naar de regen kijkt, dan kun je heel jong en heel oud zijn.

Hij hoort de bel van de voordeur.

Als hij naar beneden gaat staan Ruuth en Jelle er. „Hallo, we waren in de buurt. Heb je zin mee te gaan naar een goeie film?"

Ze is jonger dan hij, Ruuthje, twee jaar, maar ze is hem in alles zoveel voor. Ze kent de liefde, de harmonie. Haar haren zijn nat, haar ogen schitteren en haar haar krult wild om haar wangen. Ruuthje leeft, denkt hij, en ik?

„Welke film?" vraagt hij. Hij heeft geen zin. Wat moet hij met die twee? Waarom gaan ze niet gewoon samen?

„Ik weet de titel niet meer, 't is een film met La Loren, een goeie, trek je jas nou aan, man, anders zijn we te laat."

Hij kan tegen Ruuth niet op. Hij heeft nooit tegen haar opgekund, maar vroeger kon hem dat niet zoveel schelen.

„Goed," zegt hij. „'t Is in ieder geval beter om eruit te zijn.

Hij zou het tegen iemand willen zeggen: „Ik voel me vaak zo alleen. Zonder muziek ben ik helemaal niemand, dan weet ik niet hoe ik moet leven."

Ruuth geeft hem op straat een arm. Ze is gezellig, spontaan en hartelijk. Ze is ook wel eens een kat, eigenzinnig en doordouwerig, maar ze heeft een sfeer van warmte en gezelligheid om zich heen.

Opeens zegt Ruuth en haar stem is nonchalant en triomfantelijk: „Weet je dat tante Lucie bij opa heeft geslapen?"

Ze giechelt. „Nou, én?" zegt Rob. Als ze aan opa komt, komt ze aan hem. „Hij is wijs genoeg om te weten wat hij wil. Waar bemoei jij je mee?"

„Ik zeg toch ook niks verkeerds? Ik hoorde dat mam het tegen pappa zei."

Opa, denkt de jongen, altijd maar alleen, een beetje in de tuin rommelen, soms eens naar de soos gaan, helemaal niet zo goed meer weten hoe alles nou verder moet. Er is een warm gevoel in hem, omdat hij het ook kent, dat alleen zijn, niet zo goed raad weten met jezelf, je stil terugtrekken omdat je zo snel bezeerd wordt.

„Dat is juist fijn voor hem," zegt Rob. „Misschien wordt hij nu weer een beetje de ouwe."

„En ik vind het maar raar. Die Lucie past helemaal niet bij hem, hè Jelle?"

Ze is een domme kletstante, denkt Rob, een onuitstaanbare meid, die onmiddellijk oordeelt en zegt hoe een ander moet leven.

„Ik zeg niks," zegt Jelle wijs. „Loop eens een beetje door, het gaat harder regenen."

Opeens vindt Rob er niks meer aan om mee te gaan. Maar hij doet het om de stilte op zijn huurkamer te ontlopen, om een beetje bij de anderen te horen.

Als hij die avond veel later dan anders weer thuiskomt zegt zijn hospita: „Er is voor u gebeld."

„Door wie?"

„Weet ik niet. Maar of u dit nummer wil terugbellen."

„Dank u."

Hij knipt in zijn kamer het licht aan. Hij leest het nummer. Het is het nummer van Tomas.

Hij draait het.

„Zo jongen ben je daar eindelijk," zegt Tomas. „Waar zat je?"

„In de bioscoop, met Ruuth en Jelle. Is er iets bijzonders?"

„Dat nou niet direct. „'t Is alleen maar dat ik wil weten of je dit weekend nog thuiskomt."

„Dat was ik van plan. Hoezo?"

„Ik zou het prettig vinden als je dan weer als vanouds bij mij komt logeren."

Hoezo, zou hij willen vragen, en tante Lucie dan? Maar hij is zo wijs dat niet te vragen. Hij zegt: „Dat is goed, tenminste, één nacht, want anders ben ik helemaal niet thuisgeweest."

„Goed, tot zaterdag."

Opa, denkt hij, goeie ouwe Tomas, wat is er nou met je? Waarom bel je me zo laat op de avond op en moest ik terugbellen?

Hij kijkt naar de piano in de hoek bij het raam. Het licht van de straat gooit er altijd van die helle harde stralen op. Het is een nare verlichting, koud en kil. Hij trekt de gordijnen dicht, knipt het lampje boven de piano aan. Hij is niet langer eenzaam als zijn vingers zeker over de toetsen gaan en hij een muzikaal gesprek begint tussen Schumann en zichzelf...

Tomas loopt in de kamer heen en weer. Hij weet niet zo goed hoe hij het de jongen moet vertellen. Hij zal het maar aan het toeval overlaten, aan de warmte van zijn stem.

Tegen twaalven komt de jongen, hij is dus nog niet thuisgeweest.

Hij heeft een kleur, Rob, het maakt zijn ernstige gezicht jonger, zijn ogen lichter.

„Je bent vroeg," zegt Tomas. „Heb jij al koffie gehad?"

De jongen proeft de stilte in huis, de grijze eenzaamheid van een huis dat zelden lacht en voortdurend opgesloten is in zichzelf. Zelfs de ouwe hond lijkt de sfeer te proeven en is rusteloos.

„Wil je wat voor me doen?" vraagt Tomas.

„Ik wil altijd alles voor u doen."

Het klinkt een beetje pathetisch, maar het ontroert Tomas.

„Wil je dan straks met me meegaan naar het ziekenhuis? Lucie ligt erin, ze heeft een hartaanval gehad, niet ernstig, maar het is toch wel uitkijken geblazen. En ik vind het niet zo prettig alleen naar het ziekenhuis te gaan.

De jongen herinnert zich dat Tomas maanden in een ziekenhuis heeft gelegen, jaren geleden, toen hij met zijn vliegtuig een noodlanding maakte. Zijn vader heeft hem dit eens verteld.

„Ligt ze aan de monitor?" vraagt hij.

„Ja, maar ik zei je al dat het niet ernstig was. Als alles goed gaat mag ze er de volgende week al weer uit. Je moeder wil haar graag bij jullie in huis opnemen zolang ze ziek is, maar... nee, daar wil ik niet van horen. Oudere mensen horen altijd ergens een beetje bij elkaar. Ze voelen hetzelfde, zitten op dezelfde golflengte, snap je?"

„Net als mensen die van muziek houden op dezelfde golflengte zitten?"

„Dat lijkt er een beetje op, maar als je ouder bent voel je het leven anders aan, omdat je dezelfde soort levenservaring hebt."

Hij kijkt naar de jongen.

„Ik zou willen dat je wat vaker lachte," zegt Tomas. „Je hebt zo'n studiegezicht, dat hoort niet bij je leeftijd."

„Dat lijkt maar zo."

Hij denkt aan dat flauwe gegiechel van Ruuthje. „Weet je dat tante Lucie bij opa heeft geslapen...?" Waarom moet hij daar nu opeens aan denken?

„Maar, als ze weer naar huis mag," vraagt hij, „wie moet haar dan verzorgen?"

„Ik," zegt Tomas. „Alleen weet ze dat nog niet, daar moet je dus nog maar niet over praten."

„Ze heeft toch een woning in Londen?"

Tomas kijkt de jongen aan. „Als je alleen bent heb je tijd om na te denken en ik heb een plannetje uitgebroed. Het is alleen nog maar een vaag plan, maar ik hoop dat het door kan gaan. Zie je, jij hebt nog weinig van de wereld gezien. Wij, je ouders en ook ik, zouden het een goed idee vinden als jij eens een poosje naar Londen ging. Je woont er goedkoop in de woning van Lucie en..."

„Maar die heeft ze toch tijdelijk verhuurd?" Er is heel even iets vrolijks in zijn toon, iets van hoop en verwachting.

„Ja, maar die mensen hebben een huis gekocht. Lucie zoekt nieuwe huurders."

„Voor hoelang?"

Dat hangt er vanaf, zou Tomas willen zeggen. Dat gaat erom of wij een beetje bij elkaar gaan passen. En dat weet de tijd en niemand anders. Daarom wil ik haar ook graag hier, in mijn huis hebben, elke dag en elke nacht, alle uren die nog voor ons in petto zijn. Want als je ouder wordt denk je van tijd tot tijd wel eens aan de dood. Niet als aan een grote vijand, maar als aan een vriend, die komt wanneer het nodig is, die lijden verzacht en rust brengt.

„Dat weet ik niet. Je vraagt veel meer dan ik kan beantwoorden."

Tomas zwijgt. Dan zegt hij: „Weet je dat je in Londen fantastische concerten hebt?"

„Ja, in de Albert Hall. Daar zou ik dolgraag eens heenwillen. En ik heb aanstonds toch mijn diploma. Dan kan ik best een poosje vakantie nemen."

„Maar... alleen naar Londen, naar een vreemde stad, een vreemd land, met een vreemde taal."

Mieneke zou mee moeten gaan, denkt Rob. Het is een verwarrende, maar heerlijke gedachte. Dan zou hij zijn als alle andere jongens en meisjes, een gewone, normale jongen die eindelijk durfde te leven... Het is zo'n allesoverheersend gevoel dat hij opeens luid zou willen lachen, maar daar is het nu de situatie niet naar.

„Ik zou het nog maar eens heel goed overdenken, jongen," zegt Tomas. „En drink nou je koffie op, want die is intussen wel steenkoud geworden."

21

Lucie ligt naar het plafond te kijken. Er is een vreemd licht gevoel in haar alsof ze dagen lang achter elkaar hard heeft gewerkt, of haar lichaam alleen maar uit vermoeidheid bestaat, een lome, neerdrukkende vermoeidheid die stil maakt en uitgeput.

Vreemd is alles, de plotselinge benauwdheid, de pijn, het gezicht van Tomas. En veel later de ziekenauto, een vreemd bed en een vreemde omgeving. Ze is nog nooit ziek geweest, heeft nog nooit in een ziekenhuis gelegen. Het is haar hart, maar het is niet ernstig, zei de dokter. Maar dat zeggen ze altijd. 'U hebt geluk gehad. Als alles gaat zoals nu hoeft u hier niet zo lang te blijven...' wat een gezwam... u hebt geluk gehad...als dit geluk is...

Nee, dat ziet er anders uit, dat is Bas, ruw, hard soms... dat is een man die op zoek is naar zichzelf en het bij jóu heeft gevonden. Een grote onverschillige man met het wezen van een kind dat steun bij je zoekt, zonder jou weer een zwerver zou zijn geworden... Bas...! Een veel te lang weggedrukt gevoel, een wereld van warmte en begrijpen. Ja, ze wilde té flink zijn, niet zeuren, alleen maar doorgaan om toch vooral niet te voelen, te proeven van die pijn, dat verlangen... Toen, die nacht bij Tomas en later nog een paar nachten, was het niet Tomas die zijn armen om haar heen sloeg, maar Bas... Ze moest hem dit allemaal zeggen. Ze moest zeggen dat ze het niet kón, nog niet, misschien nooit, maar dat ze tijd moest hebben, alleen maar tijd...

„Leg die bloemen daar maar neer."

Ze keert haar gezicht naar de kant waar die stem vandaan komt. Ze mag niet veel praten, maar kijken kan ze wel. Ze voelt Tomas hand op de hare, een sterke, grote hand, de hand van een vriend. Ja, dat is vriendschap. Ze mag daar dus aan tegemoetkomen, het is geen liefde, het is anders.

De jongen is er óók, denkt ze, die lange stille jongen met dat dromerige gezicht.

„Zal ik de bloemen in het water zetten?" vraagt Rob. Het beklemt hem, dit hele gebeuren, de vreemde ziekenhuisgeur. Opa, die een vreemde lijkt en tante Lucie, zo stil in dat bed. En dan die handen van opa en tante Lucie, zo vertrouwd, zo wonderlijk. Hoe kan dat? Ruuth is er toch nog en Bas?

Maar… moeten mensen die iemand verloren hebben hun verdere leven alleen blijven?

Hij heeft het gevoel hier niet bij te horen, hij kan het niet goed plaatsen.

„Geen nieuws thuis?" Lucies stem is zwak.

„Nee, 't is alleen erg stil."

Hij kijkt naar haar. Haar gezicht is veel zachter, het is lelijk, maar zacht. Ze heeft lieve ogen, denkt hij. Hij vind haar veel meer vrouw, omdat ze weerloos is, niet meer zo flink en stoer is.

„Ik heb schoon wasgoed voor je," zegt hij. „Ik zal je vuile kleren uit je kastje halen."

Ze knikt. Ze volgt zijn blik en weet dat hij naar de monitor kijkt, naar die hoge, scherpe curven die de taal van haar hart weergeven.

Het is net of iedereen kan horen wat die puntige, snelle lijnen zeggen, of het niet langer van haar alléén is.

Tomas knikt. „Vrij regelmatig," zegt hij. „Je moet eens helemaal goed uitrusten."

Ze sluit haar ogen. Ze wil hem niet zeggen dat ze angst heeft voor de toekomst, voor het onbekende. Ze wil niet meer alleen wonen, vooral niet in Londen. Ze wil zelfstandig zijn, maar ze weet niet hoe ze dat moet verwezenlijken. Het huis in Londen moet ze maar opgeven en hier in Holland iets zien te vinden. Misschien weet Tomas wel iets. Misschien zal ze hem vaker zien. vreemde, verwarrende gedachten gaan in kleine golven door haar heen. Totdat ze rust vinden in het veilige gevoel van die grote hand op de jouwe en een vriendelijke stem. „Ben je moe? Wil je dat we weggaan?"

Ze knikt. „Vind je 't niet erg?"

„Nee, het gaat erom dat je weer gauw beter bent."

Hij zou haar een zoen willen geven, maar de jongen is erbij. Hij aarzelt. Dan buigt hij zich over haar heen, drukt zijn lippen op haar warme voorhoofd.

„Tot gauw."

„Ja, tot gauw. Dag… dag Rob."

„Dag."

Hij kijkt nog even naar haar gezicht, dan gaat hij achter Tomas aan de afdeling af.

Als ze sterker is, denkt Tomas, dan zeg ik het haar. Ik zeg gewoon dat ik het prettig zou vinden als ze bij me zou willen komen wonen. Niet om mijn huis schoon te houden en mijn eten te koken, want dat kan hij als het moet zelf ook wel, maar om haarzelf, om haar sterke, resolute persoonlijkheid, waarachter een wereld van diepweggedoken warmte zit, die je ontdekt als je wat nauwlettender toekeek.

Een vrouw als Lucie zou je kunnen beschouwen als een onverwacht geschenk. Hij loopt, glimlachend om zijn eigen poëtische gedachten, naast Rob.

„Wordt ze beter?" vraagt de jongen.

„O, ja, ze zal er een beetje naar moeten leven, maar ze heeft veel wilskracht."

„Heb je het haar al gevraagd? Of ze later bij jou wil wonen, bedoel ik."

„Dat kan ik in deze omstandigheden toch moeilijk doen, jongen."

„Ze kan best niet willen. Je moet me niet blij maken met een dooie mus. Stel je voor dat ze besluit voorgoed naar Londen te gaan. Dan grijp ik er mooi naast."

„Wat moet ze alleen in Londen?"

Zo dom zal ze niet zijn, denkt Tomas. Heel even is er een gevoel van onzekerheid, maar het is niet zijn aard, situaties al bij voorbaat somber in te zien.

Hij loopt naast de jongen. Zijn stappen zijn langzaam en rustig. In gedachten praat hij vaak met zijn God. Hij doet dat als hij zich wat eenzaam voelt, als er lange tijd niemand bij hem was, of als hij tegen de hond zit te kletsen. Honden kunnen luisteren, mensen zelden.

„Gaat u niet mee naar huis?" vraagt Rob.

„Nee, nou niet, ik kom wel weer eens langs, doe ze de groeten van me."

Op de kruising van de weg blijft Rob staan. Dan zegt hij jongensachtig: „Ik hoop dat uw plan doorgaat, niet alleen voor mezelf, maar óók voor jullie..."

„Zonder hoop kan een mens niet leven. Tot ziens."

Hij kijkt de jongen even na. Stel je voor dat hij gelijk heeft, dat Lucie al lang haar eigen plannen heeft gemaakt. Wat moet hij dan? Hij wil niet alleen zijn. Een vrouw brengt sfeer en gezelligheid. Een vrouw vult aan, maakt een man compleet.

Als hij thuiskomt valt de stilte opeens op hem, lijkt hem te verslinden in een alles meesleurende emotie.

De oude hond drukt zielsgelukkig zijn kop tegen Tomas' benen. Hij aait het dier. „Nou gaan we eerst eens een lekker bakkie koffie zetten. Of wil je eruit? Is het zó nodig? Uit? Goed, dan gaan we eerst uit."

Hij haalt de riem van de kapstok en gespt die aan de halsband. Het is heerlijk in de harde wind te lopen als je jezelf liever kwijt bent, als die gedachten in je kop niet tot rust willen komen, als je een beetje op een hollend paard lijkt.

De hond sjokt tevreden naast Tomas, doet braaf wat er van een hond die uitgelaten wordt, verwacht mag worden.

Bij zijn huis komt hij Flip van Raalte tegen. „Goeienavond," zegt hij.

Flip knikt. Hij mag die Tomas wel, het is een man die het leven kent, die weet wat erin omgaat. Een man ook die zelden oordeelt, juist omdat hij weet dat in ieder mens een kleine strijd is om het goede boven het verkeerde te laten zegevieren.

„Ik weet niet hoe jij erover denkt," zegt Tomas, „maar ik zou het gezellig vinden als je een glaasje bij me kwam drinken. Nú."

Tomas is ook op zoek, denkt Flip. Ieder mens is altijd op zoek en waarnaar?

„Goed. Ik maak het alleen niet te laat."

„Daar heb ik ook helemaal geen zin in."

In het huis van Tomas kijkt Flip rond. „Leuk huis heb je," zegt hij.

Hij houdt van deze huizen, klein, intiem, met een stukje grond, een tuin achter, met rust en gezelligheid.

„Een jonkie?" roept Tomas uit de keuken.

„Graag ja."

Tomas knipt een paar schemerlampen aan, de kamer lijkt opeens ruimer. In de haard gloeien namaakkolen, maar het geeft een prettige, warme gloed, net of er echte stukken hout en kolen branden.

„Druk?" vraagt Tomas.

„Nogal."

Flip neemt een flinke slok. Als hij iets gedronken heeft, krijgt hij altijd veel meer moed. Hij is dan een andere man, een man die meer van zichzelf kwijt durft. In het gewone leven speelt hij altijd de vlotte jongen, maar hij spéélt dat, hij is het niet. Hij heeft zich vaak een houding aangemeten en weet wel een beetje hoe dat komt. Als puber had hij veel last van puistjes. Hij kneep ze vaak uit, met het gevolg dat er op zijn gezicht kleine littekens zijn, van die nare putjes en groefjes die helemaal niet bij zijn leeftijd passen. Hij voelt zich daar vaak onzeker onder, vooral bij vrouwen. Dan gaat hij over tot de aanval, tot dat onechte gedoe, waar hij in feite een hekel aan heeft. Hij is nu op een leeftijd om te weten wie en wat hij is. Misschien vindt hij dat in verre landen, bij andere volkeren, hij weet het niet.

„Ik ga weg uit Nederland," zegt Flip opeens. „Ik vind er hier geen bal meer aan, veel te veel mensen op een peststukkie grond en al dat materialisme, ik word er ziek van."

„Daar zit veel in," zegt Tomas. „Als ik jouw jaren had zou ik hier ook niet blijven."

„Wat zou je dan gaan doen?"

„Ik zou op Bali gaan wonen, of op Cyprus. Misschien zou ik met een boot van daaruit de hele wereld rondvaren. Ik klaag niet hoor, want ik heb een fijn leven achter me. Ik heb veel van de wereld gezien en ik kan je maar één ding zeggen: mensen zijn overal hetzelfde. Je hebt slechte en goede mensen en allemaal hopen en wachten ze op dingen die nooit komen."

„Maar… laat je dan de kans op een goeie praktijk in ons land, lopen? Ga je zomaar weg?"

„Ik hecht niet zoveel waarde aan een goedlopende praktijk, veel geld verdienen, in een groot huis wonen. Ik wil léven, het avontuur zoeken. Ik kan het nou nog doen. Weet je, Tomas, ik was eens met vrienden een maand op vakantie, we hadden wat handgeld en kleren bij ons. We wasten af in hotels, we trokken van her naar der en we lééfden. Wat we wilden, deden we. Een beetje zwerven, ontdekken, blij zijn met honderden kleine dingen."

„Hoe oud was je toen?"

„Achttien. Ik denk er vaak aan terug."

„Waar zou je dan naar toe willen?"

„Naar een land waar ik met mijn kennis iets kan doen, voor mijn part midden in de jungle. Ik weet het niet."

„'t Is goed dat je geen vrouw hebt," zegt Tomas langzaam. Hij voelt wat deze Flip bedoelt. Hij denkt aan Tom. Die is altijd de ernstige, zekere weg gegaan, de weg die de meeste mensen gaan: afstuderen, trouwen, een praktijk opbouwen, kinderen krijgen, de gewone kringloop. Maar Tom mist wél de fantasie, die het leven zo rijk en machtig maakt. Rob heeft iets van die intensiteit van het gevoelsleven, Rob, die nog zo helemaal zijn weg moet zien te vinden.

„Ik meen wel eens gehoord te hebben dat jij ook niet zo vroeg met Ruuth trouwde. Sorry, hoor, dat ik dat zeg."

„Ik was al eens getrouwd geweest. In de tweede wereldoorlog verloor ik mijn vrouw, we waren nog erg jong. Veel later ontmoette ik Ruuth..."

Hij schenkt nog eens in, blijft naar het glas staren. „Zo gaat dat, dat is het leven van ieder mens, maar het is verdraaid moeilijk als het je zélf aangaat. Ik hoop dat je daarvoor gespaard blijft."

„Verliefdheid kan óók pijn doen," zegt Flip. „vooral als je weet dat je geen enkele kans hebt."

Nee, hij zegt het hem niet van Matty, zo helder is hij nog wel, en over enige tijd, als hij haar niet meer ziet zal dat gevoel wel slijten.

„Daar is maar één middel tegen: een andere vrouw zoeken die wél voor een oplossing kan zorgen."

Hij kijkt naar Flip. „Bij jou vergeleken ben ik een ouwe man, hoewel ik me nog lang niet echt oud voel, want wat betekent het een beetje in de zestig zijn? Maar het is wél oud genoeg om te weten dat een man zonder een vrouw ls een boot op de golven is, stuurloos, reddeloos verloren."

Hij weet dat hij, als hij zo begint te praten, niet nog een borrel moet nemen omdat hij dan een beetje over de rand van de aarde komt te hangen en alles vanuit een totaal andere planeet ziet. Vroeger kon hij best tegen een flinke borrel, tegenwoordig doet hij het wat kalmer aan. Hij kan er niet meer zo goed tegen.

„Weet je dat ik je benijd?" zegt hij tegen Flip, „om je jeugd, je idealen, je mogelijkheden. Die heb ik achter me liggen. Ik ben nu aan het laatste partje van de appel bezig, en dat is soms een gek gevoel."

„Je mag niet klagen als je een goed leven hebt," zegt Flip, „als je zoveel van de wereld en de mensen hebt gezien en begrepen."

„Ik dénk dat ik daar iets van begrijp," zegt Tomas, „maar ik kom er vaak achter dat ik eigenlijk nog helemaal niks weet. Zeg, hoe laat is het?"

„Bij tienen."

„Ik ga nooit laat naar bed, zie je, en al slaap ik dan niet, lezen in bed is een goeie afleiding."

„Ik moet dus ophoepelen?"

„Ja, 't was gezellig, je moet het nog maar eens overdoen. Als je hier dan nog bent tenminste."

„Zo gauw ben je het land niet uit."

Tomas kijkt de jongen met iets van heimwee in zijn ogen aan. „Ja," zegt hij met weer iets van het oude vuur in zijn stem, „jong zijn is heerlijk, maar ook ontzettend moeilijk. Welterusten..."

22

Tom Jaarsma leert in een klein halfjaar meer over zichzelf kennen dan in alle jaren daarvoor. Hij beseft dat hij veel eerzuchtiger is dan hij ooit gedacht had, dat hij 'geslaagd zijn in het leven', alleen maar heeft gezien uit een oogpunt van goed gesettled zijn, bij een bepaalde klasse behoren, naam hebben. Misschien komt dat ook een beetje voort uit het feit dat hij op twaalfjarige leeftijd abrupt zijn ouders verloor en in een niemandsland terechtkwam, in een doolhof, waarin hij jaren bleef rond zoeken tot hij een opening had gevonden.

Hóe lief en goed Tomas en Ruuth ook voor hem waren, hij kon die plotselinge klap niet helemaal verwerken. Hij herinnert zich nu dat hij in die dagen tot zichzelf zei dat hij later, als hij volwassen was wel eens zou laten zien dat hij het gemaakt had. Dat hij het in zijn eentje toch maar mooi klaar had gespeeld. Hij wilde rijk worden, bekend, geacht.

Hij had dat inderdaad allemaal overwonnen, maar in deze dagen, nu hij weet dat over enige tijd Flip van Raalte niet langer veel werk uit zijn handen zal nemen, moet hij voor zichzelf een balans opmaken wat hij nou eigenlijk wil. Waar gaat het om in het leven?

Om gelukkig zijn met wat je hebt? Of om steeds meer willen en daardoor ook steeds minder tijd hebben voor je vrouw, je kinderen? Hij heeft Ruuthje al enige weken niet gezien, Rob komt te hooi en te gras eens binnenvallen en dan zijn en blijven onderlinge gesprekken erg oppervlakkig.

Matty had haar weg al bepaald en hij zei weinig terug toen ze er op een avond mee aankwam. „Ik wilde dat je weer de Tom Jaarsma uit onze allereerste huwelijksjaren was."

„Hoezo?"

„Toen had je overal tijd voor, je zag alles, het is net of je niet meer zo goed ziet, of de dingen langs je heengaan."

„Wees eens wat duidelijker, wat moet ik dan zien? Wat klets je nou?"

Er was iets droevigs in haar stem. „Je ziet het niet als ik me voor jou leuk omgekleed heb, als ik blij ben of stil. Je gaat zo helemaal in je werk op."

„Ik hou van mijn werk."

„Dat weet ik wel, maar… ach, laat maar, ik kan het toch niet aan je verstand brengen."

Hij denkt aan dit gesprek en nu hij alleen in zijn spreekkamer is en zijn paperassen opbergt begrijpt hij wat Matty bedoelt. Hij is helemaal dókter geworden, hij heeft zijn taak als echtgenoot laten verslappen, zijn taak als vader óók. Waarom?

„Je moet patiënten kunnen afschuiven," zei Matty. Flip vond dat ook.

Een nieuwe assistent krijgen is moeilijk. Hij heeft meer dan drieduizend patiënten… Het is moeilijk, werk uit handen te geven dat je met alle kracht die je in je had, had gewonnen. Maar er zal niets anders opzitten.

Matty komt zijn spreekkamer binnen. „Ben je nou nog aan het werk? Ik heb koffie. Kom nou eens binnen."

„Ik kom, ja."

Hij moet dit alléén uitvechten, hij mag er Mat niet mee lastigvallen. Maar waarom eigenlijk niet? Waar is een huwelijk anders voor als je de meest belangrijke dingen niet met elkaar kon bespreken?

Hij staat op. Hij voelt zich moe, boven zijn ogen komt weer die drukkende hoofdpijn, die hem suf maakt en kort aangebonden.

Hij heeft vaak last van hoofdpijn de laatste tijd. Hij wil niet aan hoofdpijntabletten beginnen, hij haat het uitschrijven van tabletten, omdat je daarmee de oorzaak niet weghaalt. Het is de tijd van de tabletten, denkt hij, van rustgevende, opwekkende, pijnwegnemende tabletten. Maar hij heeft ook geen tijd om eens rustig met een patiënt te praten en erachter te komen wat de dieper liggende oorzaak is. Er zijn tijden dat hij een hekel heeft aan zijn vak, omdat hij het niet kan uitoefenen zoals hij zou willen.

Hij komt de huiskamer in, waar Matty naar de televisie kijkt. Wat vinden de mensen aan dat stomme kastje met die miserabele programma's?

De hoofdpijn lijkt nu zijn hele hoofd tussen een ijzeren tang te grijpen en samen te drukken.

„Zet dat rotding niet zo hard aan," zegt hij. „Er is toch een knop om het geluid te regelen."

„Ja," zegt ze kalm, „die zit eraan, maar als je vaak 's avonds alleen zit wil je wel eens iets horen."

Ze staat op en schenkt koffie voor hem in. Het valt haar opeens op dat hij magerder is geworden en dat het jongensachtige in zijn gezicht een beetje weg is, alsof iemand in een cynische bui nieuwe lijnen erin aanbracht, oudere lijnen, die nog niet bij zijn jaren lijken te passen.

Ze legt een hand op zijn schouder. „Lieverd," zegt ze, „je moet het wat rustiger aandoen."

Ze voelt heel even de druk van zijn schouder tegen haar hand, de warmte van zijn wang tegen haar vingers.

„'t Komt wel goed," zegt hij, „geloof me, het heeft alleen een beetje tijd nodig."

Hij kan niet praten, hij kan niet zeggen: „Ik ben een vreemde voor mezelf, ik jaag iets na dat niet bestaat, ik wil veel meer dan ik kan."

Later, denkt hij, als ik een oplossing heb gevonden zal ik goed maken wat ik nu niet zag: Matty en haar zorg en toewijding – Rob, die ongemerkt een man is geworden – Ruuthje en Jelle, zo helemaal opgaand in hun eigen kleine gelukkige wereld.

Matty draait de televisie uit. Ze is om de drommel geen gehoorzame, volgzame echtgenote, ze is alleen maar een bezorgde vrouw die ziet dat haar man zich zo weinig kan ontspannen.

Ze neemt een boek en gaat lezen, maar soms kijkt ze tersluiks over de bladzijden naar Tom. Ze is blij dat hij niet meer rookt, al jaren niet meer. Hij weet beter dan wie dan ook wat de gevolgen daarvan kunnen zijn. Ze bewondert hem om zijn sterke karakter, zijn volhouden. „'t Is alleen maar een gewoonte," zei hij, „een soort verslaving en ik haat het begrip verslaving, daar wil ik niet aan meedoen."

Hij had vanaf dat ogenblik, nu alweer een jaar of zeven terug, niet meer gerookt.

De klok tikt snel de seconden weg. Ze kijkt naar de wijzers vooral, naar het strakke, snelle ritme van de secondewijzer. Zo gaat een mensenleven tussen je vingers door, denkt ze, elke seconde is een kleine beet uit de tijd die je toegemeten kreeg. Het is griezelig daaraan te denken.

Het is bij elven als Matty het boek neerlegt. Ze kijkt naar Tom. Hij is in slaap gevallen, zijn trekken zijn nu meer ontspannen, maar de magere lijnen lijken scherper getekend. Ze brengt zachtjes de kopjes naar de keuken.

Tom schrikt wakker. „Ik sliep, geloof ik," zegt hij geeuwend.

„Slapen is goed," lacht Matty, „zullen we meteen naar bed gaan?"

„Ja, dat moesten we maar doen."

Ze draait haar gezicht naar Tom, ze kijkt tegen zijn rug aan.

„Welterusten," zegt ze. Ze moet zich beheersen om hem niet aan te raken.

„Welterusten."

Ze ligt nog lang in het donker van de avond voor zich uit te staren.

Het voorjaar is vroeg. Het is of de natuur dit jaar haast heeft al haar mogelijkheden te openbaren. De knoppen aan de twijgen van de bomen lijken sneller te rijpen, de bloemen bloeien met schuchtere blossen en de hele aarde strekt zich uit in een lichte geurende omhelzing. Niets en niemand ontkomt aan een gevoel van willen bouwen, iets willen doen, een kracht voelen die creatief is en jong.

Ruuth en Jelle lopen met de armen om elkaar heen door de straten. De wereld is van hen, alles wat daarin is behoort hun liefde toe, hun kansen en overtuiging. Vooral in Ruuth is een gevoel van intens geluk.

Zomaar van de week zei Jelle: „We wonen nu al een tijdje samen, ik hoef niet nóg langer samen te wonen om te weten waaraan ik toe ben. Ik wist het eigenlijk direct al, na een paar dagen."

Zijn jongensgezicht lachte gul.

„Waar heb je het over?" vroeg ze.

„Over ons. Ik vind dat we moeten gaan trouwen, ik zou dat graag willen."

Nee, ze verklapte hem niet dat ze er net zo overdacht, al heel lang, dat ze getrouwd zijn met Jelle als een overwinning zag, een winst geboekt op zichzelf. Omdat ze gewoon Jelles naam wilde dragen, zijn vrouw zijn. Maar ze had het onderwerp nooit aangeroerd.

Intuïtief voelde ze dat hij het zélf moest willen en het nooit moest doen omdat zij dat nu eenmaal graag wilde.

Ze had zich die avond niet kunnen beheersen, ze vloog in zijn armen, omknelde hem zo stevig dat hij riep: „Hou nou op, malle, toe, laat me los."

Er glinsterden tranen in haar ogen toen ze hem aankeek.

„Ben je zó blij?" vroeg hij.

Ze legde haar gezicht tegen zijn trui. „Ja," zei ze, „het is fijn dat jij dat wilt, want ik wil het ook."

„Wanneer gaan we het bespreken op het stadhuis?"

„Gauw."

En dat 'gauw' was nú... „Als we de datum weten vertellen we het thuis," zei Ruuthje.

„We zullen ze verrassen," zei Jelle.

Ze lopen in de met zon overgoten straten, luisteren naar het vrolijke zingen van de vogels, naar het bewegen van de wind door de bladeren. Gewoon twee blije mensen die een besluit hebben genomen en op dit ogenblik zeker van elkaar zijn.

Op dit ogenblik. En wat er ook daarna mag komen in die lange reeks van beurtelings blije, zorgelijke en gespannen jaren, dit is er, die zekerheid en triomf dat wat ze hebben besloten, goed is.

Ieder mens krijgt in zijn leven kansen, maar soms zag je die niet en liet je het geluk dicht aan je voeten klakkeloos liggen. Want geluk is altijd dichtbij, op plaatsen waar je het niet vermoedt.

De beambte aan het loket in het statige stadhuis is een humorvolle, jonge vent, die in zijn papieren kijkt alsof hij hun de hoofdprijs uit de lotto wil uitreiken.

Zijn hele gezicht glundert, wat bij een ambtenaar niet zo vaak voorkomt.

„Het kan het best op één april," zegt hij.

„Leuke datum," lacht Ruuth, „dan komt er geen mens, iedereen denkt dat het een mop is."

„Dat is trouwen toch ook," zegt de jongen met lachrimpels rond zijn ogen.

„Je doet het als het goed is maar één keer. Ik vind het een geslaagde mop."

„Ik niet," zegt Jelle, „het is het meest serieuze dat ik ooit in mijn leven heb gedaan. Heeft u geen andere datum?"

„Jawel, vijf april."

„Goed," zegt Ruuth. Ze heeft warme wangen van opwinding.

Trouwen? Wat is dat? Van elkaars fouten houden, je niet zo ergeren aan gewoonten van Jelle die jij niet leuk vindt. Jelle snurkt en ze heeft daar een hekel aan. Hij kan driftig uitvallen, nooit ongelijk bekennen...Maar hij kan haar zoenen dat de muren van het huis ervan in elkaar storten en haar naar zich toetrekken met een gebaar waarin al zijn roekeloze liefde ligt.

Een halfuur later staan ze weer op straat. Gelukkig! Ze proesten het uit van de lach, staan stil en omhelzen elkaar midden op straat.

„Hé," roept een jongen, „wanneer ben ik aan de beurt?" Ruuths hele gezicht lacht. „We gaan tróuwen," gilt ze.

„Stom hoor," zegt de jongen.

Jelle kijkt hem na. „Hij weet nog niet wat wij weten," zegt hij wijs.

Hij slaat een arm om Ruuths schouder. „Laten we meteen naar je ouders gaan," zegt hij. „Ik zal de mijne opbellen."

Jelles ouders wonen te ver om er naar toe te gaan.

„Hoe zouden ze het vinden?" vraagt Ruuth.

„Ik denk dat jouw vader als een kind zo blij is, je moeder is moderner, die accepteert onze situatie gewoon."

„Moeder is een schat," zegt Ruuth. Ze denkt aan die ene keer dat ze met haar meeging naar de arts van oma Ruuth, dat ze daar in die wachtkamer zat te wachten op de uitslag. En dat ze er later nooit meer op terugkwam.

Er was door dat gebeuren een veel hechtere band tussen hen gekomen. Ze had het toen óók graag aan haar vader verteld, maar ze kon het niet. En toch hield ze zo van hem. Waarom had ze dan angst?

Matty ziet hen aankomen. Ze kijkt door het zijraam dat op de weg uitkijkt dwars door de jonge bomen heen en de wuivende takken.

Ze loopt al naar de deur en opent die eer Ruuth de kans krijgt te bellen.

„Mams, weet je, we hebben groot nieuws..."

„Stil, niet zo luid praten," zegt Matty.

„Waarom niet?"

„Je vader is overspannen, hij moet er om te beginnen een hele maand uit. Wat er daarna gebeurt, weet ik niet."

Haar mond beweegt even, trekt dan weer recht in een felle vastbesloten lijn.

„We gaan een maand naar Terschelling. Er komt een jonge arts uit de nieuwbouwwijk achter het spoor om in te vallen. Eerlijk gezegd verbaast het me niet."

„Maar moeder..."

Ze is nog zo jong, Ruuth, en nog zo helemaal met haar eigen leven bezig. De hele wereld draait nog zo volop om haarzelf en Jelle. En daarom is het begrijpelijk als ze teleurgesteld zegt: „Maar wat moet dat dan met ons? Wij gaan vijf april trouwen, we komen net van het stadhuis en... maar dat kan niet, mam, dan zijn jullie op vakantie..."

Ze huilt bijna.

Ja, denkt Matty, je eigen geluk gaat vóór, jouw prille, nieuwe geluk, maar hoe dat nou moet met Tom weet ik niet.

„Daar vinden we wel een oplossing voor, lieverd."

Ze vergeet helemaal hen te feliciteren.

„Kom erin," zegt ze, „in de kamer, maar doe niet zo luid, want je vader slaapt..."

Het leven speelt altijd een spel met mensen... een nooit te leren spel, denkt Ruuth... en soms is het jammer dat de spelregels je niet zo erg liggen...

Ze loopt naar de keuken en gaat koffie zetten.

23

Tomas heeft Lucie met de auto gehaald. Ze is wat smalletjes geworden en ziet er bleek uit, maar in haar ogen is weer iets van de oude veerkracht, van dat resolute waarmee ze zichzelf probeert te beschermen tegen een gevoeligheid, die niet bij haar lijkt te passen.

Hij heeft bloemen gekocht, fresia's, rozen... het huis geurt en verraadt een hartelijke hand.

„Je blijft gewoon een poosje bij mij," zei hij van de week tegen haar, „later zien we wel verder. Je moet eerst weer helemaal sterk zijn en gezond."

„Wat moet ik nou bij jou doen?" vroeg ze.

Deze vraag deed hem een beetje pijn, want hij had gehoopt dat ze blij zou zijn en ontspannen.

„En ik moet nog zoveel regelen in Londen," zei ze.

„Dat heb ik al gedaan," zei hij verlegen, „tenminste, ik heb een idee."

Hij vertelde haar van de jongen, van Rob.

Er kwam blijdschap in haar ogen. „Dat is zo'n gek idee nog niet," zei ze, „dat lucht me een beetje op. Ik heb graag mensen in mijn huis die ik ken, waar ik van hou... ik hou van die jongen. Hij zal het niet gemakkelijk krijgen in het leven."

Hij denkt aan dit gesprek. Lucie zit naast hem, stilletjes en tevreden. Hij heeft, hoewel de voorjaarszon lekker schijnt, de kachel in de auto aangedaan.

„Heb je 't niet te warm?" vraagt hij.

„Nee, 't is lekker zo."

Hij rijdt voorzichtig en niet te hard, alsof hij haar wil laten genieten van de bekende straten die ze een poosje heeft moeten missen, van de tuinen die in volle bloei staan, van het voorjaar over dit heerlijke stuk land waar hij woont. Hij weet nog niet zo goed of Flip van Raalte gelijk heeft, of je het juist in een ander ruimer land moest vinden. Als je toch een eigen plek hebt maakt dat geen zier uit waar die plek is, als je maar een eigen woonruimte had, met een eigen warmte, een eigen identiteit in meubels, gordijnen, vloerbedekking. Als je maar kon leven zoals je dat wilde, vrij en onbespied.

Hij rijdt de straat van hun huis in. Gisteren heeft hij zelfs de ramen gelapt. Het was niet zo erg handig van hem dat te doen terwijl de zon erop scheen, want hij zag later wel dat er strepen op waren. Maar hij had zijn best gedaan. Hij denkt opeens dat het net zo was als in de dagen na Ruuths dood, die eerste lege stille tijd, waarin hij maar wat in huis stond te poetsen om de dagen door te komen. Hij denkt vaak aan Ruuth, ze houdt nog altijd een groot stuk van zijn hart gevangen.

„Alle huizen lijken kleiner, als je uit een ziekenhuis komt," zegt Lucie.

„Dat zal wel."

Hij rijdt de auto voor het huis, stapt uit en loopt om de wagen heen om haar te helpen bij het uitstappen. Hij zou willen zeggen: „Fijn dat je er weer bent," maar hij heeft geleerd tegen een vrouw als Lucie niet sentimenteel te doen omdat ze daar niet van houdt.

Dat zégt ze tenminste, maar hij weet wel beter.

De oude hond blaft als een gek als hij Lucie ziet.

Stom beest, denkt Tomas, want hij weet dat Lucie niet zó gek is op het dier.

Lucie ruikt de bloemen al in de gang, ze ruikt óók een geur van wrijfwas en dat laatste ontroert haar het meest. Tomas die het huis een beurt geeft omdat ze weer tijdelijk bij hem logeert. Want een gast blijft ze, hij zei het immers zelf: „Je blijft gewoon een poosje bij mij, later zien we wel verder..."

Zo zijn mannen. Ze vinden het prima dat je blijft slapen, maar als het erop aankomt houden ze van hun vrijheid. Ze wil zo niet denken, omdat die gedachten haar weemoedig maken, haar het gevoel geven een zwerver te zijn, op zoek naar warmte.

„Hoe vind je de bloemen?" vraagt Tomas.

„Prachtig. En wat schoon is alles, heb je hulp gehad?"

Ze weet al wat hij zal zeggen en hoe hij nou kijkt. Als een blij groot kind.

„Hulp? Dat kan ik toch zeker zelf wel."

„Het is fantastisch," zegt ze zacht. Ze zou hem willen zeggen: „Ik hou niet van je, maar ik voel me thuis bij je, ik ben graag bij je."

Ze gaat in de diepe leunstoel zitten.

„Je moet veel rusten volgens de arts," zegt Tomas.

„Dat weet ik, maar ik ben nét hier, ik moet eerst nog wat rondkijken."

„Wil je al koffie?"

„Het is beter dat ik iets anders drink, heb je karnemelk?"

„Ja."

„Geef me dan maar een glas."

Hij is zorgzaam, denkt ze, hij is in alles zo totaal anders dan Bas.

Bij Bas was ze moeder en vrouw tegelijk, bij Tomas is ze alleen maar vrouw.

Tomas komt weer binnen. Hij zet de karnemelk voor haar neer en voor zichzelf een dampende kop koffie. Hij grijnst zielstevreden.

„Gezellig dat je er weer bent," zegt hij.

„Ja. En het spaart jou elke dag een bezoek aan het ziekenhuis."

„Eén bezoek? Twee, soms drie bezoeken, als je dat maar weet."

Ze glimlacht zwak. Ja, 't is waar wat hij zegt. Hij was er soms wel drie keer, hij is een trouwe vriend. Dat zei Bas ook altijd: „Er is geen beter vriend dan Tomas."

Het zonlicht valt breed de kamer in, speelt over Lucies gezicht. Ze voelt zich opeens moe. Ze houdt haar rechterhand voor haar gezicht om de felle stralen tegen te houden.

„Je bent moe," zegt Tomas, „ik zie het, je moet gaan rusten."

„Graag."

Hij helpt haar met uitkleden en het aantrekken van haar nachthemd.

Er is een stil zoet verbond tussen hen, dat als een kleine schim van de een naar de ander gaat.

Tomas trekt de gordijnen dicht. „Ik roep je straks wel," zegt hij, „dan heb ik thee en misschien is tegen die tijd de krant er wel."

Ze stopt haar hoofd behaaglijk in het kussen. „Je hebt óók heerlijk ruikend beddegoed," zegt ze, „en niet zo hard als in het ziekenhuis."

„Je bent ondankbaar," zegt hij. „Je had het daar best."
Ze glimlacht als een meisje.
„En ga nou wat slapen," zegt hij.
Hij doet de deur zacht achter zich dicht.

Flip van Raalte heeft zijn visum in orde, morgen vertrekt hij voor een onbekend aantal jaren naar Afrika. Vandaag neemt hij van verschillende mensen afscheid. Van Tomas en Lucie, Matty en Tom, en van nog zoveel anderen.

Bij Tomas in de kamer voelt hij een sfeer van genegenheid en vrede.
„Misschien komen we elkaar nog eens tegen."
Hij lacht jongensachtig.
„Waarom niet," zegt Tomas, „de wereld wordt steeds kleiner. Ik hoop dat het je goed gaat, Flip, dat je zult slagen in wat je daar denkt te vinden."
Hij laat Flip uit. Bij de deur zegt hij: „Je neemt jezelf altijd mee, waar je ook zit, maar ik geloof wel dat je met jezelf in goed gezelschap bent, omdat je vertrouwen hebt en zekerheid. En dat zijn een paar beste vrienden."
„Bedankt, ik schrijf nog wel eens.
„Dat zou ik prettig vinden."
Hij kijkt Van Raalte na, ja, Flip zal zijn weg wel vinden.
Bij het huis van Tom en Matty blijft Flip even staan. Hoewel hij weet wat hij aan financiële zekerheid weggooit, is er toch een gevoel van geluk, omdat hij doet wat hij moet doen: opnieuw beginnen, met achterlating van de herinneringen aan een soms moeilijk, soms prettig leven. Meehelpen opbouwen in een totaal nieuw land is een uitdaging. Hij voelt zich overmoedig jong, alsof hij een kans krijgt en een ander niet. Hij heeft wél een gevoel van schuld als hij aan Tom denkt: hij heeft hem in de steek gelaten, maar Tom heeft een gezin en weet waarvoor hij zich inzet. Matty doet open als hij belt. Er is heel kort een gevoel van afweer in haar ogen alsof ze hem iets verwijt, maar dat gevoel duurt niet lang.
Haar stem is vriendelijk. „Kom erin, Tom is nog boven."
Hij neemt haar gezicht in zich op alsof hij het voor het eerst ziet, dat sterke, sympathieke gezicht met die lachende ogen. Hij heeft zich gelukkig altijd tegenover haar kunnen beheersen, hoewel hij soms het onbedwingbare verlangen had haar in zijn armen te nemen. 't Is goed dat hij

weggaat en leert te vergeten, omdat zijn gevoelens voor haar veel meer zouden kunnen worden dan verliefdheid. En een tweede teleurstelling zou hij niet zo gemakkelijk kunnen verwerken. Ze hebben een leuk huis, denkt hij. Tom heeft eigenlijk alles wat een man van het leven mag verwachten, maar hij kent de tevredenheid niet. Of vergist hij zich misschien hierin?

Hij weet dat Tom wat overspannen is, hetgeen hem niet verwondert. Hij jaagde te veel na en dan komt het ogenblik dat de rekening wordt gepresenteerd.

„Wat kijk je naar me," zegt Matty.

„Dat mag toch, ik zal je waarschijnlijk nooit meer zien."

„Nooit is erg lang."

Ze heeft zich goed in bedwang. Ze zou geen vrouw zijn als ze niet gevoeld had dat Flip haar graag mag. Het stootte haar in het begin af, maar naarmate Tom zich steeds meer in zijn werk ging begraven, kwam toch wel eens de stille behoefte in haar boven met hem te flirten. O, alleen nog maar in gedachten, ze beschadigde er niets en niemand mee, alleen zichzelf misschien een beetje.

Ze wisten van elkaar dat ze een spel speelden en ze vonden het prettig. Toch zal ze nooit die ene keer vergeten. Ze kwam de spreekkamer in om te kijken waar Tom was. Flip stond te telefoneren. Hij maakte het gesprek netjes af en vroeg: „Zoek je Tom? Die is naar een patiënt, een bevalling. Misschien kun je het met mij ook wel af."

Hij was voor haar gaan staan. Lachend zei ze: „Laat me door."

„Wat zou je doen als ik dat niet toestond?"

„Niets," zei ze, „ik zou het aan je beleefdheid overlaten."

„Ik ben niet zo'n beleefde man."

Hij deed een paar stappen in haar richting. „En ook niet zo'n groentje als je denkt."

„Laat me nou door," zei ze rustig, maar ze verlangde opeens net zo naar hem, als hij naar haar. Want zo kan het soms zijn, totaal onverwacht, dan wordt er een verrassende kleur aan het alledaagse, bekende toegevoegd. Er wordt een stuk muziek gespeeld dat je kent en toch ook niet, er roert zich iets in je ziel en je denken.

„Niet voordat ik een zoen van je krijg."

Ze zag iets in zijn gezicht dat haar opwond.

Ze duwde hem opzij, dat probeerde ze tenminste. Maar ze zat opeens bekneld in zijn armen die haar stevig vasthielden, die haar leken te betoveren. Ze voelde zijn handen langzaam over haar rug, alsof hij haar op een bijzondere manier onderzocht.

Zijn warme lippen zochten haar mond en ze voelde dat ze, inplaats van zich af te zetten, meegaf en een moment die zoete betovering proefde van een verlangen dat ze lange tijd niet meer gekend had.

Hij liet haar opeens los. „Zo," zei hij met een ongekende tederheid, „nou mag je erdoor."

„Ik haat je," zei ze. „Ik ben blij dat je weggaat, dat is het beste dat je hebt kunnen bedenken."

„Ik haat jou niet," zei hij.

Ze rukte de deur open en sloeg die hard achter zich dicht. Omdat ze zich een beetje verraden had, omdat hij haar doorzag, haar verlangen naar liefde. Niet van hem, maar van Tom. Hij had het alleen maar wakker gemaakt en had daar plezier om.

Veel later begreep ze dat ze er niets anders achter moest zoeken dan een vluchtige belangstelling.

Ze denkt hier aan, nu hij voor haar staat in de gang en er speelt heel even een kleine lach over haar gezicht.

Ze heeft ervan geleerd, meer dan ze hem ooit kan zeggen.

„Ga zitten, wil je koffie?"

„Nee, dank je. Ik kwam alleen maar even goeiendag zeggen. Hoe is het met Tom?"

„Wat beter, hij kan alleen nog weinig aan. Hij slaapt op tabletten en dat betekent dat het nog niet goed is, want hij haat die dingen."

„Het spijt me dat het zo gegaan is," zegt hij onhandig.

„Het hoeft je niet te spijten."

Ze is de situatie helemaal meester.

„We hebben nou veel meer tijd voor elkaar en dat is alleen maar winst."

't Is waar, denkt ze, er is een nieuwe situatie aan een oude toegevoegd. Ze mag weer zorgen en behoeden, helpen en meedoen. Het is weer zoals het was, 'samen'. Soms is zorgen hebben ergens goed voor, je vindt elkaar terug op een veel hechtere basis.

„Dat is goed nieuws."

„Hij zal straks wel even beneden komen. We drinken meestal op deze tijd koffie en dan gaan we een stuk rijden, tenminste ik rijd. Het is net of we voortdurend vakantie hebben. Die maand op Terschelling heeft ons erg goed gedaan."

„Hoe is de plaatsvervanger?"

„Bertels? Die is goed, hij is nog jong en er zijn altijd patiënten die liever door Tom geholpen willen worden, maar dat heb je altijd. Hij zal waarschijnlijk wel een gedeelte van Toms patiënten overnemen, dat gaat zo als de eigen dokter er lange tijd niet is. En dat is het beste dat Tom kan overkomen."

„Daar zal hij veel moeite mee hebben," zegt Flip.

„Ja," zegt Matty en heel even glijdt er iets zorgelijks over haar gezicht. „Maar als hij daardoorheen is, zal het weer de Tom van vroeger zijn. En dat is het belangrijkste."

De deur gaat open en Tom staat in de kamer. Zijn ogen krijgen weer iets van de vroegere kracht terug, zijn stem ook. „Ik dacht dat je met de noorderzon zou vertrekken," zegt hij tegen Flip.

„Nee, dat zou ik niet kunnen. Ik heb hier een fijne tijd gehad en veel geleerd."

„Zo."

„Van jou, van je inzet. Ik heb er vaak om gelachen, omdat ik jaloers was op je ijver. Ik zal het zo nooit kunnen. Maar je leerde me veel."

„Je leerde veel van de praktijk," zegt Tom. Hij wil geen woorden hebben, niet meer toegeven aan gevoelens van melancholie, woede… de tijd dat hij het Flip kwalijk nam zomaar te vertrekken, is voorbij. Hij is bezig een andere man te worden, hij wil een andere man worden en als een mens iets werkelijk wil, moet het gek gaan als het niet lukt.

Hij is er nog lang niet, denkt Flip, overspannen zijn is geen kwestie van enkele maanden, maar soms wel van jaren. Hij betaalt een dure tol.

Flip voelt zich opeens onbehaaglijk. „Ik moet gaan," zegt hij, „ik heb nog veel te doen."

„Waarom zo opeens?" zegt Tom, „wil je een borrel op de goeie afloop."

„Ik drink niet als ik rij, daar ben ik nog nooit van afgeweken."

Hij wil opstaan, maar Matty zegt: „Blijf nog even, ik heb een boekje voor je, je vliegreis duurt lang."

„Zo'n vierentwintig uur," zegt Flip.

Hij wil haar boekje niet, hij wil niets dat aan haar herinnert. Wat geen enkele kans heeft, moet onmiddellijk sterven. Hij hoopte, toen hij hierheen ging, dat het voorbij was, dat hij het allemaal kon zien als een episode die geen herinneringen achter zou laten.

Geen sporen. Maar als ze zó begint, met het geven van een boekje…

Hij lacht hartelijk en luid als ze hem het boekje geeft. Het is van hemzelf, hij herkent het. Hij heeft het hier laten liggen, het zijn de 'verzamelde gedichten' van Marsman. Hij houdt veel van gedichten.

„Bedankt."

Hij geeft Tom een hand. „Het ga je goed," zegt hij. Hij weet niks originelers te bedenken.

Matty laat hem uit.

En dan zegt Flip bij de buitendeur: „Je moet je haar altijd zo dragen, het staat beter… veel liever."

Hij geeft haar een stevige zoen. „Hou je goed, Mat, en tot kijk…"

Ze heeft tranen op haar wangen en veegt ze met een snel gebaar weg.

24

De zomer is laat. De wind die weken uit een kille hoek waaide, buigt van de ene op de andere dag naar het zuiden en brengt met zoele handen een warme, trillendblije adem, waarin de vogels met wijde vleugelslag naar de hemel willen, de bloemen geuren loslaten en de mensen zingen. Zómer…

Matty hoort vanuit de tuin de postbode aankomen. Ze gaat naar de gang en raapt de brief van Rob van de grond op.

Tom zit in de schaduw te lezen.

„Een brief van Rob," zegt ze.

Hij maakt hem open. Er is trots in zijn stem als hij zegt: „We hoeven ons over Rob geen zorgen meer te maken, lees maar."

Als Matty de brief heeft gelezen kijkt ze de tuin in naar de bloemen, de heesters, de trillend-warme lucht die in de zon lijkt te dansen.

Rob geeft een paar concerten in Londen, hij is op weg een alom geacht en beroemd man te worden. Maar het is niet die reden waarom Matty blij is.

„Je herinnert je Mieneke Spaander nog wel," schrijft Rob. „Ze is óók in Londen en we zien elkaar regelmatig. Ze is gezellig en vrolijk, ze haalt me vaak uit m'n ernstige buien en vult zoveel dingen aan. Als ik terugkom, zal ik haar meenemen. Ik heb goeie kritieken, het geeft me veel zelfvertrouwen omdat ik weet dat ik iets kán…"

Rob… dat ernstige stille kind, veel later de dromerige, in zichzelf gekeerde jongen, en nu een man die voorzichtig zijn vleugels uitslaat, durft te leven en begint te beseffen dat liefde het grootste geschenk is dat een mens kan ontvangen.

Matty weet nauwelijks hoe Mieneke Spaander eruitziet. Ze herinnert zich een smal kind, met blonde staartjes en ondeugende ogen, een kwebbel die om alles moest lachen.

„Dat is een fijne brief," zegt Tom. Hij glimlacht naar Matty. Ze heeft een witlinnen jurk aan en een feloranje band om haar haren.

Haar huid is bruin en haar ogen lijken lichter.

„Heb je al thee?"

„Ja, ik zal het halen."

Ze staat op, een sportieve leuke vrouw, omringd door warm zonlicht.

„Ik had veel zorgen om die jongen," zegt Tom. „Ik was bang dat hij altijd alleen zou blijven, helemaal opgaande in de muziek. En wat is nou een man alléén?"

Ze staat naast Tom, ze buigt zich over hem heen. „Je ziet er stukken beter uit," zegt ze.

„Ik voel me ook beter, niet meer zo gejaagd, ik kan me meer ontspannen."

En dat heb ik niet alleen gedaan, denkt hij, dat deden we samen.

We vonden terug wat een beetje begon te kwijnen: ons samengaan, onze belangstelling voor elkaar, wat we deden en dachten.

We praten weer, we lachen, vinden de humor terug.

„Ben je blij met Bertels?" vraagt ze. Ze móet het vragen, want dat is de laatste hindernis die nog genomen moet worden, de laatste en moeilijkste overwinning.

„Blij ben ik niet," zegt hij, „maar het is allemaal veel beter zo: hij heeft zijn patiënten, ik de mijne."

Hij kijkt Matty aan. „'t Is zo gek in het leven," zegt hij, „patiënten van wie ik dacht dat ze wel bij mij zouden blijven, hebben Bertels liever en omgekeerd."

We praten er weer over, denkt ze. We zeggen elkaar wat we voelen en hoe we willen leven om opnieuw die volheid van het geluk te herkennen. We zijn weer helemaal thuis bij elkaar.

„Dat is altijd zo," zegt ze zacht, „jonge mensen hebben liever een arts die bij hun leeftijd past, ouderen kunnen veel beter met jóu overweg."

„Als ik me blijf voelen als nu," zegt Tom, „dan zou ik over een kleine maand wel weer volledig kunnen meedraaien."

„Zonder rancune?"

„Dat hoop ik."

Ze zou eraan toe willen voegen: „En zonder opnieuw die dwang, prestaties te leveren, je voor méér dan honderd procent in te zetten?"

Maar ze begint hier niet over. Ze herinnert zich een dag als deze, met zon en stilte.

„Ik begin te begrijpen dat ik, als ik morgen alle materiële bezit zou verliezen, toch alles nog over had."

Ja, dat zei Tom op zo'n avond en ze wist zich te beheersen en een snelle ontroering weg te drukken.

Ze zei alleen maar. „Dat is ook zo. Zolang we elkaar hebben en de kinderen, hebben we alles."

Die avond, bij het slapen gaan, voelde ze Toms eenzaamheid: de langzame losmaking van een levenspatroon dat echt gelukkig zijn in de weg stond. Ze geeft hem nu, midden in de met zon overgoten tuin, een zoen.

„Ik werd verliefd op je, omdat je een man met hart voor je patiënten was, omdat je wilde helpen waar je dat kon. Je hebt dat in je en dat is het enige waar het op aankomt. En nu ga ik de thee halen."

„Dat zal tijd worden," zegt Tom. Er is een lach in zijn stem.

Tegen vijven, als de zon aan de andere kant van de tuin tussen de bomen hangt, zegt Matty: „Laten we naar binnen gaan, ik moet trouwens aan het eten beginnen."

„Zouden Ruuth en Jelle vanavond niet komen?" vraagt Tom, „of was dat morgenavond?"

„Vanavond."

„Dan ga ik nog wat liggen, Ruuth is altijd zo druk."

„Het is een stuk buskruit," lacht Matty. „Er zit nu tenminste leven in, dat was wel eens anders."

„Gunst, ja."

„Ik denk daar nooit meer aan.

„Ik wel," zegt Tom, „ze heeft geluk gehad."

Matty denkt aan deze zin als ze 's avonds naar Ruuths stralende gezicht kijkt, naar die speelse ondeugendheid, dat intens blije. Als baby had ze nauwelijks overlevingskansen… je moet haar nu eens zien! Mét Jelle, gewoon blij met elkaar, gauw kwaad, gauw goed, een doodnormaal stel.

Ruuthje voelt de onderzoekende blik van haar moeder. Gevat zegt ze: „Nee hoor, mam, we krijgen nog géén gezinsuitbreiding. Je zit me te bekijken alsof je erop wacht…"

„Ik was in gedachten," zegt Matt. Wonderlijk dat je twee kinderen zo totaal van elkaar verschillen en je zo gelukkig kunnen maken.

Misschien juist door de problemen die ze meebrengen, hun hele zijn, dat zo anders is dan jouw eigen gedachten en gevoelswereld.

Door hun komst is ze geworden wie ze is, zo helemaal in evenwicht, zo uitgebalanceerd. Zonder kinderen, denkt ze, was ik een andere vrouw, zou ik altijd op zoek zijn…

Tom kijkt genietend van de een naar de ander. Jelle studeert hard, hij zal over enige tijd wel met zijn studie klaar zijn. En dan komen de moeilijke tijden, dan moet er een huis worden gekocht, met praktijkruimte aan huis. Tenminste wat Ruuth betreft, ze wil en zal een eigen dierenartsenpraktijk aan huis hebben en als die meid iets wil kon je maar beter een stapje opzij gaan.

Jelle voelt meer voor het 'grote' vee, koeien, paarden, varkens.

Als het moet kan hij hen financieel wel helpen. Dat is het fijne van geld hebben, je kon er zoveel mee doen, je kon je kinderen iets geven, en je had er zelf het plezier van.

„U ziet er goed uit," zegt Jelle, „we hebben ons grote zorgen gemaakt."

„Dat was niet direct nodig."

„Als je op iemand gesteld bent, maak je je gauw zorgen."

Tom lacht. „Ik dacht dat je me maar een vervelend mannetje vond."

„Dat vond ik ook," zegt Jelle eerlijk, „in het begin, later niet meer."

Hij aarzelt. „Ik wil óók véél," zegt hij, „maar meer als een uitdaging, om te kijken wat ik kan. Als ik dat weet, hoef ik niet meer zoveel te bewijzen."

„Zo begint het meestal," zegt Tomas rustig. „Het gaat je voor de wind, je kunt alles goed aan en dan merk je niet meer dat je alleen nog maar bestaat uit werken, uit steeds weer opnieuw willen winnen… later wordt het werk nummer één. Zo kan het gaan, maar het hoeft niet."

Hij zou de jongen willen zeggen: „Pak het anders aan dan ik, laat je eerzucht niet groter worden dan je liefde voor elkaar."

De jongen geeft geen kritiek, omdat het een wijze jongen is. Hij zegt: „Ik zal eraan denken."

Ze zijn nog maar een paar maanden getrouwd, denkt Matty, en ze horen bij elkaar als de zon bij de dag, het water bij de zee. Het is goed dat ze elkaar hebben gevonden.

Ruuth heeft zo haar eigen gedachten. Stom dat ze dat er straks zomaar uit flapte over die gezinsuitbreiding, juist tegenover mams. Ze had dat niet moeten zeggen, niet nadat ze op een dag samen iets te bevechten hadden. Ruuth denkt er nog wel eens aan.

Dan vraagt ze zich af: Als het nou eens wél waar geweest was en ik wél een baby had moeten krijgen, hoe zou het er dan uitgezien hebben?

Het zou vast een eigenwijs kind geweest zijn, met Jelles vasthoudendheid en haar driftbuien.

Zo wonderlijk kan het leven lopen. Ze was dan hals over kop met Jelle getrouwd, ze hadden geen tijd gehad elkaar beter te leren kennen, het was niet een echt goed huwelijk geworden. En nu…? Er is een warm gevoel in Ruuth, ze is soms zó blij dat ze het wel midden op straat zou willen uitschreeuwen… Zo onbeheerst is ze nog.

Ze kijkt naar haar vader, naar het grijs dat tussen zijn haren schemert, naar zijn wat smalle gezicht. Ze houdt van hem. Zo heel anders dan van moeder en van Jelle, een beetje eerbiediger.

Vroeger was ze altijd een beetje bang voor hem, waarom eigenlijk…

„We moesten eens een keer met z'n vieren op vakantie gaan," zegt ze zacht. „Het valt me zomaar in, nu we hier zitten. Rob is in Londen, die redt zich wel."

„We zouden in het najaar naar de eilanden kunnen gaan," zegt Tom. Hij heeft het gevoel iets te moeten inhalen, nog te moeten waarmaken. Jaren lang was hij alleen met zichzelf en zijn praktijk bezig, dat is nu bezig te veranderen, langzaam maar zeker. Hij heeft leren 'zien', zoals Matty het uitdrukt, 'zien en begrijpen'.

„Daar kan ik me nou al op verheugen," zegt Matt.

Praktische Jelle grijnst: „En de studie dan?"

„We kunnen ons werk meenemen naar het eiland," zegt Ruuth. Ze legt even haar hoofd tegen zijn schouder. „Dat kan toch?"

„Mallerd," zegt hij. Hij kust haar snel.

Tegen achten gaan Ruuth en Jelle naar huis.

„Dat is dus afgesproken, mam," zegt Ruuth nog gauw, „met z'n vieren op vakantie, dan kan ik me weer eens lekker laten verwennen..."

„Dat had je gedacht," lacht Matty.

Ze kijken de kinderen na, Jelle een stuk groter dan Ruuth, zijn arm losjes om haar schouder.

Dan gaan ze naar binnen, waar de afwas nog staat omdat Ruuth van gezelligheid houdt en niets liever wil dan lekker bij elkaar zitten en 'later die afwas maar eens doen'.

„Ik help je wel even," zegt Tom. Hij pakt een afdroogdoek.

Ik wilde dat hij het niet deed, denkt Matty, hij is in de huishouding zo onhandig. Maar ze glimlacht naar Tom alsof ze wil zeggen: „Ik ben allang blij dat je me weer eens helpt, al is het maar voor een enkele keer. Het betekent dat je er weer bént. Dat de vroegere Tom Jaarsma er weer is. Ik hou van je," gaat er in haar om, zo heel anders dan vroeger, zoveel beter en rijper.

Ze voelt opeens zijn handen om haar taille, zijn zoen op haar mond.

„Wat heb je?" vraagt ze.

„Niets, ik mag toch mijn eigen vrouw wel een zoen geven?"

„Ja, dat mag je."

„Alles is nou veel beter dan het was," zegt hij, „daarom geef ik je een zoen. Om je te bedanken voor je geduld met me..."

„'t Was geen geduld," zegt ze.

„Wat was het dan?"

„Gewoon liefde..."

Lucie hangt een paar stukjes wasgoed aan de lijn.

„We doen de grote was de deur uit," zei Tomas, „dat beetje ondergoed kunnen we zelf wel wassen, of niet?"

Ze had geknikt. Ze is hier nu al ruim anderhalve maand, de dagen gaan voorbij in een stille vrede, een harmonie die ze nimmer tevoren heeft gekend. Ze leert Tomas kennen als een zorgzame man die haar zoveel mogelijk werk uit handen neemt. Ze protesteert hiertegen, maar hij luistert niet. Hij is op een prettige manier een beetje de baas en ze laat het maar zo.

Ze kijkt naar de kleine, vertrouwde wereld om zich heen: de tuinen die ondersteund lijken door de groene weilanden daarachter, de geweldige hemel die breedglimlachend waakt over daken en straten en zich bij de smalle kerktoren dieper voorover lijkt te buigen en wolken lijkt los te laten, grote, witte wolken.

Ergens in een tuin is het gepiep van een schommel, de oude hond blaft tegen een paar laagvliegende vogels, de kat likt met voorname élégance haar poot en de kleine stukjes wasgoed worden door de wind speels heen en weer geslingerd.

Dit heb ik nooit gekend, denkt ze. Vroeger als kind niet en later als volwassene, deze rust en geborgenheid, dit zuivere goede leven. Hier had ze kinderen willen hebben, ze had hier zelf als kind willen wonen. Ze droomde er vaak van, als er thuis ruzie was en de sfeer gespannen. Dan stelde ze zich een vader en een moeder voor die nooit ruzie hadden en die in het bos woonden, met veel dieren en altijd zon. Hier vindt ze iets van deze jeugddroom.

„Wat ben je aan het doen, Luus?"

Ze heeft Tomas niet horen komen, niet gelet op het knarsen van het grind op het pad, het zwiepen van het tuinhek.

„Ik sta zomaar wat te kijken."

„Waar naar toe?"

„Naar zoveel," zegt ze vaag. Ze wil hem niet laten merken dat ze zich aan dit huis en de hele omgeving is gaan hechten, het zou het alleen maar moeilijker maken als ze over enige tijd, wanneer ze weer helemaal de oude zou zijn, naar huis zou moeten. Naar huis...? Heeft ze dan nog een huis? Ergens in Londen, aan de buitenkant, staat een woning die haar vreemd is, die na de dood van Bas niets eigens meer heeft, geen sfeer, geen warmte. En die bewoond wordt door een jongen, die Rob heet, Rob Jaarsma, de kleinzoon van Tomas. Ze wil er niet naar terug omdat ze er niets vindt, geen sfeer, geen vrienden, niets. Bas hield niet zo erg van vrienden. „Ik heb er één, en dat is al heel wat in een leven," zei hij altijd.

Wat zei Tomas ook weer toen ze na het ziekenhuis weer bij hem thuiskwam: „Je blijft gewoon een poosje, later zien we wel verder..."

Ze wil er niet aan denken.

„Ik ben naar de slager geweest," zegt hij.

„Wat heb je gekocht?"

„Een paar ons biefstuk en wat vleeswaren voor de boterham. Het waait hier, Luus..."

Niemand noemt haar Luus. Ze moest er in het begin aan wennen, maar het klinkt prettig en ze laat het maar zo.

„Heb je het al in de ijskast gelegd?"

„Ja. Ga nou mee naar binnen, de wind is vochtig."

„Ik kan er wel tegen."

Ze is wat breder geworden, denkt Tomas, vooral als ze zo'n half schortje draagt. Haar haren zijn bijna helemaal grijs, het maakt haar gezicht veel zachter.

„Ik heb ook thee," zegt hij.

„Je verwent me."

„Ik ben het gewend te zorgen, ik vind het prettig."

Ze gaat naast hem de tuin in. In het hoekje bij het huis is het behoorlijk warm; boven een ronde tafel staat sierlijk en kleurig een parasol die schaduw brengt.

Lucie kijkt naar de tuin, naar kleine opgehoopte bergjes in het midden. „We hebben mollen, zegt ze, „kijk maar."

„Ik weet het, maar ik heb geen idee hoe ik ze weg moet krijgen, ik heb er ook geen zin in."

Hij schenkt thee uit een thermosfles.

„Ze vernielen je tuin," zegt Lucie.

„En wat dan nog? Je hebt een tuin niet alleen om de mooiigheid, er moet ook ingewerkt worden en wérken doen die dieren."

Ze hoort zijn gulle lach, er is geen man die zo voluit lacht als hij.

Graag zou ze meelachen, maar ze kan het niet. Ze zegt: „Er is een brief van Rob gekomen, hij ligt op tafel."

„Heb je hem dan niet opengemaakt?"

„Nee, natuurlijk niet."

„Waarom niet? Hij schrijft net zo goed aan jou als aan mij."

Als hij met de brief terugkomt, scheurt hij de envelop ruw open.

Na een tijdje zegt hij: „Lees hem maar."

Ze weet wat de jongen zal schrijven: of hij nog een poosje de woning kan huren of dat hij de huur opzegt en weer terugkomt.

Het is het laatste. „Ik kom weer gauw naar Holland, hoewel het me hier erg goed bevalt. Maar ik kan niet langer van tante Lucies gastvrijheid profiteren. Ik moet óók weer hard aan de studie."

„We zullen dus de volgende week naar Londen moeten," zegt Tomas.

„De volgende week al?"

„Ja, waarom niet? We hebben er alle tijd voor en ik heb de tuin helemaal klaar."

De volgende week is alles dus voorbij, dan is ze weer in Londen, in dat vreemde, bijna vijandige huis, waar een geur van andere mensen hangt, waar niets meer terug te vinden is van een jarenlang samenwonen met Bas.

Ze heeft alles wat met hém te maken heeft, weggedaan, omdat ze dat beter vond. Je moest nooit in een huis blijven wonen dat barstte van de herinneringen, je moest ze allemaal vergeten omdat dat de enige manier was de pijn niet nog erger te voelen.

Maar ik wil helemaal niet naar Londen. Ze zou het hardop willen uitschreeuwen, maar ze wist dat ze daartegen moest vechten. In haar leven had ze geleerd wat vechten tegen je diepste gevoel betekent. Als kind kon ze zich al zo beheersen dat het leek of ze een koud, onverschillig kind was. Maar haar grootste schat, haar gevoel, bewaarde ze voor zichzelf.

Ze huivert. Ze wist niet dat Tomas ook hard kon zijn. Maar waarom zou hij haar hier in dit huis willen houden? Er is niets anders dan goede vriendschap tussen hen, eenzelfde gevoel van eenzaamheid, en anders niets.

„Heb je 't koud?" vraagt hij.

Ze knikt. „Een beetje."

„Willen we naar binnen gaan?"

„Nee, het is hier heerlijk, je hoort de vogels. Het zijn er veel dit jaar. Je moet goed op de kat letten; hij is een echte jager."

Ze praat zomaar om de stilte te doorbreken. Hij mag niet merken wat er in haar omgaat, daar is ze te trots voor.

„Alle katten zijn jagers," zegt Tomas. „Alle mannen óók, wat dat betreft is er geen verschil."

Ze glimlacht zonder iets te voelen.

Het is niet eerlijk, denkt ze, waarom mag ze proeven van een stuk harmonisch leven als het bij proeven blijft?

De zon klimt langzaam tegen de groene schutting op, laat een brede gouden straal vallen op de oude bank en een stukje van de tafel.

„Ik ga naar binnen," zegt Lucie plotseling. Ze kan dit stil zitten dromen niet langer aan, ze wil iets dóen.

„Waarom zo opeens?"

„Ik heb in de keuken nog iets te doen, en het is al bij vijven."

„We eten pas om zes uur," zegt hij.

„Laat me nou maar."

Vrouwen leer je nooit begrijpen, denkt hij.

Die nacht wordt hij wakker en hij weet niet waarvan. Hij voelt Lucie om en om draaien.

„Waarom slaap je niet?"

„Soms kan ik niet slapen," zegt ze, „en ik heb een hekel aan tabletten."

„Lig dan tenminste een beetje stil."

„Welke dag wil je naar Londen?" vraagt ze.

„Welke dag? Dat maakt me niks uit, zaterdag, zondag, ik weet het niet. Lig je daaraan te denken?"

„Vind je dat zo gek?" We zijn opeens mijlen ver bij elkaar vandaan, denkt ze.

„Jij dan niet?"

„Ik denk er helemaal niet aan en als ik het doe is het omdat ik tegen die hele rompslomp een beetje opzie, dat is alles. Waar wou je met je meubelen heen? Wou je ze verkopen? Je hebt me klaarwakker gemaakt."

„Verkopen? Ben je nou helemaal gek?"

„Nou, dan neem je ze mee, 't zal anders wel vol worden hier, waar moeten we die neerzetten?"

„Bedoel je...?" Ze is blij dat het donker is, dat hij niet ziet hoe ze vecht met haar tranen... hoe er opeens iets in haar breekt, iets liefs, iets zo warm en goed dat ze niet weet hoe dat gevoel heet. „Bedoel je dat ik die woning moet opgeven?"

Hij knipt het licht aan. Hij ziet haar in bed liggen, de armen onder haar hoofd, haar gezicht nat van de tranen.

„Wat héb je, waarom huil je? Is er iets Luus...?"

Ze lacht, haar hele gezicht lacht, Hij kijkt haar slaperig en verdwaasd aan. „Natuurlijk moet je die woning opgeven, wat moet je daarmee in Londen? Het is zonde van de huur om dat huis nog langer aan te houden."

„Wanneer heb je dat bedacht?"

„Ik heb niks bedacht, ik wil gewoon dat het zo gaat. Waarom huil je?"

Ik heb het mezelf ingeprent, denkt ze, ik heb tegen hem gezegd: „Wat moet ik nou bij jóu doen...?"

Ik heb het me allemaal maar verbeeld... hij wil me niet weghebben... Tomas wil me híer hebben...

„Had je gedacht dat ik... nou zeg, Luus... dat ik je naar Londen zou laten gaan? Gewoon laten gaan? Ja, ik zal me daar gek zijn."

Hij veegt met een simpel gebaar tranen van haar gezicht. „En begreep je dan niet dat ik het heel anders bedoelde?"

„Ik durfde er niet op te hopen."

Het klinkt zo simpel dat het hem naar de keel grijpt.

„Ik heb eigenlijk nog nooit aan je gevraagd of je dat wel zou willen," zei hij schor.

„Ik zou dat graag willen."

„Wil je… wil je dat we trouwen?"

„Het is eigenlijk maar een gekke vertoning zo midden in de nacht, denkt hij.

„Dat lijkt me heerlijk," zegt ze.

Hij kijkt naar Lucie. Is er alleen maar vriendschap tussen hen of is er meer? Wat maakt het uit als je weet dat je niet zonder elkaar kan? Dat dan de dagen weer even grijs en leeg zijn als vóór haar komst? De nachten weer koud en de hemel leeg.

Hij slaat een arm om haar schouder. „We hebben zoveel herinneringen samen," zegt hij, „'t zou jammer zijn als we die niet zouden delen."

„Ja," zegt ze. Ze nestelt zich dieper in zijn armen…

Ze voelt zijn zoen op haar haren, de warmte van zijn huid. Ze heeft het gevoel eindelijk weer een beetje thuis te zijn.